동아시아의
홍수설화 연구

중국인문 총서 2

동아시아의 홍수설화 연구

인쇄 2024년 2월 23일
발행 2024년 2월 28일

저자 이주노
발행인 김광석
발행처 전남대학교출판문화원

등록 1981. 5. 21. 제53호
주소 61186 광주광역시 북구 용봉로 77
전화 (062) 530-0573
팩스 (062) 530-0579
홈페이지 http://www.cnup.co.kr
이메일 cnup0571@hanmail.net

값 28,000원

ISBN 979-11-93707-33-3 (93380)

* 잘못된 책은 바꿔드립니다.

중국인문 총서 2

동아시아의 홍수설화 연구

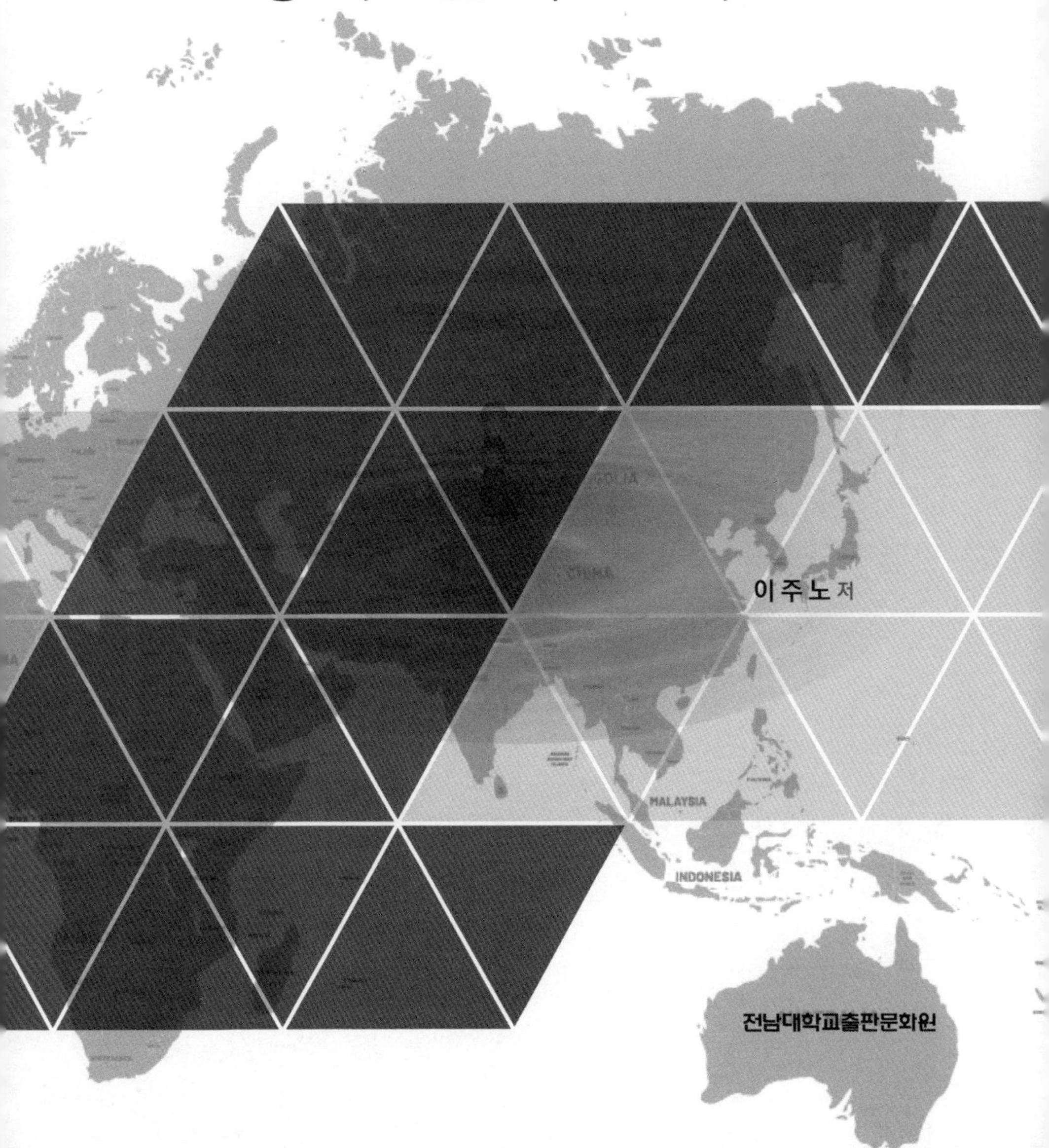

이주노 저

전남대학교출판문화원

머리말

중국현대문학, 그중에서도 중국현대소설을 전공하는 필자가 중국 홍수신화에 관심을 갖게 된 것은 어떤 연유에서였을까? 그건 아마도 2005년 즈음부터 중국문화, 나아가 아시아문화의 원형archetype으로 어떤 것들을 제시할 수 있을까 탐색하던 일과 관련이 있을 것이다. 문화원형을 찾기 위한 여정을 민간전설과 소수민족문화 살펴보기로부터 시작했던 것이다. 그 무렵 민간전설로는 양산백梁山伯과 축영대祝英臺의 이루어질 수 없는 비극적 사랑을 담은 양축梁祝이야기를 연구하기 시작하였고, 소수민족문화로는 나시족納西族의 순정殉情문화, 동파교東巴教와 상장의식喪葬儀式, 그리고 이와 관련된 문학텍스트를 살펴보기 시작하였다. 문화원형을 특정 지역과 민족의 삶의 규범의 토대가 되는, 원초적이고 근원적인 본래 모습이라고 거칠게나마 규정한다면, 민간에 오랫동안 전해지는 가운데 민중의 사랑을 받은 이야기나 특수한 문화현상, 그리고 이와 연관된 습속과 제도 등에서 문화원형을 찾아볼 수 있지 않을까 기대하였던 것이다.

이러한 문화원형에 대한 관심은 신화적 존재, 예컨대 복희伏羲와 여와女媧, 반고盤古 등에 대한 고찰로 이어졌고, 이로부터 자연스럽게 중국의 신화세계에 빠져들게 되었다. 특히 나시족의 문화에 대한 연구는 중국 소수민족의 다채로운 신화와 접하게 되는 귀중한 통로가 되었다. 다행히 그 무렵에 총 16권의 『중화민족고사대계中華民族故事大系』와 총 30권의 『중국민간고사집성中國民間故事集成』이 출판되어 있었던 터라 연구에 필요한 원천자료는 크게 부족하지 않았다. 이제 눈앞에 광활한 신화의 세계가 펼쳐져 있었지만, 혼자서 신화의 모든 영역을 감당하기는 벅찼기에 하나의 신화적 모티프에 집중하기로 하였다. 그 하나의 모티프가 바로 홍수였으며, 이렇게 하여 홍수를 다룬 이야기에 대한 기나긴 연구가 시작되었다.

홍수 이야기에 대한 애초의 관심은 중국의 한족과 소수민족의 신화와 전설에 한정되어 있었다. 그러나 중국의 홍수설화에 대한 연구가 어느 정도 진척되자 우리나라와 일본, 대만의 홍수설화에 대한 호기심이 발동했으며, 뒤이어 류큐열도, 동남아시아, 나아가 오세아니아의 홍수설화를 알아보고 싶은 충동이 일었다. 홍수설화를 어느 한 지역이나 국가의 틀이 아니라, 지역과 국가를 뛰어넘은 더 넓은 시야에서 바라보고 싶었던 것이다. 이러한 학술연구의 욕망에서 끝내 벗어나지 못한 채 스무 해 가까이 홍수설화에 붙들려 있었으며, 끊임없이 확장되는 학술적 호기심과 욕망의 결과물이 이 책이라 할 수 있다. 이 책의 책명 중의 동아시아는 넓은 의미로 동북아시아와 동남아시아를 포함하는 용어임에도, 오세아니아와 인도가 포함된 것 역시 이러한 욕망이 투사된 것이라 보아도 좋을 것이다.

이 책은 그동안 여러 학술지에 발표했던 여러 편의 논문들과 이번에 새로이 작성한 글로 이루어져 있다. 기왕에 발표했던 논문들은 대부분 원래의 모습을 유지하고 있지만, 일부 논문은 이 책의 전체적인 맥락을 고려하여 상당 부분을 수정하거나 보완하였다. 아울러 일본과 류큐열도의 홍수설화, 오세아니아의 홍수설화에 관한 논문은 이 책에 처음으로 게재하였다. 이들 논문들은 기본적으로 중국과 한국, 일본, 동남아시아, 대만, 류큐왕국, 오세아니아, 인도 등지에 구전으로 전승되어오거나 문헌자료로 전해져온 홍수설화를 정리·소개하는 한편, 유형type과 모티프motif에 따라 분류하는 데 초점을 맞추었다. 지역과 국가에 따라 홍수설화의 편수의 많고 적음의 차이가 있기는 하지만, 홍수설화의 양상이 대단히 다양하고 복잡하기 때문에 분류를 우선하지 않을 수 없었다. 그리하여 이러한 분류에 기반하여 지역과 국가에 따른 홍수설화의 유사성과 차별성을 검토하고자 하였다.

동아시아의 홍수설화는 크게 대륙성 홍수설화와 해양성 홍수설화로 나누어볼 수 있다. 한국과 중국, 동남아 대륙부의 홍수설화가 대륙성 홍수설화에 속한다면, 일본열도로부터 류큐열도, 대만, 동남아 해양부와 오세아니아의 홍수설화는 해양성 홍수설화에 속한다고 할 수 있다. 전체적으로 이 두 부류의 홍수설화는 홍수 재해의 양상, 홍수 발생의 원인, 피신방법과 수단 등에 있어서 커다란 차이를 드러내고 있으며, 홍수라는 자연재해에 대한 기본적인 사유체계를 달리하고 있다. 이 책의 1장부터 8장까지는 특정 지역과 나라를 중심으로 홍수설화의 양상을 분석하고 있다면, 9장부터 11장까지는 비교신화학의 관점에서 두 지역 이상의 홍수설화를 분석하고 있다. 이 가운데 9장의 '대만, 류큐열도 및 일본 본토의 홍수설화'는 8장의 '일본 류큐열도의 홍수설화'가 지닌 문제의식의 연장선상에서 덧붙여진 보론補論의 성격을 지니고 있음을 밝혀둔다. 아울러 12장에는 중국의 신화연구 및 홍수신화연구가 어떻게 확장되고 심화되어 왔는지를 가늠할 수 있도록 리뷰형식의 글을 덧붙였다.

신화에 대한 학술적인 연구가 19세기에 흥기한 이래 오늘에 이르기까지, 신화란 무엇인가에 관하여 갖가지 견해가 제기되었다. 신화는 기본적으로 오랜 옛날 인류가 남긴 동굴벽화나 고대문명의 유적과 유물처럼 인류가 어떻게 살았는지, 자신을 둘러싼 객관세계에 대해 어떻게 사유했는지를 보여준다. 오랜 시간을 뛰어넘어 현재의 우리에게 원시인류의 삶의 양상과 사유체계를 보여준다는 점에서 신화는 '살아있는 화석'과 같은 것이다. 신화는 오랜 옛날 인류의 논리 이전의 원시사유를 풍부하게 담아내고 있는데, 이들의 원시사유는 대체로 황당무계하다고 느낄 만큼 무질서하고 비논리적이다. 그럼에도 불구하고 신화에 대한 연구는 고고학이나 문화인류학과 더불어 인류가 남긴 각종 유·무형자료를 바탕으로 인류의 삶을 복원하고 문화의 원형을 추적하는 중요한 통로라고 하지 않을 수 없다.

신화를 연구하기 시작한 이래, 개인적으로 제일 먼저 부닥친 곤혹스러움은 설화연구의 기본 용어인 모티프의 개념이 지닌 애매모호함이었다. 톰슨Stith Thompson은 1946년에 『*The Folktale*』이라는 책에서 모티프의 개념에 대해 '이야기의 최소 요소(the smallest element in a tale)'라고 정의하고, 그 부류로서 이야기 속의 인물actors과 사항items, 그리고 단독의 사건single incidents을 제시하였다. 톰슨이 제시한 모티프의 개념은 이후 민담은 물론 신화의 유형을 나누고 유형색인을 엮을 때 가장 보편적으로 사용하는 기본단위가 되었다. 그러나 이와 동시에 그의 모티프의 개념이 모호하며, 어떤 철학적 원칙도 지니고 있지 않다는 비판을 받아왔다. 특히 던디스Alan Dundes는 「From Etic to Emic Units in the Structural Study of Folktale」이란 글에서 톰슨이 제기하는 인물과 사항, 사건이 동일한 부류의 양적 계량 단위가 아니라고 지적하면서, '인물이나 사항을 포괄하지 않는 사건을 떠올릴 수 있는가?'라고 반문한다.

이러한 문제의식에 기반하여 던디스는 프롭Vladimir Propp의 민담형태학 이론과 미국 언어학자 파이크Kenneth L. Pike의 언어학 이론을 융합하여 알로모티프allomotif와 모티팀motifeme이란 용어를 제기하였다. 즉 던디스는 프롭의 기능function 대신에 파이크의 모티핌으로써 전체 이야기구조 속에서 어느 모티프가 지니는 기능을 나타내는 한편, 언어학에서의 용어인 알로allo를 차용하여 알로모티프란 용어로써 동일한 모티핌의 위치에 놓을 수 있는 모든 모티프를 가리켰다. 다시 말해 이 모티프들은 표면적으로는 각기 다를 수 있을지라도 전체 이야기 구조에서는 동일한 기능을 발휘하며, 따라서 모티프들의 내재적 본질은 동일하다는 것이다. 던디스는 「Structural Typology in North American Indian Folktales」라는 글에서 자신의 이론을 북아메리카 인디언의 민담의 구조분석에 응용하여 몇 가지 구조유형을 제시하기도 하였다.

우리나라에서 던디스의 모티핌의 개념을 소개하고 이를 바탕으로 민담의 유형구조를 분석한 이는 조동일 교수였다. 그는 1970년에 출간한 『서사민요연구』에서 모티핌을 단락소段落素로 번역하여 소개한 바 있으며, 같은 해에 발표한 「민담 구조의 미학적, 사회적 의미에 관한 일고찰」이란 글에서 '단락소란 단락의 보다 추상적인 내용으로서, 단락이 다른 단락과 어떠한 성격의 대립적 관계를 갖는가만 나타낸 것'이라고 설명하고 있다. 모티핌에 관한 조동일 교수의 선구적인 연구에도 불구하고, 그의 문제의식은 이후의 연구자들에 의해 확장되거나 심화되지 못한 듯하다. 이 책에서 사용하는 모티프라는 용어 역시 여전히 톰슨이 언급했던 개념에 머물러 있다. 그렇기에 어떤 신화나 전설에 나타나는 각종 인물과 사항, 사건이 뒤엉킨 채 모티프라는 용어로 두루뭉술하게 일컬어지고 있다. 설화연구에 있어서 모티프라는 용어의 개념에 대해 보다 치열한 논의가 필요한 것은 이 때문이다.

동아시아의 홍수설화를 연구과제로 삼아 고투하는 동안 홍수설화를 연구하는 국내외의 수많은 연구자들에게 빚을 졌다. 이들의 선행연구가 없었다면, 그리고 이들이 보여준 신화적 상상력이 없었다면 이 연구는 아마도 불가능했을 것이다. 특히 우리나라처럼 척박한 번역환경 속에서 귀중한 원천자료를 번역해낸 역자들의 분투에 감사드린다. 아울러 구하기 쉽지 않은 외국의 논문자료를 수고를 마다하지 않고 꼼꼼히 챙겨준 전남대학교 도서관 선생님들께 특별히 이 자리를 빌려 감사의 인사를 전한다. 이 책이 그나마 모양새를 갖추어 출판될 수 있도록 수고하신 전남대학교출판문화원의 여러분, 그리고 학술연구의 동지로서 격려를 아끼지 않은 아내에게 감사드린다. 이 책이 신화연구에 조그마한 디딤돌이 되기를 소망한다.

2024년 2월

저자

목차

1. 중국의 홍수신화 17

1. 들어가면서 19
2. 홍수신화의 상위층위 24
   1) 치리형 홍수신화 24
   2) 재전형 홍수신화 36
3. 홍수신화의 하위층위 44
   1) 뇌공복수형 45
   2) 돌사자형 48
   3) 원상회복형 50
   4) 선행보은형 52
   5) 신조계시형 55
4. 나오면서 59

2. 중국의 남매혼男妹婚신화 69

1. 들어가면서 70
2. 중국의 남매혼신화 72
   1) 옛 문헌자료 속의 남매혼 72
   2) 민국 이후의 문헌자료 속의 남매혼 76
3. 홍수남매혼신화의 서사구조 81
   1) 기본형의 홍수남매혼신화 81
   2) 부가형의 홍수남매혼신화 83
4. 나오면서 87

3. 중국의 함호형陷湖型 홍수전설 ― 93

1. 들어가면서 ― 94
2. 함호형 홍수전설의 추형 ― 95
3. 함호형 홍수전설의 정형화 ― 98
1) 함호형 홍수전설의 여러 하위 유형 ― 98
2) 주요 모티프와 서사구조의 비교분석 ― 105
4. 함호형 홍수전설의 변이형 ― 110
1) 돌거북의 등장 ― 110
2) 돌거북에서 돌사자로 ― 116
5. 함호형 홍수전설에 담긴 문화와 습속 ― 126
6. 나오면서 ― 136

4. 대만 원주민의 홍수신화 ― 147

1. 들어가면서 ― 149
2. 대만 원주민의 홍수신화의 유형 ― 154
1) 다수의 생존자 ― 155
2) 2인의 생존자 ― 158
3) 1인의 생존자 ― 160
3. 대만 원주민의 홍수신화의 주요 에피소드 ― 163
1) 불의 획득 혹은 불의 기원 ― 163
2) 곡물 종자의 획득과 농경지 조성 ― 167
3) 임신부와 쥐 ― 170
4. 나오면서 ― 173

5. 동남아시아의 홍수신화 ― 181

1. 들어가면서 ― 183

2. 동남아 대륙부의 홍수신화 187
3. 동남아 도서부의 홍수신화 199
4. 나오면서 210

6. 오세아니아의 홍수신화 연구 219

1. 들어가면서 221
2. 오세아니아 홍수신화와 물의 기원 223
3. 오세아니아 홍수신화의 해양문화적 특성 227
4. 오세아니아 홍수설화와 보은 모티프 233
5. 오세아니아 홍수신화 속의 에피소드 238
6. 나오면서 242

7. 일본의 함몰형 홍수전설 247

1. 들어가면서 249
2. 일본 본토의 함몰형 홍수전설 252
1) 소토바부혈형卒堵婆付血型 252
2) 만리노시마萬里島의 함몰전설 254
3) 오카메시마お亀島의 함몰전설 257
4) 우류지마瓜生島의 함몰전설 261
5) 고라이지마高麗島의 함몰전설 266
3. 나오면서 269

8. 일본 류큐열도琉球列島의 홍수설화 279

1. 들어가면서 281
2. 요나타마 유형 283

3. 홍수남매혼 유형 289
4. 홍수인수혼 유형 295
5. 나가면서 300

9. 대만, 류큐열도 및 일본 본토의 홍수설화 305

1. 요나타마 유형 306
2. 홍수남매혼 유형 310
3. 홍수인수혼 유형 316
4. 나가면서 325

10. 한국과 중국의 함호형 홍수전설 비교 연구 333

1. 들어가면서 334
2. 한·중 양국의 함호형 홍수전설의 양상 335
3. 중국의 역양형과 한국의 광포형 340
4. 함호형 홍수전설 속의 금기와 금기 위반 345
5. 나오면서 352

11. 동아시아 및 인도의 홍수남매혼 신화 359

1. 들어가면서 360
2. 중국의 홍수남매혼 신화 363
3. 동남아시아의 홍수남매혼 신화 368
4. 대만과 류큐열도의 홍수남매혼 신화 376
5. 인도의 홍수남매혼 신화 383
6. 나오면서 388

12. 중국 홍수신화의 연구 개황 397

1. 개척기(5·4운동기-중일전쟁 발발 이전) 399
2. 발전기(중일전쟁-중화인민공화국 수립) 402
3. 침체기(1949-1970년대 말) 406
4. 부흥기(1970년대 말-2000) 407
5. 번영기(2000-현재) 415

參考文獻 425

1 중국의 홍수신화

1. 들어가면서
2. 홍수신화의 상위층위
   1) 치리형治理型 홍수신화
   2) 재전형再傳型 홍수신화
3. 홍수신화의 하위층위
   1) 뇌공복수형雷公復讐型
   2) 돌사자형石獅子型
   3) 원상회복형原狀回復型
   4) 선행보은형善行報恩型
   5) 신조계시형神鳥啓示型
4. 나오면서

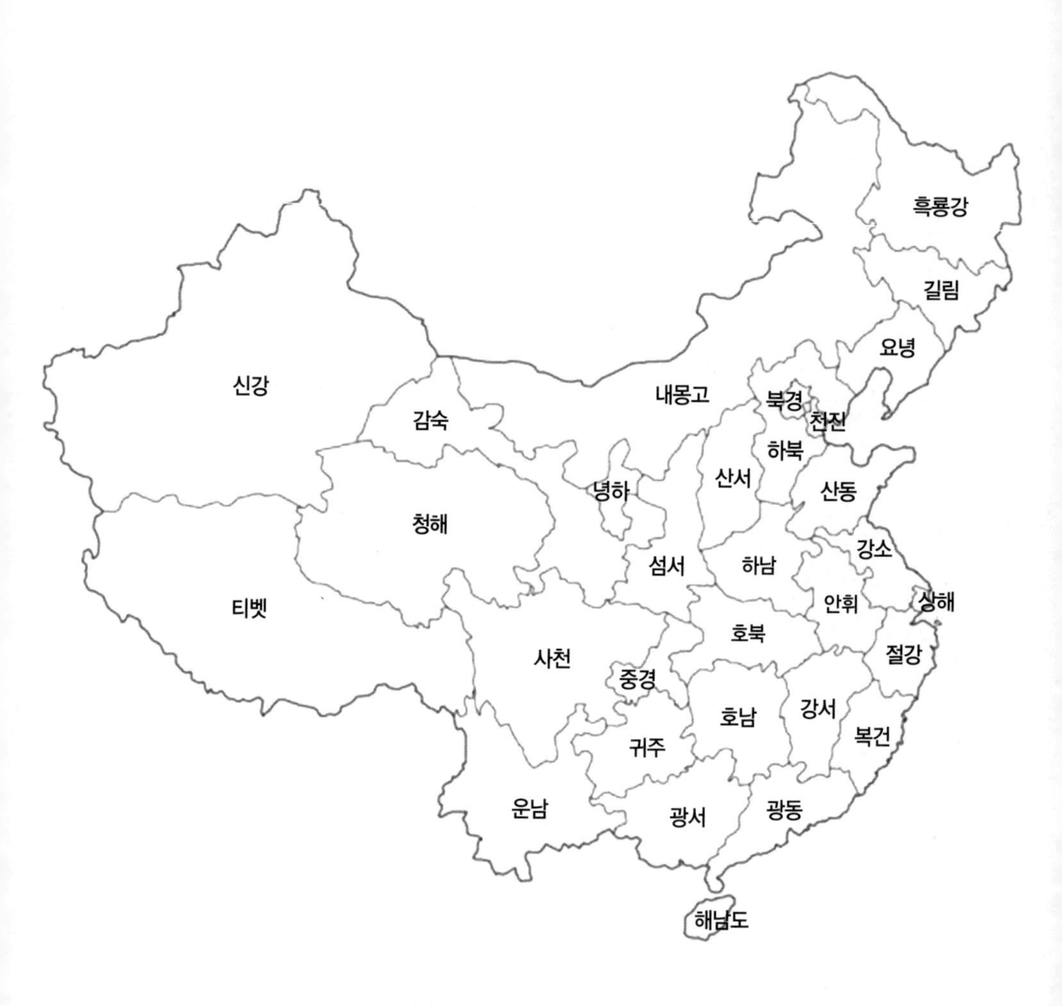
흑룡강
길림
요녕
신강
내몽고
북경
천진
감숙
하북
산서
산동
녕하
청해
강소
섬서
하남
상해
안휘
티벳
호북
절강
사천
중경
강서
호남
복건
귀주
운남
광서
광동
해남도

중국 행정구역 지도

1. 들어가면서

신화는 오랜 옛날 원시인류가 오랫동안 축적해온 삶의 경험과 이에서 비롯된 상상력이 결합하여 이루어진 산물이다. 여기에는 원시인류가 삶을 영위하는 가운데 객관세계에 대해 품었던 갖가지 감정, 이를테면 자신의 삶을 둘러싼 자연환경에 대한 호기심과 의문, 자신의 삶 이전에 존재하는 것들에 대한 신비와 경외, 그리고 어느 날 가뭇없이 사라지는 것들 등에 대한 공포와 의구 등을 바탕으로, 우주와 세계의 창조, 인류와 만물의 생성, 삶과 죽음의 기원 등에 대한 원시인류 나름의 해석이 담겨 있다. 그렇기에 지금의 우리는 이들 신화를 통해 원시인류의 삶의 실제를 그려볼 수 있을 뿐만 아니라, 그들의 사유체계를 통해 문화원형을 더듬어볼 수 있다.

세계 곳곳에서 발견되는 다양하고 풍부한 신화는 그것이 전해지는 지역과 종족에 따라 특이성을 띠고 있지만, 유형과 모티프에 있어서 유사성을 보여주기도 한다. 신화의 유사성의 원인에 대해서는 영향설과 전파설 등의 여러 견해가 존재하지만, 유사성을 띤 신화가 존재한다는 사실 자체는 원시인류의 사유체계가 결코 어느 한 지역, 한 종족에만 특정되어 나타나지 않다는 것, 다시 말해 원시인류의 신화적 상상력이 지역과 종족에 관계없이 유사한 구조와 의미를 지니고 있음을 시사해준다. 세계의 신화 가운데 신화적 상상력이 유사한 신화로 홍수신화를 들지 않을 수 없는데, 세계 어느 지역에나 홍수가 가져온 재난을 다룬 신화가 반드시 존재하기 때문이다. 이러한 의미에서 홍수신화야말로 가장 보편적인 신화라고 할 수 있을 것이다.

홍수신화를 살펴보기 위해, 우리가 우선적으로 주목해야 하는 것은 세계종말의 신화이다. 세계종말의 신화에서 세계의 종말은 흔히 인간의 교만과 탐욕, 혹은 전쟁과 혼란이 빚은 대화재와 대홍수, 지진 등으로 표상된다. 이를테면 기독교 성경의 「창세기」에 나오는 노아Noah의 홍수, 이것의 원형으로 일컬어지는 수메르의 신화 『길가메시 서사시』

에 실린 우트나피쉬팀Utnapishtim의 이야기[1], 그리스·로마신화에 등장하는 데우칼리온Deucalion의 홍수[2] 등이 홍수로 인한 세계의 종말을 이야기한다면, 북유럽신화에서의 라그나뢰크Ragnarök는 화재와 홍수로 인한 세계의 종말을 이야기한다.[3]

게다가 세계의 종말이 일회적으로 일어나지 않고, 주기적이고 반복적으로 일어나는 경우도 있다. 이를테면 북아메리카의 호피족의 종말신화에 따르면, 세 번째 세상은 전란과 탐욕으로 인해 홍수로 종말하였으며, 우리가 살고 있는 세상은 네 번째 세상이라고 한다.[4] 또한 라틴아메리카의 아즈텍의 창세신화에 따르면, 최초의 세계는 '대지의 세계'이고, 두 번째 세계는 '바람의 세계'이며, 세 번째 세계는 '비의 세계'로서 화염에 의해 멸망했고, 네 번째 세계는 '물의 세계'로서 대홍수로 인해 파괴되었으며, 현재의 세계는 다섯 번째의 세계라고 믿는다.[5] 잉카의 창조신화에서도 세계의 역사는 5기로 나누어져 있으며, 이 가운데 와리 루나Wari Runa라 불리우는 제2기는 대홍수로 파괴되었다고 한다.[6] 인도의 신화집 『뿌라나Purana』에 실린 창조신화에 따르면, 우주의 시간은 창조와 파괴가 영속적으로 순환되는 것이며, 그 완전한 주기는 브라마의 생애에 100년씩이고 대홍수로 해체된다고 한다.[7]

주기적이고 반복적으로 일어나는 세계의 종말을 다룬 신화는 중국에서도 찾아볼 수 있다. 즉 이족彝族의 창세사시創世史詩인 『메이거梅葛』나 『차무査姆』, 『아시더센지阿細的先基』에는 모두 눈의 형상, 즉 외눈獨目, 세로눈直目, 가로눈橫目으로의 변화에 따른 세상의 종말을 이야기하고 있다. 이 가운데 특히 『아시더센지』에서는 '가뭄 - 화재 - 홍수'의 재난으로 인한 세상의 종말을 차례대로 이야기하고 있다.[8] 또한 거라오족仡佬族의 신화에 따르면, 천신이 진흙으로 빚어 만든 인류의 제1대는 태풍을 만나 날아갔고, 풀로 엮어 만든 제2대는 불로 타죽었고, 하늘에서 내려온 별로 이루어진 제3대는 홍수로 멸망하였다.[9] 한족漢族의 신화에도 종말신화가 전해지는데, 반고盤古가 진흙으로 만든 사람은 홍수로 모두 멸망하고, 다시 나무로 만든 사람은 화재로 멸망한 후, 현재는 여와女媧와 결혼하여 인류가 번성하였다는 것이다.[10]

세계적으로 널리 퍼져 있는 이들 종말신화는 신 혹은 절대자의 선택에 의해 인류가 생존하거나, 혹은 세계가 불과 물에 의한 씻어냄(淨化)라는 의례에 의해 주기적이고 반복적으로 창조됨을 보여주고 있다. 사실 이들 종말신화에서의 소멸과 파괴는 신화의 사유체계 속에서 결코 종말의 의미가 아니라, 새로운 생성과 창조의 또 다른 이름이다. 이러한 생성과 창조의 근원으로서의 종말은, 마치 중국의 창세신화에서의 반고盤古[11], 북유럽 창세신화에서 오딘Odin이 죽인 거인 유미르Ymir[12], 혹은 인도신화에서의 푸루샤Puruṣa[13]나 메소포타미아 신화에서의 바다의 인격신인 티아마트Tiamat[14], 남태평양 마리아나 제도의 신화에서의 폰탄[15] 등의 주검이 삼라만상을 낳는 생명의 원천이 되는 것과 마찬가지이다.

세계종말의 신화 가운데 가장 흔한 것이 홍수신화이다. 서구나 근동의 홍수신화에서 가장 널리 알려진, 대표적인 서사구조는 '인간의 타락과 신의 진노' - '선택받은 자에 대한 계시' - '홍수에 의한 징벌' - '구원에 대한 감사의 제례' - '인류의 재전승' 등으로 짜여져 있다. 노아, 우트나피쉬팀, 데우칼리온, 인도신화의 마누Manu 등이 등장하는 홍수신화는 대체로 이러한 서사구조를 따르고 있다. 이들 홍수신화는 신의 신성성과 인간의 범속성, 신의 강력함과 인간의 무력함을 대비적으로 드러내고 있으며, 홍수에 의한 소멸과 파괴는 자신과 불화하는 인간을 파멸하고 자신에게 충성하는 인간을 재창조하려는 신의 의지의 구현이다. 따라서 홍수 이후 신과 인간의 결속은 한층 밀접해지며, 인간의 신에 대한 복종 역시 훨씬 강고해지기 마련이다.

그렇다면 중국의 홍수신화는 어떠한가? 중국에는 옛 고대의 문헌자료에서부터 최근에 채록된 구전자료에 이르기까지 수많은 홍수신화가 존재하고 있다. 이들 관련 자료들 가운데, 특히 고대의 문헌자료에 나타나는 홍수신화는 다른 지역의 신화에 비해 대단히 소략한 내용을 담고 있으며, 세계종말의 신화의 성격 또한 매우 약화되어 있다. 또한 중국의 홍수신화는 그 내용이 상당 부분 역사화된 기록으로 변질되어 있는데다가, 홍수신화의 기술의 중심이나 방향, 신과 인간의 관계 또한 다른 지역과는 사뭇 다르게 나타난다. 게다가 구전자료의 홍수신화는 문헌자료의 홍수신화의 영향을 일부 받은 것은 분명하지만, 서사구조면에서 볼 때 문헌자료의 홍수신화와는 커다란 차이를 보이고 있다. 이는 물론 홍수신화의 발생과 전승이 넓은 지역과 다양한 종족을 통해 이루어졌다는 점 외에도, 구전자료 대부분이 최근에 채록됨으로 인해 다른 신화 혹은 설화로부터의 모티프의 차용 혹은 교차차용 현상이 일어났을 가능성이 높기 때문이다.

실제로 중국의 홍수신화를 연구할 때 우리가 가장 먼저 부딪치는 것은 바로 홍수 관련 텍스트에서 어디까지를 신화로 간주할 것인가, 나아가 이것을 신화로 보아야 할 것인가 아니면 전설로 보아야 할 것인가, 고대의 문헌자료와 최근에 채록된 구전자료를 어떤 비중으로 다루어야 할 것인가 등의 문제이다. 중국의 홍수신화에 관한 국내외의 연구성과를 살펴보면, 이러한 문제에 대해 명확한 답변을 내리기가 쉽지 않음을 알 수 있다. 신화의 세계가 텍스트로 문자화되는 과정에서 신화적 상상의 세계가 역사적 실재로 편입되어버렸기에 신화와 역사의 경계가 모호하고, 신화에 전설과 민담이 뒤섞여 있기에 신화로만 규정하기가 쉽지 않으며, 구전자료가 지니고 있는 신화적 상상력을 무시할 수도 없기 때문이다.

이러한 모호성은 중국의 홍수신화를 유형별로 구분하는 데에서도 엿보인다. 중징원鍾敬文은 일찍이 홍수신화를 '육침전설陸沉傳說'과 '인류훼멸 및 재창조 신화人類毀滅及再造神話'로 나누었는데[16], 이러한 단순한 유형화는 당시 홍수신화와 관련된 1차 자료가 대단히 빈약하였다는 데에서 기인한다. 대만의 연구자 리후이李卉는 대만과 동남아에 유전하는 '동포배우형同胞配偶型 홍수전설'을 크게 세 가지, 즉

① 홍수 이후 같은 시조에서 태어난 두 사람이 인류를 번성시키는 것, ② 시조인 오누이가 결혼한 후 홍수를 만나 생존한 자들이 인류를 번성시키는 것, ③ 시조 결혼 후 홍수를 만나 생존한 자녀 중 오누이가 결혼하여 인류를 번성시키는 것으로 분류하였다.[17] 이 역시 중국의 홍수신화가 아닌, 대만과 동남아의 홍수신화를 대상으로 유형화를 시도하였다는 한계를 안고 있다.

1차 자료가 어느 정도 수집·정리된 개혁개방 이후에 시도된 유형화는 아래의 표와 같다.

	분류근거	분류
양즈융楊知勇	홍수발생의 원인	① 인간에 대한 불만으로 신이 홍수로 인류를 소멸하는 것, ② 인간의 행위가 신의 규정을 초월하자 신이 홍수로 인류를 징벌한 것. ③ 인간과 신이 서로 싸워 신이 홍수로 보복하는 것. ④ 惡神이 못되게 굴어 홍수의 재해를 일으킨 것. ⑤ 모종의 神物의 잘못으로 홍수재해가 일어난 것[18]
뤼웨이呂微		① 壯族, 瑤族과 彝族의 홍수전설로 대표되는 것, ② '伊尹空桑'의 고사로 대표되는 것[19]
타오양陶陽, 중슈鍾秀	홍수발생의 원인	① 天帝懲罰型, ② 天神戰爭型, ③ 雷公復讎型, ④ 自然災害型
	人類再傳의 양태	① 兄妹婚, ② 人神婚 혹은 天女婚, ③ 人獸婚, ④ 母子婚 혹은 父女婚[20]
셰쉬안쥔 謝選駿	홍수발생의 원인	① 自然發生論, ② 自然懲罰, ③ 事故致水, ④ 天神懲罰, ⑤ 自然力量의 鬪爭, ⑥ 人格力量의 투쟁, ⑦ 양자의 複合式[21]
천젠셴陳建憲	전형적 모티프	① 神諭奇兆亞型, ② 雷公復讐亞型, ③ 尋天女亞型, ④ 兄妹開荒亞型, ⑤ 其他亞型[22]
루이루鹿憶鹿		① 共工振滔洪水神話, 女媧止水神話, 鯀禹治水神話 등의 治水神話, ② 홍수 후 同胞配偶型의 인류와 종족의 再傳神話, ③ 陸沉洪水神話[23]

위의 표로 알 수 있듯이, 중국의 홍수신화의 유형화는 대단히 다양하다. 유형의 분류 근거는 대체로 홍수발생의 원인이지만, 이들 유형은 전반적으로 홍수신화의 서사내용에 따른 편의상의 분류라고 할 수 있다. 이들의 유형화는 우선 신화와 전설을 엇섞고 있다는 점에 문제가 있다. 만약 신화와 전설을 통틀어 논하고자 한다면, 홍수설화 혹은 홍수고사라는 범위에서 유형화를 시도해야 마땅하다. 따라서 이른바 '육침陸沉고사' 혹은 '육침陸沉전설'은 전설의 특징을 지니고 있다는 점에서 홍수신화에서는 제외하여도 좋으리라 생각한다. 또한 주요 모티프를 중심으로 하는 서사구조를 고려하지 않은 채 평면적으로 유형화를 시도하고 있다는 점도 문제점으로 지적할 수 있다.

이 글은 위에서 지적한 한계와 문제를 극복하여 중국의 홍수신화의 유형을 구분하고자 한다. 이를 위해 홍수신화의 층위(strata)를 나누고, 층위의 특성에 따라 범주(category)를 설정하고, 편수가 많은 범주는 다시 공통성에 따라 하위범주(subcategory)를 설정하고자 한다. 중국의 홍수신화는 대체로 상위층위(high-strata)와 하위층위(low-strata)로 나누어지고, 각각의 층위는 상이한 범주와 하위범주로 나누어진다. 이제 각각의 층위와 범주, 그리고 하위범주를 살펴보기로 하자.

2. 홍수신화의 상위층위

중국의 홍수신화는 서사의 중심인물이 누구이고 서사의 의도가 무엇인지에 따라 크게 치리형治理型 홍수신화와 재전형再傳型 홍수신화로 나눌 수 있다.

1) 치리형 홍수신화

이 유형의 홍수신화에서는 서사의 중심이 자연재해의 극복에 놓여져 있으며, 서사의 중심인물은 곤鯀과 우禹, 여와女媧 등이다. 중국의 옛 전적 가운데에는 이들과 관련된 문헌자료가 많으며, 이들과 관련된 홍수신화는 대체로 홍수신화의 추형에 해당된다고 할 수 있다. 서사의 중심인물에 따라 치수형治水型과 보천형補天型으로 나누어진다.

① 치수형

이 유형의 홍수신화는 흙을 쌓아 홍수를 막은 곤과 물길을 터서 홍수를 물리친 우의 치수治水 이야기와 깊은 관련이 있다. 곤과 우의 치수와 관련된 이야기는 옛 문헌에 많이 존재하지만[24], 홍수신화와 직접적으로 관련된 완정한 형태의 이야기로는 『산해경山海經』과 『회남자淮南子』에 실려 있는 기록을 들 수 있다. 우선 『산해경』에 수록되어 있는 곤의 치수와 관련된 이야기를 살펴보자.

> 홍수가 하늘까지 넘쳐흐르자 곤이 천제天帝의 명을 기다리지 않은 채 천제의 식양을 훔쳐 홍수를 막았다. 천제는 축융祝融에게 명하여 우산의 교외에서 곤을 죽이게 했다. 곤의 배에서 우가 태어났다. 천제는 이에 우에게 명하여 마침내 땅을 구획하여 구주를 정하도록 했다.[25]

이 이야기는 곤과 우의 치수를 간략하게 서술하고 있지만, 치수형 홍수신화의 기본적인 서사구조, 즉 '홍수로 인한 재난' - '곤의 치수 실패와 죽음' - '곤의 주검에서 우의 탄생' - '우의 치수 성공'이라는 틀을 완벽하게 보여주고 있다. 이러한 서사구조는 여러 구전자료에서 똑같이 반복되는데, 흔히 새로운 모티프나 에피소드가 추가되기도 한다. 곤의 치수와 관련된 추가 부분은 곤의 치수를 돕는 '조력자의 등장'이라는 모티프와 '곤의 죽음과 우의 탄생'의 신이성을 보여주는 에피소드이다. 이러한 이야기는 『초사楚辭』에 실린 굴원屈原의 「천문天問」 중에서 엿볼 수 있다.

올빼미와 거북이 끌고 물어 도왔다는데, 곤은 어찌하여 그들의 말을 들었는가? 그 뜻에 따라 성공하려 하였는데, 제는 어찌 그에게 형벌을 가하였나? 곤이 우산에서 죽었는데, 어찌하여 3년이 지나도 썩지 않았는가? 백우는 곤의 배에서 나왔는데, 어찌 이런 변화가 있을 수 있나?26)

굴원의 「천문」에서 처음으로 올빼미와 거북이 곤의 조력자였음을 언급하고 있는데, 이어지는 언급으로 볼 때 곤은 이들의 도움을 받아 식양을 훔쳐냈을 것이다. 게다가 굴원은 곤의 죽음과 우의 탄생을 위의 『산해경』에 비해 훨씬 구체적이면서도 신이하게 그려내고 있는데, 3년 동안 썩지 않은 곤의 배에서 우가 태어났다는 것이다. 아마도 이러한 옛 전적에 실린 이야기들이 한족漢族 사이에 구전되는 과정에서 아래와 같은 이야기로 전승되었을 것이다.

요임금 때에 세상 사람들의 못된 행위에 진노한 천제는 홍수로써 세상 사람들에게 경고하고자 수신水神인 공공共工에게 이 임무를 맡겼다. 공공은 자신의 솜씨를 발휘할 좋은 기회라 여겨 신이 난 지라 정성을 다해 임무를 수행하였다. 20여 년간 세상을 뒤덮은 홍수로 인해 세상 사람들은 엄청난 재난을 입었으며, 그 상황은 처참하기 그지없었다. 천상의 여러 신들은 인간 세상의 재난에 시큰둥하였지만, 오직 황제黃帝의 손자인 곤만은 인간의 재난을 동정하였다. 곤은 할아버지의 처사에 불만을 품었으며, 인간을 홍수에서 구해내고 싶었다. 그는 여러 차례 할아버지에게 홍수를 멈추어 인간을 구해줄 것을 요청했지만 번번이 묵살당하였다. 그는 인간을 구원하고 싶었지만 뾰족한 수가 없어 늘 마음이 편치 않았다. 어느 날 부엉이와 거북이 그에게 다가오더니 무슨 근심이 있느냐고 물었으며, 그는 그들에게 자신의 고민을 털어놓았다. 그러자 그들은 홍수를 그치게 할 방법으로 천제의 보물인 식양息壤을 사용하라고 알려주었다. 그들의 조언에 따라 곤은 식양을 몰래 훔쳐 홍수를 틀어막았으며, 인간은 차츰 원래의 삶을 회복하기 시작하였다. 그렇지만 식양을 도난당한 사실을 알게 된 천제는 분노하여 불의 신인 축융祝融을 보내 곤을 우산羽山에서 죽이고 남은 식양을 회수하게 하였다. 곤은 죽임을 당하였지만, 인간을 홍수에서 구원한 그의 의지는 그의 주검에 온전하게 보존되어 3년이 지나도록 그의 몸은 썩지 않았으며, 그의 몸에서 새로운 생명이 자라기 시작하였다. 이 소식을 들은 천제는 장차 그가 또 소란을 피울까 걱정스러워 즉시 천신에게 오도吳刀라는 보검을 주어 곤의 주검을 가르게 하였다. 천신이 오도로 곤의 배를 가르자 배 속에서 규룡虯龍 한 마리가 뛰쳐나와 하늘로 올라갔다. 이 규룡이 바로 곤의 아들 우이다. 규룡이 하늘로 올라간 후 곤의 주검은 황룡黃龍으로 변하여 우산 곁의 연못으로 뛰어들었다.(한족의 「鯀偷取息壤平治洪水」)[27]

위의 이야기에서는 홍수가 발생한 원인이 제시되고, 곤의 치수를 돕는 조력자가 등장하며, 곤의 죽음과 우의 탄생의 신이성이 그려져 있다. 위의 이야기에서는 홍수 발생의 원인을 세상 사람들의 못된 행위로 서술하고 있는데, 다른 유사한 이야기에서는 하늘을 기워 인간을 구원해준 여와를 사람들이 숭상하자 이에 분노한 천제가 홍수를 일으킨다. 또한 곤의 조력자가 거북과 대붕大鵬으로 바뀌고, 이들의 도움 역시 훨씬 세밀하게 서술되기도 한다. 즉 식양을 구하러 떠난 곤이 약수호弱水湖를 건너지 못하자 거북이 태워 건네줄 뿐만 아니라 몸을 감출 수 있는 보의寶衣를 선물하며, 화염산火焰山을 오르지 못하자 대붕이 날아 건네줄 뿐만 아니라 하늘을 날 수 있게 해주는 깃털 두 개를 선물한다. 곤은 이들 조력자가 선물한 물건을 이용하여 식양을 몰래 훔쳐올 수 있었던 것이다.[28]

이처럼 최초의 이야기는 매우 간단한 기록에 지나지 않았으나 오랜 세월에 걸쳐 구전되는 과정에서 점차 다양한 내용이 추가되어 풍성한 이야기로 변모하게 된다. 서사 전체로 본다면, 이러한 변모 과정은 이야기가 흥미를 배가하는 한편, 논리적 인과관계를 보다 강화하는 과정이라고 할 수 있다. 이러한 예는 우의 치수를 다룬 신화에서도 엿볼 수 있는 바, 『회남자』에 실려 있는 기록을 살펴보자.

순임금 때에 공공共工이 홍수를 일으켜 물이 공상空桑 가까이 닿았다. 용문산은 아직 뚫리지 않고 여량산도 열리지 않아 강수江水와 회수淮水가 흘러 사해가 물로 가득 찼다. 사람들은 모두 언덕으로 올라가거나 나무 위로 도망쳤다. 순임금이 이에 우를 시켜 세 강과 다섯 호수를 트고 이궐산을 갈라 전수瀍水와 간수澗水의 물길을 내어, 도랑과 뭍을 제대로 통하게 하니 모든 물이 동쪽 바다로 흘러들었다. 이리하여 큰물이 빠지고 구주가 말라 만민 모두가 평안해졌다.[29]

위의 이야기에서는 공공이 홍수를 일으켰다고 간략하게 서술되어 있을 뿐 홍수를 일으킨 이유는 밝혀져 있지 않다. 그렇지만 홍수 발생의 주체로 공공을 언급한 것은 아마도 공공이 수신水神으로서의 성격을 부여받았기 때문일 것이다. 위의 이야기에서는 우가 순의 지시에 따라 강과 호수의 물길을 트고 산을 뚫어 물길을 내어 동쪽 바다로 흘려보내기까지의 치수 사업의 내용을 상세히 밝히고 있다. 우의 치수를 다룬 신화는 여기에서 한 걸음 더 나아가 우의 치수를 도운 조력자를 등장시키기도 한다.

우의 치수를 돕는 조력자로서 초기에 자주 등장하는 것은 신성성을 지닌 용이다. 이를테면 굴원은 「천문」에서 우의 치수를 언급하여 "응룡應龍이 어떻게 금을 그었는가? 강과 바다는 어떻게 흘렀는가?"라고 노래하였는데, 이에 대해 후한後漢의 왕일王逸은 "우가 홍수를 다스릴 때 신룡神龍이 꼬리로 땅에 금을 그어 물길이 흘러갈 곳을 알려주어 그에 따라 물길을 터서 홍수를 다스릴 수 있었다"[30]고 설명하고 있다. 또한 동진東晉의 왕가王嘉가 엮어낸 『습유기拾遺記』에서는 "우가 온 힘을 다해 물길을 내어 시내를 통하게 하고 산을 평평하게 하는데, 황룡黃龍이 앞에서 꼬리를 끌고 현귀玄龜가 뒤에서 진흙을 져 날랐다."[31]고 서술하고 있다. 위에서 언급한 응룡은 오색빛깔을 띤 황룡을 가리키고, 황룡은 흔히 우레와 비를 관장하는 신으로 알려져 있다. 따라서 응룡이든 황룡이든 모두 신성성을 지닌 용, 즉 신룡이라 할 수 있다.

우의 치수를 돕는 조력자로는 무산巫山의 신녀인 요희瑤姬를 들 수 있다. 당말唐末의 도사인 두광정杜光庭이 펴낸 『용성집선록墉城集仙錄』에는 이렇게 기술되어 있다. "우가 홍수를 다스리다가 산 아래 잠시 머물렀는데, 갑자기 거센 바람이 불어와 벼랑이 흔들리고 골짜기가 무너져 내려 어떻게 할 수가 없어" 요희에게 도움을 청하자 "시녀를 시켜 우에게 『책소귀신서策召鬼神書』를 주었으며, 여러 신에게 명하여 우를 도와 바위를 쪼개 물길을 트고, 막힌 곳을 뚫어 길을 내서 그 흐름을 잘 통하게 하였다."[32]

우의 치수를 도운 조력자로 가장 널리 알려진 이로 강의 신 하백河伯을 들 수 있다. 한대漢代의 위서緯書인 『상서중후尙書中候』에는 요가 우에게 홍수를 다스리도록 지시하면서 주고 받는 말이 기술되어 있는데, 우는 "제가 황하를 보고 있는데 얼굴이 희고 물고기 몸을 한 커다란 사람이 나와서 '나는 황하의 정령이다. 표에 문명(즉 우)이 홍수를 다스린다라고 되어 있다' 하더니, 저에게 하도河圖를 주고 물속으로 들어가버렸습니다."[33]라고 말한다. '얼굴이 희고 물고기 몸을 한' 황하의 정령은 곧 하백河伯을 가리키는데, 우의 치수와 관련된 삼보三寶 가운데의 하나인 하도를 그에게서 얻게 된 것이다.

하도와 관련하여 우의 치수를 돕는 이로는 복희씨伏羲氏를 들 수 있다. 왕가의 『습유기』에는 우가 용관지산龍關之山, 즉 용문龍門이라는 곳을 뚫을 때 복희를 만난 이야기가 적혀 있다. 즉 우가 "한 동굴에 이르렀는데, 깊이가 수십 리였고, 아득하고 어두워 더 이상 나아갈 수가 없었다. 우는 이에 불을 등에 지고 나아"갔다가 "어느 한 신을 보았는데, 뱀의 몸에 사람의 얼굴을 하고 있었다." "그 신은 우에게 팔괘도를 동판 위에 펼쳐 보여주었다." "이에 옥간을 찾아 우에게 주었는데, 길이가 1척 2촌이며 12시의 척도와 합치되어 이것으로 천지를 잴 수 있었다. 우는 이 옥간을 들고 홍수를 평정하였다."[34]는 것이다.

이로써 엿볼 수 있듯이, 우의 치수를 돕는 조력자는 신룡과 신녀, 천신 등으로 매우 다양하며, 이들은 모두 신성성을 지닌 존재이다. 이처럼 신성성을 지닌 존재의 도움을 받는다는 점에서 우의 치수는 곤의 치수와 달리 정당성과 함께 성공의 확실성을 보장받는다. 그런데 곤의 치수를 다룬 이야기와 견주어볼 때, 우의 치수를 다룬 이야기에서 특징적인 점은 '우를 돕는 조력자'와 더불어 '우의 치수를 방해하는 장애물'이 동시에 등장한다는 점이다. 이렇게 새로운 모티프 혹은 에피소드가 추가되는 이야기를 살펴보기로 하자.

> 중원의 홍수를 시찰하던 우는 무지기無支祈라는 교룡에게 위협을 당한다. 무지기는 우가 이끄는 치수사업을 방해하지만, 우는 천궁天宮의 이랑신二郎神에 가서 얻은 채찍과 회하淮河의 용왕이 준 신부神斧로 장애를 극복하여 치수를 성공시킨다. 무지기는 성인호聖人湖 밑바닥의 바위틈에 숨지만, 우에게 붙들려 홍택호洪澤湖 근처의 귀산龜山 산자락의 우물에 갇히고 만다.(「禹王鎖蛟」)[35]

치수형 홍수신화는 기본적으로 물길을 막는가 아니면 터주는가의 치수 방법의 차이와 이에 따른 성공 여부를 서사하고 있다. 이 가운데 곤의 치수를 다룬 이야기에서는 인간을 징벌하는 천제와 인간을 구원하려는 곤의 대립이 서사를 이끌어가는 주요 동력이라고 할 수 있다. 결국 인간을 위해 천의天意를 어긴 곤은 인간에게 불을 훔쳐다 준 죄로 모진 형벌을 당하는 프로메테우스의 성격을 부여받게 된다. 반면에 우의 치수를 다룬 이야기에서 우는 천의를 부여받은 인물로 등장하며, 따라서 치수를 가로막는 장애물을 조력자의 도움으로 물리치는 에피소드가 단순하기 짝이 없는 우의 치수 이야기를 흥미진진하게 만들어주고 있다. 아울러 치수형 홍수신화에서 주목할 만한 점은 치수 사업의 중심인물이 주로 요와 곤, 순과 우의 조합으로 계보화되고 있다는 점이다. 이는 신화적 인물을 역사화하는 과정과 깊이 연관되어 있다고 할 수 있다.

② 보천형

이 유형의 홍수신화는 물론 여와가 하늘을 기운, 즉 보천補天의 이야기와 깊은 관련이 있다. 여와와 관련된 이야기는 옛 문헌에 적잖게 존재하지만[36], 홍수신화와 직접적으로 관련된 완정한 형태의 이야기로는 『회남자』에 실려 있는 다음의 기록을 들 수 있다.

> 옛날 사방을 떠받치고 있던 기둥이 무너져 천하가 갈라져버렸다. 하늘은 널리 대지를 덮지 못하고, 대지는 두루 만물을 싣지 못하였다. 불길은 맹렬하게 타올라 꺼지지 않고, 물은 도도히 멈추지 않았다. 맹수는 선량한 백성을 잡아먹고, 사나운 새들은 늙고 약한 사람을 낚아챘다. 그래서 여와는 오색의 돌을 달구어 푸른 하늘을 깁고, 자라의 다리를 잘라 하늘의 사방을 받쳐 세웠으며, 흑룡을 죽여 구주를 구하고, 갈대의 재를 쌓아 홍수를 막았다. 이리하여 푸른 하늘은 기워지고 하늘의 사방은 바로잡혔으며, 홍수는 마르고 구주는 평안해졌으며, 사나운 벌레들은 죽고 백성들은 살 수 있게 되었으니, 대지를 등에 대고 하늘을 품에 안게 되었다.[37]

이 이야기는 보천형 홍수신화의 기본적인 서사구조, 즉 '홍수의 재난' - '여와의 구원' - '세상과 인류의 안정'이라는 틀을 보여주고 있다. 이러한 서사구조는 여러 구전자료에서도 똑같이 반복되는데, 여기에 다른 모티프나 에피소드가 추가되기도 한다. '천신 사이의 분쟁'이라는 모티프가 대표적인데, 이 모티프는 단순히 발생한 자연재해에 비해 이야기의 흥미를 배가하기 위해 신화적 상상력을 발휘한 에피소드라고 할 수 있다. 중국의 문헌자료에서 천신 사이의 분쟁에 흔히 등장하는 천신은 공공과 전욱顓頊이다. 이러한 일례로 『열자列子·탕문湯問』에 실려 있는 이야기를 살펴보자.

> 만물이 온전하지 않은 터라, 예전에 여와씨는 오색돌을 달구어 그 구멍난 곳을 깁고 자라의 다리를 잘라 사극을 세웠다. 그 후에 공공씨가

> 전욱과 제왕의 자리를 두고 다투다가 노하여 부주산不周山을 들이받아 하늘의 기둥이 끊어지고 땅의 동아줄이 끊겼다. 그리하여 하늘이 서북쪽으로 기우니 해와 달과 별이 그쪽으로 움직이고, 땅은 동남쪽으로 움푹 꺼졌기에 온갖 물길이 그곳으로 흘렀다."[38]

위의 이야기에서는 서사구조면에서 여와의 보천 이후에 천신 사이의 분쟁과 이로 인한 대지의 불안정이 서술되고 있다. 홍수의 재난에 대한 기술이 약화되어 있지만, 이와 동일한 서사는 『박물지博物志』에서도 약간의 자구의 출입만 있을 뿐 거의 동일하게 되풀이되고 있다.[39] 위의 이야기는 중국 대륙의 자연지형의 유래를 설명하는 신화로 보아도 좋을 것인데, 이 이야기에서 여와의 보천은 '공공과 전욱의 전쟁'이라는 모티프와는 어떤 관계도 맺지 않는다. 그렇다면 아래에서 『논형論衡』에 실려 있는 이야기를 살펴보자.

> 전하는 이야기에 따르면, 공공이 전욱과 천자의 자리를 놓고 다투었다가 이기지 못하자 노하여 부주산을 들이받은 바람에, 하늘을 받쳐 준 기둥이 부러지고 땅을 붙든 동아줄이 끊어졌다. 여와는 오색돌을 달구어 하늘을 깁고 자라의 다리를 잘라 네 모퉁이를 받쳐 세웠다.[40]

위의 이야기에서는 천신 사이의 분쟁이 자연재해 발생의 원인으로 제시됨으로써 인과관계에 의한 서사의 논리성이 강화되고 있다. 위의 이야기는 전체적으로 여전히 홍수의 재난이 약화되어 나타나지만, 서사의 순서가 바뀌었다는 것, 즉 천신 사이의 분쟁, 재난의 발생, 여와의 보천補天의 순서로 바뀌었음을 엿볼 수 있다. 이제 여와의 보천은 '공공과 전욱의 전쟁'이라는 모티프와 전후로 상응하면서 밀접한 연관을 맺게 된 것이다. 여와의 보천과 '공공과 전욱의 전쟁'의 모티프가 전하는 문헌에 따라 전후의 위치가 바뀐다는 것은, 어쩌면 여와의 보천을 다루는 이야기가 원래 '공공과 전욱의 전쟁'을 다룬 이야기와 별개였을 수 있음을 보여준다. 즉 홍수를 비롯한 자연재해의 원인이 서술되지 않은 '여와의 보천'이라는 텍스트에 '공공과 전욱의 전쟁'이 그 원인으로서 자연스럽게 결합했을 가능성이 높다는 것이다. 이러한 관점에서 아래에서 『보사기補史記·삼황본기三皇本紀』에 실린 기록을 살펴보자.

> 여와 말년에 제후 중에 공공씨가 있었다. 그는 자신의 지혜와 형법에 의지하여 맹주라 자처하였으나 왕이 되지 못한지라, 수덕水德으로써 목덕木德을 계승하고자 하여 이에 축융과 싸웠다. 그러나 이기지 못하자 노하여 머리로 부주산을 들이받았는데, 하늘의 기둥이 끊어지고 땅의 동아줄이 끊어졌다. 여와가 이에 오색의 돌을 달구어 하늘을 깁고, 거북의 다리를 잘라 네 모퉁이를 받쳐 세웠고, 갈대의 재를 가져다 홍수를 막아 기주를 구제했다. 이리하여 땅은 평평해지고 하늘이 온전해지니 옛 모습에서 변함이 없었다.[41]

위의 이야기에서 공공과 불화하는 천신이 전욱이 아니라 축융祝融으로 바뀌어 있다는 점 외에는 앞의 여러 이야기와 크게 다르지 않다. 위의 이야기에서는 특히 주목할 만한 점은 공공이 수덕으로써 목덕을 계승하고자 싸웠다는 것이다. 이 이야기는 음양오행의 상생상극설相生相克說과 제덕설帝德說에 영향을 크게 입었다고 추측되는데, 목덕을 계승하는 것은 화덕火德(목생화木生火)인지라 수덕을 내세운 공공은 패배할 수밖에 없다. '공공과 전욱, 혹은 공공과 축융의 전쟁' 모티프는 여와 보천의 모티프와 결합하여 다양한 내용의 신화로 전승되었다.

이러한 신화 가운데에는 공공이 다투는 대상이 여와인 신화도 문헌자료로 전해지고 있다. 즉 『노사路史』에 따르면, 공공이 홍수를 일으켜 대지의 질서가 무너지고 홍수가 일어나자, "여황씨女皇氏, 즉 여와가 자신의 신력을 발휘하여 공공과 겨루어 그를 멸하였으며, 그 후에 네 모퉁이가 바로잡히고 하늘과 땅이 안정을 되찾았다"[42]라는 것이다. 이밖에 인류를 재난에서 구원하는 신의 명칭이 여와가 아닌, 다른 명칭으로 변형된 일례를 한족의 구전설화에서 살펴보자.

> 어느 해엔가 공공과 축융이 불화하여 싸움이 일어났는데, 축융을 이기지 못한 공공이 화가 치밀어 부주산을 들이받은 바람에 하늘이 북서쪽으로 기울고 홍수가 발생하였다. 여산노모麗山老母와 왕모낭낭王母娘娘 자매는 사람들이 고통받는 것을 보고 마음이 아파 백성을 구해주기로 하였다. 자매는 매일 여산驪山에서 오색의 돌을 빚은 다음 큰 솥에 오색의 돌을 구웠다. 여산노모는 구운 돌로 하늘을 깁는 한편, 동해에서 잡은 자라의 네 다리를 취하여 하늘을 떠받치는 기둥으로 삼았다. 여산노모의 기력이 다하자, 왕모낭낭은 돌을 굽고 남은 갈대의 재로 움푹 패인 땅을 메꾸어 홍수를 밀어냈다. 이렇게 하여 하늘과 땅은 원래의 모습을 되찾게 되었다.(「麗山老母補天 王母娘娘補地」)[43]

여와가 홀로 하늘과 땅의 혼란을 바로잡아 질서를 회복했던 것과는 달리, 위의 이야기에서는 여산노모가 구운 돌로 구멍난 하늘을 깁고, 왕모낭낭이 갈대의 재로 땅을 평평하게 만든다. 다시 말해 여산노모가 보천補天을 행하였다면, 왕모낭낭은 치수治水를 행하였다는 것이다. 대부분의 보천과 치수의 홍수신화에서는 여와라는 천신이 인류 구원자의 역할을 맡는 것이 일반적이지만, 하니족哈尼族의 구전설화인 「하늘을 깁는 남매補天的男妹俩」에서는 인간이 그 역할을 대신한다. 즉 이 신화에서는 높이 자란 나무가 하늘을 뚫는 바람에 홍수가 발생한다. 마을의 남매는 종족을 구하기 위해 자신의 몸으로 구멍난 하늘을 틀어막는데, 하늘이 메워지는 순간 남매의 몸은 돌로 변한다.[44] 이 이야기는 여와가 남매로 변형되고, 오색의 돌이 돌로 변한 몸으로 변형되었을 뿐, '홍수의 재난' - '여와의 구원' - '세상과 인류의 안정'이라는 기본적인 서사구조는 여전히 작동되고 있다. 홍수의 재난에서 인류를 구원하는 여와의 이야기는 여러 에피소드를 추가함으로써 훨씬 극적으로 변하기도 하는데, 이러한 일례를 짱족藏族에게 전승되어 온 신화에서 엿볼 수 있다.

> 여와에 의해 창조된 인류가 평안하게 지내던 어느 날, 물의 신과 불의 신이 싸우다가 싸움에 진 물의 신이 화가 나서 머리로 부주산을 치받았다. 이 바람에 쓰러진 부주산이 은하를 내리눌러 하늘의 한 모퉁이가 무너졌으며, 은하의 물이 흘러내려 온 대지를 삼키고 말았다. 이 틈을 타서 괴룡怪龍이 사람들을 마구 잡아먹었다. 여와는 사흘 밤낮을 싸워 괴룡을 물리쳐 사람들을 구하였다. 여와는 무너진 하늘 구석을 진흙으로 때워보기도 하고 하늘을 나무로 버텨보기도 하였으나 은하의 물은 여전히 흘러넘쳤다. 여와가 어쩔 줄 모르고 있을 때 커다란 새우 한 마리가 나타나 자신의 네 다리를 잘라 하늘을 떠받쳐보라고 하였다. 여와가 차마 새우의 다리를 자를 수 없어 그의 제안을 거절하자, 새우는 몰래 자신의 다리를 물어 끊어 여와에게 건네주었다. 여와는 새우에게 크게 고마워하면서 자신의 치마를 찢어 그의 상처를 감싸준 후, 서둘러 새우의 두 개의 긴 다리로 동쪽 하늘을 떠받치고, 두 개의 짧은 다리로 서쪽 하늘을 떠받쳤다. 동쪽을 떠받친 두 개의 다리가 더 길기 때문에 동쪽 하늘이 조금 더 높아 해가 동쪽에서 서쪽으로 지게 되었다. 여와는 하늘을 떠받친 후 산과 바다에서 가져온 수많은 오색빛 돌을 불에 달구어 하늘을 기웠다. 오색빛 돌은 단단하고 매끄러운데다가 아름다운지라 하늘을 기운 후의 하늘은 매끄럽고 찬란하게 반짝이게 되었다. 이어 여와는 쓰고 남은 오색빛 돌로 땅을 메워 홍수를 물러나게 하였는데, 북쪽에서 시작된 이 작업이 남쪽에 이르렀을 때 오색빛 돌이 바닥난 바람에 제대로 메꾸지 못하였기에 지금의 대지는 늘 북쪽이 높고 남쪽이 낮아 강물이 남쪽으로 흐르게 되었다.[45]

위의 이야기에는 홍수의 재난에서 인류를 구원한 여와의 업적이 그려져 있는데, 그가 하늘을 기울 때 그를 도와주는 조력자로 새우가 등장한다. 이 이야기에서 새우의 조력은 단순히 하늘을 떠받쳐주고 깁게 만든 고귀한 희생을 서술하는 데에 그치지 않고, 태양의 운행과 티벳의 자연지형, 특히 티벳 자치구를 경유하는 금사강金沙江이나 난창강瀾滄江, 노강怒江이 모두 북쪽에서 남쪽으로 흐르는 형세를 더불어 설명하고 있다. 이처럼 새로운 모티프 혹은 에피소드를 추가함으로써 자칫 단순하고 무미건조할 수도 있는 여와의 보천과 치수를 둘러싼 이야기는 극적인 재미를 갖게 되었다.

지금까지 살펴본 치리형 홍수신화는 신성한 존재(곤과 우, 여와)가 신이한 힘을 지닌 존재(요, 순, 천녀, 천신)의 지시나 도움을 받아 치수에 성공을 거두는 이야기를 담고 있다. 이러한 치수 성공의 이야기는 기본적으로 신 혹은 신격이 인간을 도와 홍수라는 자연재해를 극복해내는 과정에 서사의 초점을 맞추고 있는데, 장애물과 조력자가 갈등과 대립의 서사구조의 중요한 축을 담당하거나 천신 공공과 관련된 모티프가 홍수 발생의 원인으로 제시됨으로써 신화적 상상력을 풍부하게 발휘하고 있다. 치리형 홍수신화는 최근에 수집된 구전자료뿐만 아니라 옛 전적에 수록된 문헌자료에서도 확인할 수 있으며, 옛 전적에 실린 문헌자료의 홍수신화는 대부분 치리형 홍수신화라고 해도 과언이 아니다. 또한 치리형 홍수신화는 주로 한족을 중심으로 전승되었으며, 일부 소수민족에게 전승되어온 치리형 홍수신화 역시 한족의 치리형 홍수신화의 영향이 두드러진다고 할 수 있다.

2) 재전형 홍수신화

이 유형의 홍수신화는 홍수의 대재난에서 살아남은 자에 의해 인류가 다시 전해지는 내용을 담은 신화이다. 이 홍수신화는 특정 인물, 예컨대 여와나 곤, 우와 같이 신성神性 혹은 반신반인성半神半人性을 지닌 주인공의 영웅적인 업적을 서술하는 것이 아니라, 평범한 인성人性을 지닌 주인공에 의해 인류가 다시 전해지는 과정을 서술하고 있다. 이러한 재전형 홍수신화는 구전자료 가운데 가장 많은 편수를 차지하고 있다. 재전형 홍수신화는 인류를 다시 전하는 주체의 결합방식에 따라 다음의 세 가지 범주로 나눌 수 있다.

① 신물神物에 의한 재전형

이 유형의 신화는 홍수의 재난 속에 살아남은 인간이 다른 존재와의 결합 혹은 교합에 의해서가 아니라, 신성한 힘을 지닌 신물, 즉 신성성을 지닌 동식물에 의해, 혹은 특정 사물과의 감응에 의해, 혹은 신의 직접적인 개입에 의해 인류가 다시 전해지는 이야기이다. 이에 해당되는 신화를 아래에서 살펴보기로 하자.

> 관음노모觀音老母가 못생긴 노파로 변장하여 먹을 것을 구걸하는데, 욕심쟁이 형은 그녀를 박대하지만, 효성스러운 아우는 그녀를 정성껏 모셨다. 관음노모는 죄악에 빠진 세상을 홍수로 멸망시키겠다고 예고하면서 아우에게 조롱박 씨앗을 주었다. 조롱박 속에서 홍수의 재난을 피한 아우는 대나무와 뱀, 쥐 등의 도움으로 조롱박에서 빠져나와 이들에게 감사의 인사를 드렸다. 그러자 대나무에서 수많은 남자들이 뛰쳐나오고, 뱀의 배에서 수많은 여자들이 뛰쳐나왔다.(이족彝族의 「葫蘆里出來的人」)[46]

> 홍수가 일어나자 옌가이깡무岩該岡木는 암소와 조롱박을 배에 실어 피난했다. 굶주림에 지쳐 조롱박을 삼켜버린 암소를 죽여 옌가이깡무는 조롱박을 꺼내 산에 심었지만, 조롱박은 열매를 맺지 않았다. 여러 짐승을 보내 조롱박을 찾은 끝에 마침내 손에 넣은 옌가이깡무는 조롱박을 쪼개 바닷가에 놓아두었다. 그러자 조롱박 안의 아래쪽의 것들은 바다에 떨어져 바닷속 동물로 변하고, 위쪽의 것들은 땅위로 뛰어나와 육지 동물로 변하였으며, 조롱박 위아래에서 사람들이 나와 상조롱박국과 하조롱박국을 세웠다.(와족佤族의 「上下葫蘆國的由來」)[47]

> 결혼한 지 1년 만에 남편을 여읜 여인은 딸을 의지하여 힘겹게 살아가는데, 그녀의 집에 커다란 조롱박 하나가 열렸다. 어느 날 홍수가 일어나 모든 생명이 죽고 모녀만 살아남았다. 인류를 번식할 수 없음을 슬퍼하고 있을 때, 홀연 따뜻한 봄바람이 불자 모녀의 온 몸이 가려워졌다. 모녀가 손으로 긁자 온몸에 임신이 되었는데, 임신한 부위

마다 태어나는 것이 달랐다. 가슴 위에서는 날짐승이, 다리 아래에서는 들짐승이, 그리고 배에서는 사람이 태어났다.(하니족哈尼族, 「母女倆的傳說」)[48]

홍수가 물러난 대지 위에는 동산노인東山老人과 남산南山 아가씨만이 호박을 타고서 생존하였다. 두 사람은 각각 흙으로 남녀 100개의 인형을 만든 다음, 숨을 불어넣어 사람으로 변하게 하였다. 두 사람은 아이들을 짝 지워 주었으며, 이후로 지상에 사람이 살게 되었다.(한족, 「東山老人與南山小妹造人」)[49]

이들 이야기는 '홍수의 발생' - '홍수에서의 생존' - '신물을 통한 인간의 재전'이라는 기본적인 틀을 지니고 있다. 홍수의 재난에서 살아남은 사람은 신물의 도움으로 인간을 다시 전하는데, 대나무와 뱀, 조롱박, 봄바람에 의한 감응, 흙인형을 통해 인류를 다시 전하게 된다. 이들 동식물이나 봄바람, 흙인형 등은 모두 영성靈性을 지닌 물상의 성격을 띠게 된다.

② 인人과 비인非人의 결합에 의한 재전형

이 유형의 신화는 홍수를 겪은 후 홀로 살아남은 사람이 동물과 식물, 천녀 혹은 선녀, 신, 요정 등의 초자연적 존재와 결합하여 인류를 다시 전하는 이야기를 담고 있다. 이 유형에 속하는 이야기는 모두 이류혼異類婚에 속하는데, 세분하여 소나 개 등의 동물과 교합할 경우에는 인수혼人獸婚, 신적인 존재와 교합할 때에는 인신혼人神婚, 그 중에서 선녀나 천녀와 결합할 때에는 천녀혼天女婚의 성격을 띠게 된다. 이들 각각의 경우에 해당되는 대표적인 신화를 아래에서 살펴보자.

배가 고픈 두꺼비를 도와준 다러까무達惹嘎木는 두꺼비로부터 홍수가 닥치리라는 예고를 받는다. 그는 새끼암소를 데리고 구유에 들어가 홍수의 재난을 피한다. 세상에 홀로 남은 그는 천신의 권유로 새끼암소와 결혼하여 표주박 씨앗을 낳는다. 그는 이 씨앗을 심어 열매를 거두었는데, 열매에서 인간과 짐승이 쏟아져 나왔다.(와족佤族의 「葫蘆里出來的人烟」)[50]

반고盤古가 하늘과 땅을 나눈 후 본래 지상에는 사람이 없었는데, 하늘에서 수없이 많은 벌레들이 떨어져 내려와 사람으로 변하였다. 인류는 빠르게 번식하여 숫자가 많아지자 먹을 것이 부족한지라 훔치고 빼앗기 시작하였다. 천제는 이를 알고 기름비油雨로 인간을 멸절시키고자 하였다. 어느 날 하늘에서 기름비가 쏟아지고 번개가 쳐서 큰불이 났다. 아가씨 한 명이 자기 집 우물로 뛰어들었는데, 집에서 기르던 개도 함께 뛰어들어 살아남았다. 불이 꺼진 후 우물에서 나온 개는 아가씨에게 청혼하여 자식을 낳았다.(한족의 「人狗成親」)[51]

원숭이로 변신한 돌아가신 아버지가 아들들에게 홍수가 닥치리라고 예언한다. 아버지가 일러준 방법에 따라 홍수에서 홀로 살아난 막내는 아버지의 지시에 따라 선녀를 취하여 아내로 삼는다. 아내는 조롱박을 낳고, 조롱박을 열자 수많은 자식들이 뛰쳐나왔다.(라후족拉祜族의 「蜂桶, 葫蘆傳人種」)[52]

세상에 인류가 창조된 이후 충런리언從忍利恩의 세대에 이르러 남매끼리 결혼하는 일이 일어나자, 천신은 이에 진노한다. 충런리언은 신의 계시에 따라 북 안에 들어가 홍수의 재난에서 목숨을 건진다. 홀로 살아남은 그에게 신은 천녀를 만날 방법을 알려주지만, 신의 지시를 어기는 바람에 인류의 대잇기에 실패한다. 홀로 떠돌던 그는 천녀를 만나 천궁으로 간다. 천궁에서 그는 천녀를 아내로 맞기 위해 그녀의 아버지가 내건 갖가지 시험을 통과한 후, 천녀와 함께 지상으로 내려와 세 아들을 낳았다.(나시족納西族의 「人類遷徙記」)[53]

위의 세 이야기는 '홍수의 발생' - '한 사람의 생존' - '비인非人과의 교합' - '인류의 재전'이라는 서사구조를 지니고 있다. 이들 이야기에서 홍수 발생의 원인이나 홍수의 예고와 관련된 에피소드는 각기 다르지만, 홍수의 재난에서 생존한 사람이 아닌 동물이나 천녀와 교합하여 인류를 다시 전한다는 점은 동일하다. 이들 이야기에서 특징적인 점은 천녀와 결합하는 이른바 천녀혼 신화의 경우 대체로 위의 「인류이주기人類遷徙記」의 경우처럼 '천녀를 얻기 위한 시험', 즉 이른바 '난제구혼難題求婚'의 모티프가 추가된다는 것이다. 이러한 모티프를 지닌 신화를 아래에서 살펴보자.

> 쟁기질하던 춰즈루이쥐鋥治路一苴 형제는 청개구리로부터 홍수가 일어난다는 예언을 듣는다. 청개구리가 알려준 방법대로 홍수에서 홀로 살아난 춰즈루이쥐에게 어느 노인이 배필을 얻을 방법을 알려주지만 노인의 말을 어기는 바람에 실패하고 만다. 천녀를 얻으려고 천상에 가려던 그는 노인의 도움을 받아 천왕天王을 만난 후, 천왕이 제시한 갖가지 시험을 통과하여 셋째딸과 결혼한다. 들소를 뒤쫓던 춰즈루이쥐가 집에 돌아오지 않는 사이, 셋째딸은 원숭이에게 속아 결혼하여 원숭이를 낳지만, 훗날 돌아온 춰즈루이쥐와 재회하여 행복하게 살았다.(모쒀족摩梭人의 「鋥治路一苴」)[54]

> 홍수의 재난에서 홀로 살아남은 루어어魯俄俄는 짝을 찾기 위해 불을 피워 연기를 올려보냈다가 천상의 자매를 만나 그들을 따라 천상에 올라간다. 천신에게 발각된 그는 천신의 딸과 결혼하기 위하여 여러 가지 시험을 거쳐 마침내 막내딸과 결혼하여 지상으로 내려온다. 훗날 막내딸이 천상의 부모를 뵈러 다녀온 사이에 루어어가 재로 인형을 만들자, 막내딸은 천상으로 떠나고 루어어가 재로 만든 인형이 인류의 조상이 되었다.(四川省 木里藏族自治縣의 「魯俄俄」)[55]

③ 인간의 결합에 의한 재전형

이 유형의 신화는 홍수의 재난에서 살아남은 남녀 한 쌍이 결합하여 인류를 다시 전하는 경우로서, 재전형 홍수신화에서 가장 많은 편수를 차지하고 있다. 이 유형에서 생존한 남녀가 비혈연非血緣의 남녀일 수도 있으나, 이러한 경우는 극히 드물다. 오히려 부녀, 모자, 남매의 관계를 맺고 있는 남녀가 홍수의 생존자인 경우가 대부분이며, 이러한 경우에는 근친혼近親婚의 성격을 띠게 된다. 이들 남녀의 결합 양태에 따라 부녀혼과 모자혼, 남매혼 등의 하위범주로 나누어볼 수 있다. 우선 부녀 혹은 모자의 결합을 통해 인류를 다시 전하는 경우를 살펴보자.

> 까마득한 옛날, 홍수가 몰아쳐 높은 산도 물에 잠기고 세상 사람도 모두 물에 빠져 죽었다. 다행히 아버지와 딸이 살아남았는데, 후대를 잇고 자손을 번성하기 위해 아버지는 딸과 결혼하였다. 후에 일곱 아들을 낳아 각기 하나의 성씨를 주었다.(어원커족鄂溫克族)[56]

> 홍수가 범람한 후 어머니와 아들만이 살아남았다. 어머니는 아들의 혼처를 구하려 애썼으나 구하지 못하자, 아들에게 길을 떠나 얼굴에 문신을 한 여자를 만나면 결혼하라고 말했다. 어머니는 도중에 가시나무로 자신의 얼굴과 온 몸에 문신을 하고 백등나무 즙을 발랐다. 아들은 어머니의 지시에 따라 문신을 한 이 여인과 결혼하여 살덩어리 하나를 낳았다. 괴물을 낳았다고 여긴 아들은 살덩어리를 칼로 난도질하여 세 곳에 내던졌는데, 이들이 각각 세 민족으로 되었다.(리족黎族, 「黥面紋身的來源」)[57]

인간과 인간의 결합에 의한 재전형 홍수에서 가장 많은 편수를 보이는 것은 남매의 결합형이다. 이 경우 '홍수의 발생' - '남매의 생존' - '남매의 결혼' - '인류의 재전'이라는 기본적인 서사구조를 지니고 있다. 이러한 기본적 서사구조를 갖춘 일례로서 하북성河北省에 전승되어온 한족의 「여와가 진흙으로 사람을 빚다女媧捏泥人」에 따르면, 홍수에서 생존한 여와 남매는 결혼하여 아이를 낳아 기르지만, 아홉 달에 한 명밖에 낳을 수 없는지라 진흙으로 사람을 빚어 말린 다음 숨을 불어넣어 인류를 재창조한다.[58] 또한 야오족瑤族의 「태양과 달太陽與月亮」에 따르면, 대홍수에서 생존한 남매가 결혼하여 6남 6녀를 낳고, 이 아이들도 서로 혼배婚配하여 야오족의 자손을 흥성케 한다.[59]

이러한 서사구조에 남매의 혼인을 도와주는 조력자가 등장하기도 하는데, 이를테면 바이족白族의 「대리鶴拓」[60]에서는 백학이, 부랑족布朗族의 「남매가 혼인하다男妹成婚」[61]에서는 게와 원숭이가 조력자로 등장한다. 남매의 결혼을 권유하는 조력자는 이외에도 태백성太白星, 뇌공雷公, 관음觀音, 천신天神, 구천현녀九天玄女, 거북, 대나무, 돌사자 등 매우 다양하게 나타나고 있다. 또한 이 서사구조에 '천의天意 묻기와 징험'이라는 모티프가 추가되기도 한다. 이러한 모티프를 운용하고 있는 신화로서 옛 문헌자료인 돈황유서敦煌遺書의 잔권殘卷인 『천지개벽 이래 제왕기天地開闢已來帝王記』 가운데의 하나와 산서성山西省에서 채록된 한족의 이야기를 살펴보자.

> (복희가 사람을 존속할 수 있었던 것은) 복희伏羲와 여와女媧가 부모가 되어 사람을 낳았기 때문이다. 수재를 당하여 인민이 모두 죽었는데, 남매 두 사람은 용을 타고서 하늘에 올라 생명을 보존할 수 있었다. 천하가 황폐하고 어지러워짐을 보았는데, 금강천신이 음양을 행할 수 있다고 깨우쳐주니, 서로 부끄러워하여 곤륜산으로 들어가 몸을 숨긴 채, 복희는 왼쪽에서 따라 걷고 여와는 오른쪽에서 따라 걷다가 서로 만나면 부부가 되기로 약속했다. 하늘이 화합케 하여 서로 알게 되니, 복희는 나뭇잎으로 얼굴을 덮고, 여와는 갈대꽃으로 얼굴을 가리고서 부부가 되었다. …… 임신하여 날과 달이 차자 120명의 아들을 낳아 각자에게 성을 부여했다.[62]

> 천지개벽 이후 옥황대제의 명을 받아 여와는 이레 동안 생령을 창조한다. 닷새째 되는 날 여와가 잠시 쉬고 있는데, 금동金童이 찾아와 여와가 놀고 있다고 왕모낭낭王母娘娘에게 이르겠다고 올라간다. 이에 화가 치민 여와는 금동의 모습을 본떠 진흙으로 50개를 만든다. 엿새째 되는 날 옥녀玉女가 와서 금동과 똑같이 행동하자, 여와는 옥녀의 모습을 본떠 진흙으로 50개를 만든다. 이레째 일어나보니 50쌍이 어울려 놀고 있는데, 이중에 금동과 옥녀를 가장 닮은 짝을 복희 남매라고 이름지었다. 창조를 마친 여와가 하늘에 올라간 사이에 땅이 꺼지

고 홍수가 일어나 모두가 죽고, 여와의 비녀가 변한 배를 타고서 복희 남매만이 살아남는다. 여와는 그들에게 결혼을 권유하지만, 그들은 결혼을 주저한다. 여와는 산 위에서 맷돌을 굴려 합쳐지는가로 천의를 묻기로 한다. 맷돌이 합쳐져 결혼한 남매는 자식을 낳아 인류를 번성시킨다.(한족의 「兄妹神婚與東西磨山」)[63]

'천의天意 묻기와 징험'의 모티프는 남매의 근친상간의 금제禁制를 극복하기 위한 서사장치인데, 이 모티프는 맷돌이나 절구 굴리기, 바늘에 실 꿰기, 피워낸 연기 합쳐지기, 달리기를 하여 따라잡기, 죽은 대나무 살리기, 활을 쏘아 바늘구멍 맞추기 등 다양한 모티프로 변형된다. 이 가운데 맷돌이나 연기, 절구, 바늘과 실 등은 그 자체로 남녀의 교구交媾를 상징하는 물상이라 할 수 있다. 여기에 더해 남매의 근친상간의 금제와 관계된 모티프로 등장하는 것은 '이물異物의 출산'이다. 투자족土家族의 「뤄신 할아버지와 할머니羅神公公與羅神娘娘」은 이러한 유형의 일례이다.

온 세상에 홍수가 범람했으나, 조롱박을 심었던 남매는 조롱박을 타고서 홍수에서 살아남는다. 세월이 흘러 남동생에게 구혼한 누나는 남동생이 반대하자, 맷돌을 산 위에서 굴려 합쳐지는가로써 천의를 묻기로 했다. 맷돌이 합쳐져 결혼한 남매는 살덩어리를 낳았는데, 살덩어리를 잘게 잘라 사방에 뿌리자 각종 성씨의 사람들로 변했다.[64]

남매가 낳은 '이물'로는 살덩어리 외에도 숫돌, 가죽 주머니, 표주박, 공이나 맷돌 모양의 사람 등 다양한 화소로 변형되는데, 이들은 대개 자르거나 깨트려서 잘게 나누어질 수 있는 물상이다. 잘게 나누어진 이들 '이물'은 각 종족의 시조 혹은 각 성씨의 조상이 된다. 이러한 점에서 본다면, '천의 묻기와 징험' 및 '이물의 출산'은 신화세계에서 근친상간의 금기 위반을 극복하거나 통과하기 위한 통과의례적 절차에 해당한다고 볼 수 있다.

3. 홍수신화의 하위층위

인류의 재전을 이야기하는 홍수신화에는 흔히 다양한 에피소드가 이야기의 앞머리에 부가되어 있다. 이러한 유형의 홍수신화에는 기본적인 모티프와 에피소드 외에, 홍수 이전의 일과 관련된 에피소드, 이를테면 홍수 발생의 원인, 재난의 징조와 피신수단, 혹은 홍수의 예고 등과 관련된 에피소드가 부가되어 있다. '홍수 이전의 일과 관련된 에피소드'로는 특히 홍수가 발생하는 원인과 관련된 것이 많은데, 특히 인간의 악행에 대해 천신이 내리는 징벌로 인해 홍수가 발생하는 이야기가 많이 전승되고 있다.

이러한 홍수신화의 일례로서 하니족의 신화에서는 가뭄이 들어 사람들이 용담의 물고기와 새우, 잉어를 모두 잡아먹자 용왕이 진노하여 홍수로 인간 세상을 징벌하고,[65] 이족彝族의 신화에서는 지상의 인간이 공물을 바치기를 거부한 일로 인해 천신이 분노하여 홍수를 일으킨다.[66] 또한 하북성河北省의 한족에게 전승되어온 신화에서는 사람들의 사치와 낭비에 분노한 옥황대제가 홍수를 불러오고,[67] 투자족土家族의 신화에서는 뇌공이 인간에게 붙잡혀 죽을 뻔한 일로 인해 크게 노한 옥황대제가 홍수를 일으킨다.[68]

이밖에도 홍수 발생의 원인과 관련된 에피소드는 매우 다양하다. 섬서성陕西省에 전승되어온 「홍수로 하늘이 잠기다洪水泡天」에 따르면, 풍상우뢰風霜雨雷를 관장하던 옥황상제가 골치아픈 일이 많아 비와 바람을 제때 내리지 않아 인간세계에 가뭄이 들었는데, 옥황상제의 명으로 왕모낭낭王母娘娘에게 정수병淨水瓶을 가져온 손오공孫悟空이 왕모낭낭의 말을 어기고 정수병의 물을 쏟아부은 바람에 홍수가 발생한다.[69] 또한 두룽족獨龍族의 「창세기創世紀」에서는 귀신이 인간의 피를 빠는 바람에 귀신이 인간보다 많아지는지라 귀신과 인간을 나누기 위해 조물주가 홍수를 일으킨다.[70] 운남성에 전승되어온 「조상 할아버지로부터 사람이 만들어지다從宗爺爺造人煙」에서는 천하의 물구멍을 관리하는 봉황이 놀러가는 바람에 물구멍이 돌과 나무에 막혀 홍수가 발생한다.[71] 부랑족布朗族의 「남매가 혼인하여 인류를 퍼뜨리다兄妹成婚衍人類」에서는 가뭄에 시달리던 흰원숭이왕이 비를 관장하던 천신을 찾아갔다가 그의 물항아리가 놓인 탁자를 뒤엎는 바람에 홍수가 발생하며[72], 이와 흡사하게 창족羌族의 「해와 달太陽和月亮」에서도 원숭이 한 떼가 하늘 높이 자란 마상수馬桑樹를 타고 천궁에 올라갔다가 빗물을 담아둔 항아리를 뒤집어엎는 바람에 홍수가 발생한다.[73]

이처럼 홍수가 발생하는 이유를 다룬 에피소드는 매우 다양하지만, 이 글에서 주로 관심을 갖는 것은 여러 편수의 이야기에 동일한 모티프와 서사구조가 반복적으로 나타나는 에피소드이다. 여기에서는 '홍수 이전의 일과 관련된 에피소드'의 성격에 따라 크게 다섯 하위범주, 즉 뇌공복수형雷公復讐型, 돌사자형石獅子型, 원상회복형原狀回復型, 선행보은형善行報恩型 및 신조계시형神鳥啓示型으로 나누어, 각각의 에피소드를 중심으로 이야기의 서사구조와 주요 모티프를 살펴보고자 한다.

1) 뇌공복수형

이 유형은 천상계의 뇌공雷公의 복수로 인해 홍수가 발생하는 에피소드가 부가된 경우이다. 이러한 에피소드에서는 대부분 천상계의 뇌공과 지상계의 인간 사이에 분규가 발생하는데, 지상계의 인간이 대체로 반신반인半神半人의 성격을 띠고 있다는 점에서 이 유형은 천신 사이의 분규의 속성을 일부 지니고 있다. 이러한 점에서 옛 문헌자료에 나타나는 바의, 공공과 전욱, 혹은 공공과 축융이 다투다가 공공이 부주산을 들이받아 홍수가 났다는 이야기와 동일한 맥락에 있다고 할 수 있다. 이러한 유형의 서사구조를 두루 갖추고 있는 일례를 아래에서 간략하게 살펴보자.

천상의 뇌공은 지상의 아페이궈본阿陪果本과 의형제를 맺어 자주 그의 집을 방문하였는데, 아페이궈본은 뇌공을 속여 그가 싫어하는 닭고기를 먹인다. 크게 화가 난 뇌공은 복수를 하려 했지만, 오히려 아페이궈본의 꾀에 넘어가 사로잡히고 만다. 아페이궈본은 소금을 사러 나가는 길에 아들과 딸에게 절대로 뇌공에게 불씨를 주지 말라고 했지만, 남매는 뇌공의 애처러운 모습에 마음이 흔들려 불씨를 주고 만다. 철창에서 벗어난 뇌공은 남매에게 호박씨를 주면서, 심었다가 홍수가 나면 호박을 타고서 생명을 건지라고 말한다. 홍수가 일어나 모든 사람이 죽었으나, 남매는 호박을 타고서 살아남았다. 남매는 대나무가 쪼개졌다가 다시 합쳐지는지와 맷돌을 굴려 합쳐지는지의 여부로 천의를 물어 결혼했는데, 1년 후 맷돌처럼 생긴 괴물을 낳는다. 남매가 괴물을 잘게 부수어 사방에 뿌리자, 이튿날 곳곳에서 사람이 생겨났다.(먀오족苗族의 「阿陪果本和雷公」)[74]

이 이야기에는 홍수 발생 이전의 일이 상당한 편폭을 들여 상세히 그려져 있는데, 이와 관련된 에피소드는 '뇌공과 인간의 분규' - '뇌공의 사로잡힘' - '금기와 금기의 위반' - '홍수의 예고' 등의 서사구조를 지니고 있으며, 홍수 이후의 일은 기본형의 홍수남매혼신화가 지니고 있는 서사구조를 똑같이 지니고 있다. 다만 '뇌공과 인간의 분규'를 초래한 사건이 여러 가지로 변형된다는 점이 가장 두드러지게 다를 뿐이다. 이를테면 야오족瑤族의 「복희남매伏羲男妹」에서는 비바람을 일으킨 문제로 뇌공과 장천사張天師가 다투고[75], 둥쪽侗族의 「강랑과 강매姜郎姜妹」[76]에서는 뇌공의 심장을 먹고 싶다는 어머니의 소원을 이루어주기 위해 뇌공을 사로잡았던 일로 분규가 일어나고, 무라오족仫佬族의 「복희남매伏羲兄妹」[77]에서는 뇌공의 살을 먹고 싶어 뇌공을 사로잡았던 일로 분규가 일어난다.

위의 이야기에서 엿볼 수 있듯이, 뇌공복수형의 홍수신화는 대부분 남매혼의 모티프와 결합되어 있다. 즉 뇌공의 복수와 관련된 에피소드가 홍수 발생의 원인으로서 이야기의 앞머리에 제시되어 있을 뿐, 이어서 '홍수의 발생' - '남매의 생존' - '남매의 결혼' - '인류의 재전'

이라는 주요 구성요소가 뒤따르고 '천의 문기와 징험' 및 '이물의 출산'이라는 모티프가 운용되기도 한다. 뇌공복수형의 홍수신화 가운데에도 남매혼의 모티프와 결합하지 않은 이야기가 있는데, 이러한 일례를 먀오족苗族의 신화에서 엿볼 수 있다.

> 형제인 강염姜炎과 뇌공은 분가하면서 각각 지상과 천상을 얻었는데, 뇌공은 재산의 대부분을 독차지하고서 강염에게는 개 한 마리만을 주었다. 화가 치민 강염은 뇌공을 골려주려고 소를 빌려가 쟁기질을 마친 뒤 소를 죽이고서는, 소가 천상으로 올라가지 않으려고 진흙탕 속으로 뚫고 들어갔다고 속였다. 소 머리 부분은 보이지 않고 꼬리 부분이 보이는지라 꼬리를 잡아당겼던 뇌공은 맞잡은 강염이 손을 놓아버리는 바람에 엉덩방아를 찧고 말았다. 자신을 놀린 강염에게 크게 화가 난 뇌공이 이레 후에 찾아와 때려죽이겠다고 엄포를 놓자, 강염은 지붕에 이끼를 깔고 물을 뿌리고 닭오줌을 발라 미끄럽게 만들었다. 이레 후에 찾아온 뇌공은 지붕위에서 미끄러져 강염에게 사로잡히고 말았다. 뇌공은 아이들이 닭오줌을 가져다준 덕분에 철창에서 도망쳐 나와 강염에게 홍수로 쓸어버리겠다고 욕설을 퍼부었다. 강염은 곧장 호로를 심어 박을 거둔 다음 일가족이 박 안에 들어가 홍수를 피하였다. 뇌공과 강염은 끝내 서로 화해하여 뇌공은 홍수를 거두고 강염을 천하를 잘 다스렸다.(먀오족苗族의 「姜炎鬪雷公」)[78]

뇌공복수형의 홍수남매혼 신화는 전승지역에 있어서 주로 중국의 남방, 즉 호남성과 호북성, 광서성과 광동성, 귀주성, 운남성 등지에 분포되어 있다. 아울러 소수민족에 있어서는 먀오족, 야오족, 둥족侗族, 좡족壯族을 비롯하여 부이족布依族, 무라오족仫佬族, 마오난족毛南族, 투자족土家族 등에게 전승되어오고 있다. 한족에게도 이 유형의 신화가 일부 전승되고 있는데,[79] 뇌공에게 도움을 준 대가로 홍수의 재난에서 살아남는 남매의 이름이 복희와 여와, 혹은 반아盤兒와 고아古兒 등, 한족의 옛 전적에 등장하는 신의 명칭을 사용한다는 점이 특징적이다.

2) 돌사자형

이 유형에는 홍수가 발생하기 이전에 돌사자의 이적과 관련된 에피소드가 부가되어 있으며, 이러한 유형의 신화에서 돌사자는 홍수의 징조를 알려줄 뿐만 아니라 홍수로부터의 피신수단이 되기도 하며, 홍수에서 생존한 남매에게 결혼을 권유하는 역할을 맡기도 한다. 돌사자의 에피소드는 돌사자에 피나 붉은색 등의 재난의 징조가 나타나면 마을이 가라앉아 호수가 된다는 이른바 함호형陷湖型 홍수전설에서 비롯된 것이라 할 수 있다. 이 에피소드는 남매혼신화와 결합하는 경우가 대다수인데, 이러한 일례로서 하북성河北省에 전승되어온 신화를 간단히 살펴보기로 하자.

> 복희와 여와 남매는 부모 없이 살고 있는데, 복희가 밭에서 일하는 사이 밥을 지어다 나르던 여와는 마을 입구를 지날 때마다 돌사자의 입에 밥을 넣어주었다. 어느 날 눈이 빨개진 돌사자가 곧 하늘이 무너지고 땅이 꺼질 터이니 해가 지기 전에 돌사자의 등에 올라타라고 말해주었다. 해질 녘에 돌사자의 등을 타고서 홍수의 재난에서 살아남은 남매는 커다란 돌을 굴려 합쳐지는지로 천의를 물은 뒤 결혼하여 살덩어리를 낳았다. 남매는 살덩어리를 던져버렸는데, 살덩어리에서 100명의 어린아이가 뛰쳐나와 백가성을 이루었다.(한족의 「洪水漫世」)[80]

이 이야기는 홍수 발생 이전의 일로 '돌사자에 대한 후대厚待' - '돌사자의 홍수 예고' - '남매의 생존' 등을 서술하고 있으며, 홍수 이후의 일은 기본형의 홍수남매혼신화가 지니고 있는 서사구조를 똑같이 지니고 있다. 위의 이야기에서 돌사자의 눈이 빨개지는 것은 하늘이 무너지고 땅이 꺼지는 재난의 징조라고 할 수 있다. 앞에서 언급한 함호형 홍수전설에서는 흔히 악인이나 장난꾸러기에 의해 징조의 인위적 조작이 이루어지지만, 돌사자형 에피소드에서는 징조의 인위적 조작이 이루어지는 경우는 거의 없다. 이러한 점에서 돌사자형 에피소드에서는 재난의 징조의 모티프가 약화되었다고 할 수 있다.

돌사자가 출현하는 홍수남매혼신화는 중국 곳곳에서 엿볼 수 있는데, 절강성浙江省에 전승되어온 「돌절구가 합쳐져 결혼하다石磨合婚」, 흑룡강성黑龍江省에 전승되어온 이야기, 강서성江西省에 전승되어온 반고 남매의 이야기 등[81]을 대표적으로 들 수 있다. 때로 돌사자는 하남성河南省에 전승되어온 「남매가 결혼하다姊弟成婚」처럼 돌거북이나, 닝샤위구르족寧夏回族 자치구에 전승되어온 「두 번째 세대第二代人」처럼 돌인형, 혹은 하남성의 「난을 피하여 세상을 창조하다避難創世」처럼 거북이나 리쑤족傈僳族의 「이차이와 이뉴依采和依妞」처럼 개구리로 변형되기도 하지만[82], 기본적인 서사구조는 위의 이야기와 거의 동일하다고 볼 수 있다. 돌사자형 에피소드가 남매혼의 모티프와 결합하지 않는 변이형의 일례를 아래에서 살펴보자.

> 어느 부잣집의 하녀는 매일 부잣집 문앞의 돌사자의 입에 밥과 반찬을 넣어주었다. 3년이 지난 어느 날 하녀가 잠을 자려는 순간 사자가 나타나더니, 첫날은 눈, 둘째 날은 비, 셋째 날은 불이 내려 세상을 멸망시킬 것이니, 닭이 세 번 울면 아무에게도 알리지 말고 돌사자의 입으로 뛰어들라고 말했다. 돌사자의 말에 따라 하녀는 홀로 살아남았지만 외롭게 지내게 되었는데, 이를 가엾게 여긴 하늘의 옥황대제가 하늘의 개를 보내 하녀와 짝지워주었다. 하늘의 개는 인간세상에 내려오자 사내로 변모하여, 하녀와 함께 여러 자식을 낳아 인류를 번성시켰다.(漢族의 「油火燒天下」)[83]

위의 이야기에서 하녀의 후대를 받은 돌사자가 인간에게 홍수와 화재의 재난을 예고한다. 재난에서 살아남은 하녀는 하늘의 개에서 변한 남자와 결합하여 인류를 번성시킨다. 즉 위의 이야기는 일반적인 돌사자형 에피소드의 기본적인 서사구조를 갖추고는 있지만, 남매혼이 아니라 인수혼人獸婚의 모티프와 결합하고 있다. 이밖에 한족의 신화에서도 돌사자형 홍수신화의 변이형을 엿볼 수 있다. 즉 매일 쌀밥을 나무구멍에 넣어달라는 나무의 부탁을 들어준 남매는 나무구멍에서 나온 노인의 말에 따라 나무구멍에 들어가 재난을 피하고, 살아남은 남매는 진흙으로 인간을 만들어낸다.[84]

돌사자형의 에피소드를 이야기의 첫머리에 부가한 홍수신화는 앞에서 언급한 몇 편의 이야기를 제외하고는 대다수가 남매혼의 모티프와 결합하고 있다. 아울러 돌사자형 홍수남매혼신화는 대부분 중국의 중부와 북부에 분포되어 있으며, 거의 모두 한족에게 전승되어 왔다. 소수민족에게 전승되어온 소수의 돌사자형 에피소드는 돌사자 대신에 개구리나 두꺼비가 등장하며, 전승지역 역시 운남성으로 제한되어 있다. 또한 에피소드는 기본적인 돌사자형에 속할지라도 생존 이후의 서사가 인수혼의 모티프와 결합한 이야기 역시 운남성과 복건성의 소수민족에 전승되고 있을 따름이다.

3) 원상회복형

이 유형은 형제가 개간한 밭이 이튿날이면 원상으로 회복되는 에피소드가 홍수신화의 첫머리에 부가된 이야기를 가리킨다. 원상회복의 이적異蹟을 일으키는 이는 신 혹은 신격의 신분을 지니고 있으며, 신 혹은 신격이 홍수를 예고하고 피신방법을 제시한다. 원상회복형의 에피소드를 지닌 홍수신화는 생존자의 관계와 숫자에 따라 크게 두 가지 하위유형으로 나뉜다. 두 가지 하위유형의 일례로서 먀오족苗族의 「홍수가 하늘까지 밀려오다」와 彝族의 「두미」를 각각 살펴보자.

> 세 남매가 살았는데, 형제가 종일토록 밭을 갈아도 이튿날이면 원상으로 회복되어 있었다. 숨은 채 지켜보던 형제는 백발노인이 한 일임을 알고서 붙잡아 물어보니, 홍수가 닥칠 것이라면서 자신을 몽둥이로 치려던 동생에게는 쇠북을 만들고, 동생을 만류하던 형에게는 나무북을 만들라고 하고서 사라진다. 북을 만들자 홍수가 발생하였는

데, 쇠북을 타고서 홍수를 피하던 동생은 죽고, 선행을 베푼 형은 누이와 함께 나무북을 타고서 살아남는다. 남매는 7년을 떠돌다가 하늘문 입구에 이르고, 천신은 이를 보고서 검으로 내려쳐 홍수를 물러가게 한다. 오빠가 누이에게 청혼하자, 누이는 바늘에 실 꿰기와 맷돌 굴려 합치기를 요구한다. 마침내 결혼한 남매는 살덩어리를 낳았으며, 이를 잘게 잘라 뿌리자 이튿날 사람으로 변하였다.(먀오족苗族의 「洪水潮天」)[85]

파미르산 아래에 삼형제가 살고 있었다. 삼형제가 황무지를 개간하는데, 이튿날이면 원래의 모습으로 되돌아가 버렸다. 이상히 여긴 삼형제가 몰래 지켜보니 백발노인이 한 짓이었다. 두 형이 백발노인을 붙잡아 때리려는 순간, 막내인 두미篤米가 형들을 말리면서 노인에게 까닭을 물었다. 노인은 지상에 사람이 너무 많고 경작지가 여기저기 생기는 바람에 물의 신, 바위신, 나무신이 살 곳이 없다고 하소연하여, 천군天君이 홍수로 세상을 멸망시키기로 하였다고 알려주었다. 노인은 큰형에게는 구리통, 둘째에게는 쇠통, 막내에게는 나무통을 만들어 홍수가 일어나면 목숨을 구하라고 일러주었다. 홍수가 일어나자 막내만 살아남았으며, 막내는 슬픈 노래로 외로움을 달랬다. 우주의 대신大神이 그의 노랫소리를 듣고 막내를 불렀는데, 그 자리에 동방과 남방, 북방의 천신의 딸을 오게 하였다. 세 여자는 막내를 보고 놀라고 애모하여 함께 노래하고 춤을 추었다. 대신은 세 여자를 막내의 아내로 주어 이족의 후대를 잇게 하였다.(이족彝族의 「篤米」)[86]

위의 두 편의 이야기는 모두 홍수신화의 첫머리에 원상회복형 에피소드가 부가되어 있다. 다만 홍수의 재난에서 살아남은 이가 전자의 이야기에서는 남매인 반면, 후자의 이야기에서는 남자 한 사람이다. 그리하여 뒤이어지는 서사는 전자에서는 남매혼의 모티프가 운용되고 있는 반면, 후자에서는 천녀혼의 모티프가 운용되고 있다. 원상회복형 에피소드가 남매혼 모티프와 결합된 이야기는 이족의 「아피사, 홍수와 사람의 선조阿霹刹, 洪水和人的祖先」, 먀오족의 「홍수가 하늘에 넘치다洪水漫天下」, 거라오족仡佬族의 「아양남매가 인간세상을 만들다阿仰兄妹制人煙」 등을 들 수 있으며,[87] 천녀혼 모티프와 결합된 이야기는 라후족拉祜族의 「벌통, 조롱박이 인류를 전하다蜂桶, 葫蘆傳人種」, 먀오족의 「테룬미와 예쒀體侖米和爺梭」, 이족의 「홍수가 천지에 넘치다洪水漫天地」, 짱족藏族의 「홍수가 하늘까지 밀려오다洪水潮天」 등을 들 수 있다.[88]

천녀형의 모티프와 결합한 홍수신화에서는 천녀와의 결혼을 위해 동물의 도움을 받기도 하는데,[89] 천녀와의 결혼하는 과정에서 '난제구혼難題求婚'의 모티프가 흔히 운용되기도 한다. 이때 천제나 천왕이 제시한 난제는 천녀나 동물의 도움으로 해결된다.[90] 원상회복형 에피소드가 홍수신화의 첫머리에 부가되어 있는 이야기는 주로 운남성, 귀주성과 사천성에 분포되어 있으며, 먀오족과 이족을 비롯하여 짱족, 라후족, 거라오족 등의 소수민족에게 전승되고 있다. 원상회복형 에피소드는 남매혼보다는 천녀혼의 모티프와 결합한 경우가 더 많다. 전체적으로 보아 원상회복형 에피소드는 전승지역 및 소수민족의 분포면에서 매우 제한적으로 운용되고 있음을 알 수 있다.

4) 선행보은형

이 유형은 신 혹은 신격에게 선행을 베푼 사람들이 홍수의 재난에서 살아남게 되는 에피소드가 홍수신화의 첫머리에 부가되어 있는 경우를 가리킨다. 이 에피소드는 홍수가 발생하는 이유를 밝히는 것이 아니라, 홍수의 재난에서 살아남은 사람들이 선택받은 이유를 설명하고 있다. 이 에피소드는 홍수설화 가운데 신 혹은 신격에 의해 누군가가 선택을 받아 생존할 경우 가장 흔하게 등장하는 서사적 구성요소라고 할 수 있다. 넓은 의미에서 본다면 앞에서 살펴본 바의 돌사자의 입에 만두나 밥을 넣어주고 배고픈 개구리에게 밥을 주는 것도 선행에 속하고, 나아가 영물靈物의 고기를 먹지 않는 것도 선행이라 할 수 있다. 여기에서는 인간의 구체적인 행위에 대한 신(격)의 보은이 명시적으로 언급된 경우로 제한하였다. 이러한 에피소드를 지닌 홍수신화의 대표적인 일례로 한족에게 전승되어온 이야기를 살펴보자.

> 어느 마을에 걸인 노파가 찾아왔지만 거들떠보는 사람이 아무도 없었다. 오직 떡을 굽던 어머니와 딸이 떡을 노파에게 주고, 물을 길어온 오빠가 먹을 물을 건네주었다. 일가족에게 대접을 잘 받은 노파는 "작은 배를 너희에게 줄 테니 홍수를 만나거든 이 작은 배에 올라타면 구원을 받을 것이다"라고 말하면서 종이배를 주었다. 어머니가 돌아가신 후 어느 날 홍수가 일어나자 남매는 종이배를 꺼내 물에 띄웠는데, 종이배는 금방 나무배로 변하였다. 나무배를 타고서 살아남은 남매는 인류를 전하기 위해 천의를 묻기로 하였으며, 이쪽의 맷돌과 산허리의 맷돌을 굴려 합쳐지면 부부가 되기로 하였다. 맷돌이 합쳐져 부부가 된 남매는 아들딸을 낳아 인류의 대를 이었다.[91]

위의 이야기에서 남매는 걸인 노파를 후대하였기에 노파의 선택에 의해 홍수의 재난 속에서 생존하게 되었다. 남매가 생존한 이후의 이야기는 홍수남매혼신화의 기본적인 서사구조와 더불어 '천의 묻기와 징험'의 모티프를 지니고 있다. 선행보은형 에피소드와 남매혼의 모티프가 결합한 유형으로는 하북성에 전승되어온 한족의 이야기, 광서성에 전승되어온 이족의 「웨이지와 미이 남매威志和米義兄妹」 등을 들 수 있는데,[92] 후자의 이야기에는 남매가 낳은 아이가 죽었다가 참새와 용의 도움으로 다시 살아난 이후의 사정이 추가되어 있다. 이 밖에 하남성의 한족의 이야기 역시 선행보은형 에피소드에 남매혼의 모티프가 결합한 예인데, 금기와 관련된 에피소드에 주목하여 살펴보기로 하자.

> 옥제玉帝는 자신이 만든 태양 10개 중에 아홉 개를 없애버린 인간들이 언젠가는 자신의 궁전까지 쏘아댈 것이라고 걱정한다. 왕모王母는 인

간 세상을 살펴보러 걸인 노파로 분장하여 나갔다가 착한 사람이 없음을 보고서 세상을 절멸시키고자 한다. 왕모는 오직 자신에게 친절을 베풀어준 복희와 여와 남매를 구원하고자 그들에게 땔감과 곡식을 준비하여 배로 피신하되, 짐승은 구해주되 사람은 절대로 구해주지 말라고 당부한다. 홍수가 일어나자 배로 피신한 남매는 왕모의 당부를 저버리고 사람 한 명과 개, 거북을 구해준다. 산에 도착하여 남매는 배를 사람에게 맡기고 거처를 찾으러 나선 사이에, 사람이 배를 훔쳐 도망간다. 하는 수 없이 산동굴에 거처를 정한 남매는 개의 후각 덕분에 동굴 속의 흑룡을 무찌른다. 복희가 청혼하지만 이를 거부한 여와는 달아나는 자기를 붙잡으면 결혼하겠노라고 말하였으며, 복희는 거북의 도움으로 여와를 붙잡아 결혼한다.[93]

위의 이야기는 일반적인 홍수남매혼신화와 동일한 서사구조와 모티프를 지니고 있지만, '짐승은 구해주되 사람은 구하지 말라'는 금기와 관련된 에피소드가 특별히 눈길을 끈다. 이 에피소드와 선행보은형 에피소드가 결합된 이야기는 신장新疆에 전승되어온 한족의 「남매가 결혼하다兄妹成婚」에서도 비슷하게 되풀이되고 있으며,[94] 이 이야기에서는 '사람은 절대 구해주지 말되, 12살의 사내아이만 구하라'라는 금기로 변형되어 있다. '짐승은 구해주되 사람은 구하지 말라'는 금기는 한국의 목도령 홍수설화에서도 등장하는 에피소드인데, 이는 일찍이 손진태가 지적하였듯이 불교 설화와 깊이 관련되어 있다.[95]

이처럼 신 혹은 신격에게 선행을 베푼 자가 남매일 경우, 홍수 발생 이후의 서사는 남매혼의 서사구조를 지니는 것이 일반적이다. 그렇지만 선행을 베푼 자가 남매가 아닐 경우 홍수 발생 이후의 서사구조는 달라질 수밖에 없다. 이를테면 남자 한 명이 살아남는 경우에는 천녀와 결혼하여 인류를 전하는 천녀혼의 서사구조를 지니게 된다. 선행보은형의 에피소드와 결합하여 새로이 인류를 전하는 일례로서 이족의 홍수신화를 살펴보자.

산꼭대기에 어머니와 두 아들이 살고 있는데, 욕심쟁이 형은 어머니를 전혀 돌보지 않지만, 동생은 어머니를 극진히 모셨다. 어머니가 세상을 떠나자 형은 동생에게 도끼 한 자루와 소 한 마리만을 나눠주고 나머지 전 재산을 독차지했다. 동생은 집을 떠나 숲속 깊숙이 들어와 농사를 짓고 살았다. 어느 날 몰골이 추한 노파가 형을 찾아와 먹을거리를 청했지만 형으로부터 모진 욕설만 들었다. 노파가 다시 동생을 찾아가자 동생은 친절하게 음식을 대접하였다. 자신을 관음노모觀音老母라고 밝힌 노파는 두 달 뒤에 홍수가 질 것이라고 예언하면서 조롱박씨를 심어 조롱박에 숨어 목숨을 건지라고 말했다. 노파의 말대로 홍수가 일어났으며, 세상 사람들은 모두 죽고 동생만이 쥐와 뱀, 배나무와 등나무의 도움으로 살아남았다. 동생은 이들에게 무릎을 꿇고 엎드려 감사의 인사를 드렸으며, 태양이 비추자 대나무에서 수많은 남자들이 뛰쳐나오고 뱀의 배에서 수많은 여자들이 뛰쳐나왔다.[96]

위의 이야기에서 홍수의 재난에서 생존한 이는 추한 노파로 분장한 관음노모에게 선행을 베푼 남자 한 명이다. 다만 이 이야기에서 인류를 다시 전하는 방식은 남매혼이나 천녀혼의 방식이 아니라, 남녀 사람들이 영물의 몸에서 뛰쳐나오는 방식이다. 이밖에도 선행보은의 에피소드가 인수혼의 모티프와 결합하는 예를 와족佤族의 신화에서 엿볼 수 있다. 즉 남자의 후대를 받은 두꺼비가 홍수의 재난을 예고하고, 홍수에서 살아남은 남자는 새끼암소와 교합하여 조롱박 종자를 낳고, 조롱박 종자를 심어 거둔 열매에서 사람과 동물이 나온다.[97] 지금까지 살펴보았듯이 선행보은형의 에피소드는 기본적으로 신(격)에 대한 선행과 보은으로서의 홍수 예고라는 모티프를 동시에 지니고 있다. 이러한 에피소드는 중국 전역에서 찾아볼 수 있으며, 이족은 물론 주로 한족의 홍수신화에 전승되고 있다.

5) 신조계시형

이 유형은 홍수신화 첫머리에 조롱박을 심으라고 권유한 신조神鳥

의 도움으로 홍수에서 살아남는 에피소드가 부가되어 있는 이야기이다. 신조계시형의 에피소드는 남매혼의 모티프와 결합하는 이야기가 대부분인데, 이러한 일례로서 호남성의 야오족瑤族에게 전승되어온 신화를 살펴보자.

> 오랜 옛날 류싼메이劉三妹는 오빠와 함께 깊은 숲속에 살고 있었는데, 어느 날 오빠가 일을 하러 간 사이에 이상한 새가 날아와 조롱박을 심으라고 말했다. 그녀는 새가 자신을 놀린다고 여겨 돌멩이를 던졌으나 새는 날아가지 않은 채 여전히 소리를 질렀다. 기이하다고 여긴 그녀는 새의 말에 따라 조롱박을 심었다. 이튿날 살펴보니 조롱박은 벌써 싹을 틔웠는데, 새가 다시 날아와 거름을 주라고 말했다. 새의 말대로 거름을 주자 조롱박은 쑥쑥 자라 열매를 맺었으며 며칠 만에 커다란 조롱박으로 자라났다. 그때 또 새가 날아와 조롱박에 들어가라고 다급하게 외쳤다. 남매가 조롱박에 들어가자마자 큰비가 내려 이레 동안 여기저기를 떠돌았다. 홍수가 지난 후 남매는 하늘과 땅을 만들었는데, 두 사람에게는 결혼할 짝이 없었다. 하는 수 없이 오빠가 여동생에게 결혼하기를 제안하자, 여동생은 고개를 돌아올 때까지 자기를 따라잡으면 결혼하겠다고 대답했다. 그런데 막상 달리기를 해보니 여동생은 너무나 빨리 달려 따라잡을 수가 없었다. 그때 새가 오빠의 꿈속에 나타나 몸을 되돌려 쫓아가면 된다고 일러주었다. 이튿날 오빠는 새가 시킨 대로 행하여 누이를 따라잡아 결혼했는데, 누이는 살덩어리를 출산하였다. 화가 난 오빠가 살덩어리를 밟아 으스러뜨려 사방에 뿌리자, 뜻밖에도 그곳에 인가가 생기고 연기가 피어올랐다. (야오족瑤族의 「劉三妹兄妹再造世界」)[98]

위의 이야기에서 '이상한 새'는 홍수로부터의 구원자이자 결혼의 조력자의 역할을 담당하고 있다. 홍수가 발생한 이후의 서사는 '홍수의 발생' - '남매의 생존' - '남매의 결혼' - '인류의 재전'의 구성요소로 이루어지며, '천의 묻기와 징험' 및 '이물의 출산' 등의 모티프를 운용하고 있다. 이처럼 홍수남매혼신화의 기본형에 신조계시형의 에피소드가 부가된 이야기는 사천성四川省의 한족과 리쑤족傈僳族에게 전승되어온 신화에서도 엿볼 수 있는데,[99] 한족의 신화에서는 '이상한 새'가 까치로 바뀌었을 뿐이다.

위의 이야기와 달리 신조계시형의 에피소드가 남매혼의 모티프와 결합하지 않은 홍수신화도 있다. 이러한 일례로 사천성의 한족에게 전승되어온 신화를 살펴보자.

> 깊은 산골에 남매를 둔 부부가 살고 있는데, 어느 날 신조神鳥가 날아와 "베를 짜느니 조롱박을 심는 게 낫다"고 울어댔다. 부부가 새의 말에 따라 조롱박 씨앗을 심자 크게 자라 커다란 조롱박을 맺었다. 조롱박을 따는 날 마침 홍수가 일어나 일가족만이 조롱박을 타고서 살아남았다. 몇 년 뒤 부부는 하늘로 올라가고 남매만 남았다. 남매는 결혼하려고 하였으나 여동생의 임신이 너무 늦을까봐 진흙으로 사람을 빚기로 하였다. 오빠는 남자를 빚고 여동생은 여자를 빚어 곳곳에 사람이 나타났으며, 사람으로 변한 장소를 따라 황형黃荊나무 아래에서 변한 사람은 황씨, 마상수馬桑樹 아래에서 변한 사람은 마씨, 돌 위에 있던 사람은 석씨 등의 여러 성씨를 갖게 되었다.(한족의 「兄妹造人煙」)[100]

위의 이야기에서 신조계시형의 에피소드에 이어지는 이야기는 남매혼이 아니라, 남매가 각각 남자와 여자를 진흙으로 빚어 만드는 이야기이다. 이 이야기에서는 여와가 진흙으로 인간을 빚어 만드는 '여와조인女媧造人'의 모티프와 결합되어 있는데, 이와 유사한 이야기로는 사천성의 한족에게 전승된 신화를 들 수 있다. 즉 복희 남매가 산 위에서 놀고 있을 때 새 한 마리가 씨앗을 물고 찾아오고, 이 씨앗을 심어 커다란 박으로 자라자 갑자기 홍수가 일어나 남매는 이 박의 반쪽을 타고서 목숨을 건진다. 홍수가 물러간 후 남매는 진흙으로 수많은 사람을 빚어냈다는 것이다.[101]

신조계시형의 에피소드가 부가된 홍수신화는 주로 호남성과 사천성에 분포되어 있으며, 한족과 요족, 율속족 등의 소수민족에게 제한적으로 전승되고 있다. 소수민족에게 전승된 이 유형의 홍수신화는 남매혼의 모티프와 결합하여 홍수남매혼신화의 기본적 서사구조를 운용하고 있다. 이에 반해 한족의 경우에는 설사 남매만이 생존하더라도 남매는 결혼하지 않은 채 각각 진흙으로 인간을 빚어 만듦으로써 '여와조인女媧造人'의 모티프와 결합하는 이야기가 많다.

지금까지 홍수신화의 하위층위로서 '홍수 이전의 일과 관련된 에피스드'의 성격에 따라 크게 다섯 범주로 나누어 이야기의 서사구조와 주요 모티프를 살펴보았다. 『중국민간고사집성中國民間故事集成』에는 대화재나 지진 등의 재난을 제외한, 엄밀한 의미에서의 홍수신화가 131편이 수록되어 있으며, 이들 가운데 홍수남매혼신화는 100편으로 전체의 76.3%에 이른다. 『중국민간고사집성』에 수록된 홍수신화에 근거하여 이들 다섯 범주의 에피소드의 편수를 살펴보면 대략 다음과 같다.

	雷公復讐型	石獅子型	原狀回復型	善行報恩型	神鳥啓示型	합계
남매혼	19	16	3	5	3	46
非남매혼	1	3	6	4	2	16
총편수	20	19	9	9	5	62

이 표를 살펴보면 총 131편의 홍수신화 가운데 다섯 범주의 에피소드가 부가된 홍수신화는 62편으로 전체의 47.3%를 차지하고 있으며, 이 62편 가운데 남매혼과 결합한 편수는 총 46편으로 전체의 74.2%를 차지하고 있다. 이로써 이들 에피소드가 부가된 홍수신화가 전체 홍수신화의 절반에 가까우며, 나아가 이들 에피소드와 남매혼이 결합한 편수가 홍수신화 전체의 1/3을 상회할 뿐 아니라 홍수남매혼신화 전체의 46%로 거의 절반에 가까울 만큼 많음을 알 수 있다.

이들 에피소드 가운데 일부 에피소드는 전승되는 지역 및 소수민족의 분포가 매우 제한적인데, 어계語系와 어족語族으로 이들의 분포를 분류해볼 수 있다. 즉 뇌공복수형의 에피소드는 주로 먀오족苗族과 야오족瑤族의 먀오야오어족(苗瑤語族, Miao-Yao Language Family), 그리고 좡족壯族과 둥족侗族을 중심으로 하는 좡둥어족(壯侗語族, Zhuang-Dong Language Family)의 소수민족에게 전승되어 왔다. 반면 돌사자형의 에피소드는 대체로 한어족(漢語族, Sinitic Language Family)에게 중점적으로 전승되어 왔으며, 원상회복형 에피소드는 짱멘어족(藏緬語族, Tibeto-Burman Language Family)을 포함한 한짱어계(漢藏語系, Sino-Tibetan languages)에서 두루 전승되어 왔다. 이로써 신화적 서사가 어계 및 어족을 따라 구전되어 왔으며, 이 과정에서 약간의 서사적 변형이 지속적으로 일어났음을 짐작할 수 있다.

4. 나오면서

지금까지 중국의 홍수신화를 층위와 범주의 개념을 통해 유형별로 나누어보았다. 중국의 홍수신화는 첫 번째 층위에서는 서사의 주체와 의도에 따라 치리형과 재전형으로 나누어진다. 치리형은 치리의 주체에 따라 치수형과 보천형이라는 범주로 나뉘고, 재전형 역시 재전의 주체에 따라 '신물형', '인·비인非人 결합형'과 '인간결합형'의 범주로 나뉜다. 이 가운데 '인간결합형'은 결합의 양태에 따라 부녀혼, 모자혼 및 남매혼의 하위범주로 나뉜다. 홍수신화의 두 번째 층위는 부가되는 에피소드에 따라 뇌공복수형, 돌사자형, 원상회복형, 선행보은형 및 신조계시형 등의 범주로 나뉜다. 이를 그림으로 나타내면 아래의 〈표 1〉과 같으며, 층위와 범주, 하위범주의 주요 내용은 〈표 2〉와 같다.

〈표 1〉 홍수신화의 층위와 범주

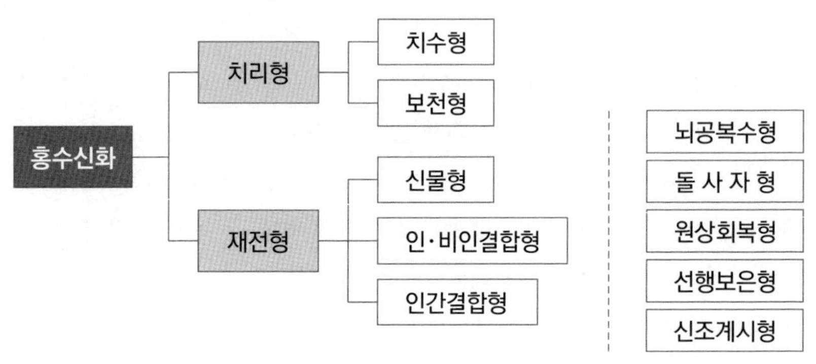

〈표 2〉 층위와 범주의 주요 내용

	洪水神話				
상위층위	治理型 (신 혹은 신격의 재난 극복)		再傳型 (홍수 생존자의 인류 再傳)		
범주	治水型 (鯀과 禹)	補天型 (女媧)	神物型	人·非人 結合型	人間結合型
하위 범주				人獸婚 人神婚 天女婚	父女婚 母子婚 男妹婚
기본 서사구조	· 홍수의 발생 · 鯀의 치수 실패와 죽음 · 禹의 탄생 · 禹의 치수 성공	· 홍수의 발생 · 女媧의 구원 · 세상과 인류의 안정	· 홍수의 발생 · 인간의 생존 · 神物을 통한 인류의 再傳	· 홍수의 발생 · 남자의 생존 · 非人과 결합 · 인류의 再傳	· 홍수의 발생 · 남녀의 생존 · 남녀의 결합 · 인류의 再傳

하위층위	홍수 이전의 일과 연관된 에피소드				
하위 범주	뇌공복수형	돌사자형	원상회복형	선행보은형	신조계시형
에피소드의 서사구조	· 雷公과 인간의 분규 · 雷公의 被捕 · 禁忌와 違反 · 雷公의 홍수 예고	· 돌사자의 이적 · 돌사자의 홍수 예고	· 원상회복의 異蹟 · 신(격)의 홍수 예고	· 신(격)에 대한 선행 · 신(격)의 홍수 예고	· 神鳥의 권유 · 神鳥의 홍수 예고

이러한 유형화는 지금까지 전해져온 문헌자료와 구전자료를 종합하되 범주 및 하위범주에 해당되는 편수의 다소에 관계없이 설정한 것이다. 따라서 특정한 유형이나 범주형에 포함시키기 어려운 신화도 상당수 존재하지만, 이러한 경우는 대체로 동일한 층위의 상이한 범주의 신화가 상호교차되기도 하고, 심지어 상이한 층위의 범주 및 하위범주가 서로 뒤섞이기도 하는 데에서 비롯된다. 이러한 예로 한족의 홍수신화 두 편을 살펴보자.

> 반고 남매는 야수들의 침입을 막기 위해 돌사자상을 만들었는데, 어느 날 돌사자가 반고에게 매일 만두를 가져다 놓으라고 부탁하더니, 49일째 되는 날 돌사자의 눈이 빨개지면 누이와 함께 배속으로 들어가라고 말한다. 돌사자의 눈이 빨개져 홍수가 발생하자, 남매는 돌사자의 배속으로 들어가 살아남는다. 돌사자가 무너진 하늘을 메워야 홍수에서 벗어날 수 있다고 하자, 남매는 갈라진 하늘을 꿰매어 홍수를 물리친다. 남매에게 결혼하라는 돌사자의 요청에 따라, 남매는 갖가지로 천의를 물어 결혼한다. 남매는 8명의 아들을 낳았지만 모두가 죽은 뒤, 진흙을 빚어 사람을 만들었다.(漢族의 「盤古開天」)[102]

> 옛날 어느 마을에 고高씨 남매가 살았는데, 누나가 혼자 있을 때에 걸인 도사가 찾아왔다. 누나가 먹을거리를 대접하자, 자신을 신선이라고 밝힌 도사는 세상 사람들이 돼먹지 못해 천신이 착한 남녀 한 쌍만을 남겨 놓고 홍수로 세상을 쓸어버리려 한다고 알려주었다. 누나가 자기 남매를 살려달라고 간청하자, 도사는 동생에게 매일 아침 사당문 앞의 두 개의 돌사자의 눈이 빨개지는가를 잘 살펴보다가, 빨개지면 즉시 돌사자의 입으로 뛰어들라고 말했다. 이 사실을 알게 된 동생의 친구들이 동생을 놀리려고 돌사자의 눈을 붉게 칠하였는데, 동생은 이를 보고 누나와 함께 돌사자의 입속으로 뛰어들었다. 곧바로 홍수가 닥쳤지만 남매는 돌사자를 타고서 살아남았다. 생존한 남매에게 도사가 나타나 결혼을 권하였지만, 남매는 거부하였다. 도사는 돌로 만든 공이 서로 만나면 결혼하기로 남매와 약속하였으나 그 징험은 이루어지지 않았으며, 남매는 진흙으로 사람을 빚어 만들었다.(漢族)[103]

위의 이야기 가운데 전자는 기본적으로 돌사자형의 에피소드와 남매혼의 모티프가 결합된 서사구조를 이루고 있는데, 여기에 '여와보천女媧補天'과 '여와조인女媧造人'의 모티프가 뒤섞여 있다. 다시 말해 전자의 이야기는 '치리형 + 돌사자형 + 남매혼형 + 신물형'의 혼합형이라 할 수 있다. 후자의 이야기는 기본적으로 선행보은형의 에피소드와 남매혼의 모티프가 결합된 서사를 중심으로, 돌사자형과 '여와조인'의 신물형이 혼합되어 있다. 위의 두 이야기는 한족의 옛 전적에 흔히 실려 있는 여와와 관련된 모티프가 어떤 층위나 범주, 하위범주의 에피소드와도 쉽게 결합할 수 있음을 보여준다. 이러한 이야기들은 모두 여러 지역 및 민족에 구전되어오던 이야기들이 오랜 세월에 걸쳐 상호교차되거나 변형된 것으로서, 앞에서 언급한 층위와 범주 가운데 어느 유형이라고 특정하기가 어렵다.

■ 주석

1) N.K.샌디아즈 지음, 이현주 옮김, 『길가메시서사시』(서울: 범우사, 1978), 75-81쪽 참조
2) 토머스 볼핀치 지음, 김경희 옮김, 『그리스로마신화』(서울: 브라운 힐, 2006), 25-28쪽 참조
3) 아침나무, 『세계의 신화』(서울: 삼양미디어, 2009), 327-330쪽 참조
4) 위의 책, 666-667쪽 참조
5) 박종욱 지음, 『라틴아메리카 신화와 전설』(서울: 도서출판 바움, 2005), 18-19쪽 참조
6) 위의 책, 219쪽 참조
7) 베로니카 이온스 지음, 임웅 옮김, 『인도 신화』(서울: 범우사, 2004), 64-75쪽 참조
8) 나상진, 「彝族 四大 創世史詩의 서사구조와 신화 상징 연구」(연세대학교 박사학위논문, 2010.12), 제2장 '이족 창세사시의 서사구조와 특징' 참조
9) 中國民間故事集成全國編輯委員會 編, 『中國民間故事集成』(貴州卷)(北京: 中國ISBN中心, 2002), 38-39쪽 참조
10) 위의 책(福建卷), 5-6쪽 참조
11) 首生盤古, 垂死化身, 氣成風雲, 聲爲雷霆, 左眼爲日, 右眼爲月, 四肢五體爲四極五嶽, 血液爲江河, 筋脈爲地理, 肌肉爲田土, 髮髭爲星辰, 皮毛爲草木, 齒骨爲金石, 精髓爲珠玉, 汗流爲雨澤, 身之諸蟲, 因風所感, 化爲黎甿. 『繹史』 卷一引 『五運歷年紀』
12) 오딘은 태초의 거인 유미르의 시체를 찢어 하늘과 바위, 숲과 나무와 풀, 바다와 호수를 만들었다. 아침나무, 앞의 책, 289쪽 참조
13) 신들은 거인의 형상을 한 최초의 인간 푸루샤를 희생제로 올렸는데, 그의 머리에서 하늘이, 배꼽에서 대기가, 발에서 대지가 생겨났다. 그의 마음에서 달이, 귀에서 네 방위가, 입에서 인드라와 아그니가, 가슴에서 비유가 나왔다. 베로니카 이온스 지음, 앞의 책, 69쪽 참조
14) 마르두크와의 전쟁에서 패한 티아마트의 시신 반쪽은 하늘의 지붕이 되고, 나머지 반쪽은 땅이 되었다. 그녀의 침은 구름과 바람, 비가 되고, 그녀의 독은 안개가, 그녀의 눈은 유프라테스 강과 티그리스 강이 되었다. 아침나무, 앞의 책, 386-389쪽 참조
15) 폰탄이라는 인간은 죽음이 다가오자, 누이들에게 자신의 우람한 가슴과 어깨에서 땅과 하늘을 만들고, 눈에서는 해와 달을, 눈썹에서는 무지개를 만들라고 하였다. 세르기우스 골로빈 외 지음, 이기숙 외 옮김, 『세계 신화 이야기』 (서울: 까치, 2001), 79쪽 참조
16) 鍾敬文, 「中國的水災傳說」, 『民衆教育季刊』 제1권 제2호, 1931. 2.
17) 李卉, 「臺灣及東南亞的同胞配偶型洪水傳說」, 『中國民族學報』, 1955-1
18) 楊知勇, 「洪水神話初談」, 『民間文學論壇』 1982-6
19) 呂微, 「中國洪水神話傳說結構分析」, 『民間文學論壇』 1986-2
20) 陶陽·鍾秀 著, 『中國創世神話』 (上海: 上海人民出版社, 1989), 233-242쪽 참조

21) 謝選駿, 『中國神話』(杭州: 浙江教育出版社, 1995) 제4장 洪水主題 속의 제2절 '洪水神話諸形式', 71-81쪽

22) 陳建憲, 「中國洪水神話的類型與分布-對433篇異文的初步宏觀分析」, 『民間文學論壇』 1996-3

23) 鹿憶鹿 著, 『洪水神話』(臺北: 里仁書局, 2002), 18쪽 참조

24) 일례로 『書經·洪範』의 "昔鯀堙洪水, 汨陳其五行, 帝乃震怒, 不畀洪範九州, 彝倫攸斁. 鯀則殛死, 禹乃嗣興. 天乃錫禹洪範九州, 彝倫攸敍."라는 기록이나, 『淮南子·齊俗』의 "禹之時, 天下大雨. 禹令民聚土積薪, 擇丘陵而處之." 등의 기록을 들 수 있다.

25) 洪水滔天, 鯀竊帝之息壤以堙洪水, 不待帝命. 帝令祝融殺鯀於羽郊. 鯀復生禹, 帝乃命禹卒布土以定九州. (『山海經·海內經』)

26) 鴟龜曳銜, 鯀何聽焉? 順欲成功, 帝何刑焉? 永遏在羽山, 夫何三年不施? 伯禹愎鯀, 夫何以變化?(『楚辭·天問』)

27) 陶陽, 鍾秀 編, 『中國神話(上冊)』(北京: 商務印書館, 2008), 407-411쪽 참조

28) 위의 책, 「鯀王治水」, 412-415쪽 참조

29) 舜之時, 共工振滔洪水以薄空桑, 龍門未開, 呂梁未發, 江淮通流, 四海溟涬, 民皆上丘陵, 赴樹木. 舜乃使禹疏三江五湖, 辟伊闕, 導廛澗, 平通溝陸, 流注東海. 鴻水漏, 九州乾, 萬民皆寧.(『淮南子·本經訓』)

30) 禹治洪水時, 有神龍以尾畵地, 導水所注, 當決者, 因而治之也.(『拾遺記』 卷二)

31) 禹盡力溝洫, 導川夷岳, 黃龍曳尾於前, 玄龜負青泥於後.

32) 時大禹理水, 駐山下, 大風卒至, 崖振谷隕不可制, 因與夫人相値, 拜而求助. 卽敕侍女 授禹策召鬼神之書, 因命大神狂章·虞余·黃魔·大翳·庚辰·童律等, 助禹斫石疏波, 決塞導阨, 以循其流, 禹拜而謝焉.

33) 伯禹曰, 臣觀河, 有白面長人魚身出, 曰, 吾河精也. 表曰, 文命治淫水. 授臣河圖, 躄入淵.

34) 禹鑿龍關之山, 亦謂之龍門, 至一空岩, 深數十里, 幽暗不可復行, 禹乃負火而進, …… 見一神, 蛇身人面, 禹因與語. 神卽示禹八卦之圖, 列於金版之上, 又有八神侍側, 禹曰,"華胥生聖子, 是汝耶?" 答曰, "華胥是九河神女, 以生余也." 乃探玉簡授禹, 長一尺二寸, 以合十二時之度數, 使量度天地, 禹卽執持此簡, 以平定水土. 蛇身之神卽羲皇也.

35) 陶陽, 鍾秀 編, 앞의 책, 425-427쪽 참조

36) 일례로 『山海經·大荒西經』의 "有神十人, 名曰女媧之腸, 化爲神, 處栗廣之野, 橫道而處."라는 기록이나, 『楚辭·天問』의 "登立爲帝, 孰道尙之? 女媧有體, 孰制匠之?" 라는 기록을 들 수 있다.

37) 往古之時, 四極廢, 九州裂, 天不兼覆, 地不周載, 火爁炎而不滅, 水浩洋而不息, 猛獸食顓民, 鷙鳥攫老弱. 於是女媧煉五色石以補蒼天, 斷鰲足以立四極, 殺黑龍以濟冀州, 積蘆灰以止淫水. 蒼天補, 四極正, 淫水涸, 冀州平, 狡蟲死, 顓民生, 背方州, 抱圓天. (『淮南子·覽冥訓』)

38) 物有不足, 故昔者女媧氏練五色石以補其闕, 斷鼇之足以立四極. 其後共工氏與顓頊爭爲帝, 怒而觸不周之山, 折天柱, 絶地維; 故天傾西北, 日月辰星就焉; 地不滿東南,故百川水潦歸焉.(『列子·湯問』)

39) 天地初不足, 故女媧氏練五色石, 以補其厥, 斷鼇足, 以立四極. 其後共工氏與顓頊爭帝, 而怒觸不周之山, 天柱折, 絶地維. 故天後傾西北, 日月星辰就焉. 地不滿東南, 故百川水注焉.(『博物志』 卷五)

40) 傳又言共工與顓頊爭爲天子, 不勝, 怒而觸不周之山, 使天柱折, 地維絶. 女媧銷煉五色石以補蒼天, 斷鼇之足以立四極.(『論衡·順敲篇』) 이와 거의 동일한 언급이 『論衡·談天篇』에도 실려 있다.

41) 當其末年也, 諸侯有共工氏, 任智刑以强覇而不王, 以水乘木, 乃以祝融戰, 不勝而怒, 乃頭觸不周山, 崩, 天柱折, 地維缺, 女媧乃煉五色石以補蒼天, 斷鼇足以立四極, 聚蘆灰以止滔水. 以濟冀州, 於是地平天成, 不改舊物.(『補史記·三皇本紀』)

42) 太昊氏衰, 共工惟始作亂, 振滔洪水, 以禍天下, 隳天綱, 絶地紀, 覆中冀. 人不堪命, 於是女皇氏役其神力, 以與共工氏較, 滅共工氏而遷之, 然後四極正, 冀州寧宁, 地平天成, 萬民復生.(『路史·後記二卷』)

43) 陶陽, 鍾秀 編, 앞의 책, 404-405쪽 참조

44) 中國民間文學集成全國編輯委員會 編, 『中國民間故事集成』(雲南卷) (北京: 中國ISBN中心, 2003), 169-170쪽 참조

45) 陶陽, 鍾秀 編, 앞의 책, 402-403쪽

46) 中國民間文學集成全國編輯委員會 編, 앞의 책(雲南卷), 162-164쪽 참조

47) 위의 책(雲南卷), 192-193쪽 참조

48) 毛星 主編, 『中國少數民族文學』(下卷) (長沙: 湖南人民出版社, 1983), 241-242쪽 참조

49) 中國民間文學集成全國編輯委員會 編, 앞의 책(湖南卷), 32쪽 참조

50) 위의 책(雲南卷), 194-196쪽 참조

51) 위의 책(浙江卷), 47쪽 참조

52) 위의 책(雲南卷), 181-183쪽 참조

53) 本書編委會 編, 『中華民族故事大系』(제9권) (上海: 上海文藝出版社, 1995) 644-664

54) 위의 책, 669-678쪽 참조

55) 中國民間文學集成全國編輯委員會 編, 앞의 책(四川卷), 1481-1484쪽 참조

56) 毛星 主編, 앞의 책(中卷), 221-222쪽 참조

57) 위의 책, 374-375쪽 참조

58) 中國民間文學集成全國編輯委員會 編, 앞의 책(河北卷), 8-9쪽 참조

59) 위의 책(廣東卷), 6쪽 참조

60) 위의 책(雲南卷), 215-217쪽 참조. 鶴拓은 대리大理의 별칭이다.

61) 위의 책(雲南卷), 205-206쪽 참조

62) 伏羲, 女媧, 因爲父母而生, 爲遭水災, 人民盡死, 兄妹二人, 依龍上天, 得存其命. 見天下荒乱, 唯金崗天神, 教言可行陰陽, 遂相羞耻, 即入昆仑山藏身, 伏羲在左巡行, 女娲在右巡行, 契許相逢, 則爲夫婦, 天遣和合, 亦爾相知, 伏羲用樹葉覆面, 女娲用蘆花遮面, 共爲夫妻. …… 懷娠日月充满, 遂生一百二十子, 各人一姓. (P.4016)

63) 中國民間文學集成全國編輯委員會 編, 앞의 책(山西卷), 12-14쪽 참조
64) 위의 책(湖南卷), 31쪽 참조
65) 위의 책(雲南卷), 「兄妹傳人」, 165-168쪽 참조
66) 毛星 主編, 앞의 책(下卷), 18-19쪽 참조
67) 中國民間文學集成全國編輯委員會 編, 앞의 책(河北卷), 21-22쪽 참조
68) 위의 책(湖北卷), 「姐弟成親」, 12-13쪽 참조
69) 위의 책(陝西卷) 13-14쪽 참조
70) 위의 책(雲南卷), 187-189쪽 참조
71) 위의 책(雲南卷), 203-205쪽 참조
72) 위의 책(雲南卷), 206-207쪽 참조
73) 위의 책(四川卷下) 1109-1110쪽 참조
74) 위의 책(湖南卷), 23-26쪽 참조
75) 위의 책(雲南卷), 201-203쪽 참조
76) 위의 책(湖南卷), 28-30쪽 참조
77) 陶陽, 鍾秀 編, 앞의 책(上卷), 472-474쪽 참조
78) 中國民間文學集成全國編輯委員會 編, 앞의 책(貴州卷), 39-41쪽 참조
79) 일례로 강서성에서 채록된 「伏羲與女媧」, 하북성에 채록된 「盤兒與古兒」 등을 들 수 있다. 위의 책(江西卷), 9-10쪽; 위의 책(河北卷), 24-25쪽 참조
80) 위의 책(河北卷), 20-21쪽 참조
81) 위의 책(浙江卷), 42-44쪽; 위의 책(黑龍江卷), 10-11쪽; 위의 책(江西卷), 10-11쪽을 각각 참조
82) 위의 책(河南卷), 13-14쪽; 위의 책(寧夏卷), 15-16쪽; 위의 책(河南卷), 9-10쪽; 위의 책(雲南卷), 176-178쪽을 각각 참조
83) 위의 책(福建卷), 7-9쪽 참조
84) 위의 책(河南卷), 「玉人和玉姐」, 11-12쪽 참조
85) 위의 책(四川卷), 1321-1322쪽 참조
86) 위의 책(貴州卷), 48-49쪽 참조
87) 本書編委會 編, 앞의 책(제3권), 35-37쪽 참조; 中國民間文學集成全國編輯委員會 編, 앞의 책(雲南卷), 196-200쪽 참조; 위의 책(貴州卷), 54-57쪽 참조
88) 위의 책(雲南卷), 181-183쪽 참조; 위의 책(貴州卷), 51-54쪽 참조; 위의 책(四川卷 下), 756-764쪽 및 938-940쪽 참조
89) 이족의 「洪水漫天地」에서는 홍수에서 12가지 짐승과 함께 생존한 막내는 여러 짐승의 도움을 받아 천신의 딸과 결혼한다. 위의 책(四川卷 下), 756-764쪽 참조. 푸미족普米族의 「帕米查列」에서는 청개구리가 막내와 선녀와의 결혼을 도와준다. 本書編委會 編, 앞의 책(제14권), 12-20
90) 몽고족의 「九兄弟」에서는 홍수에서 생존한 막내가 천상의 선녀와 결혼하기 위해 천제가 제시한 난제를 선녀의 도움으로 해결한다. 위의 책(四川卷 下), 1479-1481

쪽 참조. 먀오족의 「體倫米和爺梭」에서 홍수의 재난에서 생존한 동생은 천상의 神蛙와 仙鼠의 도움으로 天王의 난제를 해결하고 雷公의 부인을 아내로 맞이한다. 위의 책(貴州卷), 51-54쪽 참조

91) 위의 책(上海卷), 10-12쪽 참조

92) 위의 책(河北卷), 21-22쪽; 위의 책(廣西卷), 63-66쪽 참조

93) 위의 책(河南卷), 14-15쪽 참조

94) 위의 책(新疆卷), 35-37쪽 참조

95) 손진태, 『孫晉泰先生全集』(제2권)(서울: 태학사, 1981), 676-677쪽 참조. 『六度集經』에는 시장에서 팔리는 자라를 구해준 어느 보살의 이야기가 실려 있다. 보살이 자라를 방생한 그날 밤 자라가 보살을 찾아와 머지않아 홍수가 닥쳐올 테니 배를 준비하라고 말하였다. 홍수가 일어나자 보살은 배에 올라 자라를 따라가던 중에 뱀과 여우를 구해주었는데, 홍수에 떠내려가는 사람을 구하려 하자 자라가 '사람의 마음이란 간사한 것이라 끝까지 믿음을 지키는 일이 적다'면서 구해주지 말라고 말했다. 보살은 차마 그럴 수는 없다고 여겨 사람을 구해주었다. 홍수가 물러가자 자라와 뱀, 여우 모두 흩어졌다. 땅에 굴을 파던 여우가 옛 사람이 묻어 놓은 금 백 근을 발견하여 살려준 은덕을 갚겠노라 보살에게 바쳤다. 보살은 중생에게 보시하고자 그 금을 받았지만, 표류되었던 사람이 이 사실을 알고서 관청에 알려 보살은 옥에 갇히고 말았다. 뱀은 여우와 상의한 끝에 태자를 깨물어 중독시켰으며, 태자가 곧 죽게 되자 왕은 '태자의 목숨을 구해주는 사람에게는 상국 벼슬을 봉하여 함께 나라를 다스리겠다'고 명하였다. 보살은 뱀에게 받은 약으로 태자의 목숨을 구하였으며, 약을 구하게 된 경위를 왕에게 자세히 전하였다. 왕은 자신의 허물을 뉘우치고 곧장 표류했던 사람을 죽였다.

96) 中國民間文學集成全國編輯委員會 編, 위의 책(雲南卷), 162-164쪽 참조

97) 위의 책(雲南卷), 「葫蘆里出來的人煙」, 194-196쪽 참조

98) 위의 책(湖南卷), 33-34쪽 참조

99) 위의 책(四川卷 上), 49-50쪽 및 위의 책(四川卷 下), 1435쪽 참조

100) 위의 책(四川卷 上), 52-53쪽 참조

101) 위의 책(四川卷 上), 49쪽

102) 本書編委會 編, 앞의 책(1권), 5-9쪽

103) 中國民間文學集成全國編輯委員會 編, 앞의 책(黑龍江卷), 10-11쪽

2 중국의 남매혼신화

1. 들어가면서
2. 중국의 남매혼신화
   1) 옛 문헌자료속의 남매혼
   2) 민국 이후의 문헌자료 속의 남매혼
3. 홍수남매혼신화의 서사구조
   1) 기본형의 홍수남매혼신화
   2) 부가형의 홍수남매혼신화
4. 나오면서

1. 들어가면서

홍수의 재해로 인해 인류가 멸망하는 이야기를 다룬 홍수신화는 전세계적으로 분포되어 있다. 이들 홍수신화는 서사의 내용은 물론 서사구조면에서 지역에 따라 특이성을 지니고 있지만, 기본적으로 인류의 절멸을 서사하는 세계종말의 신화의 성격을 지니고 있다. 다만 인류와 문명의 종말이 단순한 소멸과 파괴가 아니라 새로운 생성과 창조를 위한 통과의례라는 점에서, 홍수신화는 종말신화와 창세신화 혹은 인류창조신화의 성격을 함께 지니고 있다고 할 수 있다.

그렇다면 홍수신화는 인류와 세상의 종말을 이야기하지만, 그 종말은 결코 끝이 아니라 새로운 시작이다. 인류와 세상의 새로운 시작은 절대자에 의해 특별히 선택받은 특정 집단이나 사람에 의해서 이루어진다. 이를테면 구약성경의 「창세기」에서는 노아Noah의 가족에 의해, 북유럽신화에서의 라그나뢰크에서는 살아남은 신과 두 명의 남녀에 의해, 그리스·로마신화의 데우칼리온의 홍수에서는 데우칼리온Deukaliōn과 피라Purrha에 의해 새로운 세상과 인류의 창조가 이루어진다. 이처럼 서구의 홍수신화에서는 가족이나 부부, 남녀가 인류를 다시 전하는 유민遺民으로 등장한다.

이에 반해, 중국의 홍수신화에서 유민은 매우 다양하게 나타난다. 즉 어원커족鄂溫克族의 신화에서는 홍수에서 살아남은 아버지와 딸이 결혼하여 인류를 전하며[1], 리족黎族의 신화에서는 어머니와 아들이 결혼하여 인류를 전하며,[2] 호북성湖北省에 유전하는 신화에서는 살아남은 자매가 인류를 전하기도 한다.[3] 뿐만 아니라 운남성雲南省에 유전하는 신화처럼 홍수에서 홀로 살아남은 남자가 암소와 결혼하여 인류를 전하기도 하고,[4] 라후족拉祜族의 신화처럼 홍수에서 홀로 살아남은 남자가 천녀天女와 결혼하여 인류를 전하기도 한다.[5] 그렇지만 중국의 홍수신화에서 가장 많이 등장하는 유민은 남매이며, 이들 남매가 결혼하여 인류를 다시 전한다. 이러한 남매혼에 의한 인류의 재창조는 서구의 홍수신화에서는 볼 수 없는 특징이라 할 수 있다.

홍수의 재난에서 살아남은 남매가 결혼하여 인류를 재전再傳하는 신화를 중국에서는 '홍수동포배우형 신화洪水同胞配偶型神話' 혹은 '형매혼형 홍수신화兄妹婚型洪水神話', '형매배우형兄妹配偶型 홍수유민재조인류洪水遺民再造人類 신화', '홍수 후 인류재생 신화洪水後人類再生神話' 등의 다양한 명칭으로 일컫고 있는데, 이 글에서는 이러한 신화를 홍수남매혼신화로 통칭하고자 한다. 중국의 홍수남매혼신화는 홍수를 중심으로 분류하되 그 층차와 범주를 고려하면, '홍수신화⊃재전형再傳型 홍수신화⊃인간 결합에 의한 재전형 홍수신화⊃남매혼 홍수신화'로 유형화할 수 있다. 다만 이 글에서는 남매[6]가 결혼하여 인류를 창조하거나 재전하는 신화를 연구대상으로 한다. 여기에는 홍수는 물론 화재나 지진 등의 재난에 의해 인류가 절멸된 상태에서 남매만이 살아남아 인류를 전하는 신화도 포함된다. 따라서 인류의 창조자이자 구원자로서의 여와女媧의 업적을 다룬 보천형補天型 홍수신화나, 홍수로부터 인류의 구원을 위해 희생하거나 공헌한 곤鯀과 우禹의 업적을 다룬 치수형治水型 홍수신화는 다루지 않기로 한다.

또한 홍수에 치중하여 연구되었던 지금까지의 논의와는 달리, 이 글은 남매혼에 중점을 두어 살펴보고자 한다. 이는 홍수를 전제로 한 남매혼신화의 경우, 홍수와 결합하지 않은 남매혼신화가 논의의 대상에서 자칫 간과되기 쉬울 우려가 있기 때문이다. 이를 위해 남매혼과 관련된 신화[7]를 먼저 살펴보고, 남매혼신화에서 가장 많이 나타나는 홍수남매혼신화를 각각의 서사구조에 근거하되 가능한 한 단순화하여 유형화를 시도하고자 한다. 아울러 이 글에서는 1995년과 2007년에 각각 출판을 완료한 『중화민족고사대계中華民族故事大系』와 『중화민간문학집성中國民間文學集成』에 실린 관련 신화 130여 편을 연구대상으로 하였음을 밝혀둔다.

2. 중국의 남매혼신화

신화적 사유에 따르면, 최초의 인류는 절대자 혹은 신에 의해 창조된다. 최초의 인류가 남녀 한 쌍이든 다수이든, 자손의 존속을 위한 이들의 결합은 동일한 부모(혹은 부모의 한 쪽)를 두고 있다는 점에서 남매혼의 성격을 지닐 수밖에 없다. 그러나 이들의 결합은 신성성을 부여받고 있는 신의 결합이라는 점으로 인해 근친상간이라는 윤리도덕적 금기의 대상에 포함되지 않는다. 이를테면 이집트 신화에서는 태양신 라Ra의 아들인 슈Shu와 딸인 테프누트Tefnut가 결혼하여 다섯 쌍둥이를 낳고, 이들 쌍둥이 역시 남매끼리 결혼한다.[8] 일본의 창조신 이자나기伊邪那岐命와 이자나미伊邪那美命 남매 역시 결혼하여 수많은 신들을 낳는다.

이처럼 신의 영역에서 남매의 결혼은 세속의 윤리도덕을 초월해 있다. 그러나 인간의 영역에서 남매의 결혼은 윤리도덕적 문제를 야기할 수 있을 터인데, 공교롭게도 서구의 신화에는 인간의 영역에서 이루어지는 남매의 결혼이 보이지 않는다. 홍수신화의 경우, 재난에서 살아남아 결혼한 이들은, 노아의 홍수이든, 데우칼리온의 홍수이든, 라그나뢰크의 대재난이든 모두 근친상간이라는 윤리도덕의 금기를 위반하지 않는 부부나 남녀였던 것이다. 그렇다면 중국의 신화에서는 남매의 결혼이 어떻게 나타나는가를 크게 두 가지 문헌자료, 즉 옛 문헌자료와 민국 이후에 채록된 문헌자료를 중심으로 살펴보기로 하자.

1) 옛 문헌자료 속의 남매혼

중국의 남매혼 신화 가운데 가장 자주 언급되는 인물은 여와女媧와 복희伏羲이다. 옛 문헌자료를 살펴보면 여와와 복희는 애초에는 함께 언급되지 않은 채 따로따로 나타날 뿐이다. 이를테면 『초사楚辭』에서

"여와에게 몸이 있으니, 누가 그것을 만들었는가?"[9]라거나, 『산해경山海經』에서 "열 명의 신이 있는데, 여와의 창자가 변하여 신이 되었다고 한다."[10]라는 등의 기록이 여와를 언급하고 있다면, 『역易』에서 "옛날에 포희씨包犧氏가 천하를 다스렸다."[11]거나 『장자莊子』에서 "수인燧人과 복희伏戲가 처음으로 천하를 다스렸다."[12] 등의 기록은 복희를 언급하고 있는 예이다.

이처럼 여와와 복희는 전혀 관련이 없다가 차츰 나란히 등장하기 시작했다. 이를테면 『열자列子』에서는 "포희씨庖犧氏, 여와씨女媧氏, 신농씨神農氏, 하후씨夏后氏는 뱀의 몸에 사람의 얼굴, 소의 머리에 호랑이의 코를 하고 있다."[13]라고 기록하고 있으며, 동한대東漢代의 왕연수王延壽는 "위에 천지개벽의 태고적 일을 적으시매, … 복희는 용의 몸이고, 여와는 뱀의 몸이네."[14] 라고 노래하고 있다. 여기에서 더 나아가 여와와 복희는 남매 혹은 부부 관계로 전화되었다. 즉 나필羅泌은 동한말東漢末 응소應劭가 편찬한 『풍속통의風俗通義』를 인용하여 "여와는 복희의 여동생"[15]이라고 기록하고 있으며, 당대唐代의 노동盧仝은 "여와는 본래 복희의 아내"[16]라고 기술하고 있다. 이러한 전변은 한대漢代의 석각화상石刻畫像에도 여실히 드러나 있는데, 여와와 복희는 인수사신人首蛇身의 형태로 나란히 등장할 뿐만 아니라, 자주 교미도交尾圖의 형태로 나타난다.

1967년에 신강성 투루판 아스타나에서
출토된 伏羲女娲交尾图

이러한 여와와 복희의 결합은 한대漢代의 음양론陰陽論 및 대일통의식大一統意識과 밀접하게 연관된 것이거니와, 특히 남매와 부부로의 전화과정은 여와의 신격의 변화, 즉 독립된 위대한 여신에서 복희의 대우신對偶神으로 격하되는 과정을 반영하고 있다.[17] 남매혼의 서사라는 관점에서 살펴본다면, 위에 언급한 기록들은 여와와 복희의 관계에 대한 간략한 기술에 지나지 않으며, 두 인물을 중심으로 펼쳐지는 이야기는 전혀 보이지 않는다. 이들이 남매로서 서사의 중심을 이루는 신화적 이야기는 당대唐代의 이용李冗이 편찬한 『독이지獨異志』에 아래와 같이 기록되어 있다.

> 옛날에 우주가 처음으로 열렸을 때, 오직 여와 남매만이 곤륜산에 있고, 천하에 아직 사람들이 없었다. 부부가 되기를 의논했으나, 또한 스스로 부끄러워했다. 오빠가 그 누이에게 곤륜산에 올라 주문을 외우며 말하기를 "하늘이시여, 만약 우리 남매로 하여금 부부가 되게 하시려면 연기가 서로 합쳐지게 하시고, 만약 그렇지 않으시면 연기가 흩어지게 하십시오." 그러자 연기가 합쳐졌고, 누이는 곧 오빠에게 시집을 갔다. 이에 풀을 엮어 부채를 삼아 얼굴을 가렸다. 요즘 사람들이 시집을 갈 때 부채를 드는 것은 그 일을 본받은 것이다.[18]

이 기록[19]은 기본적으로 당시의 혼인습속을 설명하기 위한 것인데, 서사의 중심인물인 여와 남매가 인류의 시조로서 등장하고 있다. 물론 이 기록에서는 여와 남매라고 기술했을 뿐, 여와와 복희라고 명시하지는 않았지만, 한대漢代 이후의 여와와 복희의 밀접한 관련성을 고려할 때 여와와 복희 남매일 가능성이 매우 높다고 할 수 있다. 여기에서 특히 주목할 만한 것은 남매의 근친상간이라는 금기 위반을 변호하기 위한 서사장치로서 '천의天意 묻기와 징험徵驗'의 모티프를 설정하고 있다는 점이다. 이렇게 하여 이 기록은 남매혼신화의 주요 모티프, 즉 '남매의 생존' - '천의 묻기와 징험' - '남매의 결혼' 등의 서사구조를 이루고 있다. 이 기록에 뒤이어 남매혼신화의 변모양상에 중요한 의미를 지니고 있는 것은 오대五代 후한後漢 시기에 베껴 쓴 돈황유서敦煌遺書의 잔권殘卷인 「천지개벽 이래 제왕기天地開闢已來帝王記」

에 실린 세 편의 고사이다.[20)]

① 다시 백겁에 이르러 인민이 더욱 많아지고 먹을거리가 충분하지 않자 서로 속이고 빼앗았다. 강한 자는 많이 갖고 약한 자는 적게 갖게 되었다. …… 인민은 주리고 시달려 차츰 서로 먹었다. 하늘이 이러한 악함을 알고서 곧바로 홍수를 내려 쓸어버리니, 수많은 사람이 거의 다 죽고 오직 복희만이 생명을 보존할 수 있었으며, 마침내 천황이라 일컬어졌다.[21)]

② 복희씨는 낙양 사람으로 성은 풍이며, 한중의 황제의 아들이다. 당시 인민은 죽고 오직 복희와 여와 남매 두 사람만이 용의龍衣를 입고서 하늘에 올라 생명을 보존할 수 있었다. 사람의 종족을 절멸할까 염려하여 부부가 되었다.[22)]

③ (복희가 사람을 존속할 수 있었던 것은) 복희와 여와가 부모가 되어 사람을 낳았기 때문이다. 수재를 당하여 인민이 모두 죽었는데, 남매 두 사람은 용을 타고서 하늘에 올라 생명을 보존할 수 있었다. 천하가 황폐하고 어지러워짐을 보았는데, 금강천신이 음양을 행할 수 있다고 깨우쳐주니, 서로 부끄러워하여 곤륜산으로 들어가 몸을 숨긴 채, 복희는 왼쪽에서 따라 걷고 여와는 오른쪽에서 따라 걷다가 서로 만나면 부부가 되기로 약속했다. 하늘이 화합케 하여 서로 알게 되니, 복희는 나뭇잎으로 얼굴을 덮고, 여와는 갈대꽃으로 얼굴을 가리고서 부부가 되었다. 요즘 사람들이 혼례 중에 마주하여 절할 때 창포를 머리에 이고 꽃으로 장식하는 것은 이로 인해 생겨난 것이다. 임신하여 날과 달이 차자 120명의 아들을 낳아 각자에게 성을 부여했다. 60명의 아들은 공경하고 효성스러우니, 보건대 오늘날의 천한天漢이 이것이며, 60명의 아들은 효성스럽거나 바르지 못하여 숲과 들판 속으로 걸어 들어갔으니, 강족羌族의 옛 거주지인 파촉巴蜀이 이것이다.[23)]

위의 세 이야기 가운데 ①은 복희 이야기이며, ②는 남매혼의 내용만을 담고 있을 뿐이지만, ③의 이야기는 남매혼의 내용에 홍수의 모티프가 추가되어 있다. 또한 ①의 이야기에는 홍수의 원인이 '세상 사람의 악함'에 대한 하늘의 징벌로 설정되어 있는 반면, ②의 이야기에는 재난이 밝혀져 있지 않다. 다만 ③의 이야기에는 남매혼신화의 서사구조의 기본형 외에, 민족의 기원이 부가되어 있는데, 20세기에 채록된 소수민족의 홍수남매혼신화와 매우 유사한 서사구조를 지니고 있다. 이 세 편의 이야기를 종합해본다면, '홍수의 원인'과 '남매의 생존', '천의 묻기와 징험', '남매의 결혼' 등, 홍수남매혼신화의 주요 구성요소를 모두 발견할 수 있다. 이 이야기들로 미루어볼 때, 적어도 오대五代 무렵에는 독립된 이야기로 존재하던 홍수신화와 남매혼신화가 서로 결합하여 홍수남매혼신화를 이루었으리라 추측할 수 있다.

옛 문헌자료와 문물에 근거해볼 때, 여와와 복희는 애초에 각각 독립적으로 기록되다가 늦어도 한대에 이르러 남매, 나아가 부부로 병치되어 나타난다. 이어 9세기 중엽의 만당晩唐에 이르러 여와와 복희에 관한 기록은 이야기를 갖춘 남매혼신화로 발전하였다가, 10세기 중엽의 오대에 이르면 홍수신화와 결합하여 홍수남매혼신화의 정형을 갖추게 되었다고 볼 수 있다. 그렇다면 중국의 수많은 신화 속 인물 가운데, 여와가 홍수남매혼신화 속에서 홍수 속에서 살아남아 인류를 창조하는 주요 인물로 등장하게 된 까닭은 무엇일까? 이는 아마 여와에 관한 기존의 기록, 즉 『회남자淮南子·남명훈覽冥訓』[24]에 기록된, 홍수 등의 재난에서 인류를 구한 구원자로서의 성격과, 『풍속통風俗通』[25]에 그려져 있는 인류의 시조신으로서의 모습이 홍수남매혼신화 속의 여와에게 투사되었으리라고 본다.

2) 민국 이후의 문헌자료 속의 남매혼

중일전쟁이 발발한 이후 중국에서는 중국 신화, 특히 홍수신화에 대한 연구가 활발하게 전개되었다. 이러한 연구 열기는 당시 중일전쟁이라는 특수한 상황 속에서 민족의식의 고양이라는 문학 외적 요인이 크게 작용하기는 했지만, 과학적이고 실증적인 연구방법을 통해 이후 중국신화 연구를 위한 튼튼한 토대를 마련하는 데에 크게 기여했다. 당시 각지에 전승되고 있던 신화를 수집했던 이로는 루이이푸芮逸夫, 우쩌린吳澤霖, 창런샤常任俠, 천궈쥔陳國鈞, 원이둬聞一多 등을 들 수 있으며, 이들은 당시 수집·채록된 자료를 바탕으로 다양한 각도에서 연구성과를 발표했다.26)

중화인민공화국 수립 이후 민간문학에 대한 연구가 활발해짐에 따라, 1980년대 중반부터 1990년에 이르기까지 본격적으로 민간에 전승되는 신화를 수집·채록했다. 당시의 대규모의 작업을 통해 전국 각지에서 183만 편 남짓의 민간고사가 수집되었으며, 이 가운데에는 대량의 홍수설화가 포함되어 있다. 1995년 상해문예출판사上海文藝出版社에서 펴낸 『중화민족고사대계中華民族故事大系』(전16권) 및 2007년에 완간된 『중화민간고사집성中華民間故事集成』(전30권)은 바로 이러한 작업의 성과라 할 수 있다. 여기에서는 남매혼신화를 크게 비재난형非災難型 남매혼과 재난형 남매혼으로 나누어 각기 살펴보기로 한다.

① 비재난형 남매혼신화

비재난형 남매혼신화란 홍수나 화재, 지진 등의 재난이 발생하지 않는 상황에서 남매의 결혼을 다룬 신화를 가리킨다. 옛 문헌자료에서 이러한 유형의 신화를 찾는다면, 앞에서 언급한 『독이지』 속의 남매혼이나 「천지개벽 이래 제왕기」의 ②가 이러한 유형의 신화에 속한다고 할 수 있다. 이러한 유형의 신화에는 홍수 등의 재난이 없으므로, 당연하게도 재난의 예고나 피신수단과 관련된 에피소드 및 모티프는 등장하지 않는다. 이러한 유형의 신화로 사천성四川省에 전승되어온 「복희남매와 원숭이伏羲兄妹與猿猴」의 내용을 간단히 살펴보자.

> 반고왕盤古王이 천지를 개벽할 때 천하는 온통 원숭이 세상이었다. 원숭이떼 가운데에 긴 털이 없고 나뭇잎으로 몸을 가린 한 쌍이 등장하

였는데, 이들은 서서 걸어다니고 두 손으로 그림을 그릴 줄 알았다. 반고왕은 이들 중의 사내를 불러 복희라 봉하고, 이들 남매에게 결혼하여 원숭이와는 다른 후세를 낳으라고 했다. 복희가 누이에게 이 사실을 전하자, 누이는 맷돌을 굴려 합쳐지고, 불을 피워 연기가 합쳐지는지로써 하늘의 뜻을 묻자고 했다. 결국 맷돌이 합쳐지고 연기가 합쳐져 결혼한 남매는 100명의 아이를 낳았다.[27)]

이 이야기는 기본적으로 남매혼신화의 주요 구성요소, 즉 '남매의 탄생' - '천의 묻기와 징험' - '남매의 결혼' - '인류의 창조'를 지니고 있다. 여기에서 주목할 만한 점은 남매를 인류의 시조신으로 설정하고 있다는 점과 함께, 평범한 인간과 변별되는 남매의 신이함을 이야기의 첫머리에 배치하고 있다는 점이다. 이러한 특징은 다른 이야기에서도 약간의 변형을 거쳐 남매의 비범한 출생의 형태로 반복된다. 이를테면 감숙성甘肅省에 전승되어온 「복희와 여와의 결혼伏羲女媧成婚」의 경우, 짐승들과 함께 살고 있던 노파가 커다란 발자국을 보고서 기이하게 여겨 발자국에 올라선 순간 감응하여 임신한 끝에 복희와 여와를 낳으며,[28)] 섬서성陝西省에 전승되어온 「화서국華胥國」의 경우, 화서華胥가 커다란 발자국을 보고 따라가다 감응하여 임신한 끝에 복희와 여와를 낳는다.[29)] 이밖에도 천지개벽 후 원시천존이 보병寶瓶에 담긴 물을 살짝 흘려 남매를 만들어내고,[30)] 바다 속의 용족龍族의 남매가 거북을 따라 지상에 놀러 나왔다가 아름다운 자연환경에 이끌려 지상에서 살기도 한다.[31)]

이러한 서사구조에서 한 걸음 더 나아가 '이물異物의 출산'이란 모티프가 추가되어 있는 경우도 있다. 즉 리쑤족傈僳族에게 전승되어온 「인류의 기원人類的起源」의 경우, 호박에서 갈라져 나온 최초의 인류인 남매는 천의를 묻는 과정을 거쳐 결혼하여 살덩어리를 낳은 후, 다시 여러 민족의 조상이 되는 아홉 아이를 낳는다.[32)] 또한 아창족阿昌族에게 전승되어온 「아홉 종의 이민족은 본래 한 집안사람九種蠻夷本

是一家人」의 경우, 천지개벽 당시 존재했던 남매는 천의를 물어 결혼한 뒤 조롱박葫蘆의 씨앗을 낳고, 이것을 심어 거둔 조롱박에서 아이들을 얻는다.[33]

이처럼 비재난형 남매혼신화는 대부분 천지개벽 이후 비범한 출생이력을 지닌 최초의 인류인 남매가 천의를 얻어 인류를 창조하는, 인류창조신화의 성격을 띠고 있다. 이러한 유형에서 남매의 출생의 비범함을 이야기의 첫머리에 배치한 것은 아마도 시조신의 성격을 지닌 남매에게 신성성을 부여하기 위한 서사전략이라고 할 수 있다.

② 재난형 남매혼신화

재난형 남매혼신화란 홍수나 화재, 지진 등의 재난에서 살아남은 남매의 결혼을 다룬 신화를 가리킨다. 옛 문헌자료에서 이러한 유형의 신화를 찾는다면, 앞에서 언급한 「천지개벽 이래 제왕기」의 ③이 이러한 유형의 신화에 속한다고 할 수 있다. 이러한 유형의 신화에서는 재난의 발생이 간단히 언급되는 경우도 있지만, 특히 홍수의 재난일 경우에는 홍수발생의 원인이나 예고, 피신수단과 관련된 에피소드 및 모티프가 첨가되기도 한다. 재난형 남매혼신화의 가장 대표적인 서사구조로서 짱족藏族에게 전승되어온 「남매가 결혼하다兄妹成親」의 내용을 간단히 살펴보자.

> 화산이 폭발하여 지상의 생명체는 모두 불에 타죽고, 남매만이 생존하였다. 세월이 흐른 후 오빠가 누이에게 청혼하자, 누이는 맷돌을 굴려 합쳐지는지, 넌출을 갈라 반쪽씩 굴려 합쳐지는지, 띠풀을 갈라 중간까지 찢다가 만나는지, 불을 피워 연기가 만나는지 등으로 천의를 묻기로 한다. 결국 천의를 얻은 남매는 결혼하여 많은 자녀를 낳아 인류를 번성시켰다.[34]

이 이야기는 기본적으로 남매혼신화의 주요 구성요소에 '재난의 발생'이 추가된 틀, 즉 '재난의 발생' - '남매의 생존' - '천의 묻기와 징험' - '남매의 결혼' - '인류의 재창조'의 서사구조를 갖는다. 물론 이보다 단순한 서사구조를 지니고 있는 경우도 있다. 그 일례로 절강성浙江省에 전승되어온 「남매가 인간을 창조하다兄妹造人」을 들 수 있는데, 이 이야기에서는 '천의 묻기와 징험'의 모티프가 생략된 채, 하늘이 무너지고 땅이 뒤집히는 재난에서 생존한 남매가 결혼하여 자신의 형상을 따라 진흙으로 각각 남자와 여자를 빚어내는 이야기를 담고 있다.[35]

그렇지만 대부분의 이야기는 위의 서사구조를 지니면서 약간의 변형을 일으키거나 모티프를 추가하는 경우가 일반적이다. 이를테면 재난이 '대지가 이쪽저쪽으로 기울어 내려앉았으며, 산이 무너져내렸다'는 식으로 변형되고,[36] '하늘이 무너지고 땅이 갈라지리라'거나[37] '불이 나고 땅이 뒤엎어지리라'는 '재난의 예고'가 추가되기도 한다.[38] 또한 재난에서 생존한 남매가 결혼하여 살덩어리를 낳았는데, 이 살덩어리를 도끼로 치자 사방으로 튄 살조각이 각종 짐승을 이루었다는[39] 이야기처럼, '이물의 출산'이라는 모티프가 추가되기도 한다.

이처럼 재난형 남매혼신화는 재난에서 생존한 남매가 결혼하여 인류를 재창조하는 내용을 담고 있다. 여기에서 주목할 만한 것은 이 유형의 신화의 경우 남매에 의한 출산이 인류의 창조가 아니라 재창조라는 점이다. 따라서 남매는 애초에 시조신의 신분이 아니라 평범한 인간에 지나지 않기 때문에, 출생의 비범성이나 신이성이 약화되거나 사라진다는 점이다. 간혹 남매의 출생의 비범성이 언급되기도 하지만, 이 경우 역시 남매의 선행과 함께 남매가 재난에서 구원받는 논거로서 기능할 뿐이다.

3. 홍수남매혼신화의 서사구조

중국의 남매혼신화 가운데에는 비재난형에 비해 재난형 남매혼신화가 압도적으로 많으며, 재난형 남매혼신화 가운데에서도 홍수남매혼신화가 가장 많다. 중국의 홍수신화, 좁게는 홍수남매혼신화의 유형은 다양하게 분류될 수 있지만, 여기에서는 서사구조에 근거하여 기본형과 부가형으로 나누어 살펴보고자 한다.

1) 기본형의 홍수남매혼신화

홍수남매혼신화는 아래와 같은 주요 모티프를 구성요소로 지니고 있다.

A : 홍수의 재난이 닥친다
B : 홍수 속에서 남매만 생존한다
C : 결혼을 위해 천의를 묻자, 징험이 나타난다
D : 남매가 결혼한다
E : 이물을 출산한다
F : 인류를 재창조한다

기본형의 홍수남매혼신화는 위의 구성요소 가운데 최소한 ABDF 이상의 서사구조를 지닌 신화를 가리킨다. 다시 말해 홍수의 발생으로부터 생존한 남매에 의한 인류의 재창조까지를 다루고 있는 신화로서, 홍수의 발생 원인이나 홍수의 예고 등의 에피소드가 부가되거나 삽입되어 있지 않은 신화이다. 여기에서는 홍수남매혼신화 가운데 자주 등장하는 서사구조를 중심으로 살펴보기로 한다.

먼저 ABDF형은 홍수남매혼신화 가운데에서 가장 단순한 형태로서, 필수적인 모티프로만 이루어진 경우이다. 이러한 하위 유형의 일례로서 하북성河北省에 전승되어온 「여와가 진흙으로 사람을 빚다女媧捏泥人」에 따르면, 홍수에서 생존한 여와 남매는 결혼하여 아이를 낳아 기르지만, 아홉 달에 한 명밖에 낳을 수 없는지라 진흙으로 사람을 빚어 말린 다음 숨을 불어넣어 인류를 재창조한다.[40] 야오족瑤族의 「해와 달太陽與月亮」에 따르면, 대홍수에서 생존한 남매는 결혼하여 6남 6녀를 낳고, 아이들도 서로 결혼하여 야오족의 자손을 흥성케 한다.[41] 간혹 부랑족布朗族의 「남매의 결혼兄妹成婚」[42]이나 바이족白族의 「대리鶴拓」[43]처럼, 게와 원숭이, 혹은 백학이 남매의 결혼과 인류의 재창조에 조력자로서 등장하기도 한다.

여기에 또 하나의 모티프가 추가된 형태로 ABCDF형과 ABDEF형을 들 수 있다. ABCDF형은 '천의 묻기와 징험'이라는 모티프가 추가되어 있는 형태이다. 일례로 누족怒族의 이야기에 따르면, 홍수로 인해 모든 사람이 죽고 남매만 살아남은 상황 속에서 오빠가 누이에게 청혼하자, 누이는 활을 쏘아 바늘구멍에 맞추기로 천의를 묻는다.[44] 이러한 하위 유형의 이야기는 '천의 묻기와 징험'이 '맷돌 굴려 합쳐지기'나 '불을 피워 연기가 합쳐지기', '누이를 뒤쫓아 따라잡기' 등으로 변형될 뿐, 서사구조는 동일한 구성요소로 이루어져 있다.

ABDEF형은 '이물의 출산'이라는 모티프가 추가되어 있는 형태이다. 예컨대 하니족哈尼族의 이야기에 따르면, 홍수에서 살아난 남매는 천신의 중매로 결혼하여 살덩어리를 낳는다.[45] 짱족藏族의 「가죽끈으로 사람을 창조하다皮繩造人」 역시 결혼한 남매가 살덩어리를 낳는데, 살덩어리 안에는 가죽끈이 들어 있다.[46] 이러한 하위 유형의 이야기는 출산한 이물이 숫돌, 맷돌, 조롱박 등으로 변형되기도 한다.

기본형의 홍수남매혼신화에서 가장 많은 편수를 기록하고 있는 하위 유형은 여섯 가지 모티프를 모두 지니고 있는 ABCDEF형이다. 이러한 하위 유형의 대표적인 일례로서 투자족土家族의 「뤄신 할아버지와 할머니羅神公公和羅神娘娘」을 들 수 있다. 이 이야기에 따르면, 홍수가 일어나 모든 사람이 죽고 남매만이 조롱박을 타고서 목숨을 건진다.

남동생에게 청혼한 누이는 남동생의 허락을 얻지 못하자, 맷돌을 굴려 합쳐지는지의 여부로써 천의를 묻기로 한다. 결국 맷돌이 합쳐져 결혼한 남매는 살덩어리를 낳았으며, 살덩어리를 잘게 잘라 사방에 뿌리자 곳곳에서 사람이 생겨난다.[47] 이러한 하위 유형의 이야기는 피신수단과 '천의 묻기와 징험', '출산한 이물' 등에서 약간의 변이를 보이지만 동일한 서사구조를 지니는데, 야오족瑤族의 「홍수로 하늘이 잠기다洪水淹天」, 한족의 「복희남매가 인간을 창조하다伏羲伏姬兄妹造人」, 먀오족苗族의 「인간의 기원人的起源」, 이족彝族의 「창세기創世紀」 등[48] 전국 각지의 여러 민족의 신화에서 발견할 수 있다.

2) 부가형의 홍수남매혼신화

부가형의 홍수남매혼신화는 기본형의 홍수남매혼신화가 지니고 있는 구성요소 외에, 홍수 이전의 일과 관련된 에피소드, 이를테면 홍수 발생의 원인, 재난의 징조와 피신수단, 혹은 홍수의 예고 등과 관련된 에피소드가 부가되어 있는 경우이다. 따라서 홍수 발생의 원인이 에피소드로서 등장하지 않은 채 간략하게 서술되는 경우는 이 유형에 포함시키지 않는다. 이러한 하위 유형의 신화는 다음과 같은 주요 모티프와 구성요소를 지니고 있다.

S : 홍수 이전의 일과 관련된 에피소드가 서술된다
A : 홍수의 재난이 닥친다
B : 홍수 속에서 남매만 생존한다
C : 결혼을 위해 천의를 묻자, 징험이 나타난다
D : 남매가 결혼한다
E : 이물을 출산한다
F : 인류를 재창조한다

부가형의 홍수남매혼신화는 어느 것이나 위의 구성요소 가운데 최소한 SABDF 이상의 서사구조를 지니고 있는 신화이다. 여기에서는 S의 서사구조 및 서사 내용의 특이성을 중심으로 살펴보기로 하자. 먼저 서사구조면에서 두드러진 특징을 보여주는 일례로서 뇌공雷公이 등장하는 먀오족苗族의 「아페이궈번과 뇌공阿陪果本和雷公」을 간단히 살펴보자.

> 천상의 뇌공雷公은 지상의 아페이궈본阿陪果本과 의형제를 맺어 자주 그의 집을 방문하였는데, 아페이궈본은 뇌공을 속여 그가 싫어하는 닭고기를 먹인다. 크게 화가 난 뇌공은 복수를 하려 했지만, 오히려 아페이궈본의 꾀에 넘어가 사로잡히고 만다. 아페이궈본은 소금을 사러나가는 길에 아들과 딸에게 절대로 뇌공에게 불씨를 주지 말라고 했지만, 남매는 뇌공의 애처러운 모습에 마음이 흔들려 불씨를 주고 만다. 철창에서 벗어난 뇌공은 남매에게 호박씨를 주면서, 심었다가 홍수가 나면 호박을 타고서 생명을 건지라고 말한다. 홍수가 일어나 모든 사람이 죽었으나, 남매는 호박을 타고서 살아남았다. 남매는 대나무가 쪼개졌다가 다시 합쳐지는지와 맷돌을 굴려 합쳐지는지로써 천의를 물어 결혼했는데, 1년 후 맷돌처럼 생긴 괴물을 낳는다. 남매가 괴물을 잘게 부수어 사방에 뿌리자, 이튿날 곳곳에서 사람이 생겨났다.[49]

이 이야기는 홍수 발생 이전의 일로 '뇌공과 인간의 분규' - '뇌공의 사로잡힘' - '금기와 금기의 위반' - '홍수의 예고' 등을 서술하고 있으며, 홍수 이후의 일은 기본형의 홍수남매혼신화의 서사구조를 똑같이 지니고 있다. 뇌공이 등장하는 홍수남매혼신화는 중국 곳곳에서 엿볼 수 있는데, 둥족侗族의 「강랑과 강매姜郎姜妹」, 야오족瑤族의 「복희남매伏羲兄妹」, 좡족壯族의 「포백이 뇌왕과 싸우다布伯鬪雷王」, 부이족布依族의 「시메이와 쑤거가 인류를 창조하다細妹蘇哥造人烟」, 무라오족仫佬族의 「복희남매伏羲兄妹」 등[50]을 대표적으로 들 수 있다. 이들 이야기는 민족에 따라, 심지어 같은 민족의 이야기일지라도 전승되는 지역에 따라, 뇌공과의 분규의 내용이 약간씩 다르다. 즉 뇌공과 분규를 일으키는 원인으로 흔히 등장하는 것은 뇌공의 살을 먹고 싶어 포획하려는 일, 세금 납부의 일로 인한 갈등, 뇌공을 속여 골탕먹이는 일 등으로 다양하지만, 기본적인 서사구조는 위의 이야기와 거의 동일하다고 볼 수 있다.

뇌공이 등장하는 이야기와 함께, 홍수남매혼신화 가운데에 자주 등장하는 것은 돌사자와 관련된 이야기이다. 이들 이야기에서 돌사자는 홍수의 징조를 보여줄 뿐만 아니라, 홍수로부터의 피신수단이 되기도 한다. 돌사자를 다룬 이야기의 일례로서 하북성河北省에 전승되어온 「홍수가 세상에 넘치다洪水漫世」를 간단히 살펴보기로 하자.

> 복희와 여와 남매는 부모 없이 살고 있는데, 복희가 밭에서 일하는 사이 밥을 지어다 나르던 여와는 마을 입구를 지날 때마다 돌사자의 입에 밥을 넣어주었다. 어느 날 눈이 빨개진 돌사자가 곧 하늘이 무너지고 땅이 꺼질 터이니 해가 지기 전에 돌사자의 등에 올라타라고 말해주었다. 해질녘에 돌사자의 등을 타고서 홍수의 재난에서 살아남은 남매는 커다란 돌을 굴려 합쳐지는지로써 천의를 물은 뒤 결혼하여 살덩어리를 낳았다. 남매는 살덩어리를 던져버렸는데, 살덩어리에서 100명의 어린아이가 뛰쳐나왔다.[51)]

이 이야기는 홍수 발생 이전의 일로 '돌사자의 이적異蹟' - '돌사자의 홍수 예고' 등을 서술하고 있으며, 홍수 이후의 일은 기본형의 홍수남매혼신화의 서사구조를 똑같이 지니고 있다. 돌사자가 출현하는 홍수남매혼신화는 중국 곳곳에서 엿볼 수 있는데, 만주족滿族의 「인간의 내력人的來歷」, 절강성浙江省에 전승되어온 「돌절구가 합쳐져 결혼하다石磨合婚」, 흑룡강성黑龍江省에 전승되어온 이야기, 강서성江西省에 전승되어온 반고 남매의 이야기 등[52)]을 대표적으로 들 수 있다. 때로 돌사자는 하남성河南省에 전승되어온 「남매가 결혼하다姊弟成婚」[53)]

처럼 돌거북이나, 닝샤위구르족寧夏回族 자치구에 전승되어온 「두 번째 세대第二代人」처럼 돌인형, 서족畲族의 「하늘을 불사르다火燒天」[54] 처럼 돌암퇘지로 변형되기도 하고, 혹은 하남성의 「난을 피하여 세상을 창조하다避難創世」[55]처럼 거북이나 리쑤족傈僳族의 「이차이와 이뉴依采和依妞」[56]처럼 개구리로 변형되기도 하지만, 기본적인 서사구조는 위의 이야기와 거의 동일하다고 볼 수 있다.

이밖에도 홍수를 예고하는 이적은 또 다른 방식의 에피소드를 통해 이루어지기도 한다. 이를테면 야오족瑤族의 「류싼메이 남매가 세계를 재창조하다劉三妹兄妹再造世界」와 리쑤족傈僳族의 이야기, 사천성四川省에 전승되어온 「남매가 인간세상을 만들다兄妹造人烟」 등[57]에서는 새가 나타나 조롱박을 심으라고 외친다. 물론 홍수의 재난 속에 조롱박을 타고 살아남은 남매의 뒷이야기는 앞에서 서술한 다른 이야기와 동일한 서사구조를 지니고 있다. 또한 먀오족苗族의 「홍수가 하늘까지 밀려오다洪水潮天」에는 형제가 종일토록 밭을 갈지만, 이튿날이면 원상으로 회복되는 이적이 발생한다. 숨은 채 지켜보던 형제는 백발노인이 한 일임을 알고서 붙잡아 물어보니, 자신을 몽둥이로 치려던 동생에게는 쇠북을 만들고, 동생을 만류하던 형에게는 나무북을 만들라고 한다. 쇠북을 타고서 홍수를 피하던 동생은 죽고, 선행을 베푼 형은 누이와 함께 나무북을 타고서 살아남는다.[58] 이처럼 원상회복의 에피소드를 지닌 신화로는 거라오족仡佬族의 「아양남매가 인간세상을 만들다阿仰兄妹制人煙」[59]을 들 수 있다.

남매가 홍수의 재난에서 구원받을 수밖에 없는 까닭으로서 남매 출생의 비범성을 서술하는 에피소드도 있다. 이를테면 감숙성甘肅省에 전승되어온 이야기에 따르면, 자식이 없는 노부부에게 어느 날 노인이 찾아와 오이의 씨앗을 주며 심게 한다. 오이는 잘 자라 열매를 맺더니, 그 열매 속에서 어린 남매가 튀어나온다.[60] 또한 리족黎族의 「세 민족은 근원이 동일하다三個民族同一源」에 따르면, 두 형제의 아내는 3년간이나 임신하였는데도 아이를 낳지 못하는데, 어느 날 백발노인이 찾아와 호박씨를 주면서 호박을 맺으면 아이를 낳을 수 있으리라고 말한다. 호박씨를 심어 정성을 들여 가꾸어 열매를 맺자, 과연 노인의 말대로 형제의 아내는 각각 남자 아이와 여자 아이를 출산한다.[61]

위에서 살펴본 바대로, 기본형이 홍수남매혼신화의 원형에 해당한다면, 부가형은 기본형에 홍수 발생 이전의 일과 관련된 에피소드가 부가되어 있는 형태이다. 일반적인 서사의 발전경로에서 본다면, 기본형에서 부가형으로 발전했을 것이라 추론하는 것이 당연하겠지만, 신화학의 관점에서 본다면 반드시 그렇지는 않다. 즉 오히려 부가된 에피소드가 각 지역이나 민족(특히 소수민족)의 특정한 신화적 상상력을 반영한 신화적 이야기로 이미 존재하고 있었으며, 훗날 이 에피소드가 남매혼신화의 줄거리나 모티프와 결합하였을 가능성을 전혀 배제할 수 없기 때문이다. 어쨌든 우리가 주목할 만한 점은 이렇게 부가된 에피소드가 단순한 이야기의 추가가 아니라, 신화적 서사에 계기적 인과성을 강화함으로써 이야기의 흥미를 배가하기 위한 장치로서 기능하고 있다는 것이다.

4. 나오면서

홍수를 중심으로 이루어졌던 지금까지의 논의와 달리, 이 글은 남매혼을 중심으로 논의를 전개했다. 이를 위해 여와를 중심으로 옛 문헌자료 속에 남아 있는 남매혼에 관한 기술을 살펴보고, 민국 이후 새로이 채록된 문헌자료를 통해 남매혼신화가 어떻게 변주되었는가를 크게 비재난형 남매혼신화와 재난형 남매혼신화로 나누어 살펴보았다. 아울러 재난형 남매혼신화 가운데에 가장 많은 편수를 차지하고 있는 홍수남매혼신화를 서사구조에 따라 기본형과 부가형으로 나누어 서사구조의 차이를 살펴보았다.

중국의 홍수남매혼신화의 형성과정을 살펴보면, 남매혼신화는 홍수신화와 독립적으로 존재했을 가능성이 높다. 즉 중국신화 가운데에서 남매혼신화는 당대唐代의 『독이지』에 와서야 이야기를 갖춘 신화로 발전했으며, 홍수신화 역시 애초에는 주로 여와의 보천補天과 곤鯀과 우禹의 치수의 신화로 존재했을 뿐이다. 문헌자료에 따르면, 홍수신화와 남매혼신화의 결합된 형태는 적어도 한대漢代 이후 여와와 복희가 남매 혹은 부부의 관계로 기술되고, 나아가 오대五代의 돈황유서의 잔권인 「천지개벽 이래 제왕기」에 이르러서야 나타나기 시작한다. 그렇다고 해서 이러한 한문으로 기록된 옛 전적의 기록을 근거로 중국의 소수민족에게 구두로 전승되어왔을 홍수남매혼신화의 존재 가능성을 부정할 수 없음은 물론이다.

앞에서 살펴보았듯이, 중국의 홍수남매혼신화는 중국의 전역에서 유사한 서사구조를 지닌 채 수집·채록되어왔다. 그러나 문헌자료의 대부분이 민국 이후, 특히 1980년대에 대거 수집·채록되었다는 점에서, 홍수남매혼신화의 원형을 보존하고 있다고는 보기 어렵다. 아마도 홍수남매혼신화가 구두로 전승되는 과정에서 민족의 이동이 활발해짐에 따라 상호교차현상이 발생했을 것이다. 그럼에도 불구하고 홍수남매혼신화에는 특정 지역이나 민족의 신화적 상상력이 다르게 발휘되고 있음을 엿볼 수 있다. 이는 구두로 전승되는 동안 전승자 혹은 전승 집단의 원체험이나 집단무의식이 반영된 결과라고 할 수 있다.

이러한 경향은 특히 부가된 에피소드나 특정 모티프에 두드러지게 드러나기 마련이다. 이를테면 뇌공과 인간의 분규를 다룬 에피소드는 주로 운남성, 광서장족자치구, 귀주성과 호남성 등지에서 채록된 이야기에서 발견되며, 돌사자가 등장하는 에피소드는 하남성, 하북성, 안휘성, 절강성 및 동북지방에서 채록된 이야기에서 발견되며, 구원수단으로서 조롱박葫蘆과 같은 박과 식물이 등장하는 신화는 호남성, 호북성, 귀주성, 광서장족자치구, 광동성, 운남성 등의 남부에서 발견된다. 이와 같은 지역, 나아가 민족에 따른 서사적 특성은 홍수남매혼

신화의 민족적, 지역적 분포를 분석하는 데에 매우 유용한 근거라고 할 수 있다.

남매혼신화에 흔히 나타나는 모티프의 문화적 의미에 대해 약간의 설명을 덧붙이기로 하자. 남매혼신화 속의 '천의 묻기와 징험'이라는 모티프는 남매혼신화가 산생되었던 시점의 사회문화를 반영하고 있다고 보아야 할 것이다. 즉 기본형의 단순한 서사구조를 지닌 남매혼신화는 원시사회의 가족형태, 이를테면 난혼亂婚이나 군혼群婚의 유풍을 반영하고 있다면[62], '천의 묻기와 징험'을 수반한 남매혼신화는 남매혼 자체가 금기의 대상이 된 단계, 즉 이르면 같은 모계혈통의 형제자매 사이의 성행위를 금하는 푸날루아Punalua혼이 정착된 단계에서 생겨난 근친상간의 금기를 반영하고 있다고 보아야 할 것이다.[63]

여기에서 우리에게 보다 중요한 의미를 갖는 것은 '천의 묻기와 징험' 및 '이물의 출산'이 갖는 신화적 혹은 상징적 의미일 것이다. 천의를 묻는 행위는 근친상간의 금기를 위반함에도 불구하고 인류의 존속이라는 대명제 아래에 복속될 수밖에 없는 인간의 숙명을 나타냄과 동시에, 신성성의 부여를 통해 자신의 종족(혹은 민족)이 신탁을 입었음을 강조하기 위한 서사전략이다. 또한 살덩어리이든 숫돌이든, 조롱박이든, 가죽끈이든, 이들 이물의 출산은 남매의 근친상간에 대한 하늘의 징벌처럼 보이지만, 실은 새로운 생명을 낳기 위한 통과의례적 단계이다. 즉 '이물의 출산'을 통해 남매는, 비록 천의를 얻었을지라도 여전히 남아있는 윤리도덕적 허물을 상쇄받을 뿐만 아니라, 이물 속에서 인간과 만물의 창조의 신이성을 부여받는 것이다. 따라서 이물은 부정不貞과 불결不潔, 불완전의 부정否定을 의미하는 것이 아니라, 홍수가 지니고 있는 정화淨化의 상징적 의미 속에서 정결貞潔과 온전함의 긍정을 의미한다.

■ 주석

1) 毛星 主編, 『中國少數民族文學(中卷)』(長沙: 湖南人民出版社, 1983), 221-222쪽 참조
2) 위의 책, 374-375쪽 참조
3) 中國民間文學集成全國編輯委員會 編, 『中國民間文學集成(湖北卷)』(北京: 중국ISBN 中心, 2002), 15쪽 참조
4) 위의 책(雲南卷), 194-196쪽 참조. 홍수가 아닌 대화재에서 살아남은 아가씨가 개와 결혼하여 인류를 전한 경우는 湖北省에 유전하는 「人和狗成親」에서 엿볼 수 있다.
5) 위의 책(雲南卷), 181-183쪽 참조
6) 형제자매의 관계는 兄妹 혹은 姐弟로 나타나는데, 이 글에서는 남매로 통칭하기로 한다.
7) 남매혼을 다루고 있는 고사를 신화로 보아야 할지, 넓게 설화로 보아야 할지에 대해서는 연구자마다 견해가 다를 수 있다. 실제로 이 글에서 다루고 있는 텍스트들은 전설이나 민담의 성격이 짙은 이야기도 존재한다. 그러나 이 글에서는 남매에 의해 인간이 창조 혹은 재창조된다는 점, 남매의 신적 능력에 의해 신성성이 부여되고 있다는 점, 특정 민족의 탄생 및 언어의 탄생의 시원을 언급하다고 있다는 점에서 신화적 성격이 더욱 강하다고 여겨 신화로 간주하기로 한다.
8) 아침나무, 『세계의 신화』(서울: 삼양미디어, 2009), 228-238쪽 참조
9) 女媧有體, 孰制匠之?(『楚辭·天問』)
10) 有神十人, 名曰女媧之腸, 化爲神.(『山海經·大荒西經』)
11) 古者, 包犧氏之王天下也.(『易·繫辭』)
12) 及燧人伏戱始爲天下.(『莊子·繕性』)
13) 庖犧氏, 女媧氏, 神農氏, 夏后氏, 蛇身人面, 牛首虎鼻.(『列子·黃帝』)
14) 上紀開闢, 遂古之初, …… 伏羲鱗身, 女媧蛇軀.(「魯靈光殿賦」)
15) 女媧, 伏羲之妹.(『路史·後記』引『風俗通義』)
16) 女媧本是伏羲婦.(「與馬異結交詩」)
17) 金善子, 「圖象解釋學的 관점에서 본 漢代의 畵像石(2) -伏羲와 女媧의 圖象을 중심으로」(『中國語文學論集』 제22호, 2003.2) 참조
18) 昔宇宙初開之時, 只有女媧兄妹二人在昆侖山, 而天下未有人民. 義以爲夫妻, 又自羞恥. 兄卽與其妹上昆侖山, 咒曰: "天若遣我兄妹二人爲夫妻, 而烟悉合; 若不, 使烟散." 于烟卽合. 其妹卽來就兄. 乃結草爲扇, 以障其面, 令時人取婦執扇, 象其事也.(『獨異志』卷下)
19) 『獨異志』의 寫作은 대체로 846년에서 874년 사이에 이루어졌으리라고 본다. 周天游, 王子今 주편, 『女媧文化硏究』(西安: 三秦出版社, 2005), 62쪽
20) 「天地開闢已來帝王紀」는 郭鋒이 「敦煌寫本[天地開闢以來帝王紀]成書年代諸問題」(『敦煌學輯刊』 1988-1·2合刊)를 발표한 이후 널리 학계의 주목을 받게 된 殘寫本이다. 이 殘本은 네 건의 글, 즉 P.2652, P.4016, S.5505, S.5785 등으로 이루어져 있다. 이 가운데 P.4016의 말미에는 '維大唐乾祐三年庚戌歲正月貳拾伍日寫此書一

卷終'이라 적혀 있다. 이에 근거하면, 이 고사는 後漢 隱帝 재위중인 950년에 씌어졌다고 볼 수 있다. 이 고사들의 원문은 蘇芃의 「敦煌寫本[天地開闢已來帝王紀]考校硏究」(西南大學2009全國博士生學術論壇에 발표됨)를 참조

21) 復逕百劫, 人民轉多, 食不可足, 遂相欺奪. 强者得多, 弱子得少 …… 人民飢困, 遞相食噉, 天知此惡, 卽下洪水蕩除, 萬人殆盡, 唯有伏羲得存其命, 遂稱天皇 …… (P.4016, P.2652, S.5505)

22) 伏羲氏, 洛陽人, 姓風, 漢中皇帝之子. 爾時人民死, 唯有伏羲, 女媧兄妹二人衣龍上天, 得存其命. 恐絶人種, 卽爲夫婦.(P.2652, P.4016)

23) 伏羲, 女媧, 因爲父母而生, 爲遭水災, 人民盡死, 兄妹二人, 依龍上天, 得存其命. 見天下荒乱, 唯金崗天神, 教言可行陰陽, 遂相羞耻, 即入昆仑山藏身, 伏羲在左巡行, 女娲在右巡行, 契許相逢, 則爲夫婦, 天遣和合, 亦爾相知, 伏羲用樹葉覆面, 女娲用蘆花遮面, 共爲夫妻. …… 懷娠日月充满, 遂生一百二十子, 各人一姓. 六十子恭慈孝順, 見今日天漢是也, 六十子不孝義, 走入藂野之中, 羌故穴巴蜀是也.(P.4016)

24) 往古之時, 四極廢, 九州裂, 天不兼覆, 地不周載, 火爁炎而不滅, 水浩洋而不息, 猛獸食顓民, 鷙鳥攫老弱. 於是女媧煉五色石以補蒼天, 斷鰲足以立四極, 殺黑龍以濟冀州, 積蘆灰以止淫水. 蒼天補, 四極正, 淫水涸, 冀州平, 狡蟲死, 顓民生, 背方州, 抱圓天.(『淮南子·覽冥』)

25) 俗說: 天地開闢, 未有人民, 女媧摶黃土作人, 劇務力不暇供, 乃引繩泥中, 擧以爲人.(『太平御覽』卷七引『風俗通·佚文』)

26) 대표적인 연구업적으로는 1938년에 발표된 芮逸夫의 「苗族的洪水故事與伏羲女媧的傳說」과 吳澤霖의 「苗族中祖先來歷的傳說」, 1939년에 발표된 常任俠의 「重慶沙坪壩出土之石棺畫像硏究」, 1941년에 발표된 陳國鈞의 「生苗的人祖神話」, 1948년 朱自淸이 정리·편집한 聞一多의 유고 「伏羲考」 등을 들 수 있다.

27) 中國民間文學集成全國編輯委員會 編, 앞의 책(四川卷), 53-54쪽 참조

28) 위의 책(甘肅卷), 11쪽

29) 위의 책(陜西卷), 6-7쪽

30) 위의 책(寧夏卷), 「原始天尊造人」, 6쪽

31) 위의 책(四川卷), 「伏羲兄妹造人-異文2」, 50쪽

32) 위의 책, 1432-1433쪽

33) 위의 책(雲南卷), 183-184쪽 참조

34) 위의 책(四川卷), 942-943쪽 참조

35) 위의 책(浙江卷), 40쪽 참조

36) 위의 책(北京卷), 「兄妹創世」, 3쪽 참조

37) 위의 책(山西卷), 「兄妹神婚與東西磨山-異文」, 14-15쪽

38) 위의 책(湖南卷), 「姐弟創人」, 36-37쪽

39) 위의 책(浙江卷), 「孳生禽獸」, 49쪽

40) 위의 책(河北卷), 8-9쪽 참조

41) 위의 책(廣東卷) 6쪽 참조

42) 위의 책(雲南卷), 205-206쪽 참조

43) 위의 책, 215-217쪽 참조

44) 위의 책, 186쪽

45) 위의 책, 168-169쪽 참조

46) 위의 책(四川卷), 938쪽 참조

47) 위의 책(湖南卷), 31-32쪽 참조

48) 위의 책(廣東卷), 7-8쪽, 위의 책(廣西卷) 67-68쪽, 위의 책(四川卷), 1322-1324쪽, 위의 책(雲南卷), 164-165쪽을 각각 참조

49) 위의 책(湖南卷), 23-26쪽 참조

50) 위의 책(湖南卷), 28-30쪽, 위의 책(雲南卷), 201-203쪽, 위의 책(廣西卷), 49-54쪽, 위의 책(貴州卷), 46-48쪽, 위의 책(廣西卷), 69-70쪽을 각각 참조

51) 위의 책(河北卷), 20-21쪽 참조

52) 위의 책(遼寧卷), 10-11쪽, 위의 책(浙江卷), 42-44쪽, 위의 책(黑龍江卷), 10-11쪽, 위의 책(江西卷), 10-11쪽을 각각 참조하시오.

53) 위의 책(河南卷), 13-14쪽 참조

54) 위의 책(浙江卷), 45-46쪽 참조

55) 위의 책(河南卷), 9-10쪽 참조

56) 위의 책(雲南卷), 176-178쪽 참조

57) 위의 책(湖南卷), 33-34쪽, 위의 책(四川卷), 1435쪽, 위의 책(四川卷), 52-53쪽을 각각 참조하시오.

58) 위의 책(四川卷), 1321-1322쪽 참조

59) 위의 책(貴州卷), 54-57쪽

60) 위의 책(甘肅卷), 11-13쪽 참조

61) 위의 책(雲南卷), 9-11쪽 참조

62) 실제로 중국의 홍수남매혼신화에는 부모와 자녀 사이의 결합을 보여주는 예가 있다. 주1)과 주2)를 참조

63) 우리가 현재 접하고 있는 텍스트에서는 대부분 한 쌍의 부모에 의해 출생한 남매가 등장한다는 점에서, 남매혼신화를 대우혼, 심지어 일부일처제가 확립된 이후에 산생된 신화로도 볼 수 있다. 그러나 이는 신화의 기록이나 채록이 이루어진 당시의 가족제도 관념이 텍스트 자체에 이미 투사 혹은 개입되어 있다고 보아야 할 것이다.

3

중국의 함호형 홍수전설

1. 들어가면서
2. 함호형 홍수전설의 추형
3. 함호형 홍수전설의 정형화
   1) 함호형 홍수전설의 여러 하위 유형
   2) 주요 모티프와 서사구조의 비교분석
4. 함호형 홍수전설의 변이형
   1) 돌거북의 등장
   2) 돌거북에서 돌사자로
5. 함호형 홍수전설에 담긴 문화와 습속
6. 나오면서

1. 들어가면서

홍수를 소재로 다룬 설화는 전세계적으로 널리 분포되어 있으며, 지역과 민족에 따라 다양한 내용을 지니고 있다. 이들 홍수설화, 특히 홍수신화는 인류가 홍수라는 자연재해를 어떻게 인식했는가를 잘 보여주고 있다. 이러한 점에서 홍수신화는 자연현상에 대해 먼 옛날 원시인류가 지닌 상상력의 소산이라 할 수 있다. 우리나라에도 '대홍수와 목도령' '대홍수와 남매' 등의 홍수신화, 그리고 고리봉전설, 행주형行舟型전설, 광나루廣浦전설 및 장자못전설 등의 다양한 홍수전설이 존재해 있다.

중국의 홍수설화 역시 대단히 다양한 모습을 보여주고 있다. 즉 홍수신화로는 인류의 창조자이자 구원자인 여와를 그려낸 보천형補天型 홍수신화, 인류의 구원을 위해 희생하거나 공헌한 곤鯀과 우禹의 영웅적 업적을 그려낸 치수형治水型 홍수신화, 홍수 이후 살아남은 인간에 의해 인류가 전해지거나 재창조되는 재전형再傳型 홍수신화, 나아가 홍수 이후 살아남은 남매에 의해 인류가 재창조되는 홍수남매혼신화 등을 들 수 있다.

이러한 홍수신화 외에, 중국의 홍수설화의 하위유형으로 함호형陷湖型 홍수전설[1])을 들 수 있다. 이 함호형 홍수전설은 기본적으로 국부적인 지역의 함몰과 뒤이은 홍수의 재난을 소재로 다루고 있다. 함호형 홍수전설은 대부분 특정지역과 관련된 이야기이며, 재난 후에 만들어진 호수나 사당 등을 기념물로 등장시키고 있다. 다른 유형의 전설과 마찬가지로 함호형 홍수전설 역시 시대와 지역에 따라 다양한 변이형을 보여주고 있다.

함호형 홍수전설에 대한 중국의 연구성과로는 우선 1944년 『풍토잡지風土雜志』에 실린 천즈량陳志良의 「가라앉은 마을의 이야기沉城的故事」를 들 수 있다. 이 글에서 천즈량이 수집하여 정리한 함호형 홍수전설은 이후 연구자들의 연구에 빠짐없이 등장하는 전범적인 자료라고 할 수 있다. 천즈량과 함께 빼놓을 수 없는 연구자로는 중징원鍾敬文을 들 수 있는데, 그는 중국민속학의 토대를 마련함으로써 이후의 민간문학 연구에 크게 기여했다. 이들 연구자의 뒤를 이어 민간문예 연구자 혹은 소수민족문학연구자인 류시청劉錫誠, 푸광위傅光宇, 마창이馬昌儀, 롼커장阮可章 등도 함호형 홍수전설에 관한 연구성과를 남기고 있다. 최근에 중국설화와 민속학방면에서 두드러진 연구자로서 천젠셴陳建憲과 완젠중万建中 역시 이 분야의 연구성과를 남기고 있다. 이밖에 대만에서 활동하는 연구자로는 상슈윈桑秀雲, 후완촨胡萬川, 루이루鹿憶鹿 등이, 그리고 프랑스의 중국학 연구자인 막스 칼텐마르크Max Kaltenmark, 일본의 가와카쯔 요시오川勝義雄 등이 함호형 홍수전설에 관한 연구성과를 남기고 있다.[2)]

이 글은 국지적인 '함몰陷沒'과 이를 뒤이은 '홍수'의 두 모티프를 모두 지닌 전설을 연구대상으로 하며[3)], 옛 문헌자료, 그리고 구두로 전승되다가 민국 이후에 채록된 문헌자료를 연구의 텍스트로 사용하고자 한다. 이 글은 함호형 홍수전설의 변모양상을 살펴보는 데에 일차적인 관심을 두고 있으며, 이와 함께 각종 변이형을 낳는 관건적인 모티프의 문화적 의미망을 살펴보고자 한다.

2. 함호형 홍수전설의 추형

함호형 홍수전설의 추형은 이윤伊尹의 출생과 관련된 기록에서 엿볼 수 있다. 『여씨춘추呂氏春秋·효행람孝行覽·본미편本味篇』에는 '유신씨有侁氏의 여인이 뽕을 따다가 공상空桑 안에서 갓난아이를 얻어 그 군주에게 바쳤다. 그 군주는 요리사에게 아이를 기르게 하였다(有侁氏女子采桑, 得嬰兒於空桑之中, 獻之於其君. 其君令烰人養之)'는 기록과 함께, 갓난아이의 출생에 대해 다음과 같이 기록하고 있다.

> P-1 : 갓난아이의 어머니는 이수 위에 살다가 임신하였는데, 꿈에 신이 이렇게 알려주었다. "절구에서 물이 나오면 동쪽으로 달아나되, 돌아보지 말라." 이튿날 절구를 보니 물이 나오자 이웃에게 알렸다. 동쪽으로 10리를 달려 그 고을을 돌아보니, 온통 물바다가 되어 있었다. 그녀의 몸은 이로 인해 공상으로 변하였다.[4]

이 이야기 속의 절구는 오늘날 우리가 흔히 보는 돌절구와 같은 모습은 물론 아니다. 여기에서의 절구는 『설문해자說文解字』에서 "절구는 곡식을 찧는 절구이다. 옛날에는 땅을 파서 절구로 삼았다.(臼, 舂臼也. 古者掘地爲臼.)"라고 밝히고 있듯이, 땅바닥에 움푹 패인 형태의 절구이다. 이러한 형태의 절구에 물이 스며나올 정도라면, 특히 저지대일 경우에는 물난리로 인한 침수를 겪을 가능성이 매우 높다고 할 수 있을 것이다. 어쨌든 이 이야기에는 함호형 홍수전설의 주요한 모티프, 즉 '재난의 예고'와 '재난의 징조', '재난의 도래' 외에도, '금기와 금기 위반', '금기 위반에 대한 징벌' 등이 갖추어져 있다.

이 이야기는 『여씨춘추呂氏春秋』에만 실려 있는 것이 아니다. 즉 『논형論衡·길험편吉驗篇』, 『초사楚辞·천문天問』의 왕일王逸의 주注, 『열자列子·천서편天瑞篇』 및 『수경주水經注』 권15의 「이수伊水」의 조목에도 이와 비슷한 이야기가 실려 있다. 이 가운데 『열자·천서편』의 "이윤생호공상伊尹生乎空桑"에 대해 진대晉代의 장담張湛이 가한 주석[5]은 『여씨춘추』의 기록과 몇 글자만 다를 뿐, 거의 같은 내용을 담고 있다. 반면 『논형·길험편』의 기록[6]에는 '금기와 금기 위반'이 서술되어 있지만, '금기 위반에 대한 징벌'은 보이지 않는다. 이와 달리 『수경주·이수』의 기록[7]에는 금기가 서술되어 있지 않지만, '금기 위반에 대한 징벌'이 나타나 있다. 이러한 변형은 전승되는 과정에서 일부 금기가 약화되거나 일실되는 경우라고 할 수 있다.

우리가 주목할 만한 것은 『초사·천문』의 "물가의 나무에서 저 어린 것을 얻었는데, 어찌하여 그를 싫어하여 시집가는 딸의 노복으로 삼았는가?(水濱之木, 得彼小子, 夫何惡之, 媵有莘之婦?)"에 대해 왕일王逸이 설명을 덧붙인 아래의 이야기이다.

> P-2 : 이윤의 어머니가 임신하였는데, 꿈에 신녀가 그녀에게 "절구 모양의 아궁이에서 개구리가 생기면 서둘러 달아나되 돌아보지 말라!"고 알렸다. 얼마 지나지 않아 절구 모양의 아궁이에서 개구리가 생겼다. 어머니는 동쪽으로 달아났다. 돌이켜 자기 고을을 바라보니, 온통 물바다가 되어 있었다. 어머니는 이로 인해 물에 빠져 죽어 공상의 나무로 변했다.[8]

『여씨춘추』의 기록에 견주어보면, 이 기록은 기본적인 모티프를 똑같이 갖추고 있지만, 몇 군데에서 모티프가 달라졌음을 알 수 있다. 즉 재난의 예고자는 '꿈에 나타난 신'에서 '꿈에 나타난 신녀神女'로 바뀌었으며, 재난의 징조 역시 '절구에 물이 나옴'에서 '절구모양의 아궁이에 개구리가 생겨남'으로 바뀌었다. 게다가 이 기록에는 달아나는 방향만 동쪽으로 제시되어 있을 뿐 10리라는 구체적인 거리가 명시되어 있지 않으며, 더욱 중요하게는 『여씨춘추』의 기록의 '이웃에게 알렸다(告其隣)'라는 부분이 삭제되어 있다. 재난의 징조에 개구리가 추가된 것이 비가 오기 전에 우는 개구리의 생태적 습성을 감안하여 이야기의 사실성이나 흥미성을 배가하기 위해서라면, '이웃에게 알렸다'라는 부분이나 '10리'가 삭제된 것은 이들이 이야기의 전개와 계기적 인과관계를 전혀 맺지 못하기 때문이다.

전국말戰國末에 씌어진 『여씨춘추』로부터 후한대後漢代의 『논형·길험편吉驗篇』과 『초사·천문』에 대한 왕일의 주석, 『열자·천서편』에 대한 진晉의 장담의 주석, 북위北魏 역도원酈道元의 『수경주·이수』에 이르기까지, 이윤의 이야기는 기본적으로 이윤의 출생의 신이성을 강조하기 위한 서사이다. 이로 인해 그의 어머니의 임신과 그의 출생에는 신성성이 개입되어 있다. 즉 그의 어머니의 임신은 '이수 위'나 '이수의 물가'에서 이루어진 감응에 의한 임신이고, 그녀에게 재난을 예고하는 이 역시 신이나 신녀이며, 또한 금기를 어긴 어머니가 공상으로 변하는 것 역시 신의 의지에 따른 것이다.

위에서 살펴본 '이윤생공상伊尹生空桑'의 이야기는 이들 이야기를 전하는 전적을 살펴볼 때, 대체로 늦어도 전국말戰國末에 시작되어 진한대秦漢代를 거쳐 남북조시대南北朝時代에 널리 유행했던 이야기로 보인다. 그런데 이들 이야기에는 '온통 물바다가 되어 있었다'라고만 서술하여 홍수의 모티프만 존재할 뿐, 특정 지역의 함몰이라는 모티프는 명확히 드러나 있지 않다.

3. 함호형 홍수전설의 정형화

1) 함호형 홍수전설의 여러 하위 유형

후한 말 이래 특정 지역의 함몰과 홍수의 도래라는 기본 모티프를 모두 갖추고 있으면서 비교적 완정한 줄거리를 이루고 있는 함호형 홍수전설이 나타났다. 이들 홍수전설은 이야기가 전개되는 지역에 따라 크게 네 가지 하위 유형, 즉 역양형歷陽型, 유권형由拳型, 공도형邛都型과 무강형武强型으로 나누어 살펴볼 수 있다. 각 하위 유형의 이야기와 그 차이를 살펴보자.

A. 역양형歷陽型

A-1 : 예전에 어느 노파가 늘 인의仁義를 행했는데, 선비 두 사람이 지나다가 그녀에게 "이 고장은 틀림없이 가라앉아 호수가 될 것입니다"라고 말하면서 "동쪽 성문 문지방에 피가 묻은 것을 보면 북쪽 산

으로 도망하되 돌아보지 마시오"라고 했다. 이때부터 노파는 성문의 문지방에 가서 살펴보았다. 문지기가 그녀에게 묻자, 그녀는 여차저차하다고 대답했다. 그날 저녁 문지기는 일부러 닭을 잡아 피를 성문 문지방에 발랐다. 이튿날 아침 일찍 성문에 가서 살펴본 노파는 피를 보고서 북쪽 산으로 올랐는데, 고장은 가라앉아 호수가 되었다. 문지기에게 그 일을 이야기한 지 딱 하룻밤만이었다.9)

이 이야기는 『회남자淮南子·숙진훈俶眞訓』에 실려 있는 기록, 즉 "역양이란 고을은 하룻밤 사이에 호수가 되어, 용감하고 지혜로운 자와 겁 많고 못난 자가 모두 똑같은 운명에 처했다(夫歷陽之都, 一夕反而爲湖, 勇力聖知與罷怯不肖者同命)"라는 대목에 대해 후한말後漢末의 고유高誘가 가한 주석이다. 이 이야기의 공간적 배경인 역양은 지금의 안휘성安徽省 화현和縣 경내이다. 역양이 함몰하여 호수가 되었다는 기록은 왕충王充의 『논형論衡·명의命義』에 "듣기로 역양이란 고을은 하룻밤 사이에 가라앉아 호수가 되었다(聞歷陽之都一宿沉而爲湖)"라고 적혀 있으며, 『수신기搜神記』 권6에도 "역양이란 고을은 하룻밤 사이에 땅속으로 꺼져들어 못이 되었다(歷陽之郡, 一夕淪入地中, 而爲水澤)"라고 적혀 있다. 위와 유사한 이야기는 『태평광기太平廣記』 권163의 「역양의 노파歷陽媼」(만당晩唐의 이용李冗의 『독이지』를 인용)에 다음과 같이 실려 있다.

A-2 : 역양현에 노파가 살았는데, 늘 착한 일을 행했다. 홀연 문을 지나던 젊은이가 먹을거리를 청하자, 노파는 아주 공손히 대접했다. 젊은이는 떠나면서 노파에게 "때때로 현의 문에 가서 문지방에 피가 있는 것을 보면, 산에 올라 재난을 피할 수 있다"고 말했다. 이때부터 노파는 날마다 현의 문에 갔다. 문지기가 그 모습을 보고서 묻자, 노파는 젊은이가 가르쳐준 일을 대답해주었다. 문지기는 장난삼아 닭의 피를 문의 문지방에 발랐다. 이튿날 피가 묻은 것을 본 노파는 닭장을 들고서 산에 올랐다. 그날 저녁 현은 가라앉아 호수가 되었는데, 지금의 화주 역양호가 바로 이곳이다.10)

위의 이야기 〈A-2〉는 〈A-1〉에 비해, '선비 두 사람'이 '문을 지나던 젊은이'로, '인의를 행함'에서 '착한 일을 행함'으로, '동쪽 성문의 문지방'이 '현문의 문지방'으로, '북쪽 산'이 '산'으로 바뀜으로써 모티프의 변이가 나타나 있다. 아울러 '돌아보지 마시오'라는 금기가 사라진 대신에 '닭장을 들고서 산에 올랐다'는 내용이 추가되어 있을 뿐이다. 이러한 약간의 변화를 제외하고는 기본적인 모티프와 줄거리는 〈A-1〉의 이야기와 동일하다고 볼 수 있다.

B. 유권형由拳型

> B-1 : 유권현은 진나라 때의 장수현이다. 진시황 시절에 "성문에 핏자국이 나면 성은 틀림없이 가라앉아 호수가 되리라"는 동요가 퍼졌다. 어느 노파가 이 동요를 듣고 아침마다 가서 살피곤 했다. 문지기가 노파를 포박하려 하자, 노파는 그 까닭을 말해주었다. 후에 문지기는 개의 피를 성문에 발랐다. 노파는 피를 보고서 곧바로 도망쳤다. 그러자 갑자기 큰물이 현을 집어삼킬 듯 밀려들었다. 현의 주부는 간리幹吏에게 들어가 현령에게 보고하도록 했다. 그러자 현령이 "어찌하여 갑자기 물고기가 되었는가?"라고 묻자, 간리는 "영감께서도 물고기가 되셨는데요"라고 대답했다. 마침내 가라앉아 호수가 되었다.[11]

이 이야기는 진대晉代의 간보干寶가 편찬한 『수신기搜神记』 권13에 실려 있는 기록이다. 이 이야기의 공간적 배경인 유권현由拳縣은 지금의 절강성浙江省 가흥현嘉興縣 남쪽으로, 상해시 청포구青浦區이다.[12] 이 이야기의 유사형으로서 양대梁代 유지린劉之遴이 펴낸 『유지린신록劉之遴神錄』에 실려 있는 이야기를 살펴보자.

> B-2 : 유권현은 진나라 때의 장수현이다. 진시황 시절 현에 "성문의 문설주[13]에 핏자국이 있으면 성이 무너져 내려 호수가 되리라"는 동요가 퍼졌다. 어느 노파가 이를 듣고서 근심하고 두려워하여 아침마다 찾아가 성문을 살폈다. 문지기가 노파를 포박하려 하자, 노파는 그

까닭을 말해주었다. 노파가 떠난 후 문지기는 개를 죽여 그 피를 성문에 발랐다. 다시 온 노파는 피를 보고서 도망쳤으며, 감히 뒤돌아보지 못했다. 갑자기 큰물이 지더니 물이 불어 현을 삼킬 듯했다. 주부는 간리幹吏에게 들어가 현령에게 보고하도록 했다. 현령이 간리를 보더니 "어찌하여 갑자기 물고기가 되었는가?"라고 묻자, 간리 역시 "영감께서도 물고기가 되셨는데요!"라고 대답했다. 마침내 가라앉아 골짜기가 되었다. 늙은 어미는 개를 끌고서 북쪽으로 60리를 달아나 이래산伊萊山에 이르러서 재난을 면할 수 있었다. 남서쪽 모퉁이에 지금도 신모묘神母廟라는 석실이 있으며, 사당 앞의 바위 위에 개의 발자국이 남아 있다.[14)]

〈B-1〉의 이야기와 비교해보면, 이 이야기에는 '감히 뒤돌아보지 못했다不敢顧'는 내용, 그리고 '늙은 어미가 개를 끌고서 북쪽으로 60리를 달아나 이래산에 닿았다'는 내용 및 이 이야기와 관련된 기념물이 추가되어 있을 뿐, 기본적인 모티프와 줄거리는 거의 차이가 없다. 〈B-2〉와 유사한 이야기는 북위北魏 역도원酈道元의 『수경주』 권29 「면수沔水」(『神異傳』을 인용)에도 실려 있는데[15)], 위의 이야기와 비교해보면 몇몇 글자의 출입이 있을 뿐, 대체적인 줄거리는 물론 모티프 또한 똑같다고 할 수 있다.

C. 공도형邛都型

C-1 : 공도현 아래에 한 노파가 살고 있었는데, 집안이 가난하고 식구도 없었다. 밥을 먹을 때마다 머리에 뿔이 달린 작은 뱀 한 마리가 침상 사이에 나타났다. 노파는 뱀을 불쌍히 여겨 먹이를 주곤 했다. 나중에 점점 자라 길이가 한 길 남짓 되었다. 당시 현령에게 준마가 있었는데, 뱀이 그 준마를 삼켜버렸다. 이로 인해 크게 성이 난 현령은 노파를 책망하면서 뱀을 내쫓으라 했다. 노파가 "침상 아래에 있다"고 말하자, 현령은 곧바로 땅을 팠지만, 깊을수록 더욱 크게 팠건만 보이는 것이 없었다. 현령은 분풀이로 노파를 죽이고 말았다. 이에 뱀이 영험함으로 사람들에게 감응하여 "못된 현령, 어찌하여 나의 어머니를

죽였는가? 반드시 어머니를 위해 복수하리라."고 말했다. 이후 매일 밤마다 우레 같기도 하고 바람 같기도 한 소리가 들리더니 40여일이나 계속되었다. 백성들은 서로 쳐다보며 모두 놀라 "네 머리 위에 어떻게 갑자기 물고기가 얹혀 있는가?"라고 말했다. 이날 밤 사방 40리의 땅과 성이 일시에 가라앉아 호수가 되었다. 그곳 사람들은 이곳을 함하라 일컬었다. 오직 노파의 집만은 아무 탈 없이 지금껏 남아 있다.[16]

이 이야기는 『후한서後漢書·서남이전西南夷傳·공도이邛都夷』에 실려 있는 기록[17]에 대해 당대唐代의 이현李賢이 이응李膺의 『익주기益州記』를 인용하여 가한 주석이다. 이 이야기의 공간적 배경인 공도는, 이현이 설명한 "지금의 수주 월수현 동남쪽에 있다(在今嶲州越嶲縣東南)"라는 주석에 따르면, 지금의 사천성四川省 서창시西昌市이다. 이 이야기에 비해, 몇 글자가 다를 뿐 똑같은 내용의 이야기는 『수신기』 권20에 실려 있는 이야기이다.[18] 또한 이와 유사한 이야기는 『태평광기太平廣記』 권456의 「공도의 노파邛都老姥」(『궁신비원窮神秘苑』을 인용)[19] 및 『태평환우기太平寰宇記』 권75(『익주기益州記』를 인용)[20]에도 실려 있다. 이들 이야기는 위의 이야기와 견주어, '뱀이 영험함으로 사람들에게 감응함(蛇乃感人以靈)'이 '뱀이 현령의 꿈에 나타남(蛇因夢於令)'으로, '침상 사이'가 '주발 사이'로 약간 바뀌어 있으며, 『태평환우기』에서는 공도현이 임공군臨邛郡[21]으로 바뀌었을 뿐, 줄거리와 모티프는 거의 동일하다. 이들 이야기의 유사형에서 보다 발전된 형태의 이야기로는 『태평광기』 권312에 실린 「함하의 신陷河神」(『왕씨견문王氏見聞』을 인용)을 들 수 있다.

C-2 : 수주 수현에 장씨 노부부가 늙어 자식 없이 살고 있었다. 노인은 계곡에 가서 땔나무를 캐서 하루하루를 연명했다. 어느 날 바위틈새의 날카로운 부분에 손가락을 베었다. 핏방울이 흘러내려 돌구멍 속에 떨어지자, 나뭇잎으로 구멍을 틀어막고서 돌아왔다. 훗날 다시

> 그곳에 간 김에 나뭇잎을 집어내고서 살펴보니 조그마한 뱀으로 변해 있었다. 노인은 손바닥에 올려놓고서 한참 동안 장난을 쳤다. 뱀이 그리워 떠나기 싫어하는 듯하여 자른 대나무에 넣어 품에 안았다. 집에 돌아와 갖가지 고기를 먹였으며, 뱀도 몹시 잘 따랐다. 시간이 흘러 점점 자랐다. 1년 후 밤에 닭과 개를 훔쳐 잡아먹었다. 두 해가 지난 후에는 양과 돼지를 훔쳐 잡아먹었다. 이웃집에서는 기르던 가축이 없어지는 것을 괴이히 여겼으나 노인 부부는 아무 말도 하지 않았다. 그 후 현령이 말을 잃어버리자 발자취를 따라 노인의 집에 들어와 캐물어 뱀의 뱃속에 삼켜져 있음을 알게 되었다. 깜짝 놀란 현령은 이런 몹쓸 것을 길렀다고 노인을 책망했다. 노인이 엎드려 사죄하자, 현령은 노인을 죽이려고 했다. 홀연 어느 날 저녁 우레와 번개가 크게 치더니 온 현은 꺼져내려 일망무제의 커다란 못이 되었다. 오직 장씨 노부부만이 살아남았으며, 그 후 부부와 뱀은 모두 사라졌다. 이로 인해 함하현으로 개칭했으며, 뱀을 장악자張惡子라 부르게 되었다.[22]

위에 언급한 이야기들에서는 '어느 노파'가 등장한 것과 달리, 이 이야기에는 수주嶲州 수현嶲縣의 장씨 노부부가 등장한다. 수주 수현은 물론 위에서 밝힌 대로 공도현縣을 가리키며, 굳이 장씨張氏라고 밝힌 것은 이야기의 진실성을 높이기 위한 서사전략일 것이다. 이 이야기에는 뱀과의 첫 만남을 상세히 서술하고 있는데, 장씨 노인이 땔나무를 하다가 손가락을 베어 흘러내린 피가 돌구멍 속에 떨어져 뱀으로 변했다고 밝히고 있다. 이는 뱀이 노인의 신체의 일부에서 변모한 것임을 밝힘으로써, 장씨 노부부가 뱀을 양육하게 되는 계기성을 강화하기 위한 서사전략이라 할 수 있다. 이 이야기는 현령이 노인을 죽이려 하자 어느 날 저녁 온 현이 꺼져내려 못이 되었으며, 유일하게 생존한 노부부는 뱀과 함께 사라졌다고 하는 등, 줄거리에 있어서 약간의 변화가 있지만, 기본적인 모티프와 줄거리는 〈C-1〉의 이야기와 동일하다고 볼 수 있다.

D. 무강형武强型

D-1 : 무강현의 어떤 사람이 길을 가다가 조그마한 뱀을 얻어 길렀으며, 담생이라 일컬었다. 담생이 자라 사람을 물자, 마을 사람들이 붙잡아 옥에 가두었다. 담생은 그 사람을 업고서 달아났다. 마을은 꺼져내려 호수가 되었으며, 현의 관리는 물고기가 되었다.[23]

이 이야기는 진대晉代 이석李石의 『속박물지續博物志』에 실려 있다. 이 이야기의 공간적 배경인 무강현武强縣은 지금의 하북성河北省 무강현이다. 이 이야기와 유사한 내용은 『수경주』 권10 「탁장수濁漳水」에도 실려 있고[24], 『태평환우기』 권63에도 실려 있다.[25] 위의 〈D-1〉과 비교해보면, 이 두 이야기에는 '뱀에게 영험이 있는 듯하다(疑其有靈)'는 내용과 '마을 사람들이 근심했다(里中患之)'는 내용이 추가되어 있을 뿐, 전체적인 줄거리는 동일하다고 할 수 있다. 이들 이야기로부터 보다 발전된 형태를 보여주는 것은 『태평광기』 권458에 실린 「담생檐生」(당대唐代의 대부戴孚가 펴낸 『광이기廣異記』를 인용)의 이야기이다.

D-2 : 옛날에 어느 서생이 길을 가다가 조그마한 뱀을 만나 거두어 길렀는데, 몇 달이 지나자 차츰 크게 자랐다. 서생은 매번 직접 지고 다녔기에, '담생'이라 일컬었다. 나중에는 지고 다닐 수 없어 범현의 동쪽 커다란 못 속에 놓아주었다. 40여 년이 지나자 그 뱀은 배를 뒤엎을 만해져 신령스러운 이무기로 일컬어졌다. 못 안에 간 사람마다 잡아먹혔다. 서생이 이때 나이 들어 이 못가를 지나는데, 사람들이 "못 속에 사람을 잡아먹는 큰 뱀이 있으니, 가지 마시오."라고 말했다. 이때는 한겨울이라 몹시 추웠다. 서생은 뱀은 겨울에 동면하니 그럴 리가 없다고 여겨 커다란 못을 지나갔다. 20여 리쯤 갔는데, 홀연 뱀이 뒤쫓아 왔다. 서생이 아직 그의 형색을 알아보고서 멀리서 그에게 "너는 담생이 아니냐?"고 물었다. 뱀은 머리를 숙이더니 한참만에야 돌아갔다. 범현에 돌아오자, 현령은 그가 뱀을 보고서도 죽지 않음을

알고서 기이하게 여겨, 그를 감옥 안에 가두고서 사형에 처하기로 했다. 서생은 남몰래 화를 내면서 "담생, 너를 길렀건만 나를 죽게 하니, 너무 지나친 게 아닌가!"라고 말했다. 그날 밤 뱀은 온 현을 쳐서 가라앉게 하였는데, 오직 감옥만은 가라앉지 않아 서생은 죽음을 면했다. 천보 말에 독고섬이란 이가 있었는데, 그의 외숙이 범현의 현령이었다. 3월 3일에 집안 식구와 함께 호수에 배를 띄웠는데, 까닭 없이 배가 뒤집혀 집안 식구 여러 사람이 하마터면 죽을 뻔했다.[26)]

이 이야기는 공간적 배경이 범현范縣으로 서술되어 있기에 무강형武强型과 관계가 없는 듯이 보인다. 범현은 지금의 산동성山東省 양산현梁山縣 북서쪽, 하남성河南省 범현范縣 남동쪽에 위치한 바 하남성과 산동성의 접경지역이다. 범현은 하북성河北省의 무강현에서 그다지 멀리 떨어져 있지 않으며, 두 지역 모두 황하가 바다로 흘러나가는 곳에 위치해 있다. 게다가 범현의 이야기는 무강현의 이야기와 마찬가지로 뱀을 담생擔生·檐生이라 일컫고 있다. 이러한 점에서 이 이야기 역시 무강형으로 분류해도 좋을 것이다.

이 이야기는 위의 〈D-1〉에 비해 이야기로서의 성격이 한층 두드러진다. 즉 못에 풀어놓은 뱀이 자라 사람을 해치고, 급기야 서생과 만나는 내용이 상세히 서술되어 있으며, 뱀의 신령스러움이 보다 강조되어 있다. 아울러 감옥에 갇힌 것이 뱀이 아니라 사람이며, 함몰과 홍수 이후 서생만이 생존했다는 사실을 구체적으로 밝힌 점이 여타의 이야기와 다를 뿐이다. 그렇지만 〈D-1〉과 〈D-2〉 모두 기본적인 모티프와 줄거리는 거의 일치하고 있다.

2) 주요 모티프와 서사구조의 비교분석

이제 네 가지 하위유형의 이야기에 대해, 모티프를 중심으로 각각의 서사구조를 정리해보자. A(역양형), B(유권형), C(공도형), D(무강형)의 네 유형을 살펴보면, 이야기를 이끌어가는 주인공이 다름을 알 수 있다. 즉 A와 B의 유형은 노파가 주인공의 역할을 수행하고 있다면, C와 D는 뱀이 이야기를 이끌어가고 있다고 할 수 있다. 이에 따라 서사구조와 모티프 역시 달리 나타날 수밖에 없다. 여기에서는 우선 A형과 B형의 이야기를 비교·분석하기로 한다.

유형	A : 역양형		B : 유권형	
	A-1	A-2	B-1	B-2
재난의 생존자	仁義의 노파	善行의 노파	노파	노파
재난의 예고자	선비 두 명	길 가던 젊은이	동요	동요
재난의 징조	城門閫有血	縣門閫有血	城門有血	城門有血
금기와 금기 위반	勿顧			不敢顧
인위적 조작	문지기와 鷄血	문지기와 鷄血	문지기와 狗血	문지기와 狗血
재난의 도래	沒爲湖	陷爲湖	淪爲湖	淪陷爲谷
재난의 도피	북쪽 산	닭장을 들고 산	도망	개를 끌고서 북쪽
기타			물고기가 된 관리	물고기가 된 관리

「서지사항」

출처	淮南子·俶真训	太平廣記 163권	搜神记 13권	劉之遴神錄
출처의 인용전적		獨異志		
유사 이야기			『水经注』권29「沔水」	
현재 소재지	安徽省 和縣 경내		浙江省 嘉興縣 남쪽	

A와 B의 이야기는 몇 가지 점에서 차이를 보여주고 있다. 우선 모티프면에서 살펴본다면, 생존자의 자격에 있어서 A의 이야기는 '인의나 선을 행함'을 제시하고 있는 반면, B의 이야기에는 아무 것도 제시되어 있지 않다. 재난의 예고자 역시 A의 이야기에는 '두 사람의 선비나 길 가던 젊은이'라고 적시되어 있으나, B의 이야기에는 동요로 나

타나 있다. 또한 피를 바르는 인위적 조작 역시 A의 이야기에서는 '성문 문지방에 칠한 닭의 피'이지만, B의 이야기에서는 '성문에 칠한 개의 피'로 바뀌어 있다. 이러한 모티프의 차이로 말미암아 얼핏 보기에 A와 B는 전혀 다른 이야기처럼 보인다. 그러나 이 두 이야기는 물론 이들 이야기의 유사형들은 모두 서사구조의 면에서 똑같이 '재난의 예고와 징조' - '징조의 인위적 조작' - '함몰과 홍수' 등의 기본적인 모티프로 이루어져 있다.

그런데 우리가 주목할 만한 점은 위의 이야기 및 이들 이야기의 유사형, 즉 〈A-2〉(「역양의 노파歷陽嫗」)와 〈B-2〉(『유지린신록』에 실린 이야기) 사이의 관계이다. 이를테면 재난의 징조를 목도한 노파의 행위를 살펴보면, 〈A-2〉에서는 노파가 닭장을 들고 달아나고, 〈B-2〉에서는 개를 끌고서 달아난다. 이들 노파가 가져가는 물건은 분명 재난의 징조, 즉 닭과 개의 피와 연관되어 있을 터이다. 이 물건들은 각각의 이야기의 전개와는 전혀 계기적 관계를 맺고 있지 않지만, 피신할 때 무언가를 가져간다는 점에서는 동일하다는 점에서 교차차용이 이루어졌을 가능성을 엿볼 수 있다.

아울러 '돌아보지 말라勿顧'는 금기는 〈A-1〉에만 제시되어 있을 뿐, 〈A-2〉는 물론 B에도 제시되어 있지 않다. 그런데 〈B-2〉 및 그 유사형인 『수경주』에 실린 이야기는 금기를 제시하지 않았음에도 불구하고, '감히 돌아보지 못했다不敢顧'고 서술함으로써 금기의 흔적을 남기고 있다. 이러한 점으로 볼 때, 역양형과 유권형의 이야기는 원형이 달랐을지라도 이후 전승되는 과정에서 교차차용이 이루어졌을 가능성이 높다고 할 수 있다.

다음으로 뱀이 이야기의 중심을 이루고 있는 C와 D의 유형을 비교·분석해보자.

유형	C : 공도형		D : 무강형	
	C-1	C-2	D-1	D-2
뱀의 양육자	貧孤한 노파	張氏 노부부	어떤 사람	어느 서생
뱀과의 만남	침상 사이	노인의 피가 변함	길을 가다 거둠	길을 가다 거둠
뱀의 危害	현령의 駿馬 삼킴	가축과 현령의 말	사람을 묾	사람을 잡아먹음
危害에 대한 징벌	노파를 죽임	노인을 죽이려 함	뱀을 옥에 가둠	서생을 죽이려 함
재난의 예고	사람에게 감응			
재난의 징조	우레와 바람 소리 백성들 머리 위에 물고기가 얹힘	우레와 번개		
뱀의 복수	陷爲湖	陷巨湫	淪爲湖	陷爲湖
재난의 도피		생존한 노부부는 뱀과 함께 사라짐	업고서 도망	서생만 생존
기타			물고기가 된 관리	

「서지사항」

출처	後漢書·西南夷傳	太平廣記 312권	續博物志	太平廣記 458권
출처의 인용전적	益州記	王氏見聞		廣異記
유사 이야기	搜神記 20권, 太平廣記 456권, 太平寰宇記 75권		水經注 10권 太平寰宇記 63권	
현재 소재지	四川省 西昌市		河北省 武强縣	

C와 D의 이야기는 몇 가지 점에서 차이를 보여주고 있다. 우선 모티프면에서 살펴본다면, D의 이야기에는 '재난의 예고와 징조'가 전

혀 보이지 않는다. 뱀을 만나 양육하게 된 계기 역시 '양육자의 일상생활과 관련된 행위'에서 '길을 가던 중에 거둠'으로 바뀌고, '뱀의 위해危害' 역시 '가축 및 현령의 말을 잡아먹음'에서 '사람에 대한 직접적 위해'로 바뀌며, '뱀의 위해에 대한 징벌' 또한 이야기마다 각기 다르게 나타나고 있다.

이처럼 모티프에서 몇 가지 차이가 있지만, C와 D의 서사구조는 공통적으로 '뱀의 양육' - '뱀의 위해' - '뱀의 복수' - '함몰과 홍수의 재난'의 모티프로 이루어져 있다. 그러나 C와 D 사이에는 이야기가 전해지는 과정에서 흔히 일어날 수 있는 교차차용이 그다지 드러나 있지 않다. 이는 C와 D의 두 유형이 이야기의 발생 이후 독립적으로 구전되어 왔을 가능성이 높음을 말해준다. 이는 아마도 이야기의 발생지 자체가 공간적으로 멀리 떨어져 있다는 점에서 기인할 것이다.

지금까지 함호형 홍수전설의 추형으로서 '이윤이 공상에서 태어나다伊尹生空桑'의 이야기, 그리고 함호형 홍수전설의 초기 형태로서 역양형(A)과 유권형(B), 공도형(C)과 무강형(D)의 네 하위 유형을 살펴보았다. '이윤이 공상에서 태어나다'의 이야기는 기본적으로 '재난의 예고' - '재난의 징조' - '금기와 금기 위반' - '금기 위반에 대한 징벌' - '홍수' 등의 구성요소로 이루어져 있다. 다만 이 이야기는 홍수와 관련된 모티프들만을 지니고 있을 뿐, 함몰의 모티프를 지니고 있지는 않다.

'이윤이 공상에서 태어나다'의 이야기와 비교해보면, A와 B에는 '금기와 금기의 위반'의 모티프가 결락된 대신 '징조의 인위적 조작'이 삽입되어 있음을 알 수 있다. 그러나 '금기와 금기의 위반'의 모티프가 흔적도 없이 소멸된 것은 아니다. 〈A-1〉의 경우에는 '돌아보지 말라勿顧'는 금기가 제시되어 있고, 〈B-2〉와 유사형에는 '감히 돌아보지 못했다不敢顧'고 서술하고 있기 때문이다. 다만 〈A-1〉의 경우에는 '금기 위반과 징벌'이 뒤따르지 않으며, B의 유사형의 경우에는 금기 자체가 제시된 적이 없을 뿐이다. 이처럼 '금기와 금기의 위반'이 불완전하게나마 흔적을 남기고 있음은 무엇을 말해주는가? 이는 아마도 역양형과 유권형 모두 '이윤이 공상에서 태어나다'의 이야기의 영향을 받았을 가능성이 높음을 말해주는 것이리라.[27]

함호형 홍수전설이 정형화한 이야기로서 네 유형의 서사구조를 살펴보면, A와 B, C와 D는 각각 유사한 구조를 지니고 있다. 즉 A와 B는 '재난의 예고와 징조' - '징조의 인위적 조작' - '함몰과 홍수'의 모티프로 이루어진 서사구조를 지니고 있으며, C와 D는 '뱀의 양육' - '뱀의 위해' - '뱀의 복수' - '함몰과 홍수'의 모티프로 이루어진 서사구조를 지니고 있다. 이로써 알 수 있듯이, 이 두 집단은 이야기의 줄거리 및 서사구조가 전혀 다르다. 이는 두 집단 사이에 상호연관성이 없으며, 이야기가 독자적으로 발생하여 유전되었음을 말해준다.

아울러 이야기간의 교차차용 현상을 살펴보면, A와 B 사이에는 교차차용이 이루어지고 있음에 비해, C와 D 사이에서는 교차차용이 거의 눈에 띄지 않는다. 오히려 눈여겨볼 만한 점은 B와 〈D-1〉 사이의 관계이다. 즉 이들 이야기에는 똑같이 '관리가 물고기로 되었다'는 내용이 기술하고 있는데, 이 양자 사이에는 아마 교차차용이 이루어졌을 가능성이 높다. A와 B 사이에, 그리고 B와 〈D-1〉 사이에 교차차용이 일어난 것은 이들 각각의 이야기의 발생지가 C의 발생지에 비해 상대적으로 가깝다는 점에서 기인하리라 본다.

4. 함호형 홍수전설의 변이형

1) 돌거북의 등장

역양형(A)과 유권형(B), 공도형(C)과 무강형(D)의 네 하위 유형 가운데, 함호형 홍수전설의 변모과정에서 주목을 받는 것은 A의 유형이다. B와 C, D의 유형은 서사의 변형이 거의 일어나지 않지만, A의 유형은 모티프의 변이를 통해 이후 새로운 이야기로 거듭나기 때문이다. 모티프의 변이 가운데 가장 두드러지는 것은 재난의 징조가 구현되는 방식이다. 그 일례로서 양대梁代의 임방任昉이 펴낸 『술이기述異记』에 실린 이야기를 살펴보자.

> A′-1 : 화주 역양은 꺼져내려 호수가 되었다. 이전에 어느 서생이 할미를 만났다. 할미는 서생을 후하게 대접했다. 서생은 할미에게 "이 현문의 돌거북의 눈에 붉은 피가 흘러나오면, 이곳은 틀림없이 무너져 호수가 될 것입니다"라고 말했다. 할미는 이후로 자주 가서 살펴보았다. 문지기가 할미에게 묻자, 할미는 자세히 대답해주었다. 문지기는 붉은색으로 거북의 눈을 칠했다. 할미가 그것을 보고서 달아나 북쪽 산에 올랐다. 성은 마침내 무너졌다.[28)]

이 이야기는 서사구조와 모티프 면에서 앞에서 살펴본 역양형(A)과 매우 흡사하다. 다만 재난의 징조가 '문지방의 핏자국'에서 '돌거북의 눈에 흐르는 붉은 피'로 바뀌고, 인위적 조작이 '문지기가 닭의 피를 칠함'에서 '문지기가 붉은색을 칠함'으로 바뀌는 등의, 모티프의 변형이 일어났을 뿐이다. 이러한 점에서 이 이야기는 A형의 변이형이라 할 수 있는데, 이와 유사한 이야기로 『태평환우기』 권124에 실린 '역양호歷陽湖'와 관련된 기록[29)]을 들 수 있다. 이 이야기는 몇몇 글자의 출입이 있을 뿐, 〈A′-1〉과 거의 똑같다. 다만 할미가 달아나는 곳이 '북쪽 산'에서 '서쪽 산'으로 바뀌어 있고, 이야기의 끝부분에 "오늘날 호수 안에는 현령나리물고기, 여종물고기, 하인물고기가 있다"는 부분이 추가되어 있을 따름이다. 위의 〈A′-1〉의 유사형으로서 아래의 이야기를 살펴보자.

> A′-2 : 늙은이들이 전하는 이야기에 따르면, 거소현이란 곳에 늙은 무당이 있었는데, 일어나지 않은 일을 미리 알았으며, 그녀가 말하는 길

흉마다 징험이 있었다. 거소현의 문에 돌거북이 있었는데, 무당이 "만약 거북이 피를 흘리면 이 땅은 틀림없이 가라앉아 호수가 될 것이다."라고 말했다. 얼마 지나지 않아 고을에 제사가 있었는데, 어떤 사람이 돼지피를 거북의 입안에 놓았다. 늙은 무당은 이것을 보고 남쪽으로 달아났다. 뒤돌아 그곳을 바라보니 어느덧 온통 호수가 되어 있었다. 사람들이 모두들 그녀의 말을 믿어 무립묘를 세웠다. 지금 호수 안의 모산묘가 바로 그곳이다.[30]

이 이야기는 『태평환우기』 권126에 실린 '소호巢湖'와 관련된 기록이다. 이 이야기의 공간적 배경인 거소현居巢縣은 지금의 안휘성安徽省 소호시巢湖市 북동쪽, 즉 A형의 역양인 지금의 안휘성 화현和縣의 남서쪽으로서, 소호시와 화현은 직선거리로 약 40킬로미터 남짓 떨어져 있는 인접지역이다. 다시 말해 이 이야기는 A의 역양형과 밀접한 연관성을 지닐 수밖에 없다는 것이다. 이 이야기에서는 '서생을 후하게 대접한 할미' 대신 '예지능력을 지닌 늙은 무당'이 등장하고, '돌거북의 눈에 피가 흐름' 대신 '돌거북이 피를 흘림'으로 바뀌었으며, 인위적 조작이 '문지기가 붉은색을 돌거북의 눈에 칠함' 대신 '어떤 사람이 돼지피를 입안에 가져다놓음'으로 바뀌는 등, 모티프의 변형이 일어나 있다. 그러나 주요 모티프와 서사구조는 위의 이야기들과 그다지 다르지 않다. 위에서 언급한 이야기들에 비해, 보다 복잡한 줄거리를 지니고 있는 이야기를 살펴보자.

A′-3 : 옛 소국에 어느 날 강물이 느닷없이 불더니, 얼마 후 다시 옛 물길을 회복했다. 뱃길에 무게가 만근이나 되는 거대한 물고기가 나타났는데, 사흘만에 죽고 말았다. 온 군민들이 모두들 물고기를 먹었으나, 한 노파만은 먹지 않았다. 홀연 한 늙은이가 나타나더니 이렇게 말했다. "이는 내 아들이오. 불행히도 이 재앙을 만났으나 그대만은 먹지 않았으니, 내가 후히 보답하겠소. 만약 동쪽 문의 돌거북의 눈이 붉어지면, 성은 틀림없이 무너질 것이오." 노파는 날마다 가서 살펴보

았다. 어떤 어린아이가 이를 이상히 여기자, 노파는 사실대로 일러주었다. 어린아이는 노파를 업신여겨 붉은색으로 거북의 눈을 칠했다. 이를 본 노파는 급히 성을 빠져나왔다. 그때 푸른 옷을 입은 동자가 나타나 "나는 용의 아들이오."라고 말하더니, 노파를 이끌고 산을 올랐는데, 성은 무너져 호수가 되었다.[31)]

이 이야기는 간보의 『수신기』 권20에 실려 있는 이야기이다. 이 이야기의 공간적 배경인 고소古巢 역시 〈A′-2〉와 마찬가지로 지금의 안휘성 소호시 북동쪽이다. 이 이야기 역시 물론 '인위적 조작자'가 문지기에서 어린아이로의 모티프의 변형이 나타나 있기는 하다. 그렇지만 이 이야기가 〈A′-1〉이나 〈A′-2〉와 비교하여 드러내는 가장 큰 차이는, 재난의 생존자가 택함을 받을被擇 수밖에 없는 계기적 관계가 주요 에피소드로서 이야기의 앞머리에 제시되어 있으며, 이야기의 끝부분에 이 에피소드와 연관된 인물이 다시 등장한다는 점이다. 이처럼 에피소드가 이야기 전체를 관통하면서 보다 완정한 줄거리를 갖춘 형태는 다음의 이야기에서 엿볼 수 있다.

A′-4 : 지리를 따져보면 지금의 소호는 옛 소주이며, 혹 소읍이라 바꾸기도 한다. 어느 날 강물이 느닷없이 불어나 성이 거의 잠길 뻔하다가, 물이 옛 길을 회복하였는데, 성의 도랑에 거대한 물고기가 있었다. 이 물고기는 길이가 수십 길에, 핏빛 갈기와 금빛 비늘, 번쩍이는 눈과 붉은 꼬리를 지닌 채, 얕은 물속에 궁지에 빠져 누워 있었다. 온 군민이 구경하였다. 사흘이 지나 물고기는 죽었다. 군민들은 물고기의 고기를 저며 돌아가 저자에서 팔았으며, 사람들 모두 그것을 먹었다. 어느 어부가 어미와 함께 골목에 사는데, 물고기 몇 근을 어미에게 주었으나, 어미는 먹지 않은 채 문에 매달아두었다. 어느 날 귀밑털과 수염이 허연 늙은이가 나타났는데, 언행이 매우 기이했다. 그가 어미에게 "남들은 모두들 물고기의 고기를 먹는데, 그대만은 어찌하여 먹지 않고 문에 매달아두었소?"라고 물었다. 어미는 "수백 근이 나가는 물고기는 모두 이물異物이라 들었습니다. 이제 이 물고기는 만근

이나 되니 용이 아닌가 싶어 먹지 않았습니다."라고 대답했다. 늙은이는 이렇게 말했다. "이것은 내 아들의 고기라오. 불행히 이 커다란 화를 만나 사람들의 입과 배를 기름지게 했으니, 아픔이 골수에 사무친다오. 내 맹세코 내 아들의 고기를 먹은 자들을 가만두지 않겠소. 그대만은 먹지 않았으니, 내 장차 후히 보답하리다. 나는 또한 그대가 착하여 가난하고 괴로운 이들을 구해주었음을 알고 있으니, 동쪽 절문의 돌거북의 눈이 붉어지면, 이 성은 틀림없이 가라앉을 것이오. 그때가 되면 그대는 급히 떠나 남아 있지 마시오." 늙은이는 떠나갔다. 어미는 날마다 가서 살펴보았는데, 어린아이가 어미를 이상히 여겨 물어보았다. 어미는 사실대로 알려주었다. 어린아이는 남을 속여 붉은색으로 거북의 눈을 칠했다. 이것을 본 어미는 급히 도망쳐 성을 빠져나왔다. 잠시 후 푸른 옷을 걸친 동자가 나타나 "나는 용의 어린 아들입니다"라고 말하더니, 어미를 이끌고서 산을 올랐다. 돌아다보니 온 성은 어마어마한 물결 속에 파묻히고, 물고기와 용이 엇갈려 나타났다. 대모묘는 지금 호숫가에 남아 있으며, 지금까지도 어부는 호수에서 물고기를 낚지 않으며 배에서 퉁소를 불거나 북을 두드리지 않는다. 날씨가 맑으면 노래부르는 사람들의 목소리가 물 아래에서 들려온다.[32]

이 이야기는 송대宋代의 유부劉斧가 펴낸 『청쇄고의靑瑣高議』 후집後集 권1에 실린 「대모기大姆記」이다. 이 이야기의 공간적 배경인 소주巢州는 지금의 안휘성 소호시 일대로서, 〈A′-2〉 및 〈A′-3〉와 거의 동일한 지역이다. 이 이야기에서는 재난의 생존자가 택함을 받을 수밖에 없는 계기적 관계를 다룬 에피소드가 이야기 전체의 약 3분의 2를 차지하고 있으며, 역시 이야기의 끝부분에서 '용의 어린 아들'이 등장함으로써 에피소드가 이야기 전체를 관통하고 있다. 이처럼 부가된 에피소드는 〈A′-3〉에 비해 문학적 상상력을 훨씬 다양하게 발휘함으로써 이야기의 신이성과 함께 오락성을 더욱 강화하고 있다.

지금까지 A′형에 속하는 이야기들을 살펴보았는데, 이들 이야기들은 이야기의 줄거리를 관통하면서 재난의 생존자의 피택被擇과 관련되어 있는 계기적 에피소드가 있는가의 여부에 따라 크게 〈A′-1〉과 〈A′-2〉/〈A′-3〉과 〈A′-4〉로 나누어볼 수 있다. 아래에 A′형의 각 이야기들을 모티프와 서사구조를 중심으로 정리해보았다.

유형	A′-1	A′-2	A′-3	A′-4
재난의 생존자	할미	늙은 무당	노파	어부의 어미
被擇의 근거	후한 대접	예지능력	巨魚 (龍의 아들)를 먹지 않음	巨魚 (龍의 아들)를 먹지 않음
재난의 예고자	서생	늙은 무당	龍	龍
재난의 징조	돌거북의 눈의 출혈	돌거북의 출혈	돌거북의 눈이 붉어짐	돌거북의 눈이 붉어짐
인위적 조작	문지기가 붉은 색을 칠함	어떤 사람이 돼지피를 놓음	어린아이가 붉은색을 칠함	어린아이가 붉은색을 칠함
재난의 도래	陷爲湖	陷爲湖	陷爲湖	陷爲湖
도피의 조력자			龍의 아들	龍의 아들

「서지사항」

출처	述異记	太平寰宇記 126권	搜神記 20권	青瑣高議後集 1권
유사 이야기	太平寰宇記 124권			
현재 소재지	安徽省 和縣 경내	安徽省 巢湖市 일대		

위의 표에서 알 수 있듯이, 앞 절의 A형에 비해 이들 A′형 이야기는 기본적으로 재난의 징조가 돌거북에 구현된다는 점에서 가장 두드러진 차이를 드러내고 있다. 이러한 차이에도 불구하고 A′형의 서사구조 및 모티프는 A형과 그다지 다르지 않으며, 대체로 '재난의 예고와 징조', '재난의 인위적 조작', '함몰과 홍수' 등의 기본 모티프를

중심으로 서사구조를 이루고 있다. 주목할 만한 점은 이들 이야기의 공간적 배경이 모두 장강長江 유역인 안휘성 소호시 일대로서, 홍수로 인한 재해가 빈번했던 지역이라는 점이다. 이는 재난의 징조가 돌거북에 구현되는 함호형 홍수전설이 특정 지역을 중심으로 분포되어 있음을 말해준다.

2) 돌거북에서 돌사자로

함호형 홍수전설에서 재난의 징조가 돌거북에 구현되던 방식은 돌사자에 구현되는 방식으로 점차 바뀌어간다. 돌사자에 피나 붉은색 등의 재난의 징조가 나타나는 최초의 이야기는 명대 만력萬曆 연간에 무명씨에 의해 편찬된『용도공안龍圖公案』에 실려 있는「돌사자石獅子」이다. 이 이야기의 대략적인 내용은 다음과 같다.

> 악행을 일삼는 이들이 많은 가운데, 최장자崔長者는 선행을 즐겨 베푼다. 어느 날 스님이 그를 찾아와 홍수가 닥쳐오리라 예언하면서 배를 만들라고 한다. 스님은 돌사자의 눈에 피가 흐르면 곧바로 피신하되, 사람은 절대로 구해주지 말라고 말한다. 최장자는 마을 사람들의 비웃음속에서 배를 짓고, 매일 노파를 보내 돌사자의 눈에 피가 흐르는지를 살펴보게 한다. 노파의 행위를 이상히 여긴 마을의 백정이 사정을 알고서 돼지피를 돌사자의 눈에 뿌린다. 돌사자의 눈에 피가 흐르는 것을 본 최장자의 식구들이 배를 타자, 밤낮으로 비가 내려 홍수가 온 마을을 덮친다. 배를 타고 피신하던 최장자는 물에 빠져 있던 원숭이와 까마귀를 구해주고, 아내의 반대를 무릅쓰고 물에 떠내려가던 유영劉英을 구해준다. 홍수가 물러간 뒤, 최장자는 유영을 양자로 들여 함께 지낸다. 어느 날 신인神人이 최장자의 꿈에 나타나 국모가 옥새를 잃어버렸는데, 그 옥새는 후궁의 우물 속에 있다고 알려준다. 옥새를 찾는다는 방문이 붙자, 최장자는 아들 최경崔慶 대신에 유영을 보낸다. 옥새를 찾은 공로로 부마가 된 유영은 지난날의 은덕을 까맣게 잊은 채 부귀영화를 누린다. 유영의 소식을 들은 최장자는 아들 최

경을 보내지만, 유영은 그를 구타한 후 감옥에 가둔다. 최경은 원숭이의 도움을 받아 연명하던 중, 까마귀의 도움으로 최장자에게 소식을 전한다. 서울에 올라온 최장자는 유영의 냉대를 받자 개봉부開封府에 억울한 사정을 고소한다. 포공包公은 안건을 조사한 후 유영의 배은망덕을 꾸짖고 그를 구속한다. 마침내 최경은 현위縣尉로 부임하고, 유영은 사형에 처해진다.

그러나 이 이야기에는 비록 돌사자에 재난의 징조가 구현되기는 하지만, 홍수의 재난만 나타날 뿐 함몰의 재난은 나타나지 않는다. 따라서 엄밀한 의미에서 말한다면 이 이야기는 홍수와 관련된 이야기일 뿐, 이 글에서 다루는 함호형 홍수전설에는 속하지 않는다. 그럼에도 불구하고 이 이야기를 통해 늦어도 명대 말기에는 돌거북을 대신하여 돌사자에 재난의 징조가 구현되는 이야기가 나타났음을 알 수 있다.

'재난의 예고와 징조'가 돌사자에 구현되는 함호형 홍수전설은 민국시기와 1980년대 이후 채록된 이야기들 가운데에서 찾아볼 수 있다. 특히 민국 시기에 천즈량陳志良이 상해 일대에서 수집·채록한 「가라앉은 마을의 이야기沉城的故事」에 실린 이야기들은 돌사자가 등장하는 함호형 홍수전설의 전형적인 예를 제공해주고 있다. 이 이야기들은 위의 이야기가 지니고 있는 기본적인 서사구조를 지니고 있다. 다만 이야기에 따라 재난의 생존자의 자격 혹은 택함을 받는 근거가 다르고, 이와 연관된 에피소드가 얼마나 완정한가가 다를 뿐이다. 천즈량이 1929년에 상해 인근의 청포현青浦縣에서 수집한 전설의 내용을 살펴보자.

A″-1 : 정산호淀山湖는 예전에 마을의 못이었다. 성안에는 효자가 있었는데, 어머니를 효성스럽게 모셨다. 어느 날 밤 효자의 꿈속에 어느 노인이 나타나 이렇게 말했다. "이 성은 곧 가라앉아 호수가 될 것이다. 성황묘 앞의 돌사자의 눈에 피가 흐르는 것을 보게 되면 성이 가라앉을 터이니, 너는 서둘러 어머니와 함께 달아나거라. 네가 효자라

서 특별히 너를 보살펴주는 거란다." 꿈이 너무나 역력하여 그는 믿지 않을 수 없었다. 그래서 그는 매일 이른 아침에 성황묘 앞에 가서 돌사자의 눈에 피가 흐르는지의 여부를 살펴보았다. 어느 백정이 그가 날마다 돌사자를 살피러 가는 것을 보고 이상히 여겼다. 효자가 그러는 까닭을 물어 알게 된 백정은 그를 놀려주려고 돼지피를 돌사자의 눈에 발랐다. 이튿날 이른 아침, 돌사자의 눈에 피가 흐르는 것을 본 효자는 곧장 어머니를 업고서 동쪽으로 달아났다. 효자가 달아난 후 그 성은 금세 가라앉고 말았다. 효자는 3리 남짓을 달아나서야 걸음을 멈추었다. 그 성은 가라앉은 후 정산호淀山湖가 되었다. 효자가 걸음을 멈춘 곳은 바로 지금의 주가각朱家角이다. 그 주가각은 청포현의 커다란 진鎭이었으며, 진鎭에 성황묘가 있었다. 이 성황묘가 바로 정산호 안의 옛 성황묘이다.[33]

이 이야기에는 이전의 함호형 홍수전설에서는 볼 수 없었던 효자가 재난의 생존자로서 등장한다. 다만 이 이야기에서는 효자라는 생존자의 자격이 화자의 서술에 그친 채 에피소드를 이루지 못하고 있다. 이 이야기는 재난의 예고자가 '어느 서생'에서 '꿈속의 노인'으로, 그리고 재난의 징조가 구현되는 곳이 돌거북에서 돌사자로, 인위적 조작이 '문지기의 붉은 색칠'에서 '백정의 돼지피칠'로 바뀌는 등의, 모티프의 변화가 일어났을 뿐, 〈A′-1〉과 매우 유사한 줄거리를 지니고 있다. 효자가 생존자로서 등장하면서 유사한 줄거리를 갖는 이야기는 천즈량이 상해에서 수집·채록한 다른 이야기[34]에서도 찾아볼 수 있다. 이 이야기는 기념물에 관한 기술이 다를 뿐, 서사구조와 모티프는 〈A″-1〉와 동일하다. 〈A′-1〉이 A의 변이형이라는 점을 상기한다면, 이들 이야기는 모두 A의 역양형의 변이형이라고 볼 수 있다.

〈A″-1〉의 이야기에서 주목할 만한 것은 이 이야기가 채록된 지역이 청포현이라는 점이다. 이곳은 지금의 상해시 청포구青浦區에 해당하는 지역으로서, 앞에서 언급한 B의 유권현의 권역이다. 따라서 일반적인 경우라면 이 지역에서는 B의 유권형의 서사구조와 모티프를 지니고 있어야 마땅할 터이지만, 오히려 A의 역양형의 서사구조와 모티프를 지니고 있다. 이는 앞에서 역양형과 유권형 사이에 교차차용이 일어났을 가능성이 높다는 점을 지적하였지만, 보다 중요하게는 B형보다도 A형이 민간에서 선호되었음을 입증해준다고 할 수 있다.

생존자의 자격 및 택함을 받는 근거가 초보적인 에피소드로 구체화되는 경우가 있다. 다시 말해 화자의 서술로서 그치지 않고, 에피소드로 발전될 가능성을 보여주는 이야기가 있다. 그 일례로서 「양자호의 전설梁子湖的傳說」이란 이야기를 살펴보자.

> A″-2 : 어느 날 거리에 미친 도인이 오더니 낡은 우산을 받쳐들고서 좋은 우산과 바꾸자고 외쳐댔다. 마음 착한 부인이 좋은 우산을 가져와 도인에게 바꿔주었다. 도인은 부인에게, 며칠 후 고당현高唐縣이 호수 바닥으로 가라앉을 터이니, 매일 아침 아들에게 관아의 문 입구에 있는 돌사자를 살펴보도록 하다가, 만약 돌사자의 입에서 피가 흘러나오면 모자 함께 서둘러 산 위로 달아나라고 말했다. 아들은 시간에 맞추어 돌사자를 살폈는데, 우스개짓 잘 하는 백정이 이 일을 알고서 밤에 돼지를 잡고 남겨놓은 피 한 사발을 돌사자의 입에 뿌렸다. 아들은 돌사자의 입에서 피가 나오는 것을 보고서 급히 집으로 달려가 어머니에게 알리고, 이웃 사람들에게도 산 위로 피하라고 알렸다. 잠시 후 하늘이 무너지고 땅이 갈라지더니 홍수가 밀어닥쳤다. 모자는 커다란 연잎 위로 올라가 재난을 모면했다. 그 연잎은 나중에 모래톱이 되어 하엽주荷葉洲라는 이름을 갖게 되었다. 고당현은 이후로 커다란 호수로 변했으며, 사람들은 '낭자호娘子湖'라고 일컫다가 시간이 흐른 뒤에는 '양자호梁子湖'라 부르게 되었다.[35]

이 이야기의 공간적인 배경인 양자호梁子湖는 호북성湖北省 무창현武昌縣 남동쪽에 있는 호수로서, 장강長江 유역이라 할 수 있는 곳이다. 〈A″-1〉에 비해, 이 이야기는 재난의 징조의 구현이 '돌사자의 눈에 피가 흐름'에서 '돌사자의 입에 피가 흐름'으로 모티프의 변이가 일어나고, 재난의 피신수단으로 '커다란 연잎'이 추가된 점이 다를 뿐이다.

그러나 이 이야기는 '미친 도인'의 요구에 따르는 '마음 착한 부인'이 등장하여 하나의 간단한 에피소드를 이루고 있다. 이러한 에피소드는 이 이야기가 민간전설로 전승되는 과정에서 생존자의 자격 및 피택被擇과 관련지어 설득력을 강화하기 위한 서사 장치라 할 수 있다.

〈A″-1〉과 〈A″-2〉는 효성이나 선행에 의해 재난의 생존자의 자격이 규정되는 경우이다. 이러한 경우와 크게 다르지 않지만, 생존자의 자격 혹은 피택의 근거로 배치된 에피소드가 다가올 재난에서 구원받을 선인善人의 선택에 초점을 맞춘 이야기도 있다. 이를테면 1980년대 이후 강소성江蘇省 회안현淮安縣에서 채록된 전설[36]에서는 경로敬老라는 윤리도덕과 관련된 에피소드가 변장變裝과 시험이라는 모티프를 중심으로 서술되고 있는데, 이 변장과 시험의 모티프는 사악한 세상의 파멸에서 선인을 구원하기 위한 수단으로 기능한다. 이처럼 변장과 시험의 모티프를 운용하고 있는 이야기로는 산동성山東省 양산현梁山縣에서 채록된 「사자의 눈이 붉어져 호릉이 가라앉다獅子眼紅陷濠陵」[37]와 절강성江蘇省 의흥宜興에서 채록된 「물이 호수에 넘치다水淹半邊湖」[38]를 들 수 있다. 전자에서는 불의와 기만이 넘치는 마을에 가난한 노파로 변신한 태산노모泰山老母가 구걸 행위를 통해 선인을 찾으며, 후자에서는 72명의 악인이 판치는 마을에 장사치로 변신한 남해관음南海觀音이 부꾸미를 팔면서 선인을 찾는다.

돌사자가 등장하는 함호형 홍수전설 가운데에는 생존자의 자격 및 피택의 조건을 다룬 에피소드가 복수에 의한 징벌을 다루기도 한다. 이러한 이야기의 일례를 청초淸初 진몽뢰陳夢雷가 엮은 『고금도서집성古今圖書集成·직방전職方典』 권54의 「무청현지武淸縣志」의 아래의 기록에서 엿볼 수 있다.

> A″-3 : 옛날 현의 북쪽 5리에 있는 한 마을에 여러 성씨의 집들이 모여 살았다. 어느 늙은 부부가 남몰래 선행을 베풀었는데, 어느 날 밤에 꿈에 신이 나타나 "마을에서 용어龍魚를 잘못 잡아먹었으니 마을

동쪽 돌사자의 눈이 붉어지면 이 마을이 틀림없이 못이 될 터이므로 너는 피해야 한다"고 말했다. 사람들은 터무니없다고 여겼는데, 어느 일 벌이기 좋아하는 자가 붉은 연지로 돌사자의 눈을 칠하였다. 부부는 급히 자리를 옮겼는데, 잠시 후 시커먼 안개가 사방에 가득하더니 마을은 과연 무너지고 말았다. 그리하여 백가만이라 일컫는데, 형태는 절벽과 같고 측량할 수 없을 정도로 깊으며, 지금도 컴컴해지면 닭과 개 소리가 들리는 듯하다.[39]

무청현武淸縣은 지금의 천진시天津市 무청현 서북쪽으로 하북성河北省에 속해 있으며, 백가만百家灣은 지금의 하북성 고안현固安縣에 위치해 있다. 전승지역면에서 〈A″-1〉과 〈A″-2〉가 장강 수계의 이야기라면, 위의 이야기는 황하 수계의 이야기라고 할 수 있다. 위의 이야기는 기본적으로 '재난의 예고와 징조', '재난의 인위적 조작', '함몰과 홍수' 등의 기본 모티프를 중심으로 서사구조를 이루고 있다. 아울러 이러한 서사구조에 재난의 생존자가 택함을 받을 수 있었던 계기로서의 모티프, 즉 '부부의 남몰래 베푼 선행'이 제시되어 있으며, 마을이 함몰되는 이유로서 '마을에서 용어龍魚를 잘못 잡아먹은 행위'가 서술되어 있다. 이 이야기에서 '용어龍魚를 잡아먹은 행위'에 관련된 기술은 비록 사건으로서 구체화 되어 있지 않지만, 〈A′-3〉과 〈A′-4〉의 이야기에서의 '커다란 물고기巨魚' 모티프가 약화된 것으로 보인다. '커다란 물고기'의 모티프가 사건으로서 잘 그려진 일례로 동북지역에 전승되어온 민간이야기 「돌사자의 눈가가 붉어지다石獅子紅眼圈」를 살펴보자.

A″-4 : 강물이 갑자기 불었다가 물이 빠졌다. 커다란 물고기 한 마리가 얕은 물에 걸린 채 빠져나가지 못했다. 현지 사람들은 모두 물고기를 갈라 먹었는데, 오직 노파와 어린 아들 모자 두 사람만은 먹지 않았다. 홀연 한 노인이 오더니 그 모자에게 말했다. "내 아들이 어려움을 겪어 사람들에게 잡아먹혔소! 이곳 사람들은 악한데, 오직 그대

> 모자만은 선량하구료. 은덕을 보답할 수는 없으나 배를 만들 수는 있으니 급할 때 사용하시오." 그는 종이로 조그마한 배를 만들어 그 아들에게 주었다. 아들이 "언제 급히 사용합니까?"라고 묻자, 노인은 "동문東門의 돌사자의 눈가가 붉어지면 큰물이 날 테니, 종이배를 꺼내 탈 수 있을 것이오."라고 말했다. 아들은 매일 아침 학교 가는 길에 동문을 지날 적마다 돌사자를 살펴보았다. 친구가 이상히 여겨 묻자, 아들은 사실대로 이야기해주었다. 이튿날 친구는 아들을 놀려주려고 미리 동문에 가서 붉은 붓으로 돌사자의 눈가를 칠했다. 학교를 가던 아들은 돌사자의 눈가가 붉어진 것을 보고, 급히 집으로 돌아와 종이배를 꺼내고 어머니를 불렀다. 종이배에 올라타자 배는 커지고, 갑자기 홍수가 났다. 모자는 배를 타고서 재난을 면했다. 살던 곳을 바라보니 꺼져내려 호수로 되었다.[40]

이 이야기에는 커다란 물고기의 조난遭難과 그 부친의 복수가 하나의 완정한 에피소드로 등장한다. 이 에피소드는 특정 생존자와 다른 사람들의 선악을 대조적으로 제시함으로써 함몰과 홍수의 재난이 하늘 혹은 절대자의 징벌임을 보여준다. 재난의 생존자가 선택받는 근거는 물고기의 조난과 관련된 선행이며, 다른 사람들이 당하는 재난은 그들 자신의 악행에 대한 징벌의 성격을 띠고 있다. 이 이야기는 재난이 복수에 의한 징벌이기는 하지만, 일부 모티프의 변형이 나타나고, 특히 종이배가 구원수단으로서 등장한다는 점에서 〈A′-3〉 및 〈A′-4〉의 변이형이라 할 수 있다.

지금까지 A″형에 속하는 이야기들을 살펴보았는데, 이들 이야기들은 생존자의 자격 및 피택과 관련된 에피소드가 있는가의 여부에 따라 크게 〈A″-1〉/〈A″-2〉·〈A″-3〉·〈A″-4〉로 나누어볼 수 있다. 아래에 A″형의 각 이야기들을 모티프와 서사구조를 중심으로 정리해보자.

유형	A″-1	A″-2	A″-3	A″-4
재난의 생존자	효자와 어머니	부인과 아들	늙은 부부	노파 모자
被擇의 근거	효성	착한 마음	선행	巨魚를 먹지 않음
재난의 예고자	꿈속의 노인	미친 도인	꿈속의 신	巨魚의 부친
재난의 징조	돌사자의 눈의 출혈	돌사자의 입의 출혈	돌사자의 눈이 붉어짐	돌사자의 눈가가 붉어짐
인위적 조작	백정이 돼지 피를 바름	백정이 돼지 피를 바름	호사가 붉은 연지를 칠함	아들 친구가 붉은 붓으로 칠함
재난의 도래	沉沒爲湖	沉入湖底	陷爲沼	淪爲湖
도피 수단		커다란 연잎		종이배

「서지사항」

채록 시기	1929년	1980년대	17세기 중엽	時期不明
채록 장소	上海市 青浦縣	湖北省 武昌縣	河北省 武淸縣	동북지방

위의 표에서 알 수 있듯이, 앞 절의 A형 및 A′형 이야기와 비교해 볼 때, 이들 A″형 이야기는 기본적으로 재난의 징조가 돌사자에 구현된다는 점에서 가장 두드러진 차이를 드러내고 있다. 이들 이야기 사이에는 생존자의 자격 및 피택과 관련된 에피소드가 부가되어 있는가의 차이가 존재하기는 하지만, 궁극적으로는 〈A″-1〉의 서사구조나 모티프를 벗어나지는 않는다. 뿐만 아니라 A″형 이야기는 A형 및 A′형과 마찬가지로 '재난의 예고와 징조', '재난의 인위적 조작', '함몰과 홍수' 등의 기본 모티프를 중심으로 서사구조를 이루고 있다.

그런데 1980년대 이래 채록된 이야기 중에는 함호형 홍수전설에 나타나는 돌사자의 모티프가 홍수남매혼신화와 결합하면서 새로운 서사구조로 변모하기도 한다. 이러한 일례로서 하북성河北省 신락현新樂縣에서 채록된 「홍수가 세상에 가득하다洪水漫世」를 살펴보도록 하자.

A‴-1 : 부모 없이 복희와 여와 남매가 살고 있었다. 복희는 밭에서 농사를 짓고, 여동생은 밥을 지어 가져다주었다. 마을 입구에 돌사자가 있는데, 밥을 나르던 여와는 매일 이곳을 지나면서 돌사자의 입에 밥을 넣어주었다. 밥을 날라주고 돌아오는 길에 보면, 돌사자 입안의 밥은 보이지 않았다. 어느 날 돌사자의 눈이 빨개져 있어 무서워 '왜 그렇지' 하는 순간, 돌사자가 곧 하늘이 무너지고 땅이 꺼질 터이니 해가 지기 전에 내 등에 올라타라고 여와에게 말했다. 여와는 밥을 먹을 때 오빠에게 이 이야기를 해주었다. 해질녘에 남매가 돌사자의 등에 올라타자, 하늘과 땅이 무너지고 홍수가 밀어닥쳤다. 살아남은 여와는 오빠에게 청혼하지만, 오빠는 거부했다. 남매는 커다란 돌을 굴려 합쳐지는가로 하늘의 뜻을 물었는데, 결국 돌이 굴러 합쳐졌다. 남매는 결혼하여 이듬해 살덩어리를 낳았다. 상서롭지 못하다고 여긴 남매는 들판 너머의 못가에 던지자, 살덩어리는 데굴데굴 구르기 시작했다. 이를 이상히 여긴 복희가 풀을 끊어 살덩어리를 가르자, 백 명의 아이가 뛰쳐나와 백가성百家姓을 이루었다.[41]

재난에서 생존한 남매가 인류를 재창조하는 이 이야기는 '돌사자의 이적異蹟' 외에 홍수남매혼신화에 흔히 나타나는 모티프, '재난의 도래', '남매의 생존', '천의 묻기와 징험', '남매의 결혼과 이물異物의 출산', '인류의 재창조' 등으로 이루어진 서사구조를 지니고 있다. 여기에서 이전의 함호형 홍수전설과 비교해볼 때 주목할 만한 점은, 돌사자가 이야기 전체에서 수행하는 역할의 변화이다. 즉 이전의 함호형 홍수전설에서 돌사자는 재난의 징조가 구현되는 소극적 존재라고 한다면, 위의 이야기에서는 재난을 예고하고 인간을 구원하는 존재로서 적극성을 띠고 있다는 것이다. 나아가 돌사자가 재난에서 생존한 남매에게 결혼을 권유하는 이야기도 있다. 이러한 일례로서 하남성河南省 침구현沈丘縣에서 채록된 「난을 피하여 세상을 창조하다避難創世」의 이야기를 살펴보자.

A‴-2 : 반고가 천지개벽한 후 그의 아내는 9999명의 아이를 낳고, 마지막으로 쌍둥이 남매인 복희와 여와를 낳았다. 반고가 아이들을 데리고 일을 나갈 때면, 사이가 좋은 남매는 문앞의 돌사자 위에서 놀았다. 어느 날 돌사자가 배가 고프니 만두를 가져다 달라고 요청하자 남매는 만두를 가져다 먹였다. 일을 마치고 돌아온 반고와 아이들은 만두가 하나도 없는 것을 알고서 남매에게 그 까닭을 물었다. 남매가 사실대로 이야기했지만, 자매들은 남매가 속인다고 여겨 돌사자를 황하강에 내버렸다. 이튿날 남매가 황하가로 돌사자를 찾아가자, 돌사자는 매일 만두 하나씩을 가져다 달라고 부탁했다. 이후 매일 만두 두 개를 가져다 먹여 49일째가 되었다. 돌사자에게 만두를 먹이는데, 천지가 어두워지기 시작했다. 돌사자는 곧 하늘이 무너질 터이니 어서 자기 배속으로 들어와 피하라고 했다. 남매가 배속으로 들어가자, 하늘이 무너지고 홍수가 났다. 49일 만에 밖으로 나온 남매에게 돌사자는 결혼을 권유했다. 남매는 결혼하여 인류를 이어갔다.[42]

위의 이야기 역시 〈A‴-1〉과 흡사하게, 홍수남매혼신화의 주요 모티프인 '재난의 도래', '남매의 생존', '남매의 결혼', '인류의 재창조' 등이 '돌사자의 이적'과 결합되어 있다. 이 이야기에서도 돌사자는 재난의 예언자이자 인류의 구원자로서 적극적인 역할을 수행하고 있다. 그러나 위의 이야기의 경우, 함호형 홍수전설에서 재난의 징조가 구현되던 방식, 이를테면 돌사자의 눈에서 피가 흐르거나 눈이 붉어지는 등의 모티프는 보이지 않는다. 또한 대체로 민국시기 이후에 채록된 이야기의 경우, 돌사자의 이적이 홍수남매혼신화와 결합한 이야기에서는 함몰의 재난이 약화되거나 사라진 채 홍수의 재난만이 나타나는 경우가 많다.[43] 이러한 사실은 홍수남매혼신화가 민간에 전승되는 과정에서, 함호형 홍수전설에 흔히 나타나던 돌사자의 이적과 관련된 에피소드를 차용했기 때문이라 추론할 수 있다.

5. 함호형 홍수전설에 담긴 문화와 습속

지금까지 함호형 홍수전설의 변이 과정을 살펴보았는데, 가장 두드러지는 점은 재난의 징조가 구현되는 방식이 끊임없이 달라진다는 것이다. 즉 함호형 홍수전설의 추형이라 할 수 있는 '이윤이 공상에서 태어나다伊尹生空桑'의 이야기에서는 재난의 징조가 '절구에서 물이 나오'거나 '아궁이에서 개구리가 생기'는 것이었다. 이후 함호형 홍수전설이 정형화되는 과정에서는 '성문(혹은 현문縣門)의 문지방(혹은 문)에 묻은 피'로 바뀌고, 닭이나 개의 피를 바르는 인위적 조작이 이루어진다. 또한 이를 뒤이은 변이형에서는 재난의 징조가 문 근처의 돌거북과 돌사자의 눈이 붉어지거나 피가 흐르는 것으로 바뀌고, 돼지 피를 바르거나 붉은색을 칠하는 인위적 조작이 이루어진다.

'이윤이 공상에서 태어난' 이야기에서 재난의 징조로 간주하는, '절구에서 물이 나오'거나 '아궁이에서 개구리가 생기'는 것은, 저지대에 살고 있거나 홍수가 빈번한 지역에 살고 있는 이들이 일상생활 가운데에서 흔히 겪어온 현상이기에 이상하게 여길 까닭이 없다. 그렇지만 성문 혹은 현문, 문 근처의 돌거북이나 돌사자에 심승의 피를 바르거나 뿌리는 행위는 어떠한 문화적 함의를 지니고 있을까? 여기에서는 짐승의 피를 뿌리거나 바르는 행위가 지닌 중국적 문화의 함의를 살펴보고, 아울러 돌거북과 돌사자로의 변이가 지니는 역사적 연원을 살펴보고자 한다.

문지방 혹은 문설주에 피를 바르는 행위는 『구약성서』의 「출애굽기」의 유월절逾越節과 관련된 장절에서 쉽게 찾아볼 수 있다. 즉 여호와는 모세와 아론에게 "어린 양의 피를 문 좌우의 설주와 인방에 바르"면, "애굽 땅을 칠 때에 그 피가 너희의 거하는 집에 있어서 너희를 위하여 표적이 될지라. 내가 피를 볼 때에 너희를 넘어가리니 재앙이 너희에게 내려 멸하지 아니하리라"[44]고 말한다. 여기에서의 피를 바르는 행위는 신의 구원을 위한 표적이지만, 실은 당시 유목민족에게 널리 행해지던 사기邪氣와 악귀惡鬼를 쫓는 의식이다. 우리나라에서 동짓날에 팥죽을 먹고 팥죽을 문에 뿌렸던 옛 풍속 역시 사기와 잡귀雜鬼를 쫓는 의식이다. 유대교의 피를 바르는 행위나 우리나라의 팥죽을 뿌리는 행위는 피와 팥죽의 붉은색이 모두 생명을 상징한다는 점에서, 그리고 두 행위 모두 벽사辟邪의 습속이라는 점에서 일맥상통하는 문화적 함의를 지닌다고 볼 수 있다.

중국에서도 희생을 죽이거나 그 피를 발라 의식을 거행했다는 기록이 많다. 이를테면 『예기禮記·월령月令』에 따르면 다음과 같은 기록들이 적혀 있다.

- 나라 안에 명하여 9곳의 문에서 나儺의 의식을 행하고 책양磔禳하여 춘기春氣를 마치게 한다.(『예기·월령·계춘季春』)[45]
- 서죽筮竹에 희생의 피를 바르고 조짐을 점치며 괘의 길흉을 판단하며 …… 크게 희생을 찢어 공사公社와 문려門閭에 제사한다.(『예기·월령·맹동孟冬』)[46]
- 유사有司에게 명하여 대나大儺와 방책旁磔의 의식을 행하며, 토우를 내어 한기를 보내게 한다.(『예기·월령·계동季冬』)[47]

여기에서의 책양磔禳이란 희생을 찢어 제사를 지내는 것을 가리키고, 방책旁磔은 사방의 문에서 희생을 찢는 의식을 가리키며, 나儺는 역귀疫鬼를 쫓는 의식을 가리킨다. 그렇다면 희생을 찢어죽이고 그 피를 바르는 행위는 모두 음기陰氣와 사기邪氣, 악기惡氣를 내쫓는 벽사의 의식이라 할 수 있다.

구체적으로 성문에서 개를 잡았다는 기록은 『사기史記』에 나타나 있는데, 진대秦代 덕공德公 당시에 "복날의 제사를 지냈는데, 고을의 사방의 문에서 개를 찢어 나쁜 기운을 막았다"[48]고 한다. 이 기록에 대해 복건服虔은 "주대周代에는 복날이 없었는데, 개를 찢어 피를 발라 제사지내는 풍속은 진대秦代에 시작되었다"고 설명한다.[49] 동한東漢의 응소應劭 역시 『풍속통의風俗通義』에서 이 기록에 대해 "오늘날 사람들이 흰 개를 잡아 그 피로 문호門戶에 표지를 달고, 정월에 흰 개의 피로 상서롭지 못한 것을 피하고 없애는데, 이것은 이를 본받은 것"[50]이라고 밝히고 있다. 아울러 위의 '9곳의 문에서 책양磔禳하여 사기를 몰아낸다'는 『예기·월령』의 기록에 대해, 응소는 "대체로 천자의 성은 12곳의 문이 있는데, 동쪽의 세 문은 기氣를 낳는 문이다. 죽은 물체가 기를 낳는 문에 보이는 것을 바라지 않았기에, 오직 9곳의 문에서만 개를 죽이고 찢어 제사를 지냈다"[51]고 설명했다.

닭을 희생으로 사용하고 닭의 피를 뿌려 제사를 지냈다는 기록은 『주례周禮』에 나타나 있는데, 제의를 주관하는 직관으로서 계인鷄人은 "사방에 피를 묻혀 제사를 지내며, 그 희생인 닭을 바친다"[52]고 했다. 닭을 죽여 악기惡氣를 물리쳤다는 기록은 육조六朝 시기의 역사서에 자주 등장하는데, 다음과 같은 예를 들 수 있다.

- 새해 첫날에는 흔히 갈대를 꼬아 만든 새끼, 복숭아나무로 만든 인형, 찢어 죽인 닭 등을 궁궐이나 모든 절의 문에 내걸어 사악한 기운을 물리쳤다.((『진서晉書·지志·례상禮上』)[53]
- 옛적에는 새해 첫날에 흔히 갈대로 엮은 끈, 복숭아나무로 만든 인형, 찢어 죽인 닭 등을 궁궐이나 모든 절의 문에 내걸어 사악한 기운을 물리쳤다.(『송서宋書·지志·례일禮一』)[54]
- 섣달 연말에는 성문에 수탉을 찢거나 갈대를 꼬아 만든 새끼와 복숭아나무로 만든 인형 등을 내거는데, 한나라의 의식과 같다.(『남제서南齊書·위로전魏虜傳』)[55]

이밖에도 양대梁代에 종름宗懍이 펴낸 『형초세시기荊楚歲時記』에는 "음력 정월 초하루나 섣달 초하루에 …… 닭을 죽여 문호門戶에 내걸어 돌림병을 내쫓는데, 예에 맞는가?"[56]라고 씌어 있다. 뿐만 아니라 당대唐代의 배현裴玄은 『신어新語』에서 "현의 관리들은 양을 죽여 그 머리를 문에 내걸고, 닭을 갈라 곁들였는데, 속설에 의하면 돌림병을 막기 위함이라고 한다"[57]고 밝히고 있다. 이처럼 개와 닭을 죽이고 그 피를 발라 제사를 지내는 등의 행위는 기본적으로 사악한 기운을 물리치기 위한 벽사의 의식과 관련되어 있음을 알 수 있다. 그렇다면 개와 닭을 찢어잡는 것이 이러한 벽사의 기능을 지니고 있다고 여긴 까닭은 무엇일까?

개를 복날에 찢어잡는 것은 음양오행사상과 깊은 관계를 맺고 있다. 즉 봄은 목木에 속하고, 여름은 화火에 속하며, 가을은 금金에 속하고, 겨울은 수水에 속한다. 사철의 변화는 기본적으로 봄이 다하면 여름이 되고(木生火), 가을이 다하면 겨울이 되며(金生水), 겨울이 다하면 봄이 된다(水生木). 이처럼 계절의 변화는 상생의 관계이지만, 여름이 가고 가을이 오는 것만은 화火가 금金을 낳는 것이 아니라, 화火가 금金을 이기는 상극相克의 관계이다. 그런데 동중서董仲舒의 오행설五行說에 따르면, 개는 금金에 속하는 짐승이다. 따라서 여름의 열기와 독기毒氣를 물리치기 위해 개를 잡아 찢었던 것이다. 또한 개를 복날에 찢어잡는 것은 개를 양축陽畜으로 여겼기 때문이다. 즉 무더위가 기승을 부리는 여름에 양축인 개를 죽이는 것은 곧 무덥고 독한 기운을 물리치는 동종주술同種呪術의 의미를 지니고 있었다.

닭을 찢어 죽이는 것 역시 음양오행사상과 관련이 깊다. 즉 음양오행가들은 일체의 사악한 물체를 음陰에 속하는 것으로 간주한 반면, 닭을 양정陽精으로 간주하였다. 따라서 음기를 물리치기 위해 양정인 닭을 찢어 죽였던 것이다. 이로 인해 이시진李時珍은 『본초강목本草綱目』에서 "예전에는 정월 초하루에 수탉을 갈라 문호에 제사지내어 사귀邪鬼를 물리쳤다. 아마 닭은 양陽의 정수이고, 수컷은 양陽의 본체이며, 머리는 양陽이 모인 곳이고, 동문東門은 양陽의 방위이니, 순전한 양陽으로써 순전한 음陰을 이기려는 뜻일 것"[58]이라고 말했던 것이다. 물론 이밖에도 닭이 가지고 있는 속성, 즉 밤의 어둠을 이겨내고 아침의 밝음을 깨우는 습성으로부터, 어둠을 사악함으로 여겼던 이들은 자연스럽게 닭을 사악邪惡을 물리치는 상징으로 간주했던 것이다.

함호형 홍수전설의 변이과정을 살펴보면, 성문(혹은 현문)에 개나 닭의 피를 뿌리거나 바름으로써 재난의 징조를 나타내던 방식은 차츰 돌거북과 돌사자의 눈이 붉어지거나 눈에 피가 흐르는 방식으로 바뀐다. 이러한 변모는 돌거북과 돌사자가 지니는 문화적 함의와 깊은 관련을 맺고 있다. 먼저 돌거북이 등장하게 된 배경으로 거북을 둘러싼 사회문화적 의미망을 통시적으로 간략히 살펴보고자 한다.

중국에서 거북의 지위는 우선 『예기』에서 "무엇을 사령四靈이라 하는가? 린麟·봉鳳·귀龜·용龍을 사령이라 한다"[59]고 기록한 데에서 엿볼 수 있다. 거북을 제외한 세 가지는 인간의 상상 속의 동물임에 반해, 거북은 인간이 접할 수 있는 실재임에도, 거북에게 신령성을 부여하고 있음을 알 수 있다. 아울러 『대대례大戴禮』에서는 "털 있는 벌레 가운데의 정수가 기린이요, 깃털 있는 벌레 가운데의 정수가 봉새요, 껍질 있는 벌레 가운데의 정수가 거북이요, 비늘 있는 벌레 가운데의 정수가 용이요, 벌거벗은 벌레 가운데의 정수가 성인이다[60]"라고 기록했다. 이는 위의 사령과 성인을 동렬에 놓고 있는 바, 거북에게 신성성을 부여하고 있음을 알 수 있다.

이처럼 신성神性을 지닌 존재로서의 거북은 장수한다는 실체적 사실에 근거하여 통신通神의 성격을 부여받게 되었다. 즉 『초학기初學記』에 인용된 『상서尙書·홍범洪範』의 기록에서는 "거북龜은 오램久을 뜻한다. 천년이 되면 영험하니, 이는 짐승이지만 길흉을 안다"[61]고 하였다. 아울러 유향劉向은 거북이 지닌 형상에 근거하여 다음과 같이 거북의 예지 능력을 밝히고 있다. "영험한 거북은 오색의 무늬를 띠니 옥과 같고 금과 같으며, 음陰을 등지고 양陽을 향한다. 위는 볼록하여 하늘을 본뜨고, 아래는 평평하여 땅을 본받았으며, 구불구불 뻗어 있는 것은 산을 본떴다. …… 왼 눈은 해를 본뜨고, 오른 눈은 달을 본떴다. 천년의 변화는 아래의 기운이 위로 통하는 법이니, 존망과 길흉의 변화를 알고 있다."[62]

이처럼 길흉을 예지하는 능력으로 인해, 일찍이 『주역』에서는 "천하의 길흉을 정하고, 천하의 끝없이 나아감을 이루는 데에는 서죽筮竹이나 거북만한 것이 없다"[63]고 했으며, 『사기』에서는 "왕은 여러 의심스러운 일을 결정할 때 복서卜筮를 참고하고 시초蓍草와 귀갑龜甲으로써 판단하였다"[64]고 했던 것이다. 이는 고대 중국에서 귀갑에 점복占卜하였던 것이 바로 거북이 지닌 통신通神과 예지의 능력에 근거하고 있음을 보여준다. 뿐만 아니라 곽박郭璞이 『현중기玄中記』에서 "동남쪽의 커다란 것은 거대한 자라인데, 봉래산을 등에 지고서 천리를 돌아다닌다. 거대한 자라는 거대한 거북이다"[65]라고 밝히고 있듯이, 거북은 엄청난 힘을 지니고 있는 동물로 간주되었다. 석탑石塔이나 석비石碑의 탑신塔身이나 비신碑身이 귀부龜趺위에 세워져 있는 것은 바로 이와 같은 상상력에서 비롯된 것이라 할 수 있다.

이처럼 거북은 신성성과 함께 통신과 예지의 능력, 엄청난 힘을 지닌 상서로운 존재로 인식되었다. 따라서 거북은 왕권의 권위의 상징으로 흔히 사용되었는 바, 귀복龜卜은 천자나 왕실, 주요 제후만이 이용할 수 있는 권한을 지녔다. 또한 귀정龜鼎은 제왕의 권위의 상징으로서 한대漢代에는 솥에 거북 문양을 새겼으며, 신분을 나타내는 부신符信 역시 귀부龜符를 사용했다. 제왕적 권위의 상징이었던 거북은 춘추전국시대 이후 차츰 세속화하여 민간으로 퍼져나갔지만, 당송대에 이르기까지 거북이 지닌 권위와 명예는 관복으로서의 귀복龜服이나 장식 수단으로서의 귀형龜形 패물佩物의 형태로 여전히 유지되었다.

그러나 당송대에 이르러 거북은 신성과 권위의 숭상의 대상임과 동시에, 비루鄙陋와 담소膽小의 멸시의 대상이기도 했다. 이는 주로 거북이 지니고 있는 외형적 형상, 즉 외부 사물과 접촉할 때 대가리를 움츠러들이는 습성과 관련이 있다. 이러한 거북의 지위의 변화는 이미 남북조시대에 나타나기 시작하였다. 이를테면 『위서魏書』에 따르면, 북방의 연연蠕蠕을 치려던 북위北魏의 세조世祖는 일부 신하들이 남방의 유송劉宋의 위협을 거론하면서 반대하자, "거북이 같은 조무래기 따위야! 자신을 구할 겨를도 없는 터에 무얼 할 수 있겠소"[66]라고 대꾸한다. 거북은 겁이 많은 담소한 자를 빗대는 조롱거리로 전락한 것이다. 특히 원대元代에 이르러 거북의 지위는 형편없이 낮아져 '외간 남자와 눈이 맞은 마누라를 둔 못난 남편'을 상징하게 되었다. 원말元末에 도종의陶宗儀가 펴낸 『남촌철경록南村輟耕錄』에는 다음과 같은 시가 실려 있다.

> 여자 식구 모두 탱목토撑目兎이고, 존귀한 자제들은 모두 축두귀縮頭龜라네. 힘센 하인은 교활하여 주인을 능욕하니, 자제들도 알고 있노라 남들에게 떠벌리네.[67]

이 시는 어느 마을의 부잣집이 못난 자식으로 인해 재산을 탕진하게 되었는데, 우스개 소리를 잘 하는 마을 사람이 그 집 사정을 풍자하여 지은 시의 일부이다. 이 시에서 탱목토撑目兎는 달 속의 숫토끼를 보느라고 부릅뜬 토끼의 눈을 의미하는데, 암토끼는 달 속의 숫토끼를 보고 임신한다는 속설에서 흔히 '외간남자와 눈이 맞아 임신한 여자'를 가리킨다. 또한 축두귀縮頭龜는 대가리를 움츠러들인 거북을 의미하는데, 거북의 대가리처럼 '양물陽物이 부실하여 남자구실을 제대로 하지 못한 탓에 바람난 아내를 둔 못난 사내'를 가리킨다. 명대의 사조제謝肇淛의 『오잡조五雜俎』에서도 "오늘날 사람들은 아내가 외간 남자와 바람을 피우면 그 사내를 오귀烏龜로 간주한다"[68]고 밝히고 있듯이, 거북은 성적 무능자에 대한 비하와 멸시의 의미로 쓰이게 되었다.

이와 같이 오랫동안 숭상의 대상이었던 거북이 멸시의 대상으로 바뀌는 과정에서, 거북을 대신하여 민간의 숭상을 받았던 것은 사자였다. 사자가 중국의 문헌에 등장한 것은 『후한서後漢書』에서이다. 즉 장제章帝 장화章和 원년(87년)에는 안식국安息國에서 사신을 보내 사자獅子와 부발符拔을 바쳤으며[69], 순제順帝 양가陽嘉 2년(133년)에는 신반

臣磐이 다시 사자와 봉우封牛를 바쳤다[70]는 기록이 있다. 서역에서 공물로 사자를 바쳤다는 기록은 위진남북조뿐만 아니라, 당송대는 물론 명대明代에도 등장한다. 일례로 당대에는 정관貞觀 9년(635년)에 강국康國에서 사자를 공물로 보내왔으며, 태종太宗이 우세남虞世南에게 사자를 위한 부賦를 짓게 했다고 한다.[71]

본래 중국에는 서식하지 않은 사자는 당시 중국인들에게 매우 진귀한 동물로 여겨졌다. 특히 사자가 지닌 용맹과 위엄은 여러 전적에 흥미로운 이야기거리로 전해지고 있다. 이를테면 서진西晉의 장화張華가 펴낸 『박물지博物志』에 따르면, 위魏 무제武帝, 즉 조조曹操가 모돈冒頓을 치려고 백랑산白狼山을 지나다 사자를 만나 잡아 돌아오는 이야기가 나오는데, "낙양에 이르자 3천 리의 닭과 개가 엎드린 채 울지도, 짖지도 않았다"[72]고 한다. 또한 『낙양가람기洛陽伽藍記』에는 북위北魏의 장제莊帝가 화림원華林園에서 사자의 용맹을 시험하는 이야기가 나오는데, "공현鞏縣과 산양현山陽縣에서 호랑이 두 마리와 표범 한 마리를 보내왔다. …… 호랑이와 표범은 사자를 보자, 모두 눈을 꼭 감은 채 쳐다보지 못했다"[73]고 한다. 이로써 위진남북조기에 이르러 사자는 그 용맹과 위엄으로써 백수百獸의 제왕으로서의 이미지를 이미 갖추고 있음을 알 수 있다.

백수의 제왕인 사자가 신성성을 갖게 된 데에는 후한대에 전래된 불교의 영향 또한 매우 크다고 할 수 있다. 즉 석가모니께서 "불법을 설강하시매 두려움 없이 마치 사자가 울부짖는 듯하니, 말씀이 우레가 울리는 듯했다"[74]고 하여, 부처님의 설법을 흔히 사자후獅子吼라 일컫는다. 또한 석가모니는 두려움 없이 온갖 마귀를 굴복시키는 제왕의 위험을 지녔기에, 흔히 그를 '인사자人獅子'라 일컫고, 그의 자리를 '사자좌獅子座'라 일컬었다. 불제자의 대좌臺座를 사자로 장식하는 것은 바로 여기에서 비롯된 것이라 할 수 있다. 이처럼 사자가 석가모니의 화신으로 인식됨에 따라, 용맹과 위엄을 지닌 백수의 제왕 사자는 석가모니의 신성성이 더해져 영수靈獸 혹은 신수神獸로서의 상징성을 획득하게 되었다.

영수로서의 사자는 자연스럽게 인간을 보호하고 사악한 기운을 물리치는 신화神化의 과정을 거치게 되었다. 이를테면 동방삭東方朔이 펴낸 『십주기十洲記』에 따르면, 취굴주聚窟洲에는 "선인仙人과 선관仙官이 많고 궁궐과 저택이 즐비하여 이루 헤아릴 수 없다. 또한 벽사辟邪의 끌과 같은 이빨, 천록天鹿의 긴 어금니, 루고螻蛄의 딱딱한 이마를 지닌 사자라는 짐승이 있다"[75]고 했다. 벽사가 원래 요사妖邪를 물리치는 신수神獸라는 점에서, 사자에게 사기邪氣를 물리치는 벽사의 성격을 부여했음을 알 수 있다. 또한 벽사의 성격을 지닌 사자의 모습은 북송北宋의 황휴복黃休復이 펴낸 『익주명화록益州名畵錄』에 실린 이야기에서도 엿볼 수 있는데, 양梁 무제武帝 때의 화가로서 화룡점정畵龍點睛의 이야기로 유명한 장승요張僧繇가 그린 사자도獅子圖와 관련된 이야기가 그것이다. 즉 "양梁의 소명태자昭明太子가 심한 감기에 걸렸는데, 어의도 고치지 못했다. 오흥吳興 태수太守인 장승요가 이 두 사자를 모사하여 몰래 침실 안에 걸었는데, 저녁이 되자 나았다. 그리하여 벽사라는 이름을 붙였다. 이러한 신험神驗함이 있는지 오래 되었다."[76]

이처럼 사자가 처음 전래된 후한 이래 위진남북조를 거치면서 사자는 영수 혹은 신수로서 수호신이자 벽사의 능력을 지닌 상서로운 존재로 인식되었다. 이러한 인식은 돌사자라는 조형예술로 표출되었는데, 물론 이 조형물은 불교의 전래와 함께 인도에서 받아들인 것이었다. 후한의 대표적인 돌사자로는 산동성 가상현嘉祥縣 무씨사당武氏祠 안의 돌사자, 그리고 사천성 아안현雅安縣 고이高頤의 묘 앞의 돌사자 등을 들 수 있다. 이로부터 남북조기에 이르기까지 돌사자는 주로 제왕의 능묘나 사묘寺廟, 권귀權貴의 분묘 앞에 석마石馬나 석양石羊, 석상石象 등의 석상石像과 함께 진열되었다. 신도神道의 양쪽에 신수神獸로서 배치된 돌사자는 주로 무덤이나 사당 안의 주인을 악귀惡鬼와 사기로부터 보호하는 수호신의 역할을 담당하고 있었으며, 이러한 풍조는 이후에도 지속되었다.

남북조시대 이후 돌사자는 차츰 궁정이나 관서의 앞에 설치되었으며, 당대에 이르러 이러한 풍조가 정착되었다. 이는 악귀와 사기가 문안으로 들어오지 못하도록 막아내어 황실이나 관서의 권위와 위엄을 지키는 상징적 의미를 담고 있었다. 당송대 이래 돌사자는 점차 민간으로 전파되어 마을의 입구나 부호의 저택 앞에 놓이게 되었다. 물론 돌사자는 여전히 개인과 공동체의 안녕과 질서를 지켜주는 수호신의 역할을 담당하였지만, 원대 이후에는 부호의 경우 자신의 재력을 과시하는 수단으로 기능하기도 했다. 원명대 이후 돌사자의 형상이 민간에서 보편적으로 등장하면서, 돌사자는 가옥의 추녀나 돌난간 등의 건축물의 장식으로 이용되었다. 북경 교외에 위치한 노구교盧溝橋는 갖가지 모양의 돌사자 형상으로 장식되어 있는데, 장식용 돌사자의 대표적인 예라 할 수 있다.

돌사자의 형상은 남방과 북방의 지역에 따라 약간의 차이가 있다. 그러나 대체로 초기에는 입식立式의, 날개를 달고 갈기를 휘날리는 위엄있는 모습을 지니고 있었다가, 당송대 이후 궁중에서 민간으로 전파됨에 따라 웅크린 준좌식蹲座式의, 친근한 분위기를 풍기는 세속화된 모습으로 변모하였다. 이는 초기에 서역의 영향을 받았던 돌사자의 형상이 차츰 중국화하는 과정이라고 할 수 있다. 이처럼 중국화하는 과정에서 상서로운 신수인 사자는 중국에 전래된 이후 수호신으로서, 그리고 악귀와 사기를 물리치는 벽사의 상징으로서 자리잡게 되었다. 이러한 문화심리는 당대 이후 널리 행해진 사자무獅子舞뿐만 아니라, 복식의 장식으로서의 사자 도안에 이르기까지 지금까지도 민간에 널리 뿌리내리게 되었다.

재난의 징조가 구현되는 방식의 변모양상에 대해, 일찍이 한어 어휘학과 고문자학의 대가인 손상서孫常叙는 '이윤이 공상에서 태어나다伊尹生空桑'에 등장하는 절구臼, 그리고 함호형 홍수전설에 등장하는 곤閫과 귀龜가 모두 동음사同音詞라는 점을 들어, 이야기의 변이가 일어나는 것은 이야기의 전승과정에서 일어난 오청誤聽과 오전誤傳의 결과라고 주장한다.[77] 그의 주장의 근거가 옳은지의 여부는 차지하더라도, 함호형 홍수전설에서 성문(혹은 현문)에 개나 닭의 피를 뿌리거나 바르는 행위, 돌거북이나 돌사자의 눈이 붉어지거나 피를 흘리는 행위 등이 모두 악귀와 사기를 물리치는 벽사의 의식과 관련이 깊다는 것은 부정할 수 없는 사실이다. 즉 민간습속으로 정착된 벽사의 의식이 함호형 홍수전설이 정형화되고 변이되는 과정 속에 자연스럽게 반영되었으리라고 보는 것이 훨씬 타당하리라 생각한다.

이런 관점에서 볼 때, 개나 닭의 피를 성문(혹은 현문)에 바르거나 뿌리는 행위가 돌거북의 눈이 붉어지거나 피를 흘리는 행위로 변모한 것은 거북이 지니고 있는 신성성과 통신 및 예지의 능력을 이야기 세계로 끌어들인 결과이며, 돌거북에서 돌사자로 변형된 것은 원명대 이후 돌거북이 숭상의 대상에서 멸시의 대상으로 전락함에 따라 새로이 민간의 숭상을 받고 있던 돌사자가 이를 대체한 결과라고 보아야 할 것이다. 아울러 한 가지 지적하고자 하는 것은 함호형 홍수전설에서 벽사와 관련된 행위가 악기와 사기의 재앙에서 모든 사람을 구원하는 것이 아니라는 점이다. 즉 피를 뿌리거나 바르는 행위는 인의와 선행을 행한 특정한 사람에게만 재앙을 피할 수 있는 벽사의 의식으로서 구원의 표지일 뿐, 다른 사람에게는 재난의 징조인 것이다.

6. 나오면서

지금까지 함호형 홍수전설의 추형으로서 '이윤이 공상에서 태어나다伊尹生空桑'의 이야기로부터, 이후 정형화하고 변이된 이야기에 이르기까지 그 변모양상을 살펴보고, 이야기의 변이의 관건이라 할 수 있는 재난의 징조가 구현되는 방식이 지니고 있는 문화적 함의를 고찰해보았다. 이를 종합해보면 변이의 관건을 기준으로 살펴볼 때, 중국의 함호형 홍수전설은 역양형(A)이 중심축을 이루고 있다는 점을 알 수 있다. 이를 표로 정리하면 아래와 같다. (→표는 영향관계를 나타낸다.)

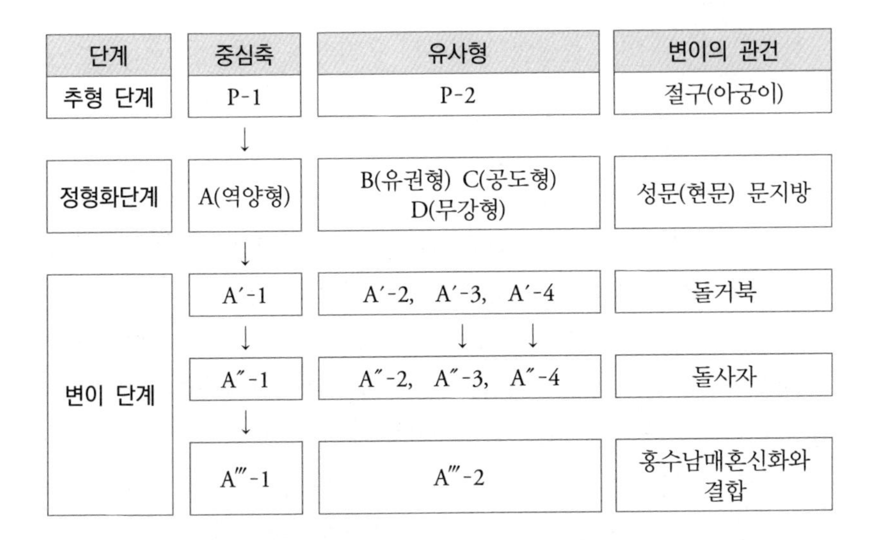

단계	중심축	유사형	변이의 관건
추형 단계	P-1	P-2	절구(아궁이)
	↓		
정형화단계	A(역양형)	B(유권형) C(공도형) D(무강형)	성문(현문) 문지방
	↓		
변이 단계	A′-1	A′-2, A′-3, A′-4	돌거북
	↓	↓ ↓	
	A″-1	A″-2, A″-3, A″-4	돌사자
	↓		
	A‴-1	A‴-2	홍수남매혼신화와 결합

이 표에 따르면, 중심축은 〈P-1〉 → 〈A〉 → 〈A′-1〉 → 〈A″-1〉 → 〈A‴-1〉의 단계로 이어진다. 각 단계의 중심축은 각자의 유사형을 지니는데, 정형화 단계의 유사형인 B·C·D형의 경우, 돌거북이나 돌사자와 결합된 변이형이 아직까지는 발견되지 않는다. 반면 〈A′-1〉 단계의 유사형 가운데 〈A′-3〉와 〈A′-4〉는 〈A″-1〉 단계의 유사형인 〈A″-3〉과 〈A″-4〉의 변이형을 낳는다.

아울러 중심축의 이야기를 중심으로 주요 모티프에 따라, 함호형 홍수전설의 줄거리를 구성해보면 다음과 같다.

① 재난에서 생존할 자격을 갖춘 사람이 있다
② 그(녀)에게 누군가 재난을 예언하고 재난의 징조를 알려준다
③ 타인에게 예언과 징조가 알려져 징조의 인위적 조작이 행해진다
④ 함몰과 홍수의 재난이 닥친다
⑤ 생존 자격을 지닌 사람만 재난에서 살아남는다

①의 '생존자격을 갖춘 이'는 인의나 선행을 베푼 노파, 효자와 어머니, 노부부, 마음 착한 부인과 아들 등이며, ②의 '재난의 예언자'는 선비나 길을 가던 젊은이, 꿈속의 노인, 꿈속의 신, 미친 도인 등이다. 또한 '재난의 징조'는 성문이나 현문의 문지방에 묻은 핏자국, 현문이나 성황묘에 있는 돌거북 혹은 돌사자의 눈에서의 출혈로 나타난다. ③의 '인위적 조작을 가하는 타인'은 성문이나 현문의 문지기, 호사가 등이며, 인위적 조작의 형태는 닭의 피를 문지방에 바르고, 돌거북의 눈을 붉은 색으로 칠하거나 돼지피를 바르는 행위이다. 타인의 인위적 조작은 대체로 타인의 신분에 따라, 문지기일 경우에는 닭이나 개의 피를 문지방에 바르고, 백정일 경우에는 돼지피를 바른다.

함호형 홍수전설의 전승시기를 그 출처를 중심으로 살펴보면 다음과 같다. 추형 단계의 '이윤이 공상에서 태어나다伊尹生空桑'의 이야기는 전국말에 씌어진 『여씨춘추呂氏春秋』로부터 후한 초의 왕충의 『논형』, 후한 중기의 왕일의 『초사』 주석, 진대晉代 장담張湛의 『열자』 주석, 북위北魏 역도원酈道元의 『수경주·이수伊水』에 이르기까지 두루 실려 있다. 이로 볼 때, '이윤이 공상에서 태어나다伊尹生空桑'의 이야기는 늦어도 전국말에 출현하여 후한대로부터 남북조시기에 크게 유행했으리라 본다.

정형화 단계의 이야기는 후한말 고유高誘의 『회남자』 주석으로부터 진대晉代의 간보干寶의 『수신기』, 임예任豫의 『익주기益州記』 주석, 이석李石의 『속박물지續博物志』, 양대梁代의 『유지린신록劉之遴神錄』, 당대唐代의 대부戴孚의 『광이기廣異記』, 이용李冗의 『독이지獨異志』, 송대宋代의 『태평환우기』에 이르기까지 폭넓게 실려 있다. 이로써 살펴볼 때, 정형화 단계의 이야기는 늦어도 후한말에 출현하여 남북조시기를 거쳐 당송대에 크게 유행하였으리라 본다.

변이 단계의 이야기 가운데, 돌거북이 등장하는 이야기는 진대晉代 간보干寶의 『수신기』, 양대梁代 임방任昉의 『술이기述異記』, 송대宋代 유부劉斧의 『청쇄고의青瑣高議』 후집後集. 송대의 『태평환우기』 등에 실려 있다. 이로 볼 때, 돌거북이 등장하는 변이형은 늦어도 진대晉代에 출현하여 당송대까지 유행했으리라 본다. 여기에서 특히 주목할 만한 점은 『수신기』에 돌거북이 등장하는 변이 단계의 이야기뿐만 아니라 정형화 단계의 이야기가 함께 실려 있다는 사실이다. 이로써 진대晉代 이후로는 정형화 단계의 이야기와 돌거북의 변이 단계의 이야기가 거의 동시에 유행했음을 알 수 있다.

변이 단계의 이야기 가운데 돌사자가 등장하는 이야기는 청초의 유서類書인 『고금도서집성』에 실려 있기는 하지만, 대부분 민국 이후에 채록된 이야기이다. 다만 엄밀한 의미에서 함호형 홍수전설에 포함되지는 않지만, 명대 만력 연간에 편찬된 『용도공안』의 「돌사자石獅子」에 돌사자가 등장한다. 이와 더불어 원대 이래 거북이 비하와 멸시의 대상으로 전락했다는 점을 감안한다면, 명대 이후에는 돌사자가 돌거북을 대체했으리라 본다.

마지막으로 함호형 홍수전설의 지역적 분포를 살펴보기로 하자. 정형화 단계의 이야기는 주로 지금의 안휘성安徽省과 절강성浙江省, 사천성四川省, 하북성河北省 등지를 공간적 배경으로 삼고 있다. 사천성이 지진활동이 활발했던 지역이라면, 나머지 세 성은 장강 혹은 황하 유역으로서 홍수의 재난이 빈발했던 곳이다. 변이 단계의 이야기 가운데 돌거북이 등장하는 이야기는 장강 유역의 인접지역인 안휘성의 화현和縣과 소호시巢湖市를 공간적 배경으로 삼고 있다. 아울러 돌사자가 등장하는 변이 단계의 이야기는 기존의 공간적 배경 외에도 상해시, 호북성, 강소성, 하남성, 하북성, 동북지역 등 곳곳에서 채록되었다. 이로써 정형화 단계에서 좁혀졌던 공간적 배경은 돌사자가 등장한 명대 이후 확장되어, 함호형 홍수전설이 광포전설廣布傳說로 변모했음을 알 수 있다.

■ 주석

1) 중국에서는 이러한 유형의 홍수전설을 陸沉(爲湖)傳說, 地陷(爲湖)傳說, 陷湖傳說 등으로 일컫고 있다.

2) 이들 연구자의 함호형 홍수전설에 관한 연구성과는 다음과 같다. 陳志良, 「沉城的故事」, 『风土什志』 第1卷 第3期, 1944; 鍾敬文, 「從石龜到石獅子」, 『民間文學論壇』 1991年 2期; 馬昌儀, 劉錫誠, 『石與石神』, 學苑出版社, 1994년; 劉錫誠, 「陸沉傳說再探」, 『民間文學論壇』 1997-1; 傅光宇, 「'陷湖'傳說之形式及其演化」, 『民族文化硏究』 1995-3; 馬昌儀, 「石獅子的象徵與陸沉神話」, 『首都師範大學學報』 1993-4기; 阮可章, 「流傳在上海的陸沉傳說」, 『民間文化論壇』 2007-2; 陳建憲, 「中国洪水神话的类型与分布」, 『民间文学论坛』 1996-3; 万建中, 「地陷型傳說的禁忌母題」, 『民間文化』 1999-1; 桑秀雲, 「'地陷爲湖'傳說故事形成的探討」, 『國立政治大學邊政硏究所年報』 1986-17; 胡萬川, 「邛都老姥與歷陽嫗故事之硏究」, 『中央硏究院第二屆國際漢學會議論文集』 1989; 鹿憶鹿, 『洪水神話-以中國南方民族與臺灣原住民爲中心』, 臺北, 里仁書局, 2002; Max Kaltenmark, 「La Légende la Ville Immergée en Chine」, Cahiers d'Extrème-Asie, Revue de I'Ecole Fransaise d'Extrème-Orient, Section de Kyōto Ⅰ, 1985; 川勝義雄, 「中國における水沒した町の傳說」, 『東方宗教』 제59기, 1982.

3) 중국과 대만의 일부 연구성과 중에는 함호형 홍수전설을 지칭하면서도 함몰이 나타나지 않은 홍수전설을 연구대상으로 삼은 경우가 적지 않다. 이 글에서는 함몰과 홍수의 두 가지 모티프가 모두 나타나는 전설만을 연구대상으로 엄격히 제한하고자 한다.

4) 其母居伊水之上, 孕, 夢有神告之曰: "臼水出而東走, 勿顧." 明日, 視臼水出, 告其隣; 東走十里, 而顧其邑, 盡爲水. 身因化爲空桑.

5) 伊尹母居伊水之上, 既孕, 夢有神告之曰: "臼水出而東走, 無顧!" 明日視臼出水, 告其鄰, 東走, 十里而顧, 其邑盡爲水, 身因化爲空桑.

6) 伊尹且生之時, 其母夢人謂己曰: "臼出水, 疾東走, 毋顧." 明旦視臼出水, 即東走十里, 顧其鄕, 皆爲水矣.

7) 昔有莘氏女采桑於伊川, 得嬰兒於空桑中, 言其母孕於伊水之濱, 夢神告之曰: 臼水出而東走. 母明而见臼水出焉. 告其隣居而走, 顧望其邑, 威爲水矣. 其母化爲空桑, 子在其中矣.('又東北過陸渾縣南'의 주석)

8) 小子謂伊尹. 媵, 送也. 言伊尹母妊身, 夢神女告之曰: "臼竈生鼃, 亟去無顧!" 居無幾何, 臼竈中生鼃. 母去, 東走. 顧視其邑, 盡爲大水. 母因溺死, 化爲空桑之木. 水乾之後, 有小兒啼, 水涯人取養之. 既長大, 有殊才. 有莘惡伊尹从木中出, 因以送女也.

9) 昔有老嫗, 常行仁義, 有二諸生過之, 謂曰: "此國當没爲湖." 謂嫗視東城門閫有血, 便走上北山, 勿顧也. 自此, 嫗便往視門閫. 閽者問之, 嫗對曰如是. 其暮, 門吏故殺鷄血涂門閫. 明旦, 老嫗早往視門, 見血, 便上北山, 國没爲湖. 與門吏言其事, 適一宿耳.

10) 歷陽縣有一媪, 常爲善. 忽有少年過門求食, 媪待之甚恭. 臨去謂媪曰: "時往縣門, 見門閫有血可登山避難." 自是媪日往之, 門吏問其状, 媪具以少年所教答之. 吏即戱以鷄血, 涂門閫. 明日, 媪見有血, 乃携鷄籠走上山. 其夕, 縣陷爲湖, 今和州歷陽湖是也.

11) 由拳县, 秦时长水县也. 始皇时, 童谣曰: "城门有血, 城當陷没为湖." 有妪闻之, 朝朝往窺. 门将欲缚之. 妪言其故. 後门将以犬血涂门, 妪见血, 便走去. 忽有大水欲没县. 主簿令幹入白令. 令曰: "何忽作鱼?" 幹曰: "明府亦作鱼." 遂沦为湖.

12) 由拳縣의 권역에 대해 阮可章은 지금의 上海市 靑浦區가 由拳縣의 治所임을 여러 전적을 통해 고증해냈다. 阮可章, 「流傳在上海的陸沉傳說」(『民間文化論壇』 2007-2) 참조

13) '城門當有血, 城陷没爲湖'의 '當'의 의미에 대해서는 孫常叙의 「伊尹生空桑和歷陽沉而爲湖-故事傳說合二爲一以甲足乙例和語變致誤例」(『社會科學戰線』 1982-4)를 참조하시오. 孫常叙는 여러 전적을 근거로 '根-黨-讜-當'의 뜻이 통함을 밝혀내어 '當'의 의미를 '根'으로 설명하고 있다. 이 글에서는 그의 견해에 따라 '城門當'을 '성문의 문설주'로 풀이했다.

14) 由拳縣, 秦時長水縣也. 始皇時, 縣有童謠曰: "城門當有血, 城陷没爲湖." 有嫗闻之憂懼, 每旦往窺城門. 門侍欲縛之. 嫗言其故. 嫗去後, 門侍殺犬, 以血涂門. 嫗又往, 見血走去, 不敢顧. 忽有大水, 長欲没縣. 主簿令幹入白令.令見幹, 曰: "何忽作鱼?" 幹又曰: "明府亦作鱼!" 遂乃淪陷爲谷. 老母牽狗北走六十里, 移至伊莱山得免. 西南隅今乃有石室, 名爲神母廟, 廟前石上, 狗跡猶存.

15) 『神異傳』曰, 由拳縣, 秦時長水縣也. 始皇時, 縣有童謠曰: "城門當有血, 城陷没为湖." 有老嫗闻之憂懼, 旦往窺城門. 門侍欲縛之. 嫗言其故. 嫗去後, 門侍煞犬, 以血涂門. 嫗又往, 見血走去, 不敢顧. 忽有大水長欲没縣. 主簿令幹入白令. 令見幹, 曰: "何忽作鱼?" 幹又曰: "明府亦作鱼!" 遂乃淪陷爲谷矣. ('分爲二:其一東北流, 其一又過毘陵縣北, 爲北江'에 대한 주석)

16) 邛都縣下有一老姥, 家貧孤獨. 每食輒有小蛇, 頭上戴角, 在床間. 姥憐之, 飴之. 後稍長大, 遂長丈餘. 令有駿馬, 蛇遂吸殺之. 令因大憤恨, 責姥出蛇. 姥云: "在床下." 令即掘地, 愈深愈大而無所見. 令又遷怒殺姥. 蛇乃感人以靈言: "瞋令何殺我母, 當爲母報讎." 此後每夜, 輒聞若雷若風, 四十許日. 百姓相見咸驚, 語: "汝頭那忽戴魚?" 是夜, 方四十里與城, 一時俱陷爲湖. 土人謂之曰陷河. 唯姥宅無恙, 訖今猶存.

17) 이 기록은 다음과 같다. "공도이는 무제가 개발하여 공도현으로 삼았다. 얼마 지나지 않아 땅이 꺼져 못이 되었기에 공지라 일컬었으며, 남방 사람들은 공하라 여겼다. (邛都夷者, 武帝所開, 以爲邛都縣. 無幾而地陷於汚澤, 因名爲邛池, 南人以爲邛河.)"

18) 邛都縣下有一老姥, 家貧孤獨. 每食輒有小蛇, 頭上戴角, 在床間. 姥憐而飴之食. 後稍長大, 遂長丈餘. 令有駿馬, 蛇遂吸殺之. 令因大憤恨, 責姥出蛇. 姥云: "在床下." 令即掘地, 愈深愈大而無所見. 令又遷怒殺姥. 蛇乃感人以靈言: "瞋令何殺我母, 當爲母報讎." 此後每夜, 輒聞若雷若風, 四十許日. 百姓相矚咸驚, 語: "汝頭那忽戴魚?" 是夜, 方四十里與城, 一時俱陷爲湖. 土人謂之爲陷湖. 唯姥宅無恙, 訖今猶存.

19) 益州邛都縣有老姥, 家貧孤獨, 每食, 輒有小蛇, 頭上有角, 在柈之間. 姥憐而飼之, 後漸漸長大丈餘. 縣令有馬, 忽被蛇吸之, 令因大怒, 收姥. 姥云: "在床下." 遂令人發掘, 愈深而無所見, 縣令乃殺姥. 其蛇因夢於令曰: "何故殺我母? 當報讎耳!" 自此每常聞風雨之聲. 三十日, 是夕, 百姓咸驚相謂曰: "汝頭何得戴鱼." 相逢皆如此言. 是夜, 方四十里, 整个城一時俱陷爲湖, 土人謂之邛河, 亦邛池. 其母之故宅基獨不没, 至今猶存. 魚人采捕, 必止宿. 又言此水清, 其底猶見城郭樓檻宛然矣.

20) 臨邛郡下有老姥, 家甚貧孤獨. 每食, 輒有一小虵, 頭上戴角, 在柈之間. 母憐而飼之.

後漸長大丈餘. 令有馬, 爲此蛇吸之. 令因大憤, 收姥, 姥云: "休牀下." 遂令發掘, 愈深而無所見. 令乃殺母. 其蛇因夢乃於令, 曰: "何故殺老姥, 當報讐耳." 因此每夜, 常聞風雨之聲, 四十餘日. 一夕百姓相见咸驚, 皆言: "汝頭那得戴鱼." 相逢皆如此言. 是夜, 方四十里, 一時俱陷爲湖. 土人謂之邛河, 亦曰邛池. 其母之故宅, 獨不沒, 至今猶存. 漁人采捕, 必依止宿. 又言此水淸至底, 猶時見城郭樓檻宛然.

21) 臨邛郡은 지금의 四川省 邛崍市이다.

22) 陷河神者, 嶲州嶲縣有張翁夫婦, 老而無子. 翁日往溪谷采薪以自給. 無何一日, 於岩竇間刃傷其指. 其血滂注, 滴在一石穴中, 以木葉窒之而歸. 他日復至其所, 因抽木葉視之, 仍化爲一小蛇. 翁取於掌中, 戲玩移時. 此物眷眷然, 似有所戀, 因截竹貯而懷之. 至家則啖以雜肉, 如是甚馴擾. 經時漸長. 一年後, 夜盜鷄犬而食. 二年後, 盜羊豖. 隣家颇怪失其所畜, 翁媼不言. 其後縣令失一蜀馬, 尋其迹, 入翁之居, 追而訪之, 已呑在蛇腹矣. 令驚異, 因責翁蓄此毒物. 翁伏罪, 欲殺之. 忽一夕, 雷电大震, 一縣并陷巨湫, 渺彌無際, 唯張翁夫婦獨存. 其後人蛇俱失, 因改爲陷河縣, 曰蛇爲張惡子.

23) 武强縣有行於涂, 得一小蛇養之, 名擔生. 長而噬人. 里人遂補繫獄. 擔生負而奔, 邑淪爲湖, 縣官吏爲魚矣.

24) 武强縣……邑人有行於途者, 見一小蛇, 疑其有靈, 持而養之, 名曰擔生. 長而吞噬人, 里中患之, 遂捕繫獄. 擔生負而奔, 邑淪爲湖, 縣長及吏, 咸爲魚矣. ('又東北過阜城縣北, 又東北至昌亭, 與滹沱河會'에 가한 주석)

25) 邑人有遇有一蛇, 疑其靈, 持而養之, 名曰擔生. 長而吞噬人, 里內患之, 遂捕繫獄. 擔生負而奔, 邑因淪爲河, 縣長及吏, 咸爲魚矣.

26) 昔有書生, 路逢小蛇, 因而收養. 數月漸大. 書生每自檐之, 號曰檐生. 其後不可檐負, 放之范縣東大澤中. 四十餘年, 其蛇如覆舟, 號爲神蟒. 人往於澤中者, 必被吞食. 書生時以老迈, 途经此泽畔, 人谓曰: "中有大蛇食人, 君宜無往." 時盛冬寒甚, 書生謂冬月蛇藏, 無此理, 遂過大澤. 行二十里餘, 忽有蛇逐, 書生尙識其形色, 遙謂之曰: "爾非我檐生乎?" 蛇便低頭, 良久方去. 迴至范縣, 縣令問其見蛇不死, 以爲異, 繫之獄中, 斷刑當死. 書生私憤曰: "檐生, 養汝翻令我死, 不亦劇哉!" 其夜, 蛇遂攻陷一縣爲湖, 獨獄不陷, 書生獲免. 天寶末, 獨孤暹者, 其舅爲范令, 三月三日與家人於湖中泛舟, 無故覆没, 家人幾死者數四也.

27) 실제로 唐代 馬總의 『意林』卷二에서는 『淮南子·俶真训』을 다음과 같이 인용하고 있다. "歷陽, 淮南縣也. 有一人告歷陽母曰: '見城門有血則走, 無顧.' 此後門吏故汚血於門限, 母便上北山, 縣果陷水中, 母遂化作石也." 이 이야기에는 금기가 제시되어 있을 뿐만 아니라, 금기의 위반에 따른 징벌로서 돌로 변했다는 내용이 들어있다. 이는 歷陽型 이야기 가운데 금기 모티프가 완벽하게 활용되어 있는 경우라고 할 수 있다.

28) 和州歷陽陷爲湖. 先是有書生遇一老姥. 姥待之厚. 生謂姥曰: "此縣門石龜眼出血, 此地當陷爲湖." 姥後數往視之. 門吏問姥, 姥俱答之. 吏以朱點龜眼. 姥見, 遂走上北山. 城遂陷焉.

29) 昔有一書生遇一姥. 姥待之甚厚. 生與姥曰: "此縣門前石龜眼赤血出, 此地當陷爲湖." 姥後數往候之. 門吏問姥, 姥具以對. 吏因以朱點龜眼. 姥見, 遂走之西山, 故城遂陷爲湖. 今湖中有明府魚, 婢魚, 奴魚.

30) 耆老相傳曰: 居巢縣地昔有一巫嫗, 豫知未然, 所說吉凶, 咸有徵驗. 居巢門有石龜, 巫云: 若龜出血, 此地當陷爲湖. 未幾, 鄉邑之間祭祀, 有人以豬血置龜口中, 巫嫗見之南走, 回顧其地, 已咸爲湖. 人多賴之, 爲巫立廟, 今湖中姥山廟是.

31) 古巢, 一日江水暴漲, 尋復故道. 港有巨魚, 重萬斤, 三日乃死. 合郡皆食之. 一老姥獨不食. 忽有老叟曰: "此吾子也, 不幸罹此祸, 汝獨不食, 吾厚報汝. 若東門石龜目赤, 城當陷." 姥日往視. 有稚子訝之, 姥以告實. 稚子欺之, 以朱傅龜目. 姥見, 急出城. 有青衣童子曰: "吾龍之子." 乃引姥登山, 而城陷爲湖.

32) 究地理, 今巢湖, 古巢州也, 或改爲巢邑. 一日江水暴泛, 城幾沒. 水復故道, 城溝有巨魚, 長數十丈, 血鬣金鱗, 電目赭尾, 困臥淺水, 傾郡人觀焉. 後三日, 魚乃死, 郡人臠其肉以歸, 貨於市, 人皆食之. 有漁者與姆同里巷, 以肉數斤遺姆, 姆不食, 懸之於門. 一日, 有老叟霜鬢雪鬚, 行步語言甚異, 詢姆曰: "人皆食魚之肉, 爾獨不食懸之, 何也?" 姆曰: "我聞魚之數百斤者, 皆異物也. 今此魚萬斤, 我恐是龍焉, 固不可食." 叟曰: "此乃吾子之肉也, 不幸罹此大祸, 反膏人口腹, 痛淪骨髓, 吾誓不捨食吾子之肉者也. 爾獨不食, 吾將厚報爾. 吾又知爾善能拯救貧苦, 若東寺門石龜目赤, 此城當陷. 爾時候之, 若然, 當急去勿留也." 叟乃去. 姆日日往視, 有稚子訝姆, 問之, 姆以實告, 稚子欺人, 乃以朱傅龜目, 姆見, 急去出城, 俄有小青衣童子曰: "吾龍之幼子." 引姆升山, 回視全城陷於驚波巨浪, 魚龍交現. 大姆廟今存於湖邊, 迄今漁者不敢釣魚湖, 簫鼓不敢作於船, 天氣晴明, 尙聞水下歌呼人物之聲.

33) 馬昌儀, 劉錫誠, 『石與石神』(北京: 學苑出版社, 1994) 122-123쪽에서 재인용

34) 이 이야기의 대략적인 내용은 다음과 같다. 東京城에 노모를 극진히 모시는 효자가 살고 있었다. 어느 날 밤 그의 꿈속에 나타난 仙人은 성이 곧 가라앉을 것이며, 성황묘 앞의 돌사자의 눈에 피가 흐르면 성이 금방 무너질 터이니 모친을 업고서 달아나라고 말했다. 효자는 매일 아침 돌사자의 눈에 피가 흐르는지 살펴보았는데, 이를 이상히 여긴 백정이 그 까닭을 알고서 돼지를 잡다가 손에 묻은 피를 돌사자의 눈에 발랐다. 돌사자의 눈에 피가 흐르는 것을 본 효자는 곧장 노모를 업고서 달아났다. 동경성은 가라앉아 호수가 되었는데, 崇明島가 차츰 끓어오르기 시작했다. 위의 책, 104-105쪽 참조

35) 劉守華, 『中國民間故事史』(漢口: 湖北教育出版社, 1999) 78-79쪽 참조

36) 이 이야기의 대략적인 내용은 다음과 같다. 천상의 觀音老母는 세상 사람이 재난을 당하리라는 것을 알고서 구름을 타고 高良澗에 내려왔다. 노파로 변한 그녀는 만두를 파는데, 사람들이 만두를 사서 자식에게만 줄 뿐 노인에게 주지는 않음을 알았다. 그녀는 "이곳 사람들이 재난을 당하는 게 이상하다 했더니, 노인을 공경하는 자가 한 명도 없군."이라고 생각했다. 연말이 되어 그녀가 가게문을 닫았는데, 문밖에 어린아이가 할머니에게 드릴 만두를 사겠다고 했다. 그녀는 문을 열어 아이에게 만두를 팔면서 말했다. "아이야, 매일 학교 가는 길에 암자가 있지 않니? 암자 앞에 돌사자 한 쌍이 있으니, 아침저녁으로 잘 살펴보렴. 돌사자의 눈이 붉어지면, 속히 할머니를 모시고 달아나라. 큰물이 닥칠 테니." 그녀는 아이에게 남에게 절대로 알리지 말라고 당부했다. 아이는 아침저녁으로 학교를 오가는 길에 돌사자의 눈이 붉어지는지 살폈다. 아이의 행동은 돼지잡이 백정의 눈에 띄었다. 백정이 캐묻자, 아이는 사실대로 말해줄 수밖에 없었다. 이튿날 백정은 돼지를 잡은 손에 묻은 피를 돌사자의 눈에 발랐다. 이것을 본 아이는 나는 듯이 집으로 돌아와 泗洲城이 꺼져

내릴 것이라면서 할머니를 잡아끌었다. 할머니는 침대 땅 밑에 묻어둔 보물단지를 가져오라고 말했다. 아이가 보물단지를 파내자, 그곳에서 홍수가 터져 나왔다. 두 사람은 높은 모래톱으로 올라가 재난을 면했다. 高良澗은 가라앉아 洪澤湖가 되었다. 馬昌儀, 劉錫誠, 앞의 책, 105-106쪽에서 재인용

37) 이 이야기의 대략적인 내용은 다음과 같다. 아주 오래 전에 梁山의 서쪽에 濠陵이라는 城池가 있었다. 성은 번창하였으나 사람들은 악하여 온갖 패악을 일삼았다. 泰山老母는 밥을 빌어먹는 가난한 노파로 변하여 濠陵에 왔다. 어느 소학생이 그녀를 가엾게 여겨 집으로 모셔 대접했다. 자비롭고 착한 사람을 만난 태산노모는 사당 앞의 돌사자를 잘 살펴보라면서, 눈이 붉어지면 濠陵이 가라앉으리라고 말해주었다. 그녀는 소학생의 母子에게 조그마한 종이배를 주면서, 홍수가 닥치면 이 배로 목숨을 구하라고 말했다. 소학생은 날마다 돌사자를 살펴보았는데, 이를 이상히 여긴 선생님이 캐묻자 사실대로 알려주었다. 선생님은 붉은색 연필로 돌사자의 눈을 칠했다. 이것을 본 소학생은 급히 집으로 돌아가 어머니와 함께 종이배에 올라탔다. 그러자 곧 우레가 울리고 천지가 어두워지더니 순식간에 濠陵은 땅속으로 꺼지고 말았다. 모자가 탄 종이배는 커다란 배로 변하여 물결을 따라 나아갔다. 위의 책, 106쪽 참조

38) 이 이야기의 대략적인 내용은 다음과 같다. 太湖에 山陽城이 있는데, 성안에는 반쯤 수염을 기른 72명의 異人들이 악행을 일삼았다. 이들 악인을 징벌하기 위해 玉皇大帝는 地藏王에게 어느 날에 山陽城을 무너뜨리라고 명했다. 南海觀音은 장사치로 변장하여 부꾸미를 파는데, 큰 부꾸미를 싸게, 작은 부꾸미를 비싸게 팔았다. 어느 효자가 부모를 위해 작은 부꾸미를 사갔다. 南海觀音은 玉皇大帝가 호수로 만들어버릴 비밀을 그에게 알려주면서, 城隍廟 앞의 돌사자의 눈이 붉어지면 바로 성이 무너져 가라앉으리라고 말해주었다. 효자는 매일 돌사자의 눈이 붉어졌는지의 여부를 살피다가 백정에게 들키고 말았다. 백정은 그를 놀려주기 위해 돌사자의 눈에 돼지피를 발랐다. 이를 본 효자는 온 성의 백성과 노모를 데리고 성을 빠져나왔다. 山陽城은 호수 속으로 가라앉았다. 江蘇省宜興縣文化局 編, 『陶都宜興的傳說』(北京: 中國民間文藝出版社, 1984) 89-93쪽 참조

39) 舊有一村, 縣北五里, 聚姓百家, 一老夫婦陰行善事, 夜夢神, 謂是村誤呑龍魚, 村東石獅眼紅, 村當爲沼, 汝宜避. 人以爲妄, 有好事者, 以紅脂塗獅眼紿之, 夫婦亟徙去, 有頃, 黑霧四塞, 村果陷, 故名百家灣, 形如半壁, 深不可測, 至今晦冥猶聞雞犬聲.

40) 孫常叙, 「伊尹生空桑和歷陽沉而爲湖-故事傳說合二爲一以甲足乙例和語變致誤例」(『社會科學戰線』 1982-4) 참조

41) 中國民間文學集成全國編輯委員會 編, 『中國民間故事集成』(河北卷) (北京: 中國ISBN中心, 2003) 20-21쪽

42) 위의 책(河南卷), 10-11쪽

43) 이러한 예로는 河南省 桐柏縣에서 채록된 「兄妹結婚」(위의 책 河南卷, 4-5쪽), 吉林省 吉林市에서 채록된 「高公高婆」(위의 책 吉林卷, 10-12쪽) 등을 들 수 있다.

44) 『구약성서·출애굽기』 12장 7절 및 13절 참조

45) 命國難九門, 磔禳以畢春氣.

46) 命太史釁龜筴, 占兆, 審卦吉凶. …… 大割祠於公社及門閭.

47) 命有司大難旁磔，出土牛，以送寒氣.

48) 作伏祠，磔狗邑四门，以御蛊菑.(『史記·封禪書』)

49) 服虔云: 周時無伏，磔犬以禦災，秦時作之.(『史記·封禪書』)

50) 令人殺白犬以血題門户，正月白犬血辟除不祥，取法於此也.(『風俗通義·祀典·殺狗磔邑四門』)

51) 蓋天子之城，十有二門，東方三門，生氣之門也，不欲使死物見於生門，故獨於九門殺犬磔禳.(『風俗通義·祀典·殺狗磔邑四門』)

52) 掌共雞牲辨其物. 大祭祀夜嘑旦以嘂百官. 凡國之大賓客會同軍旅喪紀亦如之凡國事爲期則告之時. 凡祭祀面禳釁，共其雞牲.(『周禮·春官·鷄人』)

53) 歲旦，常設葦茭，桃梗，磔鷄於宮及百寺之門，以禳惡氣.

54) 舊时，歲旦常設葦茭，桃梗，磔鷄於宮及百寺門，以禳惡氣.

55) 臘日逐除，歲盡，城門磔雄鷄，葦索桃梗，如漢儀.

56) 今正，臘旦，門前作煙火，桃神，絞索松柏，殺鷄著門户，逐疫，禮歟?

57) 正朝，縣官殺羊，懸其頭於門，又磔鷄副之，俗說以厭疠氣.(『太平御覽』卷二九에서 인용)

58) 古者，正旦，磔雄鷄祭門户，以辟邪鬼. 蓋鷄乃陽精，雄者陽之體，頭者陽之會，東門者陽之方. 以純陽勝純陰之義也.(『本草綱目』第四十八卷·禽二·鸡」)

59) 何謂四靈? 麟·鳳·龜·龍謂之四靈.(『禮記·禮運』)

60) 毛虫之精者曰麟，羽虫之精者曰鳳，介虫之精者曰龜，鱗虫之精者曰龍，倮虫之精者曰聖人.(『大戴禮·曾子天圓』)

61) 龜之言久也，千歲而靈，此禽獸而知吉凶也.(『尙書·洪範·五行傳)』

62) 靈龜文五色，似玉似金，背陰向陽，上隆象天，下平法地，槃衍象山. 回趾運轉應四時，文著象二十八宿，蛇頭龍翅，左精象日，右精象月，千歲之化，下氣上通，知存亡吉凶之變.(『說苑·辨物』)

63) 定天下之吉凶，成天下之亹亹者，莫善於蓍龜.(『周易·繫辭上』)

64) 王者決定諸疑，參以卜筮，斷以筮龜.(『史記·龜策列傳』)

65) 東南之大者，巨鰲焉，以背負蓬萊回行千里. 巨鰲，巨龜也.(『玄中記』)

66) 龜鱉小豎，自救不暇，何能爲也.(『魏書』卷百三·列傳第九十一·蠕蠕」

67) 宅眷皆爲撐目兎，舍人總作縮頭龜. 强奴猾干欺凌主，說與人家子弟知.(『南村輟耕錄』중의「廢家子孫詩」)

68) 今人以妻之外淫2者，目其夫爲烏龜.(『五雜俎』)

69) 章帝章和元年，遣使献師师子，符拔.(『後漢書·西域傳』)

70) 陽嘉二年，臣磐復獻師子，封牛.(『後漢書·西域傳』)

71) 貞觀九年，又遣使貢獅子，太宗嘉其遠至，命祕書監虞世南爲之賦.(『舊唐書』卷一百九十八·列傳第一四八·西戎)

72) 還來至洛陽，三千里鷄犬皆伏，無鳴吠.(『博物志』卷三·異獸)

73) 襄縣山陽幷進二虎一豹. …… 於是虎豹見獅子，悉瞑目，不敢仰視.(『洛陽伽藍記』卷三·龍華寺)

74) 演法無畏, 猶獅子吼, 其所講說, 乃如雷震.(『维摩诘所说经·佛国品』)

75) 上多眞仙靈官, 宮第比門, 不可勝數. 及有獅子, 辟邪鑿齒, 天鹿長牙, 銅頭鉄額之獸.(『海內十洲記·聚窟洲』)

76) 梁昭明太子遇患風恙, 御醫無減, 吳興太守張僧繇模此二獅子, 密懸寢堂之內, 應夕而愈. 故題曰辟邪, 有此神驗久矣.(『益州名畫錄』卷中·蒲延昌條)

77) 孫常叙, 앞의 글 참조

4

대만 원주민의 홍수신화

1. 들어가면서
2. 대만 원주민의 홍수신화의 유형
    1) 다수의 생존자
    2) 2인의 생존자
    3) 1인의 생존자
3. 대만 원주민의 홍수신화의 주요 에피소드
    1) 불의 획득 혹은 불의 기원
    2) 곡물 종자의 획득과 농경지 조성
    3) 임신부와 쥐
4. 나오면서

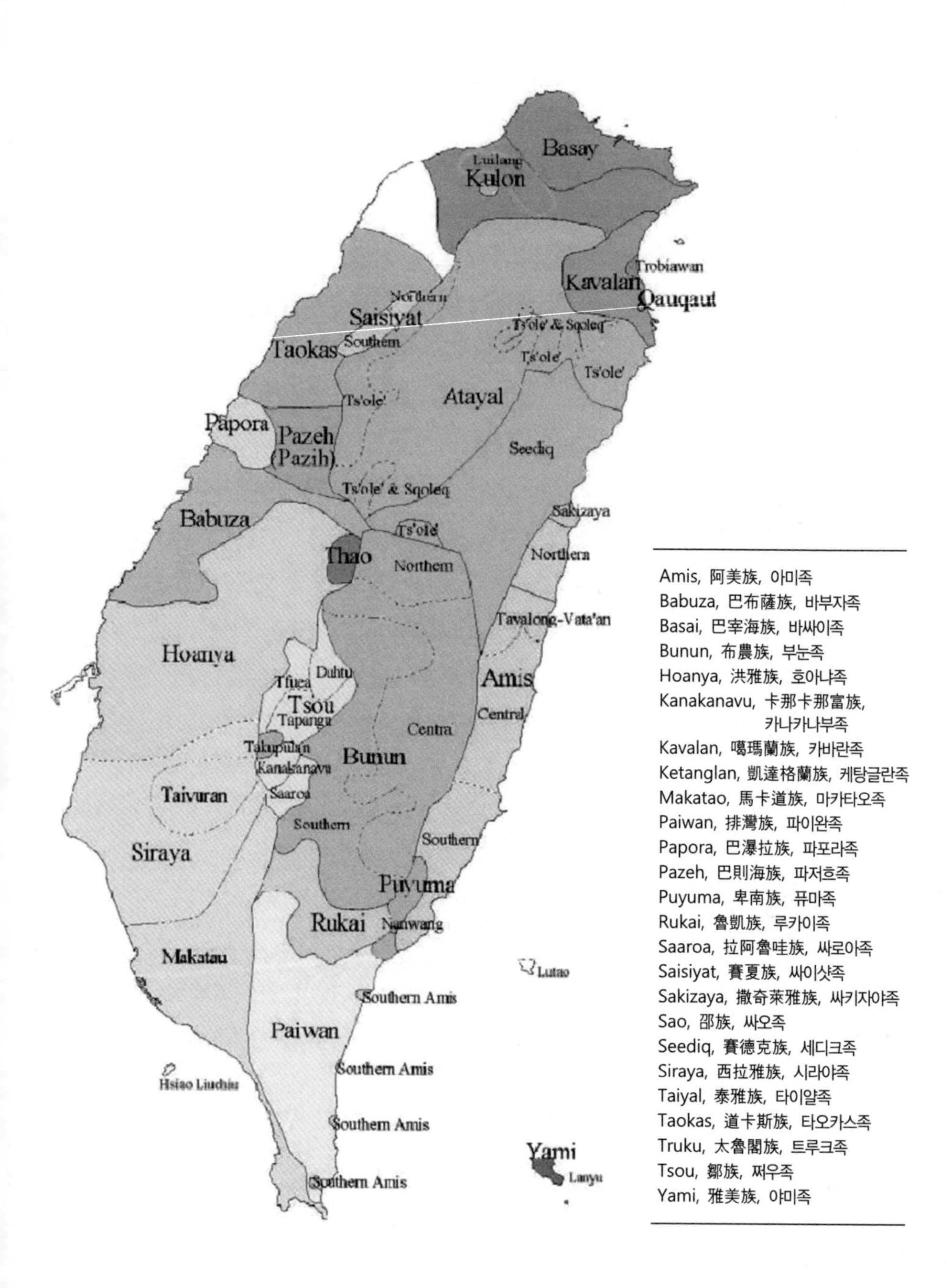

대만 원주민의 분포 및 종족 명칭

1. 들어가면서

2017년 3월에 대만臺灣의 '원주민족위원회'에서 밝힌 인구통계수치에 따르면, 대만 원주민족의 총인구수는 554,585명이며, 대만 총인구의 2.36%를 차지하고 있다. 주지하다시피, 중국에서는 1950년대 초에 진행된 이른바 '민족식별공작民族識別工作'에서 확정된 이래 지금까지 대만의 원주민을 소수민족의 하나인 고산족高山族이라 일컫고 있지만, 대만에서는 소수민족이라는 명칭 대신에 원주민原住民 혹은 원주민족이라는 용어를 사용하고 있다. 대만 원주민족의 구분은 일찍이 일제 강점기에 9족으로 분류된 이래, 대만 당국 역시 1954년에 산포山胞의 각 종족을 확인하는 과정에서 일제 강점기와 마찬가지로 '고산9족高山九族'으로 구분하였다. 9족은 타이얄(泰雅, Taiyal)족, 싸이샷(賽夏, Saisiyat)족, 부눈(布農, Bunun)족, 쩌우(鄒, Tsou)족, 아미(阿美, Amis)족, 퓨마(卑南, Puyuma)족, 파이완(排灣, Paiwan)족, 루카이(魯凱, Rukai)족과 야미(雅美, Yami)족을 가리킨다. 이러한 원주민족 분류법은 2014년 6월 '원주민족위원회'에 의해 16족으로 늘려 확정되었는데, 위의 9개 원주민족 외에 트루크(太魯閣, Truku)족, 세디크(賽德克, Seediq)족, 싸오(邵, Sao)족, 싸키자야(撒奇萊雅, Sakizaya)족, 카바란(噶瑪蘭, Kavalan)족, 싸로아(拉阿魯哇, Saaroa)족과 카나카나부(卡那卡那富, Kanakanavu)족이 원주민족에 추가되었다.[1] 이밖에도 대남시臺南市 지방정부는 시라야(西拉雅, Siraya)족을 원주민족으로 인정하기도 한다.[2]

논의를 시작하기에 앞서 먼저 대만 원주민의 신화를 연구하기 위해 필수불가결한 1차 자료를 간략하게 살펴보기로 한다. 이러한 1차 자료의 간행은 1894년 청일전쟁의 승리에 따른 시모노세키조약의 결과 대만을 할양받은 일본이 식민지를 경영하기 위해 취한 여러 조치와 연관되어 있다. 즉 1898년 제4대 대만총독으로 부임한 고다마 겐타로兒玉源太郎는 일본으로서는 처음인 식민지 경영의 곤란을 타개하기 위한 목적으로 여러 원주민족의 구관舊慣을 조사하기로 하였으며,

이를 위한 기관으로 임시대만구관조사회臨時臺灣舊慣調査會를 총독부내에 설치하였다. 이 조사회는 우선적으로 원주민족의 법제 및 농공상 경제에 관한 구관의 조사를 마무리한 이후, 1909년부터 이들의 관습과 의식주, 생업, 종교 등 광범한 풍속에 관한 조사를 실시하였다. 당시 관습과 풍속의 조사작업에 참여한 이는 언어학자로서 총독부 편수관編修官인 오가와 나오요시小川尚義, 그리고 동경제국대학 인류학 전공자인 사야마 유키치佐山融吉였으며, 이 조사회에 의한 일련의 조사활동을 거쳐 1913년부터 1921년에 걸쳐 『번족조사보고서蕃族調査報告書』(總8冊)가, 그리고 1915년부터 1922년에 걸쳐 『번족관습조사보고서番族慣習調査報告書』(總8冊)가 간행되었다.[3]

이들 보고서 외에 대만 원주민 신화연구를 위해 필수적인 1차 자료로는 두 권의 서적을 들 수 있는데, 그 중의 하나는 사야마 유키치가 1923년에 오니시 요시히사大西吉壽와 공저하여 출간한 『생번전설집生蕃傳説集』이다. 사야마 유키치는 1912년 5월에 임시대만구관조사회에 발탁되어 원주민족의 구관조사에 참여하였으며, 이때의 조사에서 직접 수집한 전설을 엮어 이 저서를 출간하였던 것이다. 다른 하나는 오가와 나오요시와 아사이 에린淺井惠倫이 1935년에 출간한 『원어에 의한 대만고사족 전설집原語による台湾高砂族伝説集』이다. 오가와 나오요시는 1928년에 창립된 대북제국대학臺北帝國大學 문정학부文政學部 언어학교실言語學教室의 교수로서 대만 원주민어를 연구하였는데, 동경제국대학에서 언어학을 전공하고 대만 원주민 언어를 연구하던 아사이 에린과 함께 1930년부터 1932년까지 현지조사를 통해 수집한 자료를 2년간의 편집을 거쳐 이 저서를 출간하였다. 이 저서는 284편의 원주민 전설을 수록하고 있으며, 원주민의 언어를 로마자로 기록하고 일본어 번역을 덧붙인 형태를 취하고 있다.[4]

일제 강점기에 당시 일본의 인류학자와 언어학자의 노력에 의해 수집·정리된 1차 자료들은 이후 중국어로 번역되어 서적으로 출간되거나 인터넷의 전자파일로 공개되었다. 즉 『번족조사보고서』와 『번족

『번족조사보고서』 겉표지

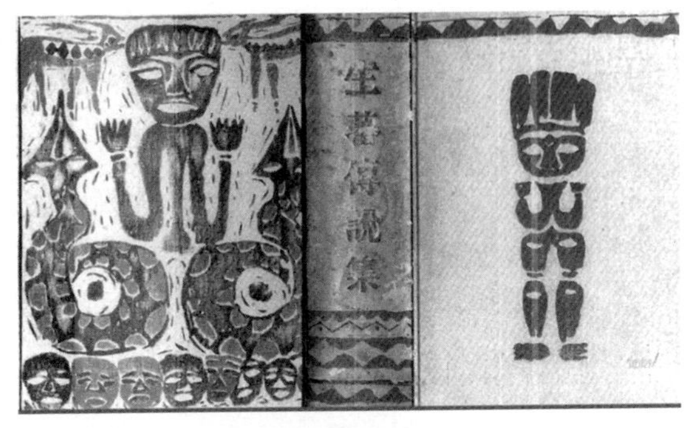

『생번전설집』 겉표지

관습조사보고서』는 1983년에 대만의 남천서국南天書局에서 사진제판에 의한 영인본으로 출판되었다가, 중앙연구원 민족학연구소에 의해 1990년대 말부터 최근에 이르기까지 동일한 제명으로 번역, 출간되었다. 또한 『생번전설집』은 위완쥐余萬居가 1988년부터 이듬해에 걸쳐 동일한 제명으로 번역하였으며(未出刊), 민간학자인 천완춘陳萬春이 2003년 8월에 동일한 제명으로 번역하여 인터넷 전자파일로 공개하였다. 『원어에 의한 대만고사족 전설집』은 위완쥐가 1986년에 『원어실록 대만고사족 전설집原語實錄台灣高砂族傳說集』라는 제명으로 번역

原語による
臺灣高砂族傳說集
THE
MYTHS AND TRADITIONS
OF THE
FORMOSAN NATIVE TRIBES
(TEXTS AND NOTES)

『원어에 의한 대만고사족 전설집』 속표지

『원어에 의한 대만고사족 전설집』 본문

하였으며(未出刊), 천완춘이 2005년에 『원어 대만고산족 전설집原語臺灣高山族傳說集』이란 제명으로 번역하여 인터넷 전자파일로 공개하였다. 이 서적의 단행본 번역본은 천첸우陳千武가 편역하여 『대만원주민의 모국어 전설台灣原住民的母語傳說』이란 제명으로 1991년에 출간한 것인데, 완역본이 아니라 절역본節譯本이다.

일제 강점기에 수집·정리된 1차 자료를 바탕으로 1950년대 이후에도 대만 원주민 신화연구를 위한 자료가 지속적으로, 그리고 광범위하게 축적되었다. 대만 원주민 신화의 연구자들이 개별적으로 채록한 자료들이 대거 추가되었는데, 특히 천궈거우陳國鈞, 웨이후이린衛惠林, 런센민任先民, 쉬스전許世珍, 왕쑹싱王崧興 등이 구전되어오던 텍스트를 많이 발굴해냈다. 이러한 자료 축적에 힘입어 2000년대에 접어들어 린다오성林道生은 『원주민신화·고사전집故事全集』(총5권)을 편저하여 출간하고, 부눈족 출신의 원주민 연구자인 다시우라완達西烏拉彎·비마畢馬(한자명 톈저이田哲益)는 '원주민신화대계原住民神話大系'라는 시리즈로 현재 13권의 저서를 출간했다. 이밖에 쩌우족 출신의 바쑤야巴蘇亞·보이저누博伊哲努(한자명 푸중청浦忠成) 역시 쩌우족을 중심으로 원주민신화의 발굴에 크게 기여하였다.

이 글은 대만의 원주민신화 가운데에서 홍수신화만을 연구대상으로 하며, 이들의 홍수신화의 다양한 양상과 더불어 특징을 살펴보는 것을 일차적인 목적으로 삼는다. 대만 원주민의 홍수신화에 대해서는 일찍이 여러 학자들에 의해 적지 않은 연구가 이루어졌다. 대만 원주민신화에 대한 포괄적인 연구 속에서 홍수신화를 언급하는 연구성과[5] 외에, 홍수신화를 전문적으로 다룬 가장 대표적인 연구성과로는 리후이李卉의 「대만 및 동남아의 동포배우형 홍수전설台灣及東南亞的同胞配偶型洪水傳說」, 루이루鹿憶鹿의 『홍수신화洪水神話 - 중국남방민족과 대만원주민을 중심으로以中國南方民族與臺灣原住民爲中心』, 천젠센陳建憲과 차오잉이曹英毅의 「대만원주민의 홍수재식형 신화 연구臺灣原住民洪水再殖型神話研究」[6] 등을 들 수 있다. 리후이는 대만과 동남아의 동포배우형 홍수신화를 홍수와 남매혼의 선후에 따라 크게 세 유형으로 나누고 있으며,[7] 루이루는 대만의 홍수신화를 '홍수 이후 인류를 재전하는 유형'과 '뱀 혹은 뱀장어가 홍수를 일으키는 유형'으로 나누고 있으며, 천젠셴과 차오잉이는 홍수 이후 생존자가 인류를 다시 전하는 홍수재식형 신화만을 대상으로 하여 크게 남도아형南島亞型 Ⅰ과 Ⅱ로 나누고 있다.[8] 이들의 연구는 대체로 홍수남매혼신화에 중점을 두고 있으며, 중국 남부지방의 홍수신화와의 비교에 관심을 기울이고 있다.

우리나라에서의 대만 홍수신화에 대한 연구는 그리 많지 않은데, 이인택의 대만 원주민신화에 대한 연구와 임추행林秋杏의 「한韓·대臺 홍수남매혼신화의 서사구조 고찰」을 들 수 있을 뿐이다.[9] 이인택은 종족간의 연관성을 파악하는 데 중점을 두고 대만 원주민에 관한 연구를 진행하였으며, 특히 그의 저서 『타이완 원주민신화의 이해』에서 원주민신화 전반에 대해 고찰하는 가운데 제4장 '홍수, 남매혼 모티프 신화'에서 원주민 홍수신화를 상세히 다루고 있다.[10] 제4장의 제목에서도 알 수 있듯이 그의 대만 원주민 홍수신화 연구는 홍수남매혼신화를 주요 대상으로 삼고 있다. 임추행 역시 위의 논문에서 대만 원주민과 한국의 홍수남매혼신화의 서사구조를 비교하여 양국 사이의 공통점과 차이점을 살펴보고 있다. 이로써 우리나라에서의 대만 원주민의 홍수신화에 대한 연구 역시 홍수남매혼신화를 중심으로 이루어지고 있음을 알 수 있다.

이처럼 대만 원주민 홍수신화 연구가 홍수남매혼신화에 치우친 것은 중국의 남서부 소수민족을 중심으로 널리 전승되어온 홍수남매혼신화에 대한 연구가 이미 상당한 수준으로 이루어졌다는 점, 그리고 중국신화 연구자들이 지난날 중국과 대만이 통일된 하나의 제국이었다는 역사적 사실에 근거하여 대만을 중국의 일부로 간주함에 따라 신화 연구에 있어서도 별다른 저항감없이 대만의 신화를 중국의 신화에 편입시키고 있다는 점과 깊은 연관이 있다. 그렇기에 신화연구자들이 대만 원주민 홍수신화의 다양한 면모를 파악하기에 앞서 우선적으로 중국과 대만의 홍수남매혼신화의 비교연구에 관심을 기울였던 것이다. 그렇지만 실제로 대만 원주민신화에는 홍수남매혼신화 외에도 다양한 홍수신화가 존재하고 있으며, 대만 원주민신화가 중국 신화의 일부로서 동일한 계통에 속해 있다고 단언할 근거 또한 아직 없다.

지금까지 살펴본 바대로, 대만 원주민 홍수신화에 대한 기존의 국내외 연구는 유형화에 있어서의 편면성과 홍수남매혼신화에 대한 편향성을 드러내고 있다. 따라서 이 글에서는 무엇보다도 먼저 대만 원주민 홍수신화의 전체적 모습을 그려보기 위해 기존의 연구와는 다른 새로운 기준에 따라 세 가지 유형으로 분류하여 살펴보고자 한다. 아울러 대만 원주민 홍수신화의 지역적 특성을 파악하기 위해 홍수신화에 반복적으로 나타나는 에피소드를 살펴보고, 각각의 에피소드가 지닌 문화적 함의를 분석하고자 한다. 이 글이 중국 중심의 신화 연구에서 벗어나 중국을 포함한 동아시아, 나아가 남도어족(南島語族, austronesian languages)의 신화라는 광대한 틀에서 중국 혹은 대만, 동아시아의 신화를 바라볼 수 있는 첫걸음이 되기를 기대한다.

2. 대만 원주민의 홍수신화의 유형

일반적으로 홍수신화는 '홍수의 발생'과 '홍수에서의 생존', '홍수의 소멸'이라는 세 가지 축을 중심으로 서사된다. '홍수의 발생'은 발생의 원인이 제시되지 않는 경우도 있지만, '인간의 과오와 신의 징벌', '여러 신들간의 분규', '신과 인간의 갈등' 등 다양한 원인이 제시될 수 있다. '홍수에서의 생존'은 다수가 생존하는 경우도 있지만, 1명 혹은 근친인 2명만이 생존하여 인류를 새로이 전해야 하는 경우도 있다. 아울러 '홍수의 소멸'의 서사는 홍수가 저절로 물러가거나 홍수 소멸이 아예 언급되지 않은 경우도 있지만, 홍수를 일으킨 신이 자비를 베풀거나 홍수를 유발한 물체가 제거됨으로써 홍수가 물러나는 경우도 있다. 이렇게 본다면 홍수신화는 대체로 이 세 가지 축과 연관된 다양한 경우의 수의 조합이라고 해도 좋을 것이다. 여기에서는 대만 홍수신화를 무엇보다도 '홍수에서 생존'한 이들이 다수인가, 아니면 1인 혹은 2인인가를 중심으로 살펴보고자 하는데, 생존자의 숫자가 홍수신화의 서사구조에 결정적 영향을 미친다고 보기 때문이다.

1) 다수의 생존자

홍수신화에서 생존자가 다수일 경우에는 생존자가 1인 혹은 2인일 경우처럼 인류를 다시 전승해야 하는 방법을 둘러싼 서사가 이루어질 필요가 없다. 그렇다면 이 경우의 홍수신화에서 서사의 중심으로 자리잡는 것은 무엇일까? 대만의 홍수신화에서는 홍수의 퇴치와 관련된 에피소드가 서사의 중심을 이루고 있다. 먼저 타이얄족의 홍수신화를 살펴보자.

> (타이얄족 타카난사塔卡南社) 옛날에 갑자기 불어나 바닷물을 피해 온 마을 사람들은 높은 산꼭대기로 피신하였다. 산꼭대기에는 먹을 만한 것들이 많았으며, 한 톨의 좁쌀을 반쯤 벗기기만 하면 솥 하나 가득 지어 온 가족이 배불리 먹을 수 있었다. 산 위에서 오래 살다보니 점차 생활이 무료하고 울적하여 홍수를 물리쳐 원래의 산 아래로 내려가 살고 싶었다. 그래서 아주 좋은 개 한 마리를 바닷속에 던져넣어 바다를 위로하였지만, 바다는 전혀 꿈적하지 않고 조금도 성의를 받아들여 물러날 기미가 없었다. 그래서 사람들은 상의한 끝에 아주 빼어난 타이얄인 한 명을 바다에 던졌다. 만족한 바다는 그제서야 물러났으며, 타이얄인은 기쁜 마음으로 원래의 거주지로 돌아갔다.[11]

이 홍수신화에서는 홍수를 퇴치하기 위해 사람을 제물로 바치는 인신공희人身供犧가 등장하고 있다. 타이얄족의 홍수신화에서 인신공희의 대상은 위의 예문에서의 '아주 빼어난 타이얄인' 외에, 대체로 미녀, 우두머리의 딸 혹은 자식, 진남진녀眞男眞女 혹은 멋진 청춘남녀 등이다. 타이얄족에게 있어서 '빼어남, 아름다움, 참됨, 멋짐'을 의미하는 남녀란 '사람 머리를 사냥한 경험이 있는 남자, 베짜기에 능한 여자'[12], 즉 자기 종족의 존속과 유지에 도움을 주는 남녀를 가리킨다. 이렇지 못한 남녀는 악남악녀惡男惡女나 추녀醜女이며, 이들을 제물로 바쳤을 때 바다는 홍수를 거두지 않는다. 이들의 '악惡'과 '추醜'는 단순히 용모상의 못남이 아니라 종족의 존속과 유지에 그다지 도움되지 않음과 관련되어 있다고 보아야 할 것이다.

그런데 인신공희로써 바다 혹은 해신海神을 위무하고서야 홍수가 물러간다면, 비록 홍수의 원인이 구체적으로 적시되어 있지 않을지라도 홍수는 바다 혹은 해신의 진노로 인해 발생했으리라 추측할 수 있다. 타이얄족의 홍수신화에서 홍수 발생의 원인으로서 자주 제기되는 것은 윤리도덕의 타락이며, 남매의 근친상간, 일부다처 등이 조상의 영혼을 분노케 하고 해신의 진노를 불러일으킨다. 이렇게 일어난 홍수를 물리치기 위해서는 윤리도덕을 저버린 남녀를 붙잡아 제물로 바쳐야만 한다.[13] 종족의 존속과 유지에 도움이 되는 남녀를 제물로 바치는 경우와 달리, 이 경우는 종족의 존속과 유지를 위해 종족의 질서를 파괴한 남녀를 제물로 바쳐 바다 혹은 해신의 진노를 달래고 있다.

홍수를 피해 다수가 생존했을 때 홍수신화의 서사가 '홍수의 퇴치'를 주요 내용으로 이루어지는 예는 쩌우족과 부눈족의 홍수신화에서도 엿볼 수 있다.

> (쩌우족 바이젠사排剪社) 옛날에 한 마리 커다란 뱀장어가 강물을 막는 바람에 홍수가 일어났다. 사람들은 홍수를 피해 높은 산 위로 올라갔다. 세월이 오래 지났지만, 모두들 도대체 왜 홍수가 물러나지 않는지 알지 못했다. 이때 한 마리 멧돼지가 말했다. "내가 홍수를 밀어낼게. 하지만 나의 모험에 보답하기 위해 앞으로 내 자식들은 밭에서 토란과 바나나를 먹게 해줘!" 멧돼지는 강물을 틀어막아 홍수를 일으킨

커다란 뱀장어를 찾아내어 한입에 물어죽였다. 홍수는 급속히 빠져나가고, 멧돼지조차도 도망할 틈이 없어서 휩쓸려 어디로 갔는지 알 수 없었다.[14)]

(부눈족 줘사卓社) 커다란 뱀이 방죽 입구를 막아 물줄기를 끊어버린 바람에 홍수가 일어났다. 사람들은 홍수를 피해 높은 산 위로 올라갔다. 마을에 게 한 마리가 살고 있었는데, 많은 사람들이 홍수를 피하려다 생활을 곤란을 겪는 것을 보고서 마음속으로 몹시 걱정되었다. 그래서 게는 뱀을 찾아가 힘을 겨루어보자고 도전하였으며, 조그만 게에게 도전을 받은 뱀은 노기충천하여 게에게 달려들어 한입에 삼켜버리려고 하였다. 그렇지만 게의 껍데기가 아주 단단하여 게를 해치기는커녕 오히려 게의 날카로운 집게발에 물려 뱀의 몸은 두 동강 나버렸다. 뱀이 죽자 홍수가 물러나고 육지가 다시 드러났다. 마을 사람들은 기뻐 뛰며 다시 옛 고향으로 돌아왔다.[15)]

이들 홍수신화에서 홍수를 발생시킨 주인공은 커다란 뱀장어와 뱀이며, 이들 동물은 몸체가 길고 매끈하며 또아리를 튼다는 점을 중요한 신체적 특성으로 공유하고 있다. 아마도 원시인류는 홍수의 발생이 이러한 신체적 특성을 지닌 동물과 밀접한 연관이 있으리라 믿었을 것이다. 한편 홍수를 일으킨 특정 동물을 퇴치한 것은 멧돼지와 게이며, 원시인류는 멧돼지의 주둥이와 어금니, 그리고 게의 집게발이 뱀장어와 뱀을 동강낼 수 있는 유용한 수단이라 여겼을 것이다.

쩌우족의 홍수신화에서 멧돼지는 뱀장어를 물어죽이겠다고 나서면서 자식들의 먹을거리의 안전한 보장을 인간에게 요구하는데, 이 에피소드는 멧돼지가 인간의 밭작물을 파헤쳐 양식을 구하는 생태적 습성을 설명하기 위한 것이라 볼 수 있다. 이와 유사하게 쩌우족의 홍수신화에서는 거대한 게가 뱀장어를 죽이겠노라고 나서면서 인간에게 짐승의 털, 혹은 여인의 음모나 다리털 등을 요구하는데, 이 에피소드 역시 게의 발에 털이 달려 있다는 신체적 특성을 설명하기 위한 것이라 볼 수 있다.

2) 2인의 생존자

생존자가 2인, 특히 남녀 2인으로 이루어진 경우의 홍수신화에서는 대체로 이들 남녀에 의한 인류의 재전승이 서사의 중심을 이루는 반면, 홍수의 퇴치는 서사의 중심에서 밀려나 전혀 서술되지 않는 경우가 대부분이다. 중국 대륙의 홍수남매혼신화에서 엿볼 수 있듯이, 남매간 혹은 모자간의 남녀가 홍수에서 생존하였을 경우에는 인류를 재전승하기 위해 근친상간이라는 도덕률의 위반을 어떻게 정당화할 것인가와 그 도덕률을 위반하였을 때의 결과는 어떠한가를 둘러싸고서 서사가 이루어진다. 그렇다면 대만의 홍수남매혼신화는 어떤 특징을 보여주는가? 여기에서는 먼저 아미족과 파이완족의 홍수신화를 각각 살펴보기로 한다.

> (아미족 다바랑사大巴塱社) 옛날 옛적에 마란사馬蘭社 남쪽의 높은 산에 남신과 여신 두 명이 살았으며, 그들은 여섯 명의 자식을 낳았다. 홍수가 크게 일어났을 때 이들 가운데 오빠와 누이동생은 네모난 나무 절구를 타고 물결 따라 흘러 치미사奇密社 북쪽의 산꼭대기에 이르렀다. 다른 인간이 없었으므로 그들은 남매간임에도 불구하고 부부가 되었는데, 뱀, 도마뱀, 개구리, 거북이 등을 낳았다. 그때 천신이 인간의 흔적을 발견하고서 자식을 보내 살펴보러 오자, 오빠는 그간의 사정을 이야기해주었다. 천신은 그들을 동정하여 제사와 기원 방법을 가르쳐주었으며, 이후 그들은 잘 생긴 자식들을 낳았고, 이들이 지금의 아미족의 조상들이다.[16]

> (파이완족 다냐오완사大鳥萬社) 옛적에 대홍수가 밀어닥쳐 많은 사람이 익사하였는데, 홍수에 휩쓸렸던 남매만이 lagagaz풀을 붙잡아 생존할 수 있었다. 세월이 흘러 성인이 된 남매는 짝을 찾을 수 없어 하는 수 없이 부부가 되었는데, 그들이 낳은 첫 번째 세대는 모두 눈이 멀거나 손이 없고 발이 없는 신체상의 불구를 지니고 있었다. 이후 두 번째 세대의 신체는 조금 나아졌으며, 세 번째 세대의 아이들에 이르

러서야 정상적인 신체를 갖게 되었다. 이후 인구가 늘어나 새로운 부락을 이루게 되었다.[17]

아미족과 파이완족의 홍수남매혼신화는 피신 혹은 생존 수단, 그리고 정상아 출산에 이르는 과정에서 차이를 보여주고 있지만, '홍수의 발생' - '남매의 생존과 결혼' - '이물異物의 출산과 정상의 회복' - '인류의 번성'이라는 기본적 구조를 공유하고 있다.[18] 위의 홍수남매혼신화에서 주목할 만한 점은 남매의 근친상간이라는 금기 위반을 변호하고 정당화할 서사장치로서 '천의 묻기와 징험'의 모티프가 설정되어 있지 않다는 것이다.[19] 주지하다시피 중국 대륙의 홍수남매혼신화에서는 남매 혼인을 위한 '천의 묻기'로서 '활을 쏘아 바늘구멍에 맞추기', '맷돌 굴려 합쳐지기', '불을 피워 연기가 합쳐지기', '누이를 뒤쫓아 따라잡기' 등의 다양한 에피소드가 서술되고 있다.[20]

'천의 묻기와 징험'의 모티프의 탈락은 한족화한 핑푸족平埔族의 홍수남매혼신화에서도 동일하게 드러나고 있다. '천의 묻기'의 모티프가 근친상간을 금기로 여기는 도덕률이 형성되고 난 이후에 설정되었을 가능성이 높다는 점을 고려한다면, 대만의 홍수남매혼신화가 중국 대륙의 그것보다 더 원시적 형태라고 여길만한 가능성을 배제할 수 없다. 그런데 '천의 묻기와 징험'의 모티프가 탈락한 대신에 아미족의 홍수남매혼신화에는 특이한 에피소드가 부가되어 있는데, 이는 근친상간의 금기 위반으로 말미암은 징벌을 회피할 수 있는 방법과 관련되어 있다. 그 방법으로는 위에 예시된 아미족의 홍수남매혼신화에서처럼 천신이 알려준 대로 제사를 지내 기원하는 것 외에도, 행방行房할 때에 구멍이 뚫린 돗자리 혹은 양가죽으로 중간을 가로막거나 누이의 얼굴과 상반신을 짐승가죽으로 가리는 등의 방법이 서술되어 있다.[21]

금기 위반으로 인한 징벌을 회피할 수 있는 방법과 관련된 에피소드는 퓨마족의 홍수신화에도 나타나 있다. 퓨마족의 홍수신화에 따르면, 홍수의 재난에서 다섯 형제자매가 살아남지만, 홍수가 물러간 후 이들 가운데 두 남매가 해와 달이 되고 남은 세 남매 가운데 두 사람이 결혼하여 부부가 된다. 따라서 생존한 이는 다섯 명이지만, 인간세상에 남은 것은 오직 남매 두 사람뿐인지라 생존자가 2인인 경우와 크게 다를 바가 없다. 남매는 결혼하여 물고기, 새우, 게, 새 등을 낳는데, 해와 달로부터 담을 사이에 두고 구멍을 뚫어 아내와 교접하거나 구멍을 뚫은 짐승가죽을 사이에 두고 교합하라는 조언을 듣는다.[22] 아미족과 퓨마족의 홍수남매혼신화에서 이러한 방법에 따라 행방을 치른 남매는 다시 돌을 낳지만, 결국 돌에서 정상적인 인간이 태어남으로써 인류를 번성시킨다.

대만의 홍수신화 가운데 남매만이 홍수에서 생존하였음에도 불구하고 일반적인 홍수남매혼신화와는 다른 서사를 보여주는 이야기들이 있다. 이를테면 카바란족葛瑪蘭族의 홍수신화에 따르면, 홍수에서 살아남은 남매는 토지 소유를 둘러싸고 불화를 겪은 끝에 산의 위아래에 나뉘어 살게 되었으며, 오빠는 암캐와 결혼하여 아들을 낳고 누이동생은 오빠와 함께 목욕하면서 임신하여 아이를 낳아 각각 다른 족속이 된다.[23] 아울러 루카이족의 홍수신화에 따르면, 대홍수에서 남매가 살아남았지만, 여동생은 하늘에서 떨어진 빈랑나무의 열매를 먹고서 감응하여 임신한 끝에 사내아이를 낳는다. 남매는 또한 태양신의 지시에 따라 '날이 밝을 때 아이의 울음소리를 듣게 해주세요'라는 주문을 외운 끝에 남녀 아이를 얻게 되고 이들의 근친상간에 의해 불구의 아이들을 낳는다.[24] 이들 홍수신화는 비록 '홍수의 발생'과 '남매의 생존'에 이르기까지는 일반적인 홍수남매혼신화와 동일하지만, 그 이후의 서사는 사뭇 다른 홍수남매혼신화의 변이형이라 할 수 있다.

3) 1인의 생존자

대만의 홍수신화 가운데에는 홍수로부터 한 사람만이 살아남는 이야기가 있다. 이처럼 한 사람만이 생존한다면, 남녀 2인의 생존자의 경우처럼 인간 스스로의 힘으로 인류를 재전승할 수는 없다. 그렇다면 생존자가 1인인 홍수신화는 인류의 재전승을 위해 서사를 어떻게 전개해야 할 것인가? 이를 살펴보기 위해 싸이�족의 홍수신화를 살펴보기로 하자.

> (싸이샷족) 먼 옛날 엄청난 해일이 일어나 육지가 모두 바다로 변하고 오직 높은 산꼭대기만 밖으로 드러나 있을 뿐이었다. 그때 베틀의 몸통 부분이 바닷물을 따라 떠내려오자, 신이 그것을 건져내 그 안에 있는 어린아이를 발견했다. 신은 그 어린아이를 죽여 그의 살과 뼈와 창자를 잘게 잘라 나뭇잎에 싸서 바닷속에 던졌으며, 그 조각들은 인간으로 변하였다. 살에서 변한 것은 싸이샷족의 조상이고, 뼈에서 변한 것은 타이얄족의 조상이며, 창자에서 변한 것이 객가인客家人의 조상이다.[25]

위에 예시된 홍수신화에서 유일한 생존자는 어린아이이지만, 때로 다른 이야기의 홍수신화에서는 성인 남자가 유일한 생존자로 등장하기도 한다. 싸이샷족의 홍수신화에서 이 유일한 생존자는 대체로 베틀이나 기물機物을 타고서 목숨을 건진다. 이처럼 생존자가 한 명밖에 남지 않았기 때문에, 인류의 재전승을 위해서는 신이 개입할 수밖에 없다. 그리하여 신은 유일한 생존자를 죽인 후 시신을 잘게 잘라 물속에 던져넣으며, 잘게 잘려진 시신의 조각들은 위의 홍수신화처럼 여러 종족의 조상으로 변한다. 이때 시신의 각 부위는 종족과 관련지어 특정한 의미를 지니게 된다. 즉 살은 그 질감에 맞추어 생기 넘치고 귀여운 특성을 나타내고, 창자는 그 모양에 따라 수명이 길고 자손이 끊이지 않는 특성을 나타내며, 뼈는 그 성질에 따라 기개가 넘치고 성격이 억센 특성을 나타낸다.[26]

위의 홍수신화와 서사구조는 유사하지만, 서사내용이 약간 다른 싸이샷족의 홍수신화를 살펴보자.

(싸이샷족 싸이와뤄사賽瓦洛社) 태고적에 대홍수가 일어나 온 땅이 망망대해로 변했다. 어느 남매가 베틀을 타고서 살아남아 산꼭대기에 닿았지만 얼마 지나지 않아 여동생이 죽었다. 오빠는 여동생의 시신을 안고 통곡한 후 시신을 잘게 자른 다음, 그 한 조각을 나무 잎사귀로 싸서 베틀의 바디에 넣어 물속에 던졌다. 그러자 시신 조각이 홀연 사람으로 변했으며, 오빠는 그를 끌어내어 그에게 떠우나이斗乃라는 이름과 두豆라는 성姓을 주었다. 이어 같은 방식으로 변한 사람들에게 각각 일日, 풍風, 종鍾, 사士, 고高, 해蟹, 전錢, 하夏 등의 모두 아홉 개의 성과 이름을 부여하였다.[27]

싸이샷족의 이 홍수신화에서는 홍수의 재난 속에서 남매가 생존하였지만, 여동생이 죽음으로써 오빠만이 유일한 생존자로 남게 된다. 유일한 생존자가 된 오빠는 신의 역할을 대신한 신격으로서 여동생의 시신을 잘게 잘라 물속에 던진다. 이때 시신의 조각은 베틀의 바디에 넣어 물속에 던져지는데,[28] 여기에서 베틀은 홍수로부터의 피신수단일 뿐만 아니라 죽음을 이기는 재생의 수단이 되고 있다. 이를 통해 싸이샷족의 의식세계에서는 직포기기織布機器인 베틀이 단순히 직물을 만드는 기능을 뛰어넘어 생명을 유지하고 번식시키는 신성성을 부여받고 있음을 짐작할 수 있다. 아울러 이 홍수신화에서는 시신의 조각에서 변한 인간이 여러 성씨의 기원이 되고 있음을 보여준다.

이 두 편의 홍수신화에서 신(혹은 신격)이 사람을 죽이는 행위는 (단수의) 죽음을 통한 (다수의) 재생의 의미를 담고 있다는 점에서 단순한 살인이 아니라 신화적 살인이 된다. 이 신화적 살인은 마치 하이누웰레Hainuwele를 죽여 그녀의 시신 조각을 곳곳에 묻음으로써 각종 농작물을 길러내는 것과 같으며, 한 사람을 죽임으로써 모든 인류가 영생의 구원을 얻는 것과 같다. 이러한 신화적 살인은 중국의 홍수남매혼신화에서 약간의 변형을 거쳐 나타났던 바, 근친상간의 징벌로 낳은 살덩어리나 숫돌, 가죽끈 등의 이물이 잘게 찢기거나 쪼개져 인간으로 변하였으며, 이 인간 역시 싸이샷족의 홍수신화에서처럼 여러 족속의 조상 혹은 여러 성씨의 기원이 된다.

3. 대만 원주민의 홍수신화의 주요 에피소드

지금까지 서사학의 관점에서 대만 홍수신화의 서사구조를 중심으로 세 가지 유형을 살펴보았거니와, 여기에서는 홍수신화의 서사를 풍요롭게 만들어주는 에피소드를 살펴보고자 한다. 이들 에피소드는 홍수신화를 이루는 필수불가결한 서사내용이라고는 할 수 없지만, 원주민 거주지역의 자연환경이나 원주민의 경제활동 및 생활습속과 결합함으로써 대만 홍수신화 나름의 지역적 특성을 잘 보여주고 있다. 여기에서는 크게 세 가지 에피소드를 중심으로 살펴보기로 한다.

1) 불의 획득 혹은 불의 기원

대만 원주민의 홍수신화에서 가장 자주 등장하는 에피소드는 불의 획득이나 불의 기원과 관련된 에피소드인데, 대체로 '불 가져오기'와 '불 피우기'의 두 가지 양태를 보여준다. 이 에피소드는 대만의 여러 원주민, 특히 쩌우족, 부눈족, 파이완족, 루카이족, 아미족 등의 홍수신화에서 두루 발견된다.[29] 이들 원주민의 거주지역이 대무산大武山(3092m), 지본산知本山, 옥산玉山(3952m) 등의 고지대의 산간이라는 점을 감안한다면, 이 에피소드의 광범위한 분포는 아마도 산악지대에 거주하는 원주민의 생활에 있어서 불이 차지하는 절대적 중요성과 깊이 연관되어 있을 것이다. '불 가져오기' 혹은 '불 피우기'의 에피소드는 커다란 뱀장어나 뱀이 강을 가로막아 일어난 홍수로 다수의 사람이 살아남는 쩌우족과 부눈족의 홍수신화는 물론, 홍수의 재난 속에 남매만이 살아남은 파이완족과 루카이족의 홍수신화에서도 매우 유사하게 나타나고 있다. 먼저 '불 가져오기'의 대표적인 홍수신화로서 쩌우족의 신화를 살펴보기로 하자.

(쩌우족 루푸터사魯富特社) 뱀장어 한 마리가 하천에 가로누워 상류를 막아버린 바람에 강물이 넘쳐 대지가 망망대해로 변해버렸다. 사람들은 옥산玉山으로 피신하였는데, 옥산에 불이 없었는지라 koyoisi새를 고용하여 먼 곳에 날아가 불을 구해오게 하였다. Koyoisi새는 날아가 불을 구하긴 했지만, 나는 속도가 그다지 빠르지 않아 불을 안전하게 옥산으로 운반하지 못했다. 그래서 모두들 다시 Uhungu새에게 불을 구해달라고 부탁했다. Uhungu새는 빠른 속도로 날아가 불을 구해 돌아왔다. Uhungu새의 공로 덕분에 사람들은 Uhungu새가 논 가운데에서 곡류를 쪼아먹도록 내버려둔다. 불을 구하지 못한 Koyoisi새는 논의 가장자리에서 주워 먹을 수밖에 없다.[30]

'불 가져오기'를 시도하는 동물로는 조류가 가장 많이 등장하지만, 이밖에도 산양이나 산강山羌, 다어장達俄降, 염소, taoron, 사슴 등 대만에서 흔히 볼 수 있는 동물들, 그리고 두꺼비나 개구리, 도마뱀 등도 등장한다. 불을 가져오는 데에 참여하거나 성공한 동물들은 그 공로로 인해 인간으로부터 특별한 혜택과 사랑을 받게 되는데, 이는 그 동물의 생태적 습성이나 신체적 특징과 연관이 있다.[31] 위에 제시된 신화가 Uhungu새와 Koyoisi새의 먹이활동과 관련된 생태적 습성을 보여주고 있다면, 불씨를 구해온 수고를 위로하여 많은 사람들이 쓰다듬는 바람에 산강山羌의 몸이 새끼처럼 작아지거나[32] 다어장과 taoron의 털이 반짝이고 몸집이 작아졌다는 것[33], 그리고 불을 가져오느라 주둥이가 빨개졌다는 것[34] 등은 해당 동물의 신체적 특징을 보여준다고 할 수 있다. 이밖에 '불 가져오기'에 참여하거나 성공한 동물들을 죽이지 못하도록 금지하거나 죽이지 않겠다고 약속한 경우도 있다.[35]

이어 '불 피우기'의 대표적인 홍수신화로서 파이완족과 루카이족의 신화를 살펴보자.

(파이완족 다냐오완사大鳥萬社) 대지에 대홍수가 일어나 남매 두 사람만이 운좋게도 그들은 lagagaz풀을 붙들고서 생명을 건졌다. 그들은 지렁이의 똥이 쌓인 높은 산언덕에 새로이 거처를 정하였지만, 불이 없었기 때문에 고민에 빠졌다. 그런데 우연히 딱정벌레 한 마리를 보았는데, 몸에 불이 붙은 작은 곤충을 입에 물고 있었다. 남매는 이상히 여겨 딱정벌레에게 다가가 그것을 잡아 집에 돌아온 후, 작은 곤충의 몸에서 불을 붙여 매일 조심스럽게 불씨를 간직했다.[36]

(루카이족 마오린향둬나茂林鄕多娜·완산부락萬山部落) 대홍수가 일어나자 사람들은 높은 산으로 도망쳤지만, 그들에게는 불씨가 없는지라 강羌을 보내 불을 구해오게 하였다. 강羌은 불을 구해 뿔 위에 매달아 돌아오지만, 불이 너무 빨리 타서 뿔을 태우게 되자 고통을 참을 수 없어 뿔을 물에 담그는 바람에 불이 꺼지고 말았다. 사람들은 좋은 생각이 떠오르지 않아 고민하던 터에 파리가 손을 비비는 것을 보고서 나뭇가지를 비벼 불을 피웠다.[37]

위의 파이완족의 홍수신화는 누군가에게 부탁하여 불씨를 외부에서 가져오는 것이 아니라, 우연히 얻은 불씨로 불을 피우는 경우를 보여준다. 이러한 경우에 흔히 등장하는 것이 딱정벌레나 풍뎅이와 같은 갑충류甲蟲類이며, 갑충류의 입에 물려 있는 심지로부터 불을 피우게 된다.[38] 또한 위의 루카이족의 홍수신화는 우연한 불의 획득에서 벗어나 벌레나 동물의 동작에 대한 의도적 모방을 통해 불을 피우는 경우를 보여준다. 즉 생존자들은 파리가 손을 비비는 행위를 모방하여 나뭇가지를 마찰함으로써 불을 획득하게 되었던 것이다. 이와 같은 의도적 모방에 의한 '불 피우기'는 파리나 벌레가 발끝을 비비는 것을 보거나 쉬파리가 나무에 구멍을 뚫다가 불을 얻는 것을 보고서도 이루어진다.[39]

물론 일부 홍수신화에서는 이러한 의도적 모방에 의하지 않고서도 나뭇가지에 구멍을 뚫거나 나뭇가지를 마찰하여 불을 피우기도 한다.[40] 그러나 이러한 경우는 '불 피우기' 방법을 이미 알고 있었다고 전제하지 않는 한, 벌레나 동물의 동작에 대한 의도적 모방이 서사에서 탈락하였으리라 보아도 좋을 것이다. 오히려 우리가 주목하는 것은 '불 가져오기'와 '불 피우기'의 시도가 결합되어 나타나는 홍수신화이다. 이러한 일례로서 아미족의 홍수신화를 살펴보자.

> (아미족 더우란사荳蘭社) 대홍수 속에서 남매는 절구를 타고서 살아나 높은 산에 닿았지만 불을 가지고 있지 않았다. 남매는 불을 얻기 위해 먼저 나무를 서로 마찰하였으나 시간이 너무 걸려 실패하고 말았다. 그래서 남매는 Tatachu새에게 불을 구해오라고 부탁하였는데, Tatachu새는 불을 구해 돌아오는 길에 조심하지 않아 불씨를 바다에 빠뜨리고 말았다. 남매는 다시 지네에게 불을 가져오라고 하였으나, 지네가 가져온 불은 금방 꺼져버리고 말았다. 남매는 하는 수 없이 흰 돌을 부딪쳐 불을 피우고, 이를 자손에게 전해주었다.[41]

위의 아미족의 홍수신화에서는 나무 마찰에 의한 '불 피우기'가 실패하고, 또 새와 벌레에 의한 '불 가져오기'가 실패한 끝에 돌의 마찰에 의한 '불 피우기'를 성공시키는 과정을 서술하고 있다. 이처럼 '불 가져오기'와 '불 피우기'의 시도가 결합된 예는 루카이족의 홍수신화에서도 살펴볼 수 있다. 즉 홍수에서 생존한 남매가 기름을 바른 소나무 가지에 부싯돌로 불을 피우지만 얼마 후 꺼지고 만다. 결국 남매는 사슴에게 불을 구해달라고 부탁하지만 실패한 끝에, 여동생의 이마에 달라붙은 벌레가 다리를 비비는 동작을 모방하여 나뭇가지를 비벼 불을 피우게 된다.[42] 위의 아미족의 홍수신화와 비교해보면, 루카이족의 홍수신화는 나무 마찰에 의한 '불 피우기'와 돌의 마찰에 의한 '불 피우기'가 순서를 뒤바꾸었을 뿐, 서사구조는 거의 동일하다고 볼 수 있다.

대만의 홍수신화에 서술되어 있는 '불 가져오기'의 에피소드는 대만의 원주민이 홍수 발생 이전에 이미 불의 존재는 물론 불의 사용을 통한 편리, 즉 음식을 익히고 몸을 따뜻하게 하며 환히 밝혀주는 기능을 알고 있음에 반해 불을 피우는 방법에 대해서는 아직 알지 못한 상태임을 시사하고 있다. 반면 '불 피우기'의 에피소드는 대체로 '불 가져오기'와 결합된 형태가 대부분인데, 불의 기원에 관한 대만 원주민의 상상력을 잘 보여주는 바, 의도적 모방에 의한 불의 획득과 나무나 돌의 마찰에 의한 불의 획득을 제시하고 있다. 이 가운데에서도 나무의 마찰에 의한 불의 획득으로서 나무의 구멍에 막대기를 집어넣어 빠르게 돌림으로써 불을 획득하는 방식(fire-dril)과 톱을 켜듯이 나무를 서로 문질러 불을 획득하는 방식(fire-saw)을 언급하고 있다.[43]

2) 곡물 종자의 획득과 농경지 조성

대만 원주민의 홍수신화 가운데 불의 획득 혹은 불의 기원을 다루는 에피소드는 주로 대만의 동남부 산악지대에 거주하는 쩌우족, 부눈족, 파이완족, 루카이족, 아미족에서 발견되고 있는데, 이들 원주민의 홍수신화에 흔히 나타나는 또 다른 에피소드는 농경문화와 연관된 에피소드이다. 이러한 에피소드는 주로 곡물의 종자를 구하거나 농사를 지을 수 있는 경작지를 조성하는 내용을 담고 있다. 먼저 홍수 후에 곡물의 종자를 구하는 신화로서 아미족의 홍수신화를 살펴보기로 하자.

> (아미족 더우란사荳蘭社) 큰비가 내려 홍수가 나는 바람에 누나와 남동생을 제외한 모든 사람이 익사하였다. 그들은 나무절구를 타고서 떠내려가다가 과천산戈千山 위에 닿았다. 홍수가 물러가자 그들은 물길을 따라 어느 마을로 내려왔으며, 그곳에서 조와 밭벼의 씨앗을 발견하였다. 나중에 홍수가 완전히 물러나자 그들은 다시 더우란荳蘭으로 이주하여 고구마의 씨앗을 찾아냈다. 그들은 이들 씨앗으로 경작을 시작하였다.[44]

위의 홍수신화에서 누나와 남동생은 홍수가 물러간 후 마을로 내려와 조와 밭벼, 고구마의 씨앗을 발견하여 농사를 재개한다. 곡물의 종자는 위의 경우처럼 홍수가 물러간 후에 돌아온 마을에서 발견하기도 하고, 산에 피신했다가 뭍에 남아 있던 조와 고구마를 발견하기도 하며, 배를 타고 떠돌다가 물 위에 떠 있는 쌀과 조를 건져내기도 하고, 절구에 묻어 있는 조를 발견하기도 한다.[45] 때로는 오빠와 결혼하여 임신한 여동생의 귀에서 최초의 조의 낟알이 생산되기도 하고, 오빠의 귀에서 조와 벼가 한 톨씩 빠져나오기도 한다.[46] 부눈족의 홍수신화에서는 홍수가 물러난 후 부족민들이 풀에 걸려 있는 조를 발견하여 재배하기도 한다.[47]

이처럼 곡물의 종자는 우연히, 혹은 농기구에서 발견되거나, 혹은 인간의 신체 기관에서 빠져나오기도 하지만, 때로는 천신이 내려보낸 아들들이 조, 찹쌀, 대나무, 바나나, 생강 등의 식물을 남매에게 주고 경작과 식용의 방법을 가르쳐주기도 한다.[48] 곡물의 종자가 신이한 방법, 이를테면 신체 기관에서 빠져나오거나 신에게 제공받는 경우에는 조상이나 신에게 수확에 대한 제의를 거행한다. 또한 부눈족의 홍수신화에서는 조가 걸려 있던 풀을 신성시하는데, 이 풀에 대한 감사의 의미로 부족민들은 경작할 때 이 풀을 뽑는 일을 금기로 여긴다.

이어 경작지의 조성을 언급하고 있는 신화로서 파이완족의 홍수신화를 살펴보자.

> (파이완족 가오스푸부락高士佛部落) 대지진으로 대홍수가 일어나 모든 사람이 죽었는데, 남매 두 사람만이 풀을 붙잡고 살아났다. 홍수가 물러간 뒤 지렁이가 번식하여 똥을 누자, 그 똥이 딱딱해져 곳곳에 산언덕을 형성하였다. 두 사람이 어찌 살까 고민할 때 어디에선가 쥐들이 조 이삭과 고구마를 물어오고 개들이 솥과 고구마를 가져왔다. 남매는 크게 기뻐하여 조와 고구마를 솥에 넣어 삶아 먹고 남은 조와 고구마를 땅에 심었다.[49]

위의 파이완족의 홍수신화는 지렁이가 배설한 똥이 쌓여 경작지의 땅을 형성하였다는 것, 그리고 여러 동물들의 도움으로 각종 농작물을 구하였다는 것을 서술하고 있다. 위의 홍수신화에서는 대체로 지렁이가 경작지의 땅의 형성에 기여하고 있지만, 매우 드물게 도마뱀이 이 역할을 수행하는 경우도 있다.[50] 아울러 지렁이의 역할을 적극적으로 활용하는 신화도 있다. 즉 물이 물러난 후 생존자들의 우두머리가 나뭇가지에 걸려 있는 지렁이를 발견하고 그에게 먹을거리를 주었더니 그가 싼 똥이 흙이 되어 경작지가 생겨났다는 것이다.[51] 파이완족은 지렁이가 배출한 흙으로 인해 땅이 물러져 조와 고구마를 심기에 알맞으며, 사람들이 경지의 흙을 잘게 부수는 것은 지렁이의 이와 같은 행동을 모방한 것이라 여긴다.[52]

루카이족에게는 아미족의 홍수신화에 나타나는 곡물 종자의 획득과 관련된 에피소드와 파이완족의 홍수신화에 나타나는 경작지 형성에 관한 에피소드가 약간의 변형을 거쳐 결합된 홍수신화가 존재한다. 즉 홍수의 재난 속에서 남매가 살아남았는데, 여동생은 하늘에서 떨어진 빈랑을 먹고서 아들을 낳는다. 여동생과 그녀의 아들의 요청에 따라 태양신은 1남 1녀를 보내주었으며, 이 아이들이 자라 결혼하여 소경과 절름발이를 낳는다. 이 부부 가운데의 남편인 Kalimatau는 각지를 돌아다니면서 사람들에게 조이삭을 나누어주어 재배케 하고, 바위투성이인지라 초목이 자라지 못하는 땅을 보면 지렁이에게 곳곳에 똥을 배설하도록 명하여 토양을 형성케 한다.[53] 이 홍수신화에서는 태양신이 보내주었다는 점에서 신인의 성격을 지닌 Kalimatau가 곡물 종자의 획득과 경작지 형성에 직접 간여한다는 점에서 앞에서 살펴본 홍수신화와는 다른 특징을 보이고 있다.

곡물 종자의 획득과 관련된 에피소드에는 조와 고구마가 주로 등장하는데, 이는 물론 아미족을 비롯한 대만 원주민이 경작하는 주요 농작물이라고 할 수 있다. 그런데 여기에서 주목할 만한 점은 곡물 종자의 획득을 다룬 에피소드가 신이나 신인에 의해 주어지는 경우를 제외하고 대체로 곡물의 기원을 다루고 있다기보다는, 홍수 발생 이후에 곡물을 다시 획득하게 된 경위를 설명하는 데에 초점이 맞추어져 있다는 것이다. 이 에피소드는 주요 거주지인 산간계곡에서 발생하는 홍수가 평야지대의 홍수와 달리 곡물을 비롯한 모든 생활자원을 삽시간에 쓸어가는 버리는 특성을 지니고 있다는 점에서, 홍수 이후의 생존을 위해 곡물 종자의 획득이 매우 중요한 과제였음을 보여주고 있다. 아울러 지렁이에 의한 경작지 형성에 관한 에피소드는 지렁이가 흙속의 유기물을 섭취하고서 소화기관을 통하여 흙을 배설한다는 생태적 습성을 반영하고 있다. 이른바 지렁이의 분변토가 자연친화적인 건강한 흙으로서 토질을 비옥하게 만들어준다는 점에서, 이 에피소드는 척박한 자연환경으로 인한 경작지의 부족을 극복하려는 파이완족을 비롯한 대만 원주민의 의지와 노력이 신화적으로 표출된 것이라 할 수 있다.

3) 임신부와 쥐

타우족達悟族은 대만 본도의 동남쪽 바다에 위치한 란위蘭嶼에 주로 거주하고 있는 원주민이며 인구는 4천여 명에 지나지 않는다. 총면적 48.3892km²의 란위는 대부분이 산지이고 가장 높은 곳이 해발 548m의 홍두산紅頭山이다. 이렇듯 바다에 둘러싸인 작은 면적의 섬이고 인구수도 결코 많지 않음에도 불구하고, 타우족의 홍수신화는 얼핏 보면 단순하게 보이지만 변이형이 매우 많은 특징을 보이고 있다. 타우족의 대표적인 홍수신화는 임신부가 흰 돌이나 산호를 뒤집음으로 인해 홍수가 발생한다는 내용을 담고 있다. 그런데 이 홍수에서 생존한 사람들의 숫자는 1인, 2인 혹은 다수 등으로 매우 다양한 양상을 보인다. 게다가 이들 생존자에 의해 인류의 재전승이 이루어지는 것이 아니라, 천신이 인간세상에 내려보낸 두 손자인 석생인石生人과 죽생인竹生人에 의해 인류가 재전승되는 이야기와 결합하기도 한다. 심지어 두 이야기가 반대로 결합하여 석생인과 죽생인에 의한 인류의 창조에 뒤이어 홍수 발생의 이야기가 전개되기도 한다.[54] 이처럼 매우 다양한 변이양상을 보여주긴 하지만, 타우족의 홍수신화는 대부분 홍수발생의 원인으로서 임신부의 에피소드를 서술하고 있다고 볼 수 있다. 이러한 원형으로서의 임신부 에피소드를 보여주는 대표적인 일례를 살펴보자.

> (타우족) 어느 임신부가 이모와 함께 물을 길러 바닷가에 나갔다가 물을 구하지 못한 채 앉아 쉬다가 흰색의 산호초를 보았다. 그녀가 그것을 뒤집자 바닥에서 물이 솟구쳐 올랐는데, 어찌 된 일인지 작은 구멍에서 쉬지 않고 바닷물이 솟구쳐오르고, 갈수록 높이 불어났다. 깜짝 놀란 두 여인은 마을로 도망치면서 "해일이 온다!"고 외쳤으며, 마을 사람들은 허둥지둥 높은 산으로 피신하였다. 해일은 온 마을을 집어삼켰다. 살아남은 사람들은 굶주림에 시달리던 끝에 하늘의 신에게 구해달라고 기도하였는데, 하늘에서 쥐가 떨어져 내렸다. 사람들은 쥐를 바다에 던지고 신의 법력으로 바닷물을 빨아들여달라고 기도하였다. 바닷물이 서서히 줄어들자 사람들은 마을로 돌아가 생기를 되찾았다.[55]

위의 홍수신화는 '홍수의 발생'과 '홍수에서의 생존', '홍수의 소멸'의 세 가지 주요 축을 모두 갖추고 있는데, '홍수의 발생'과 관련지어 임신부의 에피소드를, '홍수의 소멸'과 관련지어 쥐의 에피소드를 제시하고 있다. 먼저 임신부와 관련된 에피소드를 살펴보자. 임신부는 이모 외에도 노부인과 함께 바닷가에 나가기도 하는데, 타우족의 홍수신화에서는 홀로 나가는 경우가 가장 많다. 또한 물을 길기 위한 목적 외에도, 먹을거리를 마련하기 위해서거나 바닷기운을 쐬기 위한 목적으로 바닷가에 나가기도 한다. 아울러 임신부가 뒤집는 것은 흰색의 산호 외에 대부분 돌멩이나 흰색의 돌이며, 임신부가 뒤집는 행위가 아예 생략된 경우도 있다.[56] 이러한 약간의 차이가 있긴 하지만,

타우족의 홍수신화에서 바닷가에 나간 임신부의 에피소드를 지닌 이야기가 많은 것은 이 원주민의 거주지역이 폐쇄된 섬이라는 생활조건이나 자연환경과 밀접한 연관이 있을 것이다.

그런데 바닷가에 나간 임신부의 에피소드와 관련지어 주목할 만한 것은 타우족의 여성에 관한 다양한 금기이다. 즉 타우족은 남편이 바다에 나가지 않은 채 아직 바닷가에 있을 때, 아내와 자식은 절대로 집을 떠나서는 안 되고, 바닷가에서 물고기를 낚을 때에도 바닷가에서 돌을 던져서는 안 되며, 고기잡이에 나쁜 영향을 줄 수 있으므로 어선에 올라가서는 안 된다고 믿는다.[57] 여성 중에서도 월경중인 여성, 임신한 여성, 해산한 여성에 대한 금기는 세계 곳곳에서 발견되는데, 대체로 이러한 여성들은 오염된 존재로서 정화의 대상으로 간주되었으며,[58] 특별히 마련한 장소에 이들을 격리함으로써 이들의 위험한 힘을 중화할 수 있다고 믿었다.[59] 바닷가에 나간 임신부가 홍수를 불러온다는 에피소드는 아마도 이러한 금기의 위반이 재난의 위험을 초래한다는 원시인류의 사고를 반영한 것이라 보여진다.

이어 쥐를 던져 홍수를 물리치는 에피소드를 살펴보자. 위의 홍수신화에서는 천신이 내려보낸 쥐를 바다에 던지지만, 타우족의 다른 홍수신화에서는 하늘에서 떨어지거나 산 위에서 붙잡은 쥐를 찢어 바다에 던지거나 산 위에서 구한 죽은 쥐를 바다에 던져 바닷물을 물리친다.[60] 쥐는 인간이 정주생활을 영위한 이래 인간의 삶과 가장 가까운 위치에서 함께 살아온 동물로서, 대만뿐만 아니라 세계 곳곳의 신화 속에서 흔히 위기에 처한 인간의 생존을 도와주는 영험한 존재로 그려진다.[61] 타우족에게는 아버지가 예비식량으로 남겨둔 고구마 줄기를 훔쳐먹은 아들이 아버지에게 들켜 손발이 묶인 채 동굴에 버려졌을 때 쥐가 나타나 묶은 끈을 갉아 끊어주었다는 전설이 있는데, 이 전설에서의 쥐의 도움 역시 조상의 신령을 의미하는 anito의 동정에서 연유한 영험성을 띤 행위이다.[62] 이처럼 위의 홍수신화에서도 타우족은 쥐의 신체가 바닷물을 빨아들이는 신통력을 지니고 있다고 믿었던 듯하고, 신이나 하늘에 기도를 드림으로써 자신들의 행위에 신성성을 부여하고 있다.

4. 나오면서

지금까지 대만 원주민의 홍수신화의 전체적인 양상을 조망하기 위해 홍수의 재난에서의 생존자의 숫자를 중심으로 세 가지 유형을 살펴보고, 아울러 홍수신화의 지역적 특성을 가늠하기 위해 세 가지 에피소드를 살펴보았다. 이미 살펴보았듯이 홍수의 재난에서 몇 명이 생존하는가는 서사내용은 물론 서사구조에도 근본적인 영향을 끼치고 있다. 생존자가 다수인 홍수신화는 피난도구를 별도로 제시하지 않은 채 높은 산을 피난처로 삼는다. 이 경우 서사의 중심내용을 이루는 것은 홍수의 퇴치과정이며, 특히 홍수의 퇴치과정에서 주도적 역할을 하거나 공을 세운 동물의 습성이나 신체적 특성이 에피소드로 추가된다. 생존자가 2인인 홍수신화에서는 남매가 나무 절구나 구유를 타거나 풀이나 나무에 걸려 생명을 구하는데, 남매의 근친상간에 의한 이물 출산이 서사의 중심내용을 이루며, 금기위반에 따른 징벌의 회피방법이 에피소드로 추가된다. 1인의 생존자를 다룬 홍수신화에서는 주로 베틀을 타고서 홍수에서 살아남은 이가 신 혹은 신격에 의해 어떻게 종족이나 씨족의 시조로 재탄생하는가가 서사의 중심내용을 이루고 있다.

또한 이 글에서는 주요 에피소드로서 '불의 획득이나 불의 기원'과 관련된 에피소드, '곡물 종자의 획득과 농경지의 조성'과 관련된 에피소드, '임신부와 쥐'와 관련된 에피소드를 살펴보았지만, 이밖에도 홍수 이후 강과 산악, 계곡의 형성 등의 지세의 변화를 서술한 에피소드(타이얄족), 홍수가 물러간 후 여러 동물들의 도움을 받아 강을 뚫고 둑을 쌓는 에피소드(쩌우족) 등이 있다. 이 가운데 전자의 에피소드는 대만의 자연환경, 특히 원주민의 거주지가 산악지대라는 사실과 깊이 관련되어 있는데, 원주민의 홍수신화에서 높은 산으로 피신하거나, 풀을 붙잡고서 생존하는 등의 서술 역시 마찬가지라고 할 수 있다. 아울러 원주민의 홍수신화에 서술된 에피소드들은 특정 동물이나 식물의 생태적 습성이나 신체적 특성의 유래나 기원을 설명하는 경우가 많다. 이미 언급하였듯이 커다란 뱀장어나 뱀을 퇴치하는 게와 멧돼지, 불의 획득 과정에 참여한 여러 동물들에 관한 에피소드가 그러하거니와, 위에서 언급한 쩌우족의 홍수신화에서 강을 뚫고 둑을 쌓는 일에 참여하지 않은 솔개 혹은 독수리가 강물을 먹지 못하고 나무에 고인 물만 먹는다는 에피소드[63] 역시 이들의 생태적 습성과 연관이 있다.

대만 원주민의 홍수신화에서 눈에 뜨이는 점은 여러 원주민의 홍수신화가 유사한 에피소드나 모티프를 공유하고 있다는 것이다. 이를테면 홍수 발생의 원인으로서 거대한 뱀장어나 뱀을 제시하고 있는 신화는 쩌우족과 부눈족에서, 홍수남매혼을 서술하는 신화는 아미족과 파이완족, 루카이족에서, 불의 획득이나 기원을 서술하는 신화는 아미족, 쩌우족, 부눈족, 파이완족과 루카이족에서, 곡물 종자의 획득을 서술하는 신화는 아미족과 부눈족에서, 농경지의 조성을 다루고 있는 신화는 파이완족과 루카이족에서 찾아볼 수 있다. 이밖에도 근친상간의 징벌을 피하기 위한 방법으로서 행방할 때에 구멍이 난 돗자리나 양피로 가로막는 에피소드는 아미족과 퓨마족에서, 그리고 풀을 붙잡고서 생존하는 방식은 파이완족과 퓨마족에서 찾아볼 수 있다. 이러한 광범위하고도 불규칙적인 서사의 공유는 원주민의 거주지역의 근접성으로 말미암은 교차현상에서 비롯되었다고 할 수 있는데, 아미족, 쩌우족, 부눈족, 파이완족, 루카이족, 퓨마족은 모두 대만의 동남부 지역에, 특히 아미족을 제외한 나머지 원주민은 해발 3000미터 이상의 산악지대인 대무산, 지본산, 옥산에 거주하고 있다는 점을 고려할 필요가 있다.[64]

대만 원주민의 홍수신화는 중국 대륙의 홍수신화와 유사한 점도 많이 있지만, 다른 점도 결코 적지 않다. 일례로 대만과 중국 대륙에 모두 전해지고 있는 홍수남매혼신화를 비교해보면, 대만 원주민의 홍수남매혼신화에는 '천의 묻기'의 모티프가 빠져 있는 반면 근친상간의 징벌을 피하기 위한 방법으로서 행방할 때에 구멍이 난 돗자리나 양피로 가로막는 에피소드가 서술되어 있는데, 이 에피소드는 중국 대륙의 홍수남매혼신화에서는 좀처럼 찾아보기 힘들다. 또한 홍수 발생의 원인으로서 거대한 뱀장어나 뱀이 제시되거나 임신부의 에피소드가 제시된 경우 역시 대륙의 홍수신화에서는 찾아보기 어렵다. 뿐만 아니라 생존자가 1인일 경우 대륙의 홍수신화에서는 흔히 천상의 여인과 결혼하는 천녀혼天女婚의 형태를 띠지만, 대만 원주민의 홍수신화에서는 생존자를 살해한 후 시신을 잘게 잘라 인간을 만들어내는, 이른바 '쇄시조인碎屍造人'의 형태를 띤다. 대만 원주민의 홍수신화에서 엿볼 수 있는 홍수와 '불의 획득' 에피소드의 결합은 중국 대륙의 홍수신화에서는 매우 드문[65] 반면, 대만의 홍수신화에서는 중국은 물론 세계적으로 널리 알려져 있는 이른바 '불 훔치기盜火'의 모티프를 찾아볼 수 없다. 또한 홍수 이후의 지렁이 분변토에 의한 경작지 조성과 관련된 에피소드는 중국 대륙의 홍수신화에서는 찾아보기 어렵다.

이처럼 대만 원주민의 거주지역이 상대적으로 협소할 뿐만 아니라 인구도 많지 않음에도 불구하고, 대만 원주민의 홍수신화는 타 지역과는 다른 독특한 서사를 매우 다양하게 보여주고 있다. 이러한 다양성의 특징은 서사구조면에서 중국 대륙의 홍수신화와 견주어보면 훨씬 두드러져 보인다. 즉 곤鯀과 우禹, 여와女媧를 중심으로 하는 한족의 치리형治理型 홍수신화, 그리고 소수민족의 홍수남매혼신화로 이루어져 있는 중국 대륙의 홍수신화가 각 유형마다 대체로 유사한 서사구조를 지니고 있다는 점[66]과 비교해본다면, 대만의 홍수신화가 지닌 다양한 서사구조와 독특한 서사내용은 매우 특이하면서도 흥미롭다고 여기지 않을 수 없다. 그렇다면 이처럼 다양한 서사구조와 독특한 서사내용은 어디에서 비롯되었으며 어디로 전파되었을까? 대만 원주민의 홍수신화에 대한 연구가 중국 대륙과의 비교연구에 머물지 않고, 한 걸음 더 나아가 남도어족austronesian languages의 홍수신화, 즉 서태평양 도서지역 및 동남아시아의 홍수신화와의 비교연구가 필요한 것은 바로 이 때문이다.

■ 주석

1) 16개 종족 가운데에서 雅美(Yami)族은 達悟(Tau)族으로 개칭되었다. 이들 원주민 족 외에, 漢族化한 平埔族에 해당하는 종족으로는 凱達格蘭(Ketanglan)族, 道卡斯(Taokas)族, 巴則海(Pazeh)族, 巴瀑拉(Papora)族, 巴布薩(Babuza)族, 洪雅(Hoanya)族, 馬卡道(Makatao)族, 巴宰海(Basai)族 등이 있다. 鹿憶鹿, 『洪水神話-以中國南方民族與臺灣原住民爲中心』(臺北: 里仁, 2002), 177쪽 참조

2) 대만의 원주민 명칭의 변천과정에 대해서는 董建辉, 闫梦雅, 「台湾'原住民'族群关系研究回顾与总结」(『三峡论坛』 2020-4), 郭家翔, 「'原住民'概念在台湾的应用及其历史过程」(『满族研究』 2017-2) 등을 참조

3) 『蕃族調査報告書』의 8冊은 阿眉族(제1책, 제2책), 曹族(제3책), 紗績族(제4책), 大么族 前篇(제5책), 武崙族 前篇(제6책), 大么族 後篇(제7책), 排彎族·獅設族(제8책)으로 구성되어 있다. 『番族慣習調査報告書』의 8책은 たいやる族(제1권), あみす族·ぷゆま族(제2권), さいせつと族(제3권), そう族(제4권), ぱいわぬ族(제5권의 1, 3, 4, 5)으로 구성되어 있다. 제5권의 제2책은 결본이다. 關口 浩, 「「蕃族調査報告書」の成立――岡松参太郎文書を参照して」(『成蹊大学一般研究報告』 第46巻 第3分冊, 2012.2) 참조

4) 鄭 元眞, 「『原語による臺灣高砂族傳說集』における異類婚姻譚」(『白百合女子大学児童文化研究センター研究論文集』, 1997.3); 山田仁史, 「臺灣原住民神話研究綜述」(『中國比較文學』, 2007-4); Arnaud Nanta, 「日本統治下の台湾における植民地人類学, '理蕃'政策, 先住民族の人種化過程」(『人文学報』 第114号, 2019.12) 등을 참조

5) 이러한 연구성과로는 何廷瑞의 박사학위논문 「A Comparative Study of Myths and Legends of Formosan Aborigines」(Indiana Univ. 1967), 러시아 학자 李福清(Riftin, Boris Lyvovich)의 「臺灣土著民族與大陸南方諸族人類起源神話的比較研究」, 『中國神話與傳說學術研討會論文集』(臺北: 漢學研究中心, 1986), 尹建中의 『臺灣山胞各族傳統神話故事與傳說文獻編纂研究』(臺北: 國立臺灣大學人類學系, 1994) 등을 들 수 있다.

6) 李卉, 「台灣及東南亞的同胞配偶型洪水傳說」(『中國民族學報』, 中國民族學會, 1955); 鹿憶鹿, 『洪水神話-以中國南方民族與臺灣原住民爲中心』(臺北, 里仁書局, 2002); 陳建憲, 曹英毅, 「臺灣原住民洪水再殖型神話研究」(『民间文学年刊』, 2009-2)

7) 1, 홍수 이후 시조인 同胞 2인이 인류를 번성케 하는 유형, 2, 시조인 남매가 결혼 후 홍수를 만나 그 생존자가 인류를 번성케 하는 유형, 3, 시조가 결혼한 후 홍수를 만나 낳은 자녀 중 남매 2인이 혼인하여 인류를 번성케 하는 유형

8) 南島亞型 Ⅰ은 '홍수+나무절구로 피신+혈친 결혼+동물 혹은 사람을 출생+민족과 선조의 기원' 등의 모티프로 개괄되며, 南島亞型 Ⅱ은 '홍수+베틀로 피신+생존자의 신체를 잘게 잘라 인류를 재전+민족과 선조의 기원' 등의 모티프로 개괄된다.

9) 이인택, 「타이완 원주민 인류기원 모티프 신화 분석 -파이완족, 퓨마족, 루카이족 신화를 중심으로」(『韓中言語文化研究』 제33집, 2013); 이인택, 「타이완 원주민 신화의 유형별 분석 -泰雅族, 布農族, 阿美族 신화를 중심으로」(『동북아문화연구』 제28집, 2011); 林秋杏, 「韓·臺 洪水男妹婚神話의 敍事構造 考察」(『비교문학』 제55집, 2011.10)

10) 이인택, 『타이완 원주민신화의 이해』(서울: 학고방, 2016), 143-174쪽 참조

11) 林道生 編著, 『原住民神話·故事全集(4)』(臺北: 漢藝色研文化事業有限公司, 2004), 14-15쪽 참조. 인용문의 앞머리에 적시된 ( )안의 내용은 원주민족과 부락의 명칭이다.

12) 위의 책, 24쪽 참조

13) 이러한 홍수신화의 예는 다음을 참조하시오. 위의 책, 38쪽; 達西烏拉彎·畢馬 著, 『泰雅族神話與傳說』(臺中: 晨星出版, 2002), 55-58쪽

14) 林道生 編著, 위의 책, 82-83쪽

15) 林道生 編著, 『原住民神話與文化賞析』(臺北: 漢藝色研文化事業有限公司, 2003), 52-53쪽 참조

16) 浦忠成, 『被遺忘的聖域』(臺北: 五南圖書出版公司, 2007), 85-86쪽 참조

17) 林道生 編著, 『原住民神話·故事全集(2)』(臺北: 漢藝色研文化事業有限公司, 2002), 84-85쪽 참조

18) 아미족의 홍수신화에 남매가 결혼했을지라도 異物의 출산을 서술하지 않는 이야기도 매우 드물게 존재하는데, 이러한 예로 加納納社의 홍수신화와 荳蘭社의 홍수신화를 들 수 있다. 林道生 編著, 『原住民神話·故事全集(5)』(臺北: 漢藝色研文化事業有限公司, 2004), 127-128쪽; 浦忠成, 앞의 책, 86쪽; 鹿憶鹿, 앞의 책, 182쪽 참조

19) 프레이저가 대만 원주민 연구를 위해 여러 해 대만에 거주하였던 일본인 이시이 신지石井眞二의 미출간 원고를 참조하여 저술한 연구에 따르면, 아미족의 瑪蘭社에 전해져온 홍수남매혼신화에서는 오빠가 누이와 결혼해도 되는지를 태양에게 물었으며, 태양의 동의를 구해 누이와 결혼한다. James G. Frazer, 『*Folk-Lore in the Old Testament*』(Volume 1)(St. Martin's Street, London: Macmillan and Co., Limited, 1918), 227-229쪽 참조

20) 이주노, 「中國의 男妹婚神話 研究」(『中語中文學』 제47집, 2010.12) 참조

21) 浦忠成, 앞의 책, 83-85쪽; 鹿憶鹿, 앞의 책, 184-185쪽; James G. Frazer, 앞의 책, 226-229쪽 참조. 唐代 李冗이 편찬한 『獨異志』에 실린 남매혼신화에서는, 남매가 결혼할 때 풀을 엮어 부채로 삼아 누이의 얼굴을 가렸다고 기록되어 있다. 이는 근친상간의 징벌을 회피하기 위한 방법이 문화적 습속으로 변하였음을 보여주는 일례인데, 대만의 홍수남매혼신화에서는 제3자(주로 신)가 남매에게 징벌 회피를 위한 방법임을 명시하여 알려준다는 점에서 특이하다고 할 수 있다.

22) 林道生 編著, 『原住民神話與文化賞析』, 앞의 책, 164-166쪽; 浦忠成, 위의 책, 82쪽 참조

23) 林道生 編著, 『原住民神話·故事全集(5)』, 앞의 책, 159-164쪽 참조

24) 林道生 編著, 『原住民神話與文化賞析』, 앞의 책, 126-127쪽 참조

25) 達西烏拉彎·畢馬 著, 『賽夏族神話與傳說』(臺中: 晨星出版, 2003), 30쪽 참조

26) 시신의 특정 부위와 종족간의 관계를 언급한 각 편들을 여러 곳에서 확인할 수 있다. 위의 책, 32-35쪽 및 39쪽 참조

27) 林道生 編著, 『原住民神話·故事全集(5)』, 앞의 책, 49-50쪽 참조

28) 시신의 조각이 베틀 혹은 베틀의 일부에 넣어져 물속에 던져지는 경우의 또 다른

예는 伊能生이 1908년에 『東京人類學會雜誌』에 발표한 「臺灣土著の口碑」에 실려 있다. 達西烏拉彎·畢馬 著, 『賽夏族神話與傳說』, 앞의 책, 36쪽 참조

29) 아미족은 산악지대가 아니라 해안을 낀 평야지대에 주로 거주하고 있다. 이러한 생활조건의 차이에서 비롯되었다고 확정할 수는 없지만, 아미족 홍수신화 가운데 '불 가져오기'나 '불 피우기'를 다룬 신화는 단 1편만 보고되어 있다. 鹿憶鹿, 앞의 책, 182쪽 참조

30) 林道生 編著, 『原住民神話·故事全集(3)』, 앞의 책, 62-63쪽

31) 프레이저에 따르면, 불의 획득이 동물이나 새들에 의해 이루어지는 까닭은 주로 동물의 어떤 색깔이나 특징을 설명하려는 의도이며, 불의 기원이나 발명을 설명하는 것은 부차적인 의도일 뿐이다. James G. Frazer, 『*Myths of the Origin of Fire*』(St. Martin's Street, London: Macmillan and Co., Limited, 1930), 215쪽 참조

32) 林道生 編著, 『原住民神話·故事全集(4)』, 앞의 책, 82쪽

33) 위의 책, 102쪽; James. G. Frazer, 앞의 책, 231쪽

34) 浦忠成, 앞의 책, 73쪽

35) 林道生 編著, 『原住民神話與文化賞析』, 앞의 책, 52쪽; 達西烏拉彎·畢馬 著, 『布農族神話與傳說』(臺中: 晨星出版, 2003), 48쪽 참조

36) 林道生 編著, 『原住民神話·故事全集(2)』, 앞의 책, 84-85쪽

37) 浦忠成, 앞의 책, 79-80쪽

38) 達西烏拉彎·畢馬 著, 『布農族神話與傳說』, 앞의 책, 80쪽, 83쪽, 85쪽

39) 浦忠成, 『臺灣原住民族文學史綱』(上)(臺北: 里仁書局, 2009), 128쪽, 129쪽; 鹿憶鹿, 앞의 책, 189-190쪽; 林道生 編著, 『原住民神話·故事全集(2)』, 앞의 책, 77쪽

40) 林道生 編著, 『原住民神話·故事全集(2)』, 앞의 책, 86쪽; 達西烏拉彎·畢馬 著, 『排灣族神話與傳說』(臺中: 晨星出版, 2003), 84쪽

41) 鹿憶鹿, 앞의 책, 182쪽

42) 위의 책, 189-190쪽

43) 프레이저는 인류의 불에 관한 진화단계를 크게 3단계, 즉 'the Fireless Age', 'the Age of Fire Used', 'the Age of Fire Kindled'로 나누고, 불을 피울 줄 알게 된 'the Age of Fire Kindled'의 단계에서 나무 마찰에 의한 방법으로 'the fire-drill', 'the fire-saw', 그리고 'the fire-plough'라는 세 가지 방법을 제시하고 있다. James G. Frazer, 『*Myths of the Origin of Fire*』, 앞의 책, 201-224쪽 참조

44) 浦忠成, 『被遺忘的聖域』, 앞의 책, 86쪽

45) 鹿憶鹿, 앞의 책, 186쪽; 浦忠成, 『被遺忘的聖域』, 앞의 책, 88쪽 참조

46) James G. Frazer, 『*Folk-Lore in the Old Testament*』, 앞의 책, 227쪽; 林道生 編著, 『原住民神話·故事全集(5)』, 앞의 책, 128쪽 참조

47) 林道生 編著, 『原住民神話與文化賞析』, 앞의 책, 53쪽

48) 鹿憶鹿, 앞의 책, 184쪽

49) 浦忠成, 『被遺忘的聖域』, 앞의 책, 78쪽

50) 林道生 編著, 『原住民神話·故事全集(2)』, 앞의 책, 84-85쪽

51) 達西烏拉彎·畢馬 著,『排灣族神話與傳說』, 앞의 책, 86쪽
52) 浦忠成,『臺灣原住民族文學史綱』(上), 앞의 책, 129쪽
53) 浦忠成,『被遺忘的聖域』, 앞의 책, 81쪽
54) 達西烏拉彎·畢馬 著,『達悟族神話與傳說』, 앞의 책, 130-134쪽 참조
55) 위의 책, 119-122쪽 참조
56) 林道生 編著,『原住民神話·故事全集(3)』, 앞의 책, 151쪽 참조
57) 達西烏拉彎·畢馬,『達悟族神話與傳說』, 앞의 책, 200-201쪽; 林道生 編著,『原住民神話與文化賞析』, 앞의 책, 223쪽 참조
58) 제임스 조지 프레이저, 박규태 역주,『황금가지』(제1권)(서울: 을유문화사, 2005), 511-512쪽 참조
59) 위의 책(제2권), 538-542쪽 참조
60) 林道生 編著,『原住民神話與文化賞析』, 앞의 책, 210-211쪽; 達西烏拉彎·畢馬 著,『達悟族神話與傳說』, 앞의 책, 118쪽, 122-123쪽, 125-127쪽, 130-134쪽; 浦忠成,『被遺忘的聖域』, 앞의 책, 89쪽 참조
61) 대만의 파이완족 홍수신화에서는 홍수속에서 생존한 남매를 위하여 쥐가 조 이삭, 고구마, 佩刀 등을 가져다준다. 浦忠成 저,『被遺忘的聖域』, 앞의 책, 78쪽. 인도네시아의 중앙셀레베스의 토라자Toradja족의 신화에 따르면, 홍수에서 생존한 임신부가 홍수에 떠내려온 뿌리째 뽑힌 나무에 볏단이 걸려 있는 것을 보았는데, 이때 쥐가 그녀를 도와 볏단을 끌어내림으로써 볍씨를 뿌릴 수 있게 된다. 또한 북미 인디언의 신화에 따르면, 홍수 후 대지를 만들 수 있는 주술사나 영웅에게 여러 동물들이 흙덩어리를 구해주고자 시도하지만 모두 실패하고 오직 쥐만이 성공을 거둔다. James G. Frazer,『*Folk-Lore in the Old Testament*』, 앞의 책, 222쪽 및 297-310쪽 참조
62) 達西烏拉彎·畢馬,『達悟族神話與傳說』, 앞의 책, 323쪽 참조
63) 林道生 編著,『原住民神話·故事全集(4)』, 앞의 책, 82-83쪽, 101-103쪽 참조
64) 이인택은 관습 및 언어에서의 밀접한 관계를 근거로 파이완족 - 루카이족 - 퓨마족을 하나의 그룹으로 설정하고 퓨마족에서 아미족이 분리되었으리라고 보아 파이완족 - 루카이족 - 퓨마족 - 아미족이 종족간 친연성을 지니고 있는 반면, 부눈족과 싸오족邵族, 쩌우족은 독특한 언어를 간직하고 있다는 점에서 하나의 그룹으로 묶을 수 있다고 주장한다. 이인택,『타이완 원주민신화의 이해』(서울: 학고방, 2016) 239-246쪽 참조
65) 彝族의「洪水潮天的故事」에는, 홍수에서 살아남은 셋째가 화살대 두께의 마른 나뭇가지를 도끼질하여 장작을 패고, 까치에게서 부싯돌을 찾아내고 쥐에게서 불피우는 용도의 건초를 찾아내고, 까마귀에게서 부시를 찾아내어 조그마한 모닥불을 피우자, 화살대만한 두께의 연기가 하늘로 피어올랐다고 서술되어 있을 뿐, 이 내용이 에피소드로서 그려져 있지는 않다. 本書編委會 編,『中華民族故事大系』(제3)(上海: 上海文藝出版社, 1995) 24쪽 참조
66) 중국 대륙의 홍수신화의 유형과 그 서사구조에 대해서는 이주노,「중국의 홍수신화 유형에 관한 시론」(『中國人文科學』 제52집, 2012.12)을 참조

5

동남아시아의 홍수신화

1. 들어가면서
2. 동남아 대륙부의 홍수신화
3. 동남아 도서부의 홍수신화
4. 나오면서

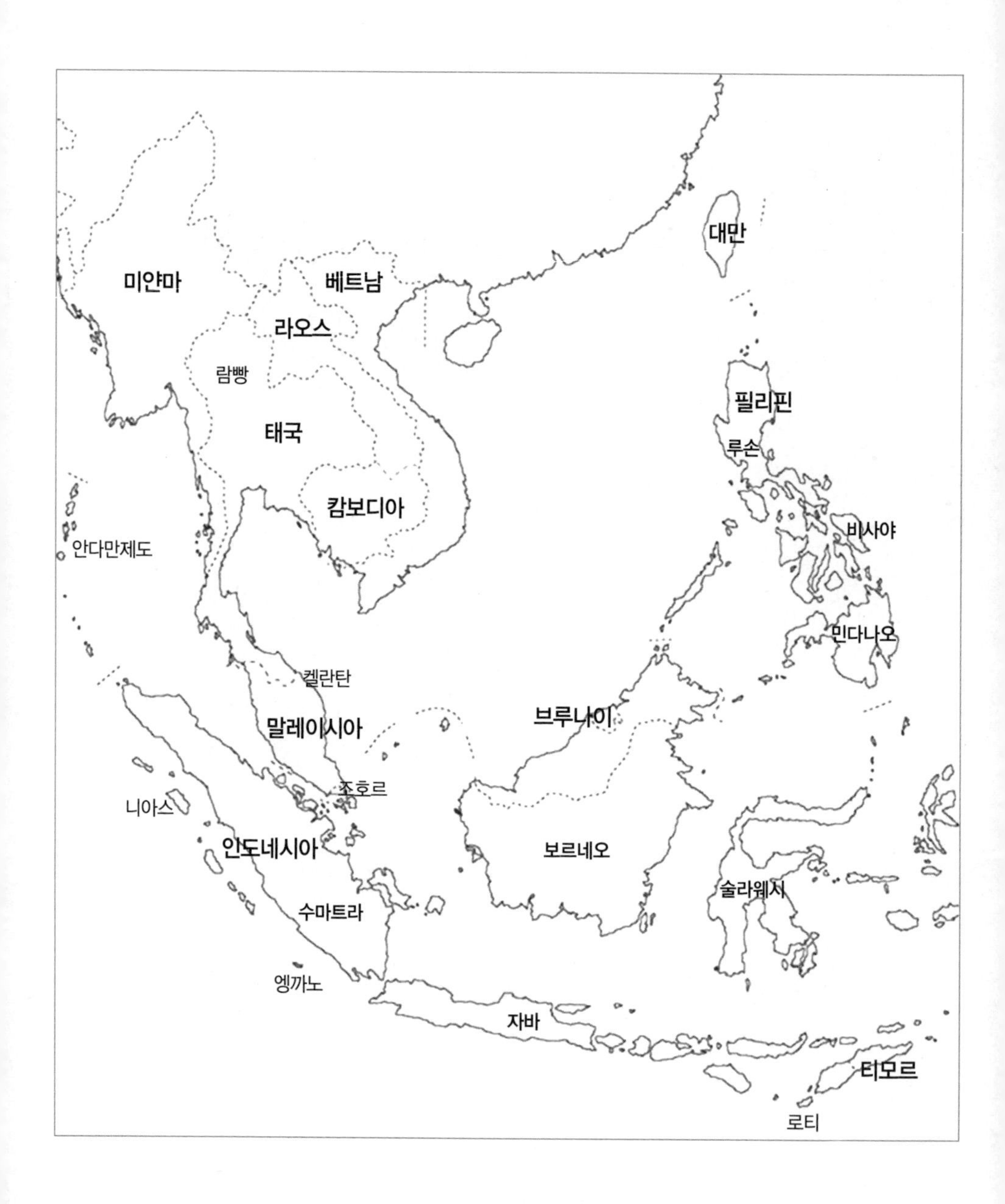

동남아시아의 국가와 지역

1. 들어가면서

동남아시아(이하 동남아로 약칭)는 흔히 지리적 개념으로서 중국의 남쪽, 인도의 동쪽, 서태평양의 서쪽, 오스트레일리아의 북쪽에 해당하는 특정한 지역을 가리킨다. 현재의 국가적 경계로 살펴본다면, 이 지역에는 미얀마와 태국, 라오스, 캄보디아, 베트남, 말레이시아, 인도네시아, 필리핀, 부르나이, 싱가포르, 그리고 2002년 인도네시아로부터 독립한 동티모르 민주공화국 등의 국가가 포함되어 있다. 이들 국가들은 대체로 근대화 과정에서 서구 제국주의 열강에 의한 피식민지라는 역사적 경험을 공유하고 있는데, 미얀마와 말레이시아, 싱가폴, 부르나이가 영국에 의해, 라오스와 캄보디아, 베트남이 프랑스에 의해, 인도네시아가 네덜란드에 의해, 필리핀이 스페인과 미국에 의해, 동티모르가 포르투갈에 의해 식민통치를 경험하였다. 이러한 역사적 경험의 공유 외에도, 불교와 이슬람, 기독교 등의 종교적 수용의 차이에도 불구하고, 이 지역은 인도와 중국으로부터의 장기간의 문화적 영향, 여러 소수민족의 국경을 초월한 활발한 이주와 분산 등을 통해 동질성과 공통성을 강하게 보여주고 있다. 이러한 점에서 동남아 지역은 현재의 국경에 의한 국가 단위가 아니라 지역 전체를 하나의 단위로 묶어 살펴보는 것이 타당하리라고 생각한다.

그렇다면 동남아라는 용어는 어떻게 형성되었으며, 그것은 어떤 개념으로 사용되었을까? 일반적으로는 제2차 세계대전 당시 영국과 미국의 연합군이 1943년 인도와 동남아 전역에서의 작전을 총괄하기 위해 실론에 설치한 '동남아 사령부(South-East Asia Command)'로부터 동남아의 용어가 쓰이기 시작하였다고 본다. 그러나 이보다 훨씬 전인 1839년에 미국인 목사 하워드 말컴Howard Malcome의 여행기 『*Travels in South-Eastern Asia: Embracing Hindustan, Malaya, Siam and China*』가 보스톤에서 출간되었다. '동남아 사령부'의 'South-East Asia'는 필리핀을 제외한 대신 실론을 포함하고 있는 반면, 하워드 말컴의

'South-Eastern Asia'는 부제에서 알 수 있듯이 중국과 인도를 포함한 동양을 가리킴으로써 개념에 있어서 약간의 차이를 보이고 있다. 이후 다수의 서적과 논문에서 'South-Eastern Asia', 'Südost-Asien', 'Southeastern Asia' 등 다양한 용어가 학술적 지리개념으로 사용되었으며, 1939년 루퍼트 에머슨Rupert Emerson의 「The Outlook in Southeast Asia: Netherlands Indies, French Indochina, British Malaya」라는 논문이 발표된 이래 'Southeast Asia'가 현재의 학술적 지리개념으로서의 동남아를 가리키는 가장 일반적인 영어표현으로 자리잡았다.[1]

동남아에 대한 학술적 관심은 1940년대 초에 미국을 중심으로 고조되었는데, 이는 제2차 세계대전을 준비하는 차원에서 이 지역에 대한 이해가 필요했기 때문이었다. 특히 제2차 세계대전의 종전 이후에는 동남아에서의 공산화를 막고 친미블럭을 수립하기 위한, 냉전체제하의 전략적 필요에 의해 동남아에 대한 지역학 연구가 더욱 활발해졌다. 1970년대 이후 동남아에서의 미국의 전략이 실패로 돌아감에 따라 동남아 지역에 대한 학문적 관심은 일시적으로 저하되었으며, 1990년대에는 세계적 냉전체제가 종식됨으로써 동남아 연구의 전략적 필요가 소멸되었을 뿐만 아니라, 지역학 연구의 새로운 방법론과 이론적 섬세함을 갖추지 못함으로 말미암아 동남아학의 위기를 맞이하였다. 그러나 1990년대 중후반 이후 동남아 국가의 민주화와 자유화, 경제성장과 위기, ASEAN을 중심으로 하는 정치·경제적 협력에 관한 논의들이 확산되고, 2000년대 이후, 특히 2001년 9월에 발생한 미국 세계무역센터 폭파사건을 계기로 서남아시아의 이슬람 지역에 대한 관심과 더불어 동남아에 대한 관심이 다시 고조되고 있다.[2]

우리나라에서의 동남아 연구는 일제 강점기에 베트남에 체류 중이던 김영건에 의해 선구적으로 진행된 이래[3], 1980년대에 접어들어서야 가시화되었다가 1990년대부터 가속되었다고 할 수 있다. 1990년대 이래 우리나라에서 동남아 학술연구자가 늘어남에 따라 학위논문과 학술지 논문, 학술서적 등의 학술연구성과 역시 급증하였다. 또한 연구주제 역시 다원화하여, 정치, 외교, 경제, 통상, 역사, 어문학 분야 외에도 사회(특히 이주민 연구), 문화, 이학, 공학, 신학, 교육학 등의 분야로 확장되었다. 이러한 양적 및 질적 성장에도 불구하고, 우리나라의 동남아 연구는 연구대상 국가가 베트남과 인도네시아로 편중되어, 일부 동남아국가에 대한 연구는 거의 이루어지지 않은 편향성을 보여주고 있다. 아울러 연구주제가 비록 다원화하기는 하였지만, 여전히 정치·외교와 경제 분야를 다룬 연구성과가 다수를 차지하고 있다. 다만 2010년대 이후 인류학자의 참여가 늘어나면서 가족, 여성, 종교, 종족 등 각종 문화 관련분야에 관한 연구가 활성화되고 있다는 점은 고무적이라 할 수 있다.[4)]

우리나라의 동남아 연구에서 언어와 문학 분야의 연구성과는 동남아 연구성과 가운데 10% 미만의 미미한 수준에 그치고 있으며,[5)] 문학 분야의 연구성과 가운데에서 동남아 신화에 관한 연구성과는 더욱 저조하다. 우리나라에서의 동남아 신화에 관한 연구성과는 동남아에서 유학온 외국인에 의한 성과가 유독 많다는 점, 그리고 우리나라의 설화와의 비교연구가 이들의 연구성과의 대부분을 차지하고 있다는 점을 특징으로서 들 수 있다.[6)] 우리나라 연구자에 의한 동남아 설화에 대한 연구성과도 물론 있지만, 단행본의 학술서적에 실린 연구성과를 포함하더라도 그 편수는 그리 많지 않다.[7)] 이러한 연구성과의 빈약함은 연구인력의 불충분함은 물론, 동남아 언어의 독해능력을 갖춘 신화연구자가 거의 없는데다가 동남아 신화의 번역·소개 또한 부진한 터라 신화의 원천 자료에 접근하기 쉽지 않다는 점을 그 주요 원인으로 들 수 있다.

이러한 불리한 여건에도 불구하고, 동남아 신화에 대한 연구는 세계 신화의 연구에 있어서, 특히 동아시아 신화의 연구에 있어서 매우 긴요하다. 이는 동남아가 지리적으로 인도와 중국을 잇는 육상 및 해상 교류의 통로라는 점, 그리고 히말라야산맥, 티벳고원과 중국 남부로부터 오랜 세월에 걸쳐 메콩강Mekong River, 에야워디강Irrawaddy River,

홍강Red River 등의 유역을 따라 동남아 민족의 이동이 지속적으로 이루어져 왔다는 점에서 특히 그러하다. 즉 동남아는 인도를 포함한 서역의 문화와 동북아시아의 문화가 오가는 통로이자, 북방의 대륙문화와 남방의 해양문화가 만나는 접점으로서의 역할을 담당하였던 것이다. 이러한 통로와 접점으로서의 지리적 여건으로 인해 동남아는 서역의 신화와 동북아시아의 신화가 만나고, 북방의 신화와 남방의 신화가 뒤섞이는 교차지가 되었던 것이다. 이러한 점에서 동남아의 신화에 대한 연구는 세계 신화의 일부로서 동북아시아, 혹은 동아시아 신화의 성격을 파악하고 위상을 자리매김에 있어서 매우 중요한 의미를 갖게 된다.

이 글은 동남아의 신화 가운데에서 홍수신화만을 연구대상으로 하며, 동남아의 홍수신화의 전체적 모습과 더불어 홍수신화의 지역적 특성을 살펴보는 것을 일차적인 목적으로 삼는다. 이를 위해 기본적인 자료로는 프레이저J. C. Frazer의 『*Folk-Lore in the Old Testament*』(Volume 1), 그레이L. H. Gray가 엮은 『*The Mythology of all Races*』(Volume XII), 마쓰무라 다케오松村武雄가 엮은 『세계신화전설대계世界神話傳說大系』(제15권), 그리고 장위안張玉安이 주편한 『동방신화전설東方神話傳說』(제6·7권) 등에 수록된 신화를 이용하였다.[8] 동남아의 홍수신화에 관한 국외의 연구성과로는 Dang Nghiem Van의 「*The Flood Myth and the Origin of Ethnic Groups in Southeast Asia*」, 소가베 카즈유키曾我部一行의 「남매시조신화 재고兄妹始祖神話再考」, 혼다 마모루本多守의 「베트남, 몽·크메르계 제민족의 기원신화의 공통성ベトナム, モン·クメール系諸民族の起源説話の共通性」 등을 들 수 있다.[9] Dang Nghiem Van의 논문은 41편(동일지역의 유사형 포함 307편)의 홍수신화를 연구대상으로 다루고 있으며, 홍수신화의 주요 구성요소를 세밀하게 분석하고 그 문화적 의미를 궁구하고 있다. 소가베 카즈유키의 논문은 남매혼신화의 양상을 중국, 대만, 일본 남서제도南西諸島와 동남아로 나누어 살펴보는 가운데 동남아의 사례로 15편을 다루고 있으며, 혼다 마

모루의 논문은 베트남의 몽-크메르계 민족들의 기원신화를 살펴보면서 홍수신화 10편을 언급하고 있다. 이 글에서는 이들 연구성과에 수록된 홍수신화, 그리고 동남아의 신화에 관한 연구서적에 수록된 홍수신화 가운데 비교적 완정한 줄거리를 갖추고 있는 신화를 연구자료로 채택하였다.[10)]

이 글에서는 동남아를 크게 동남아 대륙부大陸部(베트남, 라오스, 캄보디아, 태국, 미얀마를 포함)와 동남아 도서부島嶼部(말레이시아, 싱가포르, 브루나이, 인도네시아, 필리핀을 포함)로 나누어 살펴보고자 한다. 이는 동남아의 대륙부와 도서부가 불교문화권/이슬람문화권, 구사하는 언어에 있어서 오스트로아시아어족(Austro-asiatic Language, 남아어족南亞語族)/오스트로네시아어족(Austronesian Language, 남도어족南島語族), 민족기원에 있어서 북방계/남방계 등 여러 가지 면에서 차이를 보이고 있기 때문이다. 또한 국경을 초월하여 동남아 곳곳에 산재하고 있는 과계跨界민족이 많다는 점을 감안하여 동남아, 특히 동남아 대륙부는 국가 단위가 아니라 동남아 전체를 하나의 단위로 간주하여 살펴보고자 한다. 아울러 홍수신화를 구성하는 서사구조와 그 내용을 살펴봄과 동시에, 신화의 지역적 특성을 잘 보여주는 몇 가지 모티프와 그 모티프를 둘러싼 에피소드에 주목하고자 한다.

2. 동남아 대륙부의 홍수신화

세계의 여느 홍수신화에서처럼, 동남아의 홍수신화 역시 '홍수의 발생'과 '홍수에서의 생존', '홍수의 소멸'이라는 세 가지 축을 중심으로 서사된다. 물론 주지하다시피 '홍수의 발생'과 관련하여 홍수 발생의 원인과 함께 홍수를 일으킨 자가 제시되기도 하고, '홍수에서의 생존'에서는 생존자의 성격과 숫자에 따라 홍수의 예고자와 피난 수단을 서술하기도 하며, '홍수의 소멸'에서는 인류의 재전승과 더불어 민족의 탄생, 성씨의 기원 등을 언급하기도 한다.

동남아 대륙부의 홍수신화에서는 〈표 1〉에서 엿볼 수 있듯이, 홍수 발생의 원인으로 인간의 횡포와 만행, 혹은 인간의 과오, 이를테면 인간의 도덕적 문란과 타락, 신에 대한 불순종 등을 제시하고 있다. 이러한 인간 행위와 관련된 원인 외에, 신격화된 존재로서의 Chang Lo Co와 뇌공雷公 간의 갈등이 홍수를 유발하기도 하고(〈표 1-15〉), 동물 간의 분쟁, 이를테면 까마귀와 까치의 분쟁(〈표 1-10〉), 솔개와 게의 분쟁(〈표 1-14〉)이 홍수를 유발하기도 한다. 다만 동물들 사이의 갈등이나 분쟁이 어떤 이유나 계기로 일어나는지는 구체적으로 밝혀져 있지 않다.

동남아 대륙부의 홍수신화에서 보다 흥미로운 점은 생존자의 구성원과 숫자, 이들의 관계에 따라 다양한 서사가 이루어지고 있다는 것이다. 먼저 이른바 홍수남매혼신화로 일컬어지는 유형을 살펴보자. 이 유형의 신화는 대체로 '홍수의 발생' - '남매의 생존' - '남매의 결혼' - '인류의 재전승'이라는 기본 서사구조를 지니고 있다. 여기에 근친상간의 금기와 연관된 '결혼의 권유', '천의天意 묻기와 징험', '이물異物 출산' 등의 에피소드나 모티프가 추가되기도 하는데, 이러한 서사는 주로 중국 서남부의 소수민족의 홍수남매혼신화에서 많이 찾아볼 수 있다. 동남아 대륙부의 홍수남매혼신화 가운데에서도 이러한 서사를 찾아볼 수 있는데(〈표 1-3, 4, 15〉), 〈표 1-15〉의 신화에서 알 수 있듯이 이들 신화는 중국으로부터 이주해온 소수민족에 의해 직접 전파되어 현지화한 것이라 추정된다.[11)]

그러나 이들 몇 편의 홍수남매혼신화 외에, 동남아 대륙부의 대부분 지역의 홍수남매혼신화에서는 '결혼의 권유'나 '천의 묻기와 징험', '이물 출산' 등의 에피소드나 모티프가 약화되거나 소멸된 경우가 흔하다. 이러한 일례로서 베트남 북서부와 라오스에 걸쳐 거주하는 커무Khmu족의 신화를 살펴보자.

> 가난한 어린 남매가 음식을 찾으러 숲에 들어갔다가 대나무쥐(혹은 다람쥐)를 붙잡았는데, 대나무쥐는 살려주면 곧 닥쳐올 홍수에서 살아날 방법을 알려주겠노라고 말했다. 남매가 놓아주자 대나무쥐는 남매에게 커다란 통나무의 속을 파내고 이레동안 필요한 물과 음식을 마련하여 통나무 안에 숨으라고 말했다. 남매가 대나무쥐가 알려준 대로 준비를 마치자 엄청나게 많은 비가 쏟아져 온 세상을 뒤덮었다. 유일한 생존자인 남매에게 tgook새(혹은 작은 새)가 날아와 부부가 되라고 조언했으며, 남매는 결혼하여 얼마 후 아내가 임신하였다. 아내는 7년 7개월 7일 만에 박(혹은 호박)을 낳았으며, 남매는 박을 시렁 위에 놓아두었다. 밭일을 마치고 돌아온 남매는 집안에서 들려오는 웃음소리를 듣고서 박에 구멍을 냈는데, 이 구멍을 통해 여러 민족이 나왔다.[12] (〈표 1-16, 18〉)

이 신화는 태국 북부의 도시 람빵Lampang에서 1972-74년 사이에 채록된 카무Kammu족의 신화(〈표 1-17〉)와 비교하여 '피난수단'이 북으로, '결혼의 권유'자가 뻐꾸기로 바뀌었다는 약간의 변이를 제외하고는 동일하다고 볼 수 있다. 사실 커무Khmu족과 카무Kammu족은 지역에 따라 호칭이 다를 뿐 동일 민족이라는 점에서, 이들 신화(〈표 1-16, 17, 18〉)는 동남아 대륙부의 북부 지역의 특정 민족에게 전승되고 있다고 할 수 있다. 이 홍수남매혼신화에는 '천의 묻기와 징험'이란 모티프가 생략되어 있는데, 이와 유사한 유형으로는 라오스의 라오Lao족의 홍수신화(〈표 1-21〉)에서도 그 예를 찾아볼 수 있으며, 홍수발생의 원인, 피난 수단과 출산한 이물이 약간 다를 뿐이다. 나아가 이물을 대신하여 정상아를 출산함으로써 '천의 묻기와 징험'은 물론 '이물 출산'의 모티프조차 약화되거나 생략되는 신화(〈표 1-4, 5, 10, 12〉)도 있으며, 이들 가운데 일부 신화(〈표 1-10, 12〉)는 '결혼의 권유'도 행해지지 않는다.

동남아 대륙부 홍수신화에서 살펴볼 두 번째 유형은 인간과 동물의 교합, 즉 인수혼人獸婚에 의한 민족의 탄생을 다룬 신화들이다. 이러한 유형의 신화에서 홍수에서의 생존자는 여인과 개이며, 대체로 '홍수의 발생' - '여인과 개의 생존' - '여인과 개의 교합' - '아들의 출산과 아들에 의한 살부殺父' - '모자혼과 민족의 탄생'이라는 서사구조를 갖추고 있다. 이러한 유형의 대표적인 일례로서 베트남의 써당(Sedang)족의 홍수신화(〈표 1-7〉)를 살펴보자.

> 인간의 성적 문란과 타락으로 인해 Yang(하늘)이 격노하여 홍수를 내려 모든 인류를 멸망시켰지만, 한 여인과 개 한 마리가 산 정상에 올라가 살아남았다. 어느 날 여인이 소변을 누었던 곳에 개가 소변을 본 후, 여인은 임신하여 아들을 낳았다. 아들이 자라 아버지가 누구인지 물어도 알려주지 않았던 어머니는 마침내 아들에게 밭에서 일하는 아버지에게 음식을 가져다드리라고 말했다. 아들이 밭에 이르자 개가 음식을 달라고 하면서 자신이 아버지라고 말하자, 화가 치민 아들은 개를 때려 죽였다. 세월이 흘러 성인이 된 아들은 지상에 남은 여자가 어머니밖에 없는지라 어머니와 결혼했다. 어머니는 4남 4녀를 낳았으며, 이들 자식들이 서로 결혼하여 많은 후손을 낳았고, 이들 후손이 여러 민족으로 나뉘어졌다.[13]

이 신화에서 홍수의 유일한 생존자인 여인의 소변에 개가 오줌을 누는데, 베트남의 재찌엥Gie-Trieng족의 신화(〈표 1-8〉)에서는 개가 여인의 소변 냄새를 맡고, 따오이Taoi족의 신화(〈표 1-9〉)에서는 누이의 침상에 개가 소변을 본다. 이러한 소변의 교차와 공유는 성적 교구交媾(sexual intercourse)에서의 배설 행위와 같은 의미를 가지고 있다. 이러한 의미에서 소변의 교차와 공유에 의한 감응은 인수혼의 성격을 띠게 되며, 이러한 홍수인수혼신화는 써당족의 다른 신화(〈표 1-6〉)에서처럼 여인과 개가 결혼할 경우 더욱 명확해진다. 이들 신화에서 인수혼에 의해 태어난 아들은 개를 죽이고 어머니와 결혼함으로써 모자혼을 통해 새로운 민족의 탄생을 이룩하고, 재찌엥족의 홍수신화(〈표 1-8〉)

에서는 인수혼에 의해 태어난 남매가 개를 죽인 후 남매혼을 통해 인류를 전승한다. 요컨대 홍수인수혼신화는 인수혼 그 자체로 완정된 이야기를 구성하는 것이 아니라, '아버지 죽이기殺父'라는 모티프를 거쳐 모자혼 혹은 남매혼으로까지 나아감으로써 인류의 재전승이라는 신화를 완성한다.

인간(특히 여성)과 개의 교합은 일찍이 중국의 옛 문헌, 이를테면 응소應劭가 편찬한 『풍속통의風俗通義』나 간보干寶의 『수신기搜神記』에 실린 반호盤瓠신화 혹은 견조犬祖신화에서도 엿볼 수 있다. 개가 특정 민족의 시조를 이루는 견조신화는 인도와 대만, 오키나와, 그리고 홋카이도의 아이누족, 에스키모에게서도 두루 발견되고 있다. 견조신화의 변이형으로서 〈표 1-6, 7, 8〉의 신화에서는 개가 자식에 의해 살해당하는 반면, 오키나와를 포함한 일본 각지에 전승되고 있는 신화에서는 여인과 결혼한 개가 다른 남자에 의해 살해당하고 훗날 그 남자는 여인에게 살해당한다.[14] 중국의 반호신화와 동남아 대륙부의 견조신화, 그리고 일본, 특히 오키나와의 견조신화를 비교해본다면 견조신화의 변모양상을 추적해볼 수 있을 것이다.

동남아 대륙부의 홍수신화에서 흥미로운 세 번째 유형은 물소(혹은 젖소)가 인류의 재전승에 중요한 매개체로 등장하는 유형이다. 이러한 유형의 대표적인 일례로서 라오스의 소수민족에게 전승되어온 홍수신화(〈표 1-20〉)를 살펴보자.

> 아주 오래 전에 천신이 분노하여 홍수로 인류를 멸하였는데, 뿌랑선을 포함한 세 왕만이 운좋게 목숨을 건졌다. 세 왕은 천신에게 인간세상에 다시 인간이 번성할 수 있도록 해달라고 간청하였다. 천신은 그들의 간청을 받아들이고 물소를 내려주었다. 지상에 내려온 세 왕은 물소를 정성들여 키웠으나 3년이 지나 물소가 죽었는데, 물소의 콧구멍에서 넝쿨 두 줄기가 자라나왔다. 넝쿨은 길게 자라 줄기마다 커

다란 호박이 하나씩 열렸다. 뿌랑선은 놀라 쇳조각으로 호박을 뚫어보았는데, 그 구멍으로부터 사람들이 걸어나와 여러 민족을 이루었다.[15)]

라오스의 다른 신화(《표 1-19》) 역시 세 국왕이 세 천사로 바뀌고 호박이 박으로 바뀌었을 뿐, 전체적인 줄거리는 동일하다. 이들 신화에 등장하는 물소, 물소의 콧구멍에서 자라난 호박(혹은 박), 그리고 호박에서 걸어나온 많은 사람들 등의 구성요소들은 미얀마의 산Shan족의 홍수신화로 여겨지는 이야기(《표 1-22》)에서도 엿볼 수 있다. 즉 천신은 홍수로 인류를 징벌하기 전에 현인이자 용사인 리더룽에게 홍수를 예고하고 뗏목 위에 젖소를 싣고서 홍수를 피하도록 명한다. 홍수가 물러간 후 대지가 불로 뒤덮이자 리더룽은 젖소 배를 갈라 그 안으로 피신하고, 젖소의 배 안에서 호박씨 두 알을 발견한다. 리더룽이 호박씨를 땅에 심자 순식간에 싹을 틔워 열매를 맺었는데, 어느 날 천둥과 번개에 의해 두 개의 호박이 깨지고 그 안에서 산족과 여러 민족, 짐승들이 나왔다는 것이다.[16)]

그런데 매우 흥미롭게도 라오스와 미얀마에서 전승되어온 이 유형이 산족의 갈래인, 인도 동북부 아삼Assam의 아홈Ahom족의 홍수신화에서도 발견된다. 이 신화에 따르면, 제사를 드리지 않는 인간의 불경에 신들이 분노하여 홍수로 인간을 징벌하였는데, 물의 신이 현자인 립롱Lip-long에게 나타나 홍수를 예고하면서 암소를 실은 뗏목을 타고서 피신하도록 명한다. 홍수가 일어나 립롱과 암소만이 살아남았는데, 신들은 인간의 시신이 풍기는 악취를 없애기 위해 불로 온 지상을 태웠다. 립롱은 불을 피하기 위해 암소의 배를 갈라 뱃속으로 피신하였으며, 암소의 뱃속에서 박의 씨앗을 발견하였다. 립롱이 심은 박씨에서 자라난 커다란 박은 벼락을 맞아 깨졌으며, 깨진 박으로부터 산족을 비롯한 여러 민족, 그리고 각종 짐승과 식물이 나와 지상을 생명으로 가득 차게 하였다는 것이다.[17)]

이들 지역뿐만 아니라 암소가 인류의 재전승에 중요한 매개가 되는 이야기는 중국 운남의 소수민족의 신화에서도 엿볼 수 있다. 와족佤族의 신화에 따르면, 홍수의 재난 속에서 신인神人이 암소 한 마리 및 조롱박 하나와 함께 살아남았는데, 배가 고픈 암소가 조롱박을 삼켜버렸다. 홍수가 물러간 후 신인은 암소를 죽여 조롱박을 꺼내 심지만, 조롱박은 열리지 않는다. 그리하여 여러 동물들의 도움으로 간신히 조롱박 열매를 찾았으며, 이 조롱박에서 동물과 사람이 나왔다.[18] 와족의 다른 신화에서도 암소는 사람과 결혼하여 조롱박을 낳고 그 조롱박에서 여러 민족과 동물이 태어난다.[19] 더앙족德昻族의 신화에서는 홍수가 물러간 후 천신은 물소를 보내 곡물의 종자를 지상에 전해주고, 물소는 이때부터 사람을 위해 쟁기질을 해주게 되었다.[20]

위의 신화들은 모두 물소(혹은 젖소, 암소)가 인류의 재전승에 중요한 매개체로 등장하는 유형인데, 미얀마 산족의 신화는 라오스의 신화보다 인도 아홈족의 신화와 훨씬 가깝다. 이는 앞에서 서술하였듯이 동일한 산족 계통에서 전승된 신화이기 때문일 터인데, 줄거리의 전개면에서 본다면 아홈족의 신화가 훨씬 논리적 인과성과 구체성을 지니고 있다. 소와 관련된 이들 신화가 어느 지역에서 발원하여 어느 방향으로 전파되거나 혹은 영향을 주었는지는 아직 속단할 수 없지만, 적어도 아홈족의 신화에는 암소를 신성시하는 인도의 종교관 및 문화심리와 함께, 새로운 탄생을 위한 수단으로서 암소의 뱃속에서 다시 태어나는 시늉을 하는 습속[21]이 영향을 미쳤을 가능성이 높다. 아울러 인도신화에서 하늘의 신 드야우스Dyaus와 땅의 신 프리티비Prithivi가 각각 황소와 암소의 형상을 취하고 있는데, 이들이 우주만물을 자식으로 낳고 키우는 신이라는 점[22] 역시 소와 관련된 신화에 반영되어 있을 수도 있다.

물소(혹은 젖소, 암소)의 모티프가 등장하는 이들 신화는 동일 어계 혹은 어족이라는 점에서 주목할 필요가 있다. 즉 라오스와 미얀마, 인도 북동부는 크게 보아 남아어계南亞語系(Austro-Asiatic Languages)의 권역에 속해 있고, 특히 이들 지역의 소수민족과 중국 운남성의 와족,

덕앙족은 몽·크메르어족孟·高棉語族(Mon-Khmer Language Family)에 속하여 있다. 호박이나 조롱박과 같은 박과 식물과 더불어 물소나 암소, 젖소가 공통적으로 인류의 재전승에 중요한 매개가 되고 있는 신화적 서사는 바로 이러한 동일 어족에서 비롯되었을 가능성이 높다고 볼 수 있다.

동남아 대륙부의 홍수신화에서 주목할 만한 것은 농경문화와 관련된 모티프와 이를 둘러싼 에피소드이다. 이들 모티프는 대체로 동남아 일대의 도작문화稻作文化와 깊이 연관되어 있는데, 이를 둘러싼 에피소드는 우선 곡식 종자의 획득이 어떻게 이루어지는가를 보여준다. 베트남의 타이Thai족의 홍수신화(〈표 1-2〉)에 따르면, 텐Then은 가뭄과 홍수로 인간을 멸절한 후 두 명의 천신을 한 무리의 인간과 함께 지상에 보내면서 여덟 개의 박을 제공한다. 이 박들 속에서 생활필수품, 물고기 330종과 더불어 쌀 330종이 들어 있다. 이처럼 절대자 혹은 창조주가 홍수의 재난 후에 곡식의 종자를 제공하는 경우로는 베트남의 홍수신화(〈표 1-4〉)에서도 엿볼 수 있는데, 백발 노인으로 변신한 천신이 홍수에서 생존한 남매에게 결혼을 권유하고서 볍씨를 제공한다.

이와 달리 베트남의 다른 홍수신화(〈표 1-3〉)에서는 절대자 혹은 창조주가 홍수를 예고하고 피신수단을 알려주면서 피신수단에 실어야 할 물품 중의 하나로 곡식 종자를 제시한다. 또한 베트남 벤끼에우Van Kieu족의 홍수신화(〈표 1-1〉)에서는 조롱박 속에서 걸어나온 이들이 곡식 종자를 손에 쥐고 나오기도 한다. 곡식 종자의 획득과 관련하여 특이한 에피소드는 벌레나 새의 도움을 받는 경우이다. 즉 베트남의 바나Bahnar족의 홍수신화(〈표 1-12, 14〉)에서는 개미가 생존한 남매에게 볍씨를 제공하며, 라오스의 홍수신화(〈표 1-21〉)에서는 남매가 결혼을 권유한 자고새의 모이주머니에서 볍씨를 발견하고, 태국의 카무Kammu족의 홍수신화(〈표 1-17〉)에서는 덫을 놓아 잡은 비둘기

를 살려주는 대가로 그의 모래주머니에서 토해낸 볍씨를 얻는다.[23)]

농경문화와 관련된 또 다른 에피소드는 경작이 가능한 토양이 어떻게 만들어지는가를 보여준다. 위의 베트남 벤끼에우족의 홍수신화에 따르면, 홍수 이후 물이 빠지긴 하였지만 지상에는 흙이 사라지고 큰 바위만 남아 있었다. 이로 인해 두 동생이 울자, 태양의 딸과 결혼하여 태양신이 되어 있던 형이 동생들의 곤란을 해결해주고자 커다란 통나무를 던져준다. 이 통나무 안에는 흰 개미와 지렁이가 들어 있었는데, 흰 개미가 통나무를 갉아먹고 똥오줌을 배설하자, 지렁이가 개미의 똥오줌을 먹고 황토를 배설하였다. 이렇게 하여 만들어진 많은 황토들이 농사를 지을 수 있는 경작지의 토양이 되었다는 것이다.[24)] 또한 베트남의 따오이Taoi족의 홍수신화(〈표 1-9〉)에 따르면, 홍수를 피해 태고太鼓를 타고 피신하던 삼남매는 하늘에 닿고, 큰형이 천녀와 결혼하여 하늘에 남게 된다. 큰형은 지상으로 돌아간 남매 동생에게 곡식 씨앗을 주면서 땅을 물렁하게 만들어준다.[25)]

농경문화와 관련된 모티프 외에, 동남아 대륙부의 홍수신화에 자주 나타나는 모티프는 여러 민족의 상이한 피부색과 관련된 것이다. 이를테면 베트남 커무족의 홍수신화(〈표 1-16〉)에 따르면, tgook새의 권유로 결혼한 남매는 박을 낳아 시렁 위에 올려놓았는데, 밭에서 일을 마치고 돌아와 박에서 나는 웃음소리를 듣게 된다. 남편이 불에 태운 막대기로 박에 구멍을 내자, 커무족이 나오고 이어 타이Thai족, 라오Lao족, 뤼Lue족이 나온다. 조바심에 애가 탄 아내가 막대기로 박을 조각내자 비엣Viet족과 중국인이 나온다. 그런데 커무족은 박에 묻은 검댕에 뒤덮인지라 까만 피부를 갖게 되고, 타이족, 라오족, 뤼족은 그을음이 약간 묻어 덜 까만 피부를, 그리고 비엣족과 중국인은 검댕이 전혀 묻지 않아 하얀 피부를 갖게 되었다는 것이다.[26)] 위의 신화에서는 박에 묻은 검댕이 불에 태운 막대기에서 비롯되지만, 불에 달군 쇠막대가 검댕을 만드는 경우(〈표 1-17, 18〉)도 있고[27)], 쇳조각으로 뚫은 구멍이 좁고 더럽기 때문인 경우(〈표 1-20〉)도 있다. 이처럼 상이한 피부색을 갖게 된 유래를 설명하는 에피소드는 민족의 기원을 설명하는 에피소드와 겹쳐 있으며, 대체로 홍수남매혼신화에서 남매가 결혼해 이물인 박(혹은 호박)을 낳는다는 점과 연관되어 있다.

지금까지 동남아 대륙부의 홍수신화에 흔히 나타나는 모티프와 이를 둘러싼 에피소드를 살펴보았거니와, 이들 에피소드는 신화가 전승되는 지역의 자연환경과 결부된 지역적 특성이나 동식물의 생태적 습성을 반영하고 있다. 즉 '곡물 종자의 획득과 농경지의 조성'과 관련된 에피소드는 동남아 대륙부가 쌀 농사의 발상지의 하나로서 도작문화의 중심지라는 점을 반영하고 있으며, 새가 볍씨를 전해준다는 에피소드는 곡식의 낟알을 주식으로 하는 새의 생태적 습성을 반영하고 있고, 상이한 피부색과 관련된 에피소드는 동남아 대륙부의 다양한 소수민족의 지속적인 이주로 말미암은 혼거 혹은 잡거 현상을 일정 정도 반영하고 있다고 볼 수 있다.

〈표 1〉 동남아 대륙부의 홍수신화의 구성요소[28]

	민족(지역)	홍수 원인	홍수 발생자	홍수 예고자	생존자	피난 수단	생존 이후의 상황			후속담	부가된 모티프 및 에피소드
							결혼 권유자	천의 묻기와 징험	출산물		
1	벤끼에우(베트남)	인간의 횡포	天帝	두꺼비	3형제	뗏목	큰형은 태양신이 되고, 둘째는 막내의 아내와 함께 달로 도망. 조롱박이 자람			각종 짐승과 민족	지렁이의 황토 배설
2	타이(베트남)	인간의 음모와 장난	Then		Then은 두 명의 천신과 함께 한 무리의 인간을 세상에 보내면서 천신에게 8개의 박과 8개의 놋쇠 기둥을 줌. 박속에 각종 곡식과 물고기, 서적 등이 들어 있음					諸 민족의 탄생	
3	(베트남)			천신	남매(姊弟)	나무북		바위 굴리기, 바늘 던지기	살덩어리	여러 아이	나무북에 곡식 종자 등을 실음

	민족(지역)	홍수 원인	홍수 발생자	홍수 예고자	생존자	피난 수단	생존 이후의 상황			후속담	부가된 모티프 및 에피소드
							결혼 권유자	천의 묻기와 징험	출산물		
4	(베트남)				남매(姉弟)	太鼓	천신	깨어 보니 동침	아이들	諸 민족의 탄생	천신이 볍씨 제공
5	(베트남)	인간의 문란	天帝		남매	호박	달팽이		일곱 아이	射日	
6	써당(베트남)				여인과 개		여자와 개의 결혼		아들	아들의 殺父와 母子婚. 민족의 탄생	
7	써당(베트남)	인간의 타락	Yang(하늘)		여인과 개	산 정상에 오름	여인이 소변을 눈 곳에 개가 소변을 봄		아들	아들의 殺父와 母子婚. 민족의 탄생	
8	째 찌엥(베트남)				여인과 개	산 정상에 오름	여인의 소변 냄새를 개가 맡음		남매	남매의 殺父와 男妹婚	
9	따오이(베트남)			동물들	남매(姉弟)	太鼓	개가 누이의 침상에 소변을 봄		조롱박	남녀가 나오고, 이들과 남매가 결혼	하늘의 형이 곡식 씨앗을 주고 땅을 물렁하게 만듦
10	써당(베트남)	까마귀와 까치 분쟁	까치		남매(姉弟)	산 정상에 오름		멀리 떠나도 다시 만남	많은 자식	여러 민족의 탄생	
11	꺼뚜(베트남)				아가씨	산 정상에 오름			남매	남매혼, 자손 번성과 민족의 탄생	
12	바나(베트남)	인간의 악행	男神		남매	太鼓			7남 11녀	남매혼	개미가 볍씨를 제공

	민족 (지역)	홍수 원인	홍수 발생자	홍수 예고자	생존자	피난 수단	생존 이후의 상황			후속담	부가된 모티프 및 에피소드
							결혼 권유자	천의 묻기와 징험	출산물		
13	마 (베트남)				두 사람				많은 자식	여러 민족의 탄생	
14	바나 (베트남)	솔개와 게의 분쟁	게		남매	궤 (상자)					개미가 쌀 낟알을 제공
15	야오 (베트남)	Chang Lo Co와 雷公의 갈등	뇌공	뇌공	Phuc Hy 남매	박	결혼을 권하는 금거북과 대나무를 부수지만 원상 회복. 개울 양편에 자라난 두 나무가 남매의 배에서 얽힘		박	박의 씨앗을 곳곳에 심어 인간이 나옴	
16	커무 (베트남)			대나무쥐	남매	통나무	tgook 새		박	여러 민족의 탄생	피부색이 다른 유래
17	카무 (태국)			대나무쥐	남매	북	뻐꾸기		박	여러 민족의 탄생	피부색이 다른 유래. 비둘기가 볍씨를 재공
18	(라오스)			다람쥐	남매	나무 줄기	작은 새		호박	여러 민족의 탄생	피부색이 다른 유래
19	(라오스)	인간의 배은망덕	천신		세 天使	뗏목	천신이 세 천사를 물소와 함께 인간세상에 보냄. 죽은 물소의 콧구멍에서 박이 자람			여러 민족의 탄생	
20	(라오스)	천신의 분노	천신		세 국왕	뗏목	천신이 세 국왕을 물소와 함께 인간세상에 보냄. 죽은 물소의 콧구멍에서 호박이 자람			라오스인과 태국인의 탄생	피부색과 체격의 유래

	민족(지역)	홍수 원인	홍수 발생자	홍수 예고자	생존자	피난 수단	생존 이후의 상황			후속담	부가된 모티프 및 에피소드
							결혼 권유자	천의 묻기와 징험	출산물		
21	라오(라오스)	인간의 불순종	천신		남매(姊弟)	조롱박	자고새		조롱박	여러 민족의 탄생	자고새의 모이주머니에서 볍씨 발견
22	산(미얀마)	천신의 분노	천신		리더룽, 젖소	뗏목	젖소의 뱃속에서 큰불을 피하고, 뱃속에서 발견한 호박씨를 재배하여 호박이 자람			여러 민족의 탄생	
23	징포(미얀마)				남매	커다란 배			아이	마녀에 의한 아이의 碎身	여러 민족의 탄생

3. 동남아 도서부의 홍수신화

〈표 2〉에서 엿볼 수 있듯이, 동남아 도서부의 홍수신화에서 홍수는 신에 대한 불순종과 불충不忠, 인간의 제례규정에 대한 신의 불만 등, 인간과 신의 직접적인 관계에서의 불화에서 비롯되기도 하고, 인간의 횡포와 비겁, 이를테면 대지의 오염을 초래한 인간의 낭비와 남용, 괴물을 몰래 죽이는 인간의 비겁함 등의 인간의 과오에서 비롯되기도 한다. 이들 홍수 발생의 원인 외에, 누가 가장 높은지를 둘러싼 산들의 다툼, 신성성을 담지한 동물에 대한 위해危害, 이를테면 보아뱀을 잡아먹는 행위 등도 홍수 발생의 원인으로 제시되고 있다.

그런데 홍수 발생의 원인으로서 흥미로운 점은 사냥감이 살 수 있는 산악을 조성하기 위해 홍수를 일으킨다는 발상이다.(〈표 2-20, 23, 26〉) 이러한 예의 홍수신화에서 원래 창조된 세계는 평평하여 산악이 존재하지 않는다. 창조신의 맏아들 카비갓Kabigat은, 혹은 대신령 루마위그Lumawig의 두 아들은 사냥을 좋아함에도 불구하고 사냥감이 살 수 있는 산악이 없는지라 산악을 조성하고자 홍수를 일으킨다. 아울러 우기雨期임에도 가뭄이 계속되어 강이 사라질 위기에 처하자 강의 영혼을 찾아 강바닥을 준설하다가 강의 샘을 터뜨리는 바람에 홍수가 발생한다는 발상 또한 매우 흥미롭다.(〈표 2-21, 27〉) 이러한 홍수 발생의 원인은 대체로 홍수신화가 전승되는 지역의 자연환경, 특히 지형지세 및 기후환경과 밀접한 연관이 있다.

그러나 무엇보다도 동남아 도서부 홍수신화 가운데 홍수 발생의 원인으로서 해양문화적 특성을 잘 보여주는 경우를 주목할 만하다. 이를테면 갑작스러운 조수潮水나 수위의 상승으로 인하여 홍수가 일어나는 신화(〈표 2-7, 19〉)가 있는데, 이는 아마도 쓰나미와 같은 대형 해일과 연관이 있을 것이다. 거대한 게가 바다로 기어들어가는 바람에 홍수가 일어났다는 상상(〈표 2-24, 31〉) 역시 어쩌면 이같은 대형 해일에 대한 신화적 해석일 수도 있다. 이러한 해양에서의 자연재해 외에도, 바다의 신과 관련된 신화적 상상력이 발휘된 경우도 있다. 이를테면 필리핀 루손의 팅귀아Tinguia족의 홍수신화에서는 바다의 신 타우 마리우Tau-mariu의 시녀인 후미타오Humitao를 영웅신인 아포니 탈라우Aponi-talau가 납치하자, 격노한 바다의 신이 그를 징벌하기 위해 홍수를 일으킨다.(〈표 2-28〉) 또한 필리핀 비사야Visaya 제도의 원주민의 홍수신화에서는 최고신 바탈라Bathala와 바다의 신 두마갓Dumagat 사이의 분쟁으로 홍수가 일어난다. 바탈라의 신하로서 물고기를 훔친 까마귀와 비둘기를 응징해달라고 두마갓이 바탈라에게 요구하였으나, 이 요구를 바탈라가 무시했기 때문이다.(〈표 2-33〉)

동남아 도서부의 홍수신화 가운데에서 서사구조면에서 가장 눈에 띄는 것은 홍수남매혼신화에 속하는 유형이다. 이 유형의 신화는 보르네오 북부의 무르트Murut족에게도 전승되어 왔는데(〈표 2-13〉), 그 개략적인 줄거리는 다음과 같다. 즉 거대한 홍수로 모두가 죽고 누나와 남동생만이 살아남는다. 어느 날 사냥하러 나갔던 남동생은 교미를 하고 있는 도마뱀을 보았으며, 집에 돌아와 누나와 동일한 행위를 하고자 한다. 동생의 요구를 눈치챈 누나는 동생과 교합하여 쌍둥이를 낳았는데, 이 쌍둥이가 인류의 기원이라는 것이다.[29] 그런데 동남아 도서부의 홍수남매혼신화는 위의 무르트족의 신화를 제외한다면, 모두 필리핀제도Philippine islands에서 전승되고 있다. 이러한 유형의 일례로서 필리핀의 중앙 이푸가오Central Ifugao에 거주하는 이푸가오족의 홍수신화(〈표 2-19〉)를 살펴보자.

> 갑자기 수위가 올라가는 바람에 모두가 죽고 위간Wigan과 부간Bugan 남매만 각각 다른 산 정상에 올라 살아남았다. 홍수가 물러가자 산에서 내려와 만난 두 사람은 집을 지어 함께 지냈는데, 부간은 위쪽에서, 그리고 위간은 아래쪽에서 잠을 잤다. 위간은 지상에 살아남은 이가 아무도 없음을 알고서 두 사람이 결혼하지 않으면 안 된다고 생각했으며, 마침내 부간이 임신을 하였다. 놀란 부간은 울면서 밖으로 뛰쳐나가 피로에 지쳐 강언덕에 쓰러져 있는데, 흰 수염의 노인이 그녀 옆에 앉아 그들의 결혼과 임신이 옳은 일임을 알려준다. 천신인 노인의 축복을 받아 결혼한 끝에 남매는 5남 4녀를 낳았으며, 이 남매들이 다시 서로 결혼하여 지상의 민족들이 생겨났다.[30]

위의 홍수남매혼신화는 '홍수의 발생' - '남매의 생존' - '결혼의 권유' - '임신과 출산' - '인류의 재전승 및 민족의 탄생'이라는 기본적인 서사구조를 지니고 있다. 이러한 서사구조에는 동남아 대륙부를 포함한 타지역의 홍수남매혼신화에 흔히 나타나는 근친상간과 연관된 서사, 이를테면 '천의 묻기와 징험'와 '이물 출산' 등이 생략된 채, 신성성을 지닌 인물에 의한 '결혼의 권유', 혹은 '동침의 이적異蹟'의 에피소드(〈표 2-16〉)로 약화되고 '정상아의 출산'으로 대체되어 있다. 결국 근친상간의 금기 위반과 연관된 모티프를 대신하여 다른 모티프, 이를테면 불의 획득과 연관된 모티프가 서사를 이끌어가는 동력으로 기능하게 된다.

이와 더불어 동남아 도서부의 홍수남매혼신화는 대체로 홍수 발생의 원인이 무엇이든간에 위의 남매혼의 기본적인 서사구조와 결합한다는 점이 특징적이다. 즉 사냥감이 살 수 있는 산악지대를 조성하기 위해 홍수를 일으켰든, 가뭄을 극복하기 위해 강바닥을 준설하다가 강의 샘을 터뜨리는 바람에 홍수가 일어났든, 혹은 조수의 상승으로 홍수가 일어났든, 남매(대부분의 경우 위간과 부간)는 산 정상으로 피신한 후 결합하여 인류를 재전승하게 된다. 홍수남매혼신화의 서사의 완성도는 물론 다르지만, 홍수 발생의 원인에 따라 사냥감이 살 수 있는 산악지대의 조성을 서술하는 홍수신화는 〈표 2-20, 22, 23, 26〉 등으로, 그리고 강의 샘을 터뜨린 일을 서술하는 홍수신화는 〈표 2-21, 25, 27〉 등으로 묶어낼 수 있다.[31)]

동남아 도서부의 홍수신화 가운데 주목할 만한 유형으로 홍수신화와 모자혼이 결합된 형태를 들 수 있다. 이 유형의 대표적인 예로는 인도네시아의 중부 술라웨시Central Sulawesi에 거주하는 토라자Toradja족의 홍수신화(〈표 2-10〉)를 들 수 있다. 이 신화에 따르면, 홍수가 일어나 모두가 죽고 임신부 한 명과 쥐 한 마리만이 생존하였다. 이들은 돼지구유를 타고서 여기저기를 떠돌다가 지상에 자리잡았다. 시간이 흘러 임신부는 아들을 낳았으며, 다른 사람이 없었기에 아들을 남편으로 맞아들였다. 두 사람의 교합으로 아들과 딸을 얻었으며, 이들이 현재 인류의 조상이 되었다.[32)] 이와 유사한 신화로 필리핀 민다나오의 만다야Mandaya족의 홍수신화(〈표 2-17〉)를 들 수 있는데, 홍수에서 홀로 생존한 임신부가 아들을 낳고, 후에 아들과 결혼하여 만다야족이 전승되었다고 한다.[33)]

동남아 도서부의 홍수신화에서 가장 두드러진 에피소드는 불의 획득 혹은 불의 기원이라는 모티프와 관련되어 있다. 벵골Bengal만 안다만Andaman제도의 원주민의 신화(〈표 2-1〉)에 따르면, 창조주에의 불순종으로 인해 일어난 홍수의 재난에서 두 쌍의 남녀가 생존하지만, 이들은 홍수로 불이 모두 꺼져버린 탓에 고통을 당한다. 이를 본 유령이 물총새로 변하여 하늘로 올라가 창조주가 가지고 있는 불을 담아오려 하지만, 서두르는 바람에 불타는 나무를 창조주의 몸에 떨어뜨리고 만다. 화가 치민 창조주는 불타는 나무를 물총새에게 던졌는데, 이것이 빗나가 두 쌍의 남녀에게 떨어진 덕분에 불을 획득하게 되었다.[34] 한편 보르네오 다야크Dayak족의 신화(〈표 2-8〉)에 따르면, 보아뱀을 잡아먹은 탓에 일어난 홍수로 여인과 개, 쥐만이 살아남았는데, 여인은 개가 담쟁이덩굴 아래의 따뜻한 곳을 찾아냈음을 알아냈다. 알고 보니 담쟁이덩굴이 바람에 흔들리면서 나무줄기와 마찰하여 따뜻해졌던 것이다. 여기에서 암시를 받아 여인은 담쟁이덩굴을 나무조각에 문질러 최초로 불을 피워냈다.[35]

이 신화들은 '불 훔치기(stealing fire)'와 나무를 문지르는 방식(fire-saw)에 의한 '불 피우기'의 양상을 보여주고 있다. 이러한 방식에 의한 불의 획득 외에, 불의 획득 과정에서 주동적인 역할을 맡은 주체가 누구인가에 따라 '불 가져오기', 혹은 '불 보내오기' 등의 불을 획득하는 다양한 방식을 보여주는 신화도 있다. 이러한 방식들은 대체로 홍수남매혼신화에서 흔히 취해지는데, 우선 '불 가져오기(bringing fire)'의 대표적인 예로서 필리핀의 홍수신화(〈표 2-15〉)를 살펴보자. 이에 따르면, 홍수 속에서 남매는 산의 정상에 올라 재난을 피했지만, 불이 없어서 너무나 추웠다. 그런데 북서쪽에서 불빛이 반짝이는지라 자신들이 데리고 있던 개와 고양이를 보내 불을 구해왔다.[36] 그렇다면 '불 보내오기(sending fire)'에 의한 불의 획득 방식은 어떻게 이루어질까? 이러한 방식의 대표적인 예로서 필리핀 이고로트Igorot족의 홍수신화(〈표 2-23〉)를 살펴보자.

대신령 Lumawig의 두 아들이 사냥감이 살 수 있는 산악지대를 조성하려고 홍수를 일으켰는데, 포키스Pokis산에 올라간 남매만이 살아남았다. 하늘의 Lumawig가 하늘에서 내려와 살아남은 남매를 만났는데, 남매는 불이 없어서 너무나 춥다고 말했다. 남매의 말을 듣고서 Lumawig는 그의 개와 사슴에게 불을 구해오도록 보냈는데, 사슴의 불은 꺼져버렸지만 개가 가져온 불은 Lumawig의 도움으로 무사히 남매에게 전해졌다.[37)]

이러한 '불 보내오기'는 필리핀 루손의 이고로트Igorot족의 홍수남매혼신화(〈표 2-22〉)에서도 거의 동일하게 이루어지며, 필리핀의 또 다른 홍수신화(〈표 2-14〉)에서도 엿볼 수 있다. 즉 홍수를 피해 사람들은 각기 다른 두 산으로 피신하였는데, 한쪽 산의 우두머리가 다른 쪽 산에 불빛과 연기가 없는 것을 보고서 개의 몸에 불을 묶어 보내준다.[38)] '불 가져오기'는 불을 갖지 못한 개인이나 집단이 주체적으로 자구적인 노력을 기울여 불을 획득하는 방식이다. 반면 '불 보내오기'는 불을 갖지 못한 개인이나 집단이 절대자나 최고신, 혹은 우두머리의 주동적인 도움을 통해 불을 획득하는 방식이다.

그런데 홍수에서 생존한 남매가 각기 다른 곳으로 피신한 경우에도 불을 언급하는 에피소드가 서술되기도 한다. 이를테면 필리핀 이푸가오Ifugao족의 홍수신화(〈표 2-27〉)에 따르면, 가뭄 속에서 강을 준설하다가 강의 샘을 터뜨린 바람에 홍수가 일어났는데, 모두가 죽고 남매 Wigan과 Bugan만이 각기 다른 두 산의 정상에 올라 생존하였다. Bugan은 불을 가지고 있어서 밤에 불을 밝혔지만, Wigan은 불을 가지고 있지 않아 추위로 고통을 받았다. 홍수가 물러나자 Wigan은 Bugan이 머물고 있는 산으로 찾아가 Bugan을 만났다.[39)] 이고로트족의 홍수신화(〈표 2-25〉) 역시 피신한 장소가 산속 동굴과 산의 정상으로 바뀌었을 뿐 위의 홍수신화(〈표 2-27〉)와 거의 유사한 줄거리를 지니고 있다. 이처럼 이들 신화에서 불은 자신 외에 상이한 피신처에 다른 생존자가 있음을 확인시켜주는 중요한 표지로 기능할 뿐, 불의 획득과 연관된 에피소드로 확장되지는 않는다.

불의 획득과 연관된 에피소드 외에, 동남아 도서부의 홍수신화에서 주목할 만한 에피소드는 농경문화를 둘러싼 모티프와 연관되어 있다. 농경문화를 둘러싼 모티프로는 곡물 종자의 획득과 토양의 조성을 들 수 있는데, 이를 다룬 에피소드를 살펴보자. 중부 술라웨시의 토라자족의 홍수신화(〈표 2-10〉)에 따르면, 홍수의 재난에서 생존한 임신부는 뿌리채 뽑힌 나무에 걸려 있는 볏단을 발견하는데, 이때 임신한 쥐의 도움을 받아 볏단을 손에 넣는다.[40] 또한 티모르 서남쪽의 로티Roti섬의 원주민들에 따르면, 홍수에서 생존한 일가족을 위해 물수리가 나타나 마른 흙을 뿌려주고 창조주에게 받은 각종 곡물의 종자를 가져다준다.[41] 필리핀 루손의 이푸가오족의 홍수신화(〈표 2-29〉)에 따르면, 홍수에서 생존한 Wigan과 Bugan의 자식들은 다시 서로 결혼하여 자식들을 낳는데, 새로운 터전을 찾아 떠난 이들은 어느 날 물이 고인 연못에서 두 포기의 벼가 자라나 있는 것을 보고서, 산비탈을 평평하게 닦고 돌을 쌓아 물이 빠져나가지 않게 하여 벼농사를 시작한다.[42]

지금까지 동남아 도서부의 홍수신화에 나타나는 몇 가지 모티프와 이를 둘러싼 에피소드를 살펴보았다. 이 가운데에서 사냥감이 살 수 있는 산악을 조성하기 위해 홍수를 일으킨다는 발상은 화산활동으로 인한 지진과 해일에 의해 일어나는 홍수와 깊은 관련을 맺고 있다고 보여진다. 즉 동남아 도서부가 환태평양조산대, 이른바 '불의 고리(ring of fire)'에 속해 있다는 사실을 감안한다면, 이러한 에피소드는 예기치 못한 화산활동으로 인해 산이 새로이 솟아나고, 때로는 눈에 보이지 않는 해저화산의 폭발로 말미암아 화산섬이 갑자기 생겨나는 자연현상에 대한 신화적 해석이라 할 수 있다. 또한 홍수로 소실된 불을 다시 획득하는 에피소드는 외부세계와 단절된 폐쇄적인 도서지역에서 불이 지니는 중요성을 반영하고 있으며, 곡물 종자, 특히 볍씨의 획득과 관련된 에피소드는 동남아 대륙부와 더불어 도서부 역시 도작문화의 중심지로서 쌀의 주요 생산지라는 지역적 특성을 반영하고 있다.

〈표 2〉 동남아 도서부의 홍수신화의 구성요소[43]

	민족(지역)	홍수 원인	홍수 발생자	홍수 예고자	생존자	피난 수단	생존 이후의 상황			후속담	부가된 모티프 및 에피소드
							결혼 권유자	천의 묻기와 징험	출산물		
1	(Bengal灣 Andaman 제도)	창조주에의 불순종			두 쌍의 남녀	카누					물총새에 의한 불의 획득
2	Benua-Jakun(말레이반도 Johor 주)		신 (Pirman)		한 쌍의 남녀	나무배	여인이 종아리에 임신. 오른쪽 종아리에서 아들을, 왼쪽 종아리에서 딸을 낳음			인류의 전승	
3	(말레이 반도 Kelantan)	짐승끼리의 싸움			3명의 하인	언덕에 오름	망망대해만 남고 육지는 사라짐				
4	Batta (Sumatra)	괴물이 머리를 흔듦	괴물		최고신이 대지를 회복하러 딸을 보냄				세 아들, 세 딸	인류의 전승	
5	Batta (Sumatra)	대지의 오염	창조주		한 쌍의 부부					후손의 증식	
6	(수마트라 서쪽 Nias)	산들이 높이를 다툼	조상신		일부 주민	산 정상에 오름					
7	(수마트라 서남쪽 Enggano)	조수의 상승			한 여인	머리카락이 나무에 걸림	물고기가 들어간 시신을 두들겨 남자가 소생하자, 다른 시신을 두들겨 소생시킴			인류의 전승	
8	Dayak (Borneo)	보아뱀을 잡아먹음			여인, 개, 쥐	산 정상에 오름	개와 결혼		기형아 아들	바람의 신과 타협, 아들을 온전케 만듦	개의 암시를 받아 불을 피움
9	Dayak (Borneo)				남자와 아내, 각종 짐승	나무 절구		돌이나 통나무 등으로 아내를 빚어내 가족을 늘림			

	민족(지역)	홍수 원인	홍수 발생자	홍수 예고자	생존자	피난 수단	생존 이후의 상황			후속담	부가된 모티프 및 에피소드
							결혼 권유자	천의 묻기와 징험	출산물		
10	Toradja (Central Sulawesi)				임신한 여인, 임신한 쥐	돼지 구유			아들	모자혼으로 자식을 낳음	뿌리채 뽑힌 나무에 걸린 볏단을 발견
11	Alfoor (Ceram)				세 사람	산 정상에 오름	여성 생식기 모양의 잎사귀와 교합		사람	인류 전승	
12	(Timor 서남쪽 Roti 섬)				부부와 자식	산 정상에 오름	바다에게 고양이를 주어 홍수를 물리침				물수리가 마른 흙, 각종 곡식 종자를 제공
13	Murut (보르네오 북부)				남매(姊弟)				쌍둥이	남매혼, 인류의 전승	남동생이 도마뱀의 교미를 봄
14	(필리핀)				일부 사람들	두 산으로 피신				불을 가진 산의 우두머리가 불이 없는 산에 개를 통해 불을 보내줌	
15	(필리핀)	인간의 제례 규정에 대한 신의 불만	신	구렁이를 몸에 두른 낯선 사람	남매	산 정상에 오름	낯선 사람			인류를 전승	개와 고양이를 보내 불을 획득. 남매의 느낌을 없애는 물건
16	(필리핀 루손)				남매	나무 상자	창조주 Kabunian	깨어보니 함께 자고 있음	쌍둥이 자녀들	인류를 전승	
17	Mandaya (필리핀 민다나오)				임신부				아들	모자혼으로 인류를 전승	
18	Mandaya (필리핀 민다나오)				두 남자와 한 여자	독수리	남녀 두 명이 독수리를 타고 고향으로 돌아옴				

	민족(지역)	홍수 원인	홍수 발생자	홍수 예고자	생존자	피난 수단	생존 이후의 상황			후속담	부가된 모티프 및 에피소드
							결혼 권유자	천의 묻기와 징험	출산물		
19	Ifugao (필리핀 Ifugao주)	수위의 상승			남매 (Wigan과 Bugan)	두 산의 정상에 오름	흰 수염의 노인 (천신)		5남 4녀	자식들의 남매혼으로 인류 전승	불을 통해 생존을 확인
20	Ifugao (필리핀 Kiangan Ifugao주)	사냥감이 살 수 있는 산을 조성	신의 맏아들 카비갓								홍수로 산과 계곡이 형성됨
21	Ifugao (필리핀 Central Ifugao)	강을 준설하다가 강의 샘을 타격	강의 신	노인	남매 (Wigan과 Bugan)	두 산의 정상에 오름					홍수로 산과 계곡이 형성됨
22	Igorot (필리핀 루손)				남매	산 정상에 오름				대신령 Lumawig가 개와 사슴을 보내 불을 가져다줌	
23	Igorot (필리핀)	사냥감이 살 수 있는 산을 조성	대신령의 두 아들		남매	산 정상에 오름			자식들	인류를 전승	대신령 Lumawig가 개와 사슴을 보내 불을 가져다줌
24	(필리핀 Bukidnon 민다나오)	巨大한 게가 바다에 들어감		현자	일부 사람들	커다란 뗏목					
25	Igorot (필리핀)				남매	산의 동굴과 정상에 피신				이고로트족을 전승	불을 통해 생존을 확인
26	Bontok (필리핀 루손)	사냥감이 살 수 있는 산을 조성	대신령의 두 아들		남매	산 정상에 오름	Lumawig		자식들	인류를 전승	대신령 Lumawig가 개와 사슴을 보내 불을 가져다줌

	민족 (지역)	홍수 원인	홍수 발생자	홍수 예고자	생존자	피난 수단	생존 이후의 상황			후속담	부가된 모티프 및 에피소드
							결혼 권유자	천의 묻기와 징험	출산물		
27	Ifugao (필리핀 이푸가오)	강을 준설하다가 강의 샘을 타격	강의 신	노인	남매 (Wigan과 Bugan)	두 산으로 피신	흰 수염의 노인		5남 4녀. 남매혼	흉년, 질병의 제물로 미혼의 막내를 바침. 인류 전승	산악과 계곡의 기원으로서 홍수. 불을 통해 생존을 확인
28	Tinguia (필리핀 루손)	아포니 톨라우가 바다신의 시녀를 납치	바다의 신	바람과 비의 여신	아포니 톨라우와 그의 가족	산 정상에 피신				시녀의 애원으로 홍수 물러감, 인류의 전승	
29	Ifugao (필리핀 루손)	인간의 낭비, 남용	최고신 카부니안	최고신(꿈)	남매 (Wigan과 Bugan)	산 정상에 피신			남녀 아이를 낳음	남매혼. 산악지구 민족의 조상	물이 고인 연못에 자라나 있는 벼를 발견
30	(필리핀 비콜 루손)	남몰래 괴물을 죽인 비겁 행위	하늘의 신								홍수가 가져온 지역 형세의 변화
31	(필리핀 Bukidon 민다나오)	거대한 게가 바다에 들어감	거대한 게	노인으로 변장한 천신	노인을 환대한 남자와 그의 처	뗏목					천신이 인간의 심성을 시험
32	(필리핀 비사야)	신에 대한 불충	최고신 캅탄	가정의 수호자	용사 파우브리와 가족	뗏목				인류의 전승	
33	(필리핀 비사야)	최고신과 바다신의 분쟁	바다의 신		모두 익사						

4. 나오면서

지금까지 동남아 대륙부와 도서부의 홍수신화 총 56편을 연구대상으로 삼아 홍수에서의 생존자의 숫자와 상호관계, 인류 재전승을 위한 이들의 혼인형태를 둘러싼 서사구조, 그리고 신화 속에 부가된 다양한 모티프와 그 에피소드를 중심으로 동남아 홍수신화의 여러 양상을 검토하였다. 이를 통해 알 수 있듯이, 동남아 대륙부와 도서부의 홍수신화에는 유사한 점이 꽤 많다. 이를테면 동남아 대륙부와 도서부 어느 곳이나 홍수남매혼의 유형이 다수 존재한다는 점, 홍수남매혼 외에도 풍부하지는 않지만 홍수의 모티프와 결합된 인수혼이나 모자혼의 유형이 나타난다는 점, 그리고 곡물 종자의 획득이라는 모티프로 대표되는 농경문화와 관련된 에피소드가 적잖이 소개되고 있다는 점 등을 들 수 있다.

이 가운데 농경문화와 관련된 에피소드들, 특히 지렁이의 분변토로부터 경작에 필요한 토양이 형성되었다는 에피소드는 다른 지역의 신화에서는 흔치 않다는 점에서 각별히 주목할 만하다. 중앙 보르네오의 카얀Kayan족에 따르면, 태초에 하늘에서 내려온 거미가 거미줄을 짰는데, 거미줄 위에 작은 돌이 떨어져서 점점 자라 수평선 아래의 모든 공간을 가득 채웠다. 이 돌에 이끼가 떨어져 달라붙은 후 벌레가 나왔는데, 그 벌레의 똥에서 최초의 토양이 형성되었다고 한다.[44] 벌레, 특히 지렁이의 배설물로부터 토양이 생성되었다는 신화적 상상력은 베트남 벤끼에우족의 홍수신화(〈표 1-1〉)뿐만 아니라, 대만의 파이완족排灣族과 루카이족魯凱族의 홍수신화에서도 엿볼 수 있다. 이러한 에피소드가 동남아와 대만의 홍수신화에서 모두 서술되고 있다는 것은 두 지역의 신화의 친연성을 살펴볼 수 있는 중요한 근거라고 볼 수 있다.

그러나 한편으로 동남아 대륙부와 도서부의 홍수신화는 미묘한 차이를 드러내기도 한다. 이를테면 동남아의 홍수남매혼신화는 중국 서남부의 소수민족에서 전승되는 홍수남매혼신화에 비해 근친상간의 금기 위반과 관련된 모티프나 에피소드, 즉 '천의 묻기와 징험', '이물 출산' 등의 서사 요소가 상대적으로 약화되거나 소멸되어 있다. 동남아의 홍수남매혼신화 가운데 '천의 묻기와 징험', '이물 출산' 등의 모티프를 두루 갖추고 있는 신화는 물론 없지 않지만(〈표 1-3, 4, 15〉), 동남아의 대다수 홍수남매혼신화에는 '천의 묻기와 징험'이 거의 나타나지 않으며, 기껏해야 남매를 둘러싼 이적, 이를테면 잠자리를 따로 하였지만 깨어보면 함께 자고 있거나(〈표 1-4〉) 서로 멀리 헤어졌지만 끝내는 다시 만나는(〈표 1-10〉) 등의 이적으로 약화되어 있을 뿐이다. 게다가 결혼한 남매가 박과 식물, 이를테면 박, 호박, 조롱박 등의 이물을 출산하기도 하지만, 정상아들을 출산하는 경우도 적지 않다. 이러한 경향은 동남아 도서부의 홍수남매혼신화에서 훨씬 강하게 나타나 '천의 묻기와 징험', '이물 출산' 등의 서사 요소가 전혀 서술되지 않으며, 다만 대신령大神靈, 천신, 창조주 등 신성성을 지닌 자의 결혼 권유가 '천의 묻기와 징험'을 대신할 뿐이다.[45] 요컨대 동남아의 홍수남매혼신화에 나타나는 근친상간의 금기 위반과 관련된 모티프나 에피소드는 중국 서남부에서 멀어질수록, 동남아 대륙부에서 도서부로 향할수록 약화하거나 소멸되는 경향이 두드러진다는 점을 알 수 있다.

동남아 대륙부와 도서부의 홍수신화의 이러한 미묘한 차이는 모자혼에서도 엿볼 수 있다. 동남아 대륙부의 모자혼은 기본적으로 인수혼, 즉 홍수에서 생존한 여인과 개의 결혼이나 상징적 교구행위(소변의 공유)를 전제로 하며, 인수혼을 통해 태어난 아들에 의한 살부殺父 행위 이후에 모자혼이 이루어진다. 반면 도서부의 모자혼신화는 홍수에서 생존한 임신부가 아들을 낳은 후 어머니와 아들이 결혼하는 단순한 구조를 취하고 있다.(〈표 2-10, 17〉) 도서부의 홍수신화에도 인수혼의 형태(〈표 2-8〉)가 있지만, 홍수에서 생존한 여인이 개와 결혼하여 기형아 아들을 출산한다고 서술할 뿐, 아들에 의한 살부殺父 행위와 이에 뒤이은 모자혼으로 확장되지는 않는다. 이렇듯 동남아 대륙부의 모자혼신화가 인수혼을 동반한 복합형이라면, 도서부의 모자혼신화는 단순형이라 할 수 있다. 홍수와 결합된 이러한 단순형 모자혼신화는 일본의 하치조지마八丈島의 시조로 여겨지는 다나바丹那婆와 관련된 설화[46], 그리고 인도 중부의 홍수신화 가운데 가다바Gadaba족과 관련된 신화[47]에서도 동일하게 서사되고 있다. 인도로부터 동남아를 거쳐 하치조지마에 이르는 지역, 특히 도서지역의 신화에서 모자혼의 자취를 살펴보는 것은 매우 흥미로우리라 생각한다.

이밖에도 홍수의 재난으로부터의 피난수단 역시 동남아 대륙부와 도서부의 차이를 드러내고 있다. 동남아 대륙부와 도서부의 홍수신화에서는 모두 인위적으로 제작한 뗏목과 배 등의 운송수단이나 이에 버금가는 통나무나 나무줄기 등을 이용하여 홍수의 재난을 피하며, 때로 산 정상에 올라가 재난을 피한다. 그런데 동남아 대륙부의 홍수신화에는 특별히 박과 식물의 열매(박, 호박, 조롱박)나 북 등의 물에 잘 뜨는 물건을 이용하여 피난하는 경우가 많다. 박과 식물은 중국의 서남부와 동남아 대륙부에서 널리 식생되는 식물로서 이 지역에 전승되는 홍수신화에서 피난수단으로 자주 언급되고 있거니와, 특히 박과 식물의 열매는 모든 생명의 모체이자 생식능력의 표지로서 종교적 숭배의 대상이 되기도 한다.[48]

동남아 대륙부에서 피난수단으로서 특별히 눈길을 끄는 것은 북鼓인데, 여기에서의 북은 나무통의 양쪽에 가죽을 입힌, 제의와 오락을 위한 전문적인 악기로서의 북皮鼓이라기보다는 원시적인 나무북木鼓으로서 나무줄기의 속을 파낸 구유 모양의 북槽鼓이라 추정된다. 이 구유 모양의 나무북槽鼓은 원래는 가축의 먹이를 담아주는 구유, 혹은 곡물을 빻거나 찧는 절구, 심지어 장례용 관이나 통나무배 등의 다용도로 사용되었을 터이며, 이것이 어느 특별한 기회에 임시로 악기를 대용하는 역할을 하였다가 점차 전문적인 악기로 발전되었을 것이라는 견해[49]를 참고해도 좋을 것이다.

동남아 대륙부의 홍수신화와 달리, 도서부의 홍수신화에서는 박과 식물의 열매를 피난수단으로 이용한 예가 전혀 보이지 않는 대신, 산의 정상에 올라 재난을 피하는 홍수신화가 압도적 다수를 차지하고 있다. 이러한 피난방식의 차이는 대륙부와 도서부의 지리환경의 차이, 즉 대륙부는 완만한 강을 흐름을 따라 평야지대가 넓게 펼쳐져 있는 반면, 도서부, 특히 규모가 작은 섬은 높은 산악과 계곡을 중심으로 가파른 산지를 이루고 있다는 점과 관련되어 있다고 보여진다. 이러한 대륙부와 도서부의 피난수단 혹은 피난방식의 분명한 차이는 해당 지역의 원시인류가 지니고 있는 신화적 상상력의 원천과 관련되어 있을 터이다. 즉 대륙부에서는 식물의 식생이 신화적 상상력의 원천들 가운데의 하나라고 한다면, 도서부에서는 지리환경이 신화적 상상력의 보다 중요한 원천으로 작동하고 있음을 보여준다.

이밖에 동남아 도서부의 홍수신화에서 주목할 만한 모티프로서, 나뭇가지에 사람의 머리카락이 걸린다거나 볏단이 걸리는 에피소드를 들 수 있다. 이를테면 〈표 2-7〉의 홍수신화에서 여인은 홍수의 재난 속에서 가시나무에 머리카락이 걸려 살아난다. 이 에피소드는 미크로네시아의 팔라우Palau섬에 전승되고 있는 홍수신화에서도 발견할 수 있는데[50], 평민으로 변장하여 구걸하는 신을 환대한 노파는 홍수 속에서 뗏목을 타고 떠돌다가 머리카락이 나뭇가지에 걸려 구조된다. 이러한 피신방법은 풀을 붙잡아 홍수 속에서 생존하는 대만 파이완족과 퓨마족卑南族의 홍수신화, 그리고 일본의 오키나와 다라마지마多良間島의 홍수남매혼신화와 동일한 맥락에 놓여 있다.[51] 또한 〈표 2-10〉의 홍수신화에서는 볏단이 뿌리채 뽑힌 나무에 걸려 있는 덕택에 벼를 경작할 수 있었는데, 이는 대만臺灣 부눈족布農族의 홍수신화에서 풀 위에 조 이삭이 걸려 있는 에피소드[52]와 흡사한 신화적 상상력을 보여주는 예라고 할 수 있다. 이러한 에피소드들은 모두 식물의 도움으로 재난을 피하고 생명을 이어가는 공통성을 보여주고 있다.

지금까지 동남아를 대륙부와 도서부로 나누어 각지의 홍수신화의 다양한 양상을 살펴보았다. 동남아 대륙부, 특히 대륙부의 북부는 중국의 서남부와 국경을 접하여 오랫동안 민족의 이동이 빈번하게 이루어져 왔는데, 이러한 점에서 동남아 대륙부의 홍수신화는 중국 서남부의 홍수신화와 분리하여 생각할 수 없을 정도로 긴밀히 연계되어 있다. 따라서 일찍이 1938년에 루이이푸芮逸夫가 「먀오족의 홍수이야기와 복희여와의 전설」이란 글[53)]에서 제기하였듯이, 지금의 국경과는 별도로 중국 서남부와 동남아 대륙부를 아우르는 신화구神話區(mythical area)를 상정할 필요가 있다. 이와 마찬가지로 동남아 도서부의 홍수신화는 오세아니아, 즉 멜라네시아, 폴리네시아, 미크로네시아와 오스트레일리아를 포함하는 태평양 연안의 도서 지역의 신화와의 연계 속에서 파악할 필요가 있다. 이렇듯 일국적 경계를 뛰어넘어 광활한 시야에서 홍수신화를 바라볼 때 동아시아의 홍수신화의 성격과 위상이 훨씬 풍부하고 명확해지리라 생각한다.

■ 주석

1) 조흥국, 「동남아의 문화와 사회에 대한 이해」, 『동남아의 사회와 문화』(서울: 오름, 1993), 293-295쪽 참조
2) 미국에서의 동남아 연구현황은 아래의 논문을 참조하시오. 송승원, 「미국의 동남아시아 연구사: 자율적 역사서술 전통의 수립과 한계, 그리고 향후 과제」(순천향대학 『인문과학논총』 제27집, 2010); 이동윤, 「동남아 지역연구의 현황과 과제: 최근 5년간 연구동향을 중심으로」(『세계지역연구논총』 제24집 3호, 2006)
3) 이한우, 「한국의 베트남 연구」(『아시아리뷰』 제3권 1호, 2013) 참조
4) 한국에서의 동남아 연구현황은 아래의 서적과 논문을 참조하시오. 안청시, 전제성 엮음, 『한국의 동남아시아 연구』(서울: 서울대학교출판문화원, 2019) 제1장과 제10장; 오명석 외, 「1990년대 이후 한국의 동남아연구: 학문분야별 회고와 성찰」(『동남아시아연구』 제18권 2호, 2008); 최병욱, 「'한월관계사'에서 '동남아시아사'로-동남아시아 연구 동향 50년」(『東洋史學研究』 제133집, 2015.12); 신윤환, 「한국의 동남아연구: 반성적 회고」(『동남아시아연구』 제25권 4호, 2015); 이동윤, 「동남아 지역연구의 현황과 과제: 최근 5년간 연구동향을 중심으로」(『세계지역연구논총』 제24집 3호, 2006)
5) 안청시·전제성 엮음, 위의 책, 15쪽 참조
6) 이러한 연구성과의 예로서 아래의 논문을 들 수 있다.
   - To Minh Tung, 「한국과 베트남의 설화에 나타난 용의 문화적 상징 비교 연구」, 『문화와 융합』 제42권 10호, 2020.10
   - 호카인 반, 「베트남 설화속의 여성형상 연구」, 『열상고전연구』 제73집, 2021.2
   - 라마이티쟈, 「한국 '우렁각시' 설화와 베트남 '개구리각시' 설화에 나타난 화소의 위치 및 기능 비교연구」, 『열상고전연구』 제73집, 2021.2
   - Gu Dong, 「善妙설화와 베트남 蠻娘설화의 비교 연구」, 『인문학연구』 125권, 2021.12
7) 이러한 연구성과의 예로서 아래의 논문을 들 수 있다.
   - 박경희, 「京畿 海岸島嶼와 동아시아의 설화 전파 -'우렁각시' 설화의 한반도 서해안 전래 추정을 중심으로」, 『동아시아고대학』 14호, 2006.12
   - 김용의, 「동아시아에 확산된 의상과 선묘의 사랑 이야기」, 『일본어문학』 54호, 2012
   - 하은하, 「한국어교육을 위한 동아시아 설화 비교 연구 -한국, 베트남, 태국의 '나무꾼과 선녀'를 중심으로」, 『인문논총』 31호, 2017
   - 최귀묵, 「월남 므엉족의 창세서사시」, 한국구비문학회 편, 『동아시아 제 민족의 신화』, 서울, 박이정, 2001
8) J. C. Frazer, 『*Folk-Lore in the Old Testament*』(Volume Ⅰ), St. Martin's Street, London, Macmillan and Co. Limited, 1918; Louis Herbert Gray Edit. 『*The Mythology of all Races*』(Volume Ⅻ), Boston, Marshall Jones Company, 1918; 松村武雄 編, 『世界神話傳說大系』(제15권), 東京, 名著普及會, 1983; 張玉安 主編, 『東方神話傳說』(第6·7卷), 北京, 北京大學出版社, 1999. 『世界神話傳說大系』와 『東方神話傳說』에 실린 신화에는 출처뿐만 아니라 신화 채록 대상자의 민족, 지역 및 일시 등이 밝혀져 있지 않아

자료로서 일정한 한계를 지니고 있다.

9) Dang Nghiem Van, 「The Flood Myth and the Origin of Ethnic Groups in Southeast Asia」, 『The Journal of American Folklore』, Vol. 106, No. 421, Summer, 1993; 曽我部一行, 「兄妹始祖神話再考」, 『常民文化』 제30호, 2007.3; 本多 守, 「ベトナム, モン・クメール系諸民族の起源説話の共通性」, 『アジア文化研究所研究年報』 제55권, 2021.1

10) 단행본의 연구서적은 다음과 같다. Alan Dundes, 『*The Flood Myth*』, Berkeley·Los Angeles·London, Univ. Of California Press, 1988; Rachel Storm, 『*Mythology of Asia and the Far East: Myths and Legends of China, Japan, Thailand, Malaysia and Indonesia*』, London, Southwater, 2003; Mabel Cook Cole, 『*Philippine Folk Tales*』, Chicago, A.C. McClurg and Company, 1916; H. Otley Beyer, 『*Origin Myths among the Mountain Peoples of the Philippines*』, Manila, Bureau of Science, 1912; F. Landa Jocano, 『*Outline of Philippine Mythology*』, Manila, Centro Escolar University Research and Development Center, 1969; Roland B. Dixon, 『*Oceanic Mythology*』, Boston, Marshall Jones Company, 1916; Owen Rutter, 『*The Pagans of North Borneo*』, London, 1929

11) 〈표 1-15〉처럼 뇌공과 또 다른 신격 사이의 갈등과 분규가 홍수 발생의 원인인 신화는 중국 서남부의 侗族, 瑤族, 壯族, 布依族의 홍수신화에서도 흔히 발견된다. 〈표 1-15〉의 신화는 전승집단이 중국 서남부에서 이주해온 瑤族의 일족일 뿐만 아니라, 뇌공과 분규를 일으키는 짱로꼬Chang Lo Co는 중국의 홍수남매혼신화에서 흔히 볼 수 있는 장궈라오張果老의 와전으로 보이며, 생존한 남매 '푹히(Phuc Hy)'는 복희伏羲의 현지어음으로 추정된다. 아울러 Dang Nghiem Van의 논문에 포함된 부록을 검토해보면, 중국 서남부와 국경을 접하고 있는 동남아 대륙부의 북부, 특히 베트남의 동북부의 소수민족에게 전승되는 홍수남매혼신화는 베트남의 다른 지역, 특히 중부(쯔엉선-떠이응우옌 지역)의 홍수남매혼신화에 비해 근친상간의 금기 위반과 연관된 서사 구성요소를 훨씬 더 잘 갖추고 있다. Dang Nghiem Van, 앞의 논문, 부록4 참조

12) Dang Nghiem Van, 앞의 논문, 324-325쪽; 張玉安 主編, 앞의 책(제6권), 119-120쪽 참조

13) Dang Nghiem Van, 위의 논문, 325-326쪽

14) 정진희, 『오키나와 옛이야기』(서울: 보고사, 2013), 129-133쪽 참조. 일본에서는 犬祖神話와 관련된 옛이야기를 크게 '개 사위 들이기(犬婿入り)'의 시조형과 복수형으로 나누어 설명한다. 稲田浩二 外編, 『日本昔話ハンドブック』(東京: 三省堂, 2006), 56-58쪽 참조

15) 張玉安 主編, 앞의 책(제6권), 119쪽 참조

16) 위의 책, 163-164쪽 참조

17) J. C. Frazer, 앞의 책, 199-203쪽 참조

18) 中國民間文學集成全國編輯委員會 編, 『中國民間故事集成』(雲南卷)(北京: 中國ISBN中心, 2003), 192-194쪽 참조

19) 위의 책, 194-196쪽 참조

20) 위의 책, 208-209쪽 참조

21) 프레이저에 따르면, 인도에서 더 높은 카스트에 오르고자 하거나 자신의 불운과 부당행위로 인해 박탈당한 카스트를 회복하고자 하는 사람은 암소에서 갓 태어난 시늉을 취함으로써 목적을 달성한다. 이 경우 실제로 살아있는 암소의 뱃속을 통과할 수는 없으므로, 암소의 다리 사이 앞뒤로 통과하는 행위로 대신한다. J. C. Frazer, 앞의 책(Vol.Ⅱ), 37-39쪽 참조

22) 아침나무, 『세계의 신화』(서울: 삼양미디어, 2009), 526쪽 참조

23) Kristina Lindell, Jan-Öjvind Swahn, Damrong Tayanin, 「The Flood: Three Northern Kammu Versions of the story of the Creation」, Alan Dundes, 앞의 책, 195쪽

24) 本多 守, 앞의 논문, 86-88쪽; 張玉安 主編, 앞의 책, 69-79쪽 참조

25) 本多 守, 앞의 논문, 88-89쪽 참조

26) Dang Nghiem Van, 앞의 논문, 305쪽

27) Alan Dundes, 앞의 책, 196쪽; 張玉安 主編, 앞의 책(제6권), 119-120쪽

28) 이 표에 실린 신화의 출처는 다음과 같다. 1, 6, 8, 9, 10, 11, 12, 13은 本多 守, 앞의 논문; 2, 7, 15, 16은 Dang Nghiem Van, 앞의 논문; 3, 4, 5, 18, 19, 20, 21, 22는 張玉安 主編, 위의 책; 14, 23은 J.C.Frazer, 앞의 책; 17은 Alan Dundes, 위의 책

29) Owen Rutter, 앞의 책, 248쪽. 사냥을 나간 남동생이 다람쥐가 교미를 하고 있는 장면을 보았으며, 남매의 교합의 결과 개를 낳았다는 변이형도 있다.

30) R. B. Dixon, 앞의 책, 170-172쪽 참조

31) 이와 같은 완성도의 차이는 아마 채록 대상자와 시기 및 장소의 차이로 인해 발생할 가능성이 높다. 한데 묶은 신화들은 완성도에서 차이가 있을 뿐 전체적으로 동일한 줄거리를 갖는다는 점에서 유사형으로 보아도 무방하다.

32) J. C. Frazer, 앞의 책(Vol.Ⅰ), 222쪽 참조

33) 위의 책, 225쪽 참조

34) J. C. Frazer, 앞의 책(Vol.Ⅰ), 233쪽 참조

35) 위의 책, 221쪽 참조. 프레이저는 불을 피우는 이 방식을 'fire-drill'이라고 일컫고 있는데, 이는 'fire-saw'의 오기가 아닐까 생각한다.

36) 張玉安 主編, 앞의 책(제6권), 257쪽 참조

37) M. C. Cole, 앞의 책, 103쪽 참조

38) 張玉安 主編, 앞의 책(제6권), 291-292쪽 참조

39) H. O. Beyer, 앞의 책, 112-113쪽 참조

40) J. C. Frazer, 앞의 책(Vol.Ⅰ), 222쪽 참조

41) 위의 책, 223-224쪽 참조

42) F. L. Jocano, 앞의 책, 49-51쪽 참조

43) 이 표에 실린 신화의 출처는 다음과 같다. 1, 2, 3, 4, 5, 6, 7, 8, 9, 10, 11, 12, 17, 18은 J.C.Frazer, 앞의 책; 14, 15, 16은 張玉安 主編, 앞의 책; 33은 A.Dundes, 앞의 책; 13은 O.Rutter, 앞의 책; 19, 20, 21, 22는 R.B.Dixon, 앞의 책; 23, 24는 M.C.Cole, 앞의 책; 25, 26, 27은 H.O.Beyer, 앞의 책; 28, 29, 30, 31, 32는 F.L.Jocano, 위의 책

44) R. B. Dixon, 앞의 책, 158-159쪽 참조

45) 동남아 대륙부의 홍수남매혼신화에서 남매의 결혼을 권유하는 자는 주로 조류이며, 이밖에 거북과 대나무가 등장하고, 신격으로서 천신이 등장하는 경우는 단 한 차례뿐이다. 이처럼 동식물이 결혼의 권유자로 등장할 때에는 대체로 동식물의 외형적 특성이나 생태적 습성을 설명하는 경우가 많은데, 동남아 대륙부의 경우 瑤族의 〈표 1-15〉의 신화에서 거북과 대나무의 외형적 특성과 관련된 에피소드를 서술할 뿐 다른 신화에서는 이러한 에피소드가 생략되거나 소실된 것으로 보인다.

46) 하치조지마八丈島는 도쿄로부터 남방 287㎞의 해상에 위치한 화산섬이다. 이 섬의 시조에 관하여 곤도 토미조近藤富蔵는 『八丈實記』에서, 쓰나미로 인해 홀로 살아남은 임신부가 아들을 낳은 후 아들과 결혼하여 자손을 번성케 하였다는 설화를 전하고 있다. 그러나 곤도 토미조가 인용한 원저 『旧昔綜嶼嘶話』(高橋與市 著)에는 임신부가 딸을 낳았다고 적혀 있다.

47) Koraput District의 Alsidusra에 거주하는 가다바족에 따르면, 홍수에서 생존한 어머니와 아들은 세상이 다시 제모습을 찾은 뒤 결혼하여 가다바족의 조상을 낳는다. Verrier Elwin, 『*Myths of Middle India*』(London: Oxford Univ. Press, 1949), 36쪽

48) 홍수의 재난에서 생존한 남매가 결혼하여 출산한 異物은 매우 다양한데, 박과 식물을 출산한 경우는 주로 雲南省을 비롯한 중국 서남부와 동남아 대륙부의 북부지방의 소수민족의 홍수신화에서 찾아볼 수 있다. 이들의 홍수신화에서는 박과 식물의 열매를 깨트리거나 열매에 구멍을 뚫어 여러 민족이나 성씨가 생겨나기도 하고, 때로 그 열매가 사람으로 변모하기도 한다. 박과 식물에 대한 숭배의 문화적 의미에 대해서는 다음의 논문을 참조하시오. 宋兆麟, 「洪水神話與葫蘆崇拜」, 『民族文化研究』, 1988.6; 陳靜, 唐曹, 「葫蘆與人類起源神話」, 『湖北社會科學』, 2006.9; 尹榮方, 「葫蘆創世神話及其蘊意解析」, 『長江大學學報』, 2014.5; 張美雲, 「葫蘆崇拜與洪水神話」, 『長江大學學報』, 2015.10

49) 秦序, 「談西南洪水神話中的木鼓」(『山茶』, 1986.5) 참조

50) J. C. Frazer, 앞의 책, 253쪽 참조

51) 다라마지마의 홍수남매혼신화에 따르면, 밭에서 일하고 있던 남매는 밀어닥친 커다란 파도를 피해 언덕으로 올라가 力芝를 붙들고서 살아남는다. 曽我部一行, 「兄妹始祖神話再考」(『常民文化』 30號, 2007-03), 8쪽 참조

52) 林道生 編著, 『原住民神話與文化賞析』(臺北: 漢藝色研文化事業有限公司, 2004), 53쪽 참조

53) 芮逸夫 「苗族的洪水故事與伏羲女媧的傳說」, 『人類學集刊』, 1938-1

6

오세아니아의 홍수신화 연구

1. 들어가면서
2. 오세아니아 홍수신화와 물의 기원
3. 오세아니아 홍수신화의 해양문화적 특성
4. 오세아니아 홍수설화와 보은 모티프
5. 오세아니아 홍수신화 속의 에피소드
6. 나오면서

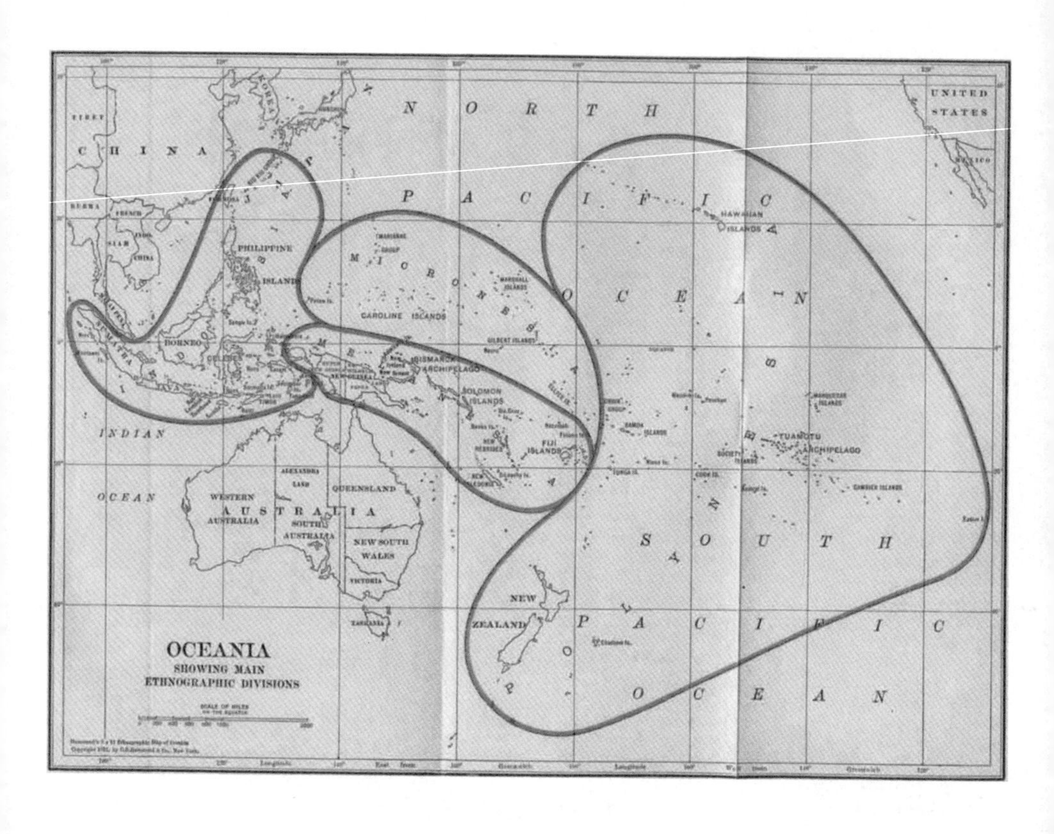

오세아니아(출처: Roland B. Dixon의 『*Oceanic Mythology*』)

1. 들어가면서

2022년 1월 15일 17시 26분(현지 시각) 남태평양의 섬나라 통가Tonga 부근의 훙가 통가섬(Hunga Tonga island)과 훙가 하파이섬(Hunga Ha'apai island) 사이에 있는 해저화산이 폭발하였다. 미국 항공우주국NASA의 분석에 따르면, 이번 화산 폭발의 위력은 2차 세계대전 당시 일본 히로시마에 투하된 원자폭탄보다 500배 강력하다고 한다. 그런데 흥미롭게도 훙가 통가섬과 훙가 하파이섬은 2009년 3월 이래 반복적으로 이루어진 화산폭발로 인해 하나로 연결되어 있었는데, 이번 폭발로 인해 각각 91%와 75%가 사라지고 그 사이에 820m 깊이의 칼데라가 형성되었다. 즉 해저화산의 폭발로 인해 섬의 면적이 늘어났다가 다시 대폭 줄게 된 것이다. 또한 2022년 9월 26일자 CNN의 보도에 따르면, 남태평양 통가의 해저화산인 홈 리프Home Reef 화산이 9월 10일에 폭발한 이후 19일까지 35,000㎡ 규모의 섬을 새로 만들어냈다고 한다.

한편 2004년 12월 26일 오전 7시 수마트라섬 북부 아체Aceh주의 반다아체Banda Aceh 앞바다 해저에서 리히터 규모 9.1의 강진이 발생하였다. 이 강진은 인도네시아와 태국, 스리랑카, 인도 등 인도양 연안 국가들에서 쓰나미를 일으켰는데, 이번 쓰나미로 인해 아체주에서의 10여만 명을 포함하여 약 20여만 명이 사망하였으리라고 추정하였다. 지진이 초래한 쓰나미로 인한 피해는 2011년의 동일본 대지진에서도 엿볼 수 있다. 2011년 3월 11일 14시 46분경에 일본 미야기宮城현 오시카牡鹿반도 동남쪽 130km 해저에서 9.0의 강진이 발생하였는데, 이 지진이 초래한 초대형 쓰나미로 인해 미야기현과 후쿠시마福島현의 여러 도시가 엄청난 피해를 입었다.

이처럼 화산폭발, 특히 해저화산의 예상치 못한 폭발로 인해 갑자기 섬이 생겨나거나 사라지는 지형의 변화를 목도하거나, 10m가 넘는 높이에 시속 300㎞ 이상의 속도로 달려오는 쓰나미에 모든 것이

쓸려나가는 일을 겪은 적이 있다면, 원시인류는 이에 대해 어떤 생각을 하였을까? 아마도 바다가 새로운 섬을 만들어냈거나 섬을 가라앉혀버렸다고 생각하고, 절대자가 엄청난 홍수로 습격하여 모든 것을 쓸어가 버렸다고 생각하였을지도 모른다. 위에서 언급한 최근의 자연재해의 사례는 흔히 '불의 고리(Ring of Fire)'라고 일컬어지는 환태평양 조산대에서 발생하였다. 환태평양 조산대에 속하는 태평양의 여러 섬들을 포함하는 드넓은 해양지역은 흔히 오세아니아Oceania 혹은 대양주大洋洲로 일컬어진다.

오세아니아는 일반적으로 오스트레일리아와 뉴질랜드를 비롯하여 멜라네시아, 미크로네시아와 폴리네시아를 포괄하는 태평양 지역내의 섬들을 가리킨다. 때로 좁게는 멜라네시아, 미크로네시아, 폴리네시아의 해양지역만을 가리키는 경우도 있지만, 넓게는 흔히 동인도제도로 일컫는 인도네시아[1]까지 오세아니아의 일부로 인정하는 경우도 있다. 멜라네시아는 뉴기니를 비롯하여 피지 제도諸島와 뉴칼레도니아 제도에 이르는 지역의 섬들을 포함하고, 미크네시아는 멜라네시아의 북쪽과 필리핀군도의 동쪽 해양에 분포되어 있는 섬들(팔라우, 괌, 마셜 제도 등)을 포함하며, 폴리네시아는 뉴질랜드와 동경 180도 이동以東에 산재하는 모든 섬들(하와이, 통가, 이스터 등)을 포함한다. 이들 지역에는 화산활동이 활발한 터라 화산섬이 많으며, 근대화 과정에서 서구 제국주의 열강에 의한 피식민지라는 역사적 경험을 공유하고 있고 지금도 독립을 이루지 못한 채 여전히 자치령自治領 혹은 보호령保護領으로 남아 있는 곳도 있다.

오세아니아, 특히 미크로네시아와 멜라네시아의 신화는 필리핀군도와 대만, 류큐琉球열도를 따라 한반도와 일본열도로 이어지는, 혹은 그 역의 경로를 따르는 신화의 길Myth Road을 형성했을 개연성이 매우 높다. 아울러 오세아니아 지역은 해양을 통해 여타 지역, 특히 필리핀군도를 포함한 인도네시아와 대만의 해양지역과 빈번하게 교류하는 과정에서 동아시아 대륙의 신화와 접촉함으로써 서로 영향을 주고받았을 가능성 또한 매우 높다. 더구나 이 지역은 인도네시아 지역과 마찬가지로 오랜 피식민지 경험에도 불구하고 신화의 원형을 상당 부분 간직하고 있어서 타 지역과의 전파와 영향의 여부를 파악하는 데 매우 유용하다. 이러한 점에서 오세아니아의 신화에 대한 연구는 동아시아의 신화의 성격을 파악하고 위상을 자리매김함에 있어서 매우 중요한 의미를 갖게 된다.

이 글은 넓은 의미의 오세아니아 지역에 전승되어온 홍수신화를 연구대상으로 하며, 이 지역의 홍수신화의 전체적 양상과 함께 홍수신화에 내재된 지역적 특성을 살펴보는 것을 일차적인 목적으로 삼는다. 이를 위해 기본적인 1차 자료로는 프레이저J. C. Frazer의 『*Folk-Lore in the Old Testament*』(Volume Ⅰ·Ⅱ·Ⅲ), 그레이L. H. Gray가 엮은 『*The Mythology of all Races*』(Volume Ⅸ), 그리고 마쓰무라 다케오松村武雄가 엮은 『세계신화전설대계』(제21, 22권)에 수록된 신화를 사용하였다.[2] 이 글은 이들 서적에서 총 30여 편의 홍수신화를 골라 연구대상으로 삼았다. 오세아니아 지역 혹은 이 지역의 신화를 주요한 문제의식으로 다루고 있는 국내의 연구성과는 그다지 많지 않으며, 그나마 한국의 설화와의 비교연구가 대부분을 차지하고 있다.[3] 오세아니아 지역에 대한 연구가 아직 활발하지 않은 터라, 이 지역의 홍수신화를 다룬 연구성과 또한 아직 보이지 않는다. 이 글이 오세아니아 지역의 신화 및 홍수신화 연구의 마중물이 되기를 기대한다.

2. 오세아니아 홍수신화와 물의 기원

오세아니아의 홍수신화를 살펴보기에 앞서, 오세아니아 홍수신화에 다가가는 첫걸음으로서 물의 기원, 혹은 바다의 기원에 관하여 독특한 신화적 상상력을 보여주는 설화를 살펴보고자 한다. 물 혹은 바다의 기원에 관한 신화적 상상력이 바로 이곳의 홍수신화의 성격과 특성을 규정하고 있을 수도 있기 때문이다. 물 혹은 바다의 기원에 대한 멜라네시아의 설화를 먼저 살펴보자.

> 옛날 바다는 해변의 웅덩이만큼 작았는데, 이 웅덩이(pool)는 창조주 타가로Tagaro의 집 뒤쪽에 있었다. 타가로는 웅덩이 주위를 돌로 에워쌌으며, 웅덩이에는 물고기들이 있었다. 그는 두 아들을 두었는데, 아이들에게 집 뒤쪽의 웅덩이에 가는 것을 금하였다. 어느 날 타가로가 외출하자, 두 아들은 아버지의 명령을 어기고 집 뒤쪽으로 가서 물고기로 가득한 웅덩이를 보았다. 한 아들이 물고기 한 마리를 쏘아 맞추고서 그것을 움켜쥐려다가 웅덩이를 에워싼 돌을 넘어뜨리자, 물이 흘러나가기 시작했다. 물이 콸콸 흘러가는 소리를 듣고 타가로가 뛰어와 막아보고, 마을에 갔던 그의 아내가 몸을 뉘어 가로막았지만 허사였다. 두 아들은 막대기를 가져와 바다로 흘러가는 통로를 마련해 주었다.(Vanuatu, Aurora Island)[4]

위의 신화에서 물은 돌로 둘러싸인 웅덩이에 갇혀 있고, 웅덩이를 주관하는 창조주 타가로Tagaro는 아들들의 출입을 금지한다. 그러나 금기를 어긴 아들들에 의해 웅덩이를 둘러싼 돌이 무너지자 물이 쏟아져 나와 바다를 이룬다. 레퍼스섬Lepers' Island의 원주민에게 전해지고 있는 신화[5] 또한 이와 유사한 서사구조 및 내용을 담고 있다. 이 신화에서 물은 거대한 칼라듐 나뭇잎 속에 갇혀 있으며, 이 물을 주관하는 이는 노파뿐이다. 노파의 금지 명령을 어긴 손자들이 쏜 화살이 빗나가 나뭇잎을 뚫자 물이 터져 나와 바다를 가득 채운다.

이처럼 물이 어딘가에 갇혀 있다가 터져 나오거나 새어 나온다는 신화적 상상은 폴리네시아의 신화에서도 엿볼 수 있다. 즉 사모아의 신화에 따르면, 바다는 문어의 먹물주머니가 터지는 바람에 검푸른 즙이 흘러나와 바다가 되었다. 또한 마르키즈Marquesas 제도의 신화에 따르면, 천신인 아테아Atea의 아내 아타누아Atanua가 임신을 했으나 불행히도 유산하고 말았는데, 이때 양막에서 흘러나온 액체가 바다가 되었다.[6] 오스트레일리아의 동부 해안에 거주하는 원주민의 신화 역시 이와 비슷한 신화적 상상을 보여준다.

> 옛날에는 거대한 개구리가 물을 삼켜버린 바람에 어디에나 물이 없었다. 이로 인해 고통을 겪던 사람들은 어떻게 해야 할지 정하기 위해 회의를 열었다. 그들은 개구리를 웃게 만들 수만 있다면 개구리가 물을 토해낼 수 있으리라고 의견을 모았다. 그래서 몇몇 동물들이 우스꽝스러운 몸짓으로 개구리 앞에서 춤을 추었지만, 아무 소용이 없었다. 개구리는 여전히 근엄한 표정을 짓고 있었던 것이다. 마지막으로 뱀장어가 나섰는데, 온몸을 꼬면서 꿈틀거리는 그의 모습에 개구리가 처음으로 미소를 짓더니 웃음을 터뜨렸다. 개구리가 입을 벌리자 물이 쏟아져나와 홍수를 일으키는 바람에 많은 사람이 익사하였다.[7]

위의 신화에서 물은 원래 개구리의 입안에 삼켜져 갇혀 있다가 크게 웃음을 터뜨리는 순간 한꺼번에 쏟아져 나와 홍수를 발생한다. 이처럼 물이 어딘가에 갇혀 있다(shut, shallowed)는 상상과 유사하게, 물이 감추어져 있다(hided, concealed)는 신화적 상상도 존재한다. 이를테면 뉴브리튼New Britain의 베잉Baing족의 신화는 다음과 같다.

> 태초에 바다는 아주 작아서 조그마한 물웅덩이(샘, water-hole)에 지나지 않았다. 이 물웅덩이는 노파의 소유였는데, 노파는 자신이 먹을 음식의 맛을 내기 위해 웅덩이에서 소금물을 꺼냈다. 노파는 타파Tapa 천의 덮개 아래 웅덩이를 감추어 두었으며, 자신의 두 아들이 어디에서 소금물을 구해오는지 거듭 물었지만 알려주지 않았다. 그래서 두 아들은 지켜보다가 마침내 덮개를 들어 올려 소금물을 퍼올림으로써 노파를 놀라게 해주기로 마음먹었다. 노파가 자리를 뜨자 그들은 그곳으로 가서 덮개를 찢어 열었다. 그들이 더 많이 찢을수록 물웅덩이는 더욱 커졌다. 이 상황에 덜컥 겁이 난 그들은 각자 덮개 천의 모서리 한 쪽씩을 가지고서 도망쳤다. 그러자 물은 더욱 넓게 퍼져나가 마침내 바다가 되었다. 바다가 솟아올라 흙에 덮인 바위 몇 개만이 바다

위에 남아 있었다. 노파는 바다가 끊임없이 넓어지는 것을 보고 온 세상이 바다에 뒤덮일까 두려워 급히 해안가를 따라 몇 개의 잔가지를 심었다. 이렇게 하여 바닷물이 모든 것을 파괴하는 것을 막을 수 있었다.[8)]

이 신화에서 물은 타파Tapa 천의 덮개 아래 물웅덩이 속에 감추어져 있는데, 무언가의 속에 감추어져 있다는 신화적 상상은 오스트레일리아의 신화에서도 엿볼 수 있다. 웨스턴 빅토리아Western Victoria의 신화에 따르면, 물은 원래 돌멩이 아래에 감추어져 있었는데, 욕심스러운 사람이 물을 소유하고 있었다. 새들은 욕심쟁이 사람을 몰래 훔쳐본 끝에 물이 어디에 감추어져 있는지 알아냈다. 그래서 어느 날 그 욕심쟁이가 없는 틈을 타서 구멍을 덮은 돌멩이를 치우자마자 물이 흘러나오더니 커다란 호수가 되었다는 것이다.[9)]

이처럼 물은 덮개나 돌멩이 아래에 감추어져 있으며, 덮개를 찢어내거나 돌멩이를 제거하는 순간 급속도로 불어나 바다나 호수가 된다. 이와 유사한 신화적 상상력을 대만 타우족達悟族의 홍수신화에서도 발견할 수 있다. 즉 임신부가 물을 긷거나 먹을거리를 마련하기 위해, 혹은 바닷기운을 쐬기 위해 홀로 혹은 다른 여인(이모나 노부인)과 함께 바닷가에 나갔다가 흰색의 돌이나 산호를 뒤집자 물이 계속 솟구쳐나와 홍수가 발생하였다는 것이다. 대만에서도 매우 특이한 이 유형의 홍수신화는 어쩌면 오세아니아에서 흔히 발견되는 물 혹은 바다의 기원과 관련된 신화적 상상력과 연관이 있지 않을까?

이들 신화에서 중요한 것은 물이 천상에서 지상으로 흘러내리는 것이 아니라 인간세상인 지상으로 솟아나온다는 점이다. 우리나라를 비롯한 동북아와 동남아 대륙부의 홍수신화에서 물은 대체로 하늘에서 내리는 비의 양태로 인간에게 모습을 드러낸다. 이 비가 수십일, 혹은 몇 달 계속 내리는 바람에 홍수가 발생하는 것이다. 설사 한데 모여 있는 물을 누군가의 실수로 건드려 쏟아지는 바람에 홍수가 발

생하더라도, 천상의 물이 지상으로 쏟아져 내리는 형태이다.[10)]

그렇다면 오세아니아에는 물 혹은 바다의 기원을 설명하는 신화적 상상이 자주 등장하고, 그 신화적 상상이 동아시아 대륙부와 다른 까닭은 무엇일까? 이는 아마도 오세아니아가 자연환경에 있어서 바다에 둘러싸인 섬들로 구성되어 있기에 이곳의 주민들의 일상생활이 물과 불가분의 관계를 맺고 있다는 점과 깊은 연관이 있을 것이다. 게다가 오세아니아에서는 허리케인과 같은 폭풍우 외에, 해저화산의 폭발이 초래한 대형 해일에 의한 홍수가 자주 일어난다는 점과도 연관이 작지 않을 것이다. 폭풍우는 눈에 보이므로 그나마 대비하거나 피신할 수 있지만, 쓰나미는 사전에 예측하거나 감지하지 못한 채 순식간에 불어난 물로 피해를 입을 수밖에 없다. 이처럼 엄청나지만 갑작스럽게, 그리고 보이지 않게 다가오는 대형 해일에 의한 홍수를 자주 겪으면서, 이곳의 원시인류는 물이 어딘가에 갇혀 있거나 감추어져 있다가 어느 순간 일시에 쏟아져 나온다고 상상했을 것이다.

3. 오세아니아 홍수신화의 해양문화적 특성

앞에서도 언급하였듯이, 오세아니아의 자연환경은 바다로 둘러싸여 있으며, 따라서 당연하게도 오세아니아 원주민의 삶은 물론 그들의 세계관이나 문화심리 또한 바다와 떼어놓고 생각할 수 없다. 오세아니아 홍수신화 역시 이러한 해양문화적 특성을 잘 보여주고 있는데, 홍수 발생의 원인이나 피신수단에 있어서 해양적 요소가 자주 언급되거나 강화되며, 해양과 관련된 신들이 신화 속 주인공으로 등장하기도 한다.

우선 홍수 발생의 원인으로서 해양적 요소를 살펴보자. 오세아니아 홍수신화에서도 바다와 무관한 재해가 홍수 발생의 원인으로 제시되는 경우가 있다. 이를테면 뉴기니 서북부의 맴베라노Mamberano강의 원주민들의 신화에 의하면 강물의 범람이 홍수를 야기하고,[11] 뉴질랜드의 마오리Maori족의 홍수신화에서는 4-5일간 지속된 폭우로 인해 홍수가 일어나기도 한다.[12] 이처럼 바다와 무관한 재해를 홍수 발생의 원인으로 제시하는 신화는 대체로 오세아니아에서도 섬이기는 하여도 면적이 넓은 섬, 이를테면 오스트레일리아, 뉴질랜드와 뉴기니 등에서 전승되고 있다.

이러한 경우를 제외하면, 오세아니아의 홍수신화에서는 바다에서 발생한 자연재해, 그중에서도 해수면의 상승이 홍수 발생의 원인으로 가장 자주 언급된다. 해수면의 상승은 흔히 허리케인이나 폭우를 동반하기도 하는데, 대체로 바닷물이 지상 세계를 휩쓸고 바닷속에 삼켜버리는 모습으로 구체화된다. 이를테면 폴리네시아 홍수신화 가운데, 타히티Tahiti 원주민에 따르면, 타히티는 해수면의 상승과 허리케인에 의해 파괴되었으며, 홍수의 재난 속에서 부부 한 쌍만이 몇몇 동물들을 데리고 살아남았다.[13] 영국령 뉴기니의 홍수신화에 따르면, 대홍수가 발생하고 바다가 상승하여 대지를 넘쳐흐르자, 사람들과 동물들은 서둘러 가장 높은 산으로 피신하지만 바닷물이 계속 그들을 뒤쫓아오는 바람에 두려움에 사로잡힌다.[14]

이처럼 홍수 발생의 원인을 허리케인과 이로 인한 해수면의 상승이라고 밝히기도 하지만, 훨씬 은유적인 혹은 상징적인 표현을 사용하기도 한다. 이를테면 오스트레일리아 빅토리아Victoria주의 원주민의 신화에 따르면, 악행을 저지른 흑인에게 분노한 창조주 분젤Bundjel은 바다를 부풀어오르게 하여 한 쌍의 남녀를 제외한 모든 흑인을 익사시킨다. 또한 오스트레일리아 남부의 나린예리Narrinyeri족의 홍수신화에 따르면, 자신을 피해 도망친 두 아내를 뒤쫓던 남편이 '바다야, 솟아올라 그들을 익사시키라'고 외치자 무시무시한 홍수가 몰아쳐 그들을 죽인다.[15] 여기에서 '바다가 부풀어오르'고 '바다가 솟아오르'는 것은 모두 해수면의 갑작스러운 상승을 가리킨다고 보아도 좋을 것이다.

다음으로 오세아니아 홍수신화에 나타나는 피신수단의 해양적 요소를 살펴보자. 주지하다시피 홍수의 재난으로부터의 피신수단은 홍수신화의 전승지역의 자연환경과 밀접한 연관을 맺고 있다. 동아시아 대륙부의 홍수신화에서는 현지에서 흔히 생장하거나 일상생활에 사용되면서 물에 잘 뜨는 물건, 이를테면 박과 식물이나 통나무 등이 홍수로부터의 피신수단으로서 자주 언급되기도 하고, 높은 산악에 전승되는 홍수신화에서는 높은 산에 오르는 것이 주요한 피신방법으로 제시되기도 한다. 이러한 이치는 물론 오세아니아 홍수신화에도 똑같이 적용될 수 있으며, 도서지역을 포괄하는 오세아니아의 자연환경의 특성에서 볼 때 오세아니아의 홍수신화는 해양적 요소를 많이 지닐 수밖에 없다.

오세아니아의 홍수신화 가운데에는 피신수단이 해양적 요소와 관련이 없는 경우도 물론 있다. 즉 홍수의 재난에서 사람들이 높은 산으로 피신하거나 커다란 나무에 올라 피신하는 경우이다. 이를테면 오스트레일리아 빅토리아주의 원주민의 홍수신화에서 흑인의 악행에 분노한 창조주 분젤이 홍수로 세상사람들을 징벌했을 때 한 쌍의 남녀만이 키 큰 나무에 기어올라 살아남는다.[16] 또한 타히티 원주민의 홍수신화에 따르면, 타히티가 바다에 의해 파괴되었을 때 아내의 말에 따라 높은 산으로 피신한 한 쌍의 부부만이 살아남는다.[17] 아마도 전자의 피신처로서의 '키 큰 나무'는 오스트레일리아대륙의 남부지방에 흔하게 자라나 있는 거대한 나무일 것이고, 후자의 피신처로서의 '높은 산'은 화산섬 타이티 내에 자리잡은 2241m 높이의 오로헤나산Mont Orohena을 가리킬 것이다. 이 밖에도 식생과 관련지어 코코넛나무에 올라 피신하거나 왕귤나무 열매를 부양물로 만들어 피신하거는 경우도 있다.[18] 이러한 경우는 모두 생존자의 거주지의 자연환경이나 식생분포에 따른 피신수단 혹은 피신방법이라고 할 수 있다.

이처럼 홍수로부터의 피신수단이 해양적 요소와 무관한 홍수신화도 있지만, 오세아니아 홍수신화에는 해양적 요소를 지닌 피신수단이 훨씬 더 많이 등장한다. 해양적 요소로 가장 대표적인 피신방법은 이웃 섬으로의 피신과 카누나 뗏목을 이용한 피신을 들 수 있다. 이를테면 오스트레일리아 빅토리아주 깁스랜드Gippsland의 쿠르나이Kurnai족의 홍수신화에서는 대홍수 속에서 근처의 진흙섬으로 피신한 소수만이 살아남으며,[19] 소시에테 제도Society Islands의 라이아테아Raiatea 섬의 원주민의 홍수신화에 따르면 휴식을 방해받은 바다의 신 루아하투Ruahatu는 홍수로 복수하겠노라 위협하면서도 용서를 비는 어부에게 암초 속의 작은 섬으로 피신하라고 지시한다.[20] 또한 뉴헤브리디스 제도New Hebrides(지금의 Vanuatu)의 원주민들의 홍수설화에서, 그들의 전설적인 영웅 카트Qat는 홍수를 예견하고 카누를 마련하여 홍수의 재난에서 살아남았으며,[21] 타히티에 전승되는 홍수신화에서는 세상의 창조자인 타로아Taaroa가 자신에게 복종하지 않은 인간을 멸하기 위해 홍수를 일으켰을 때 한 남자만이 카누를 타고 살아남는다. 여기에서 카누는 나무를 엮어 만든 뗏목과 달리 통나무의 속을 파내어 만든 가장 원시적인 형태의 배라고 할 수 있는데, 오세아니아 홍수신화에서 카누와 뗏목을 피신수단으로 제시한 홍수신화가 절반에 가깝다. 아울러 카누와 뗏목과 같은 피신수단은 다른 세계로의 이동수단이며, 이러한 이동이 곧 오세아니아 해역의 확장이라고 할 수 있다.

셋째로 오세아니아 홍수신화에 두드러지는 해양적 요소로서 바다의 신海神(sea-god, sea-deity)이 등장한다는 점을 들 수 있다. 그리스 신화의 포세이돈Poseidon, 아일랜드 신화의 마난난Manannan, 일본 신화의 스사노오素戔嗚 등은 바다를 다스리고 폭풍을 관장하는 신으로 널리 알려져 있다. 이들 신은 다른 신들과 다투거나 싸우고 영웅적 인물의 삶에 때로 폭력적으로 개입하기도 하지만, 홍수를 일으켜 인간을 절멸시키지는 않는다. 특히 동아시아의 민간신앙에 나타나는 바다의 신, 이를테면 중국의 관음觀音과 마조媽祖, 한국 제주도의 영등할망, 일본의 류진龍神 등은 선원과 어부의 수호신으로서 풍어와 안전을 관장한다.[22] 그렇다면 오세아니아 홍수신화 속의 바다의 신은 어떠한 성격을 지니고 있을까? 소시에테 제도의 라이아테아 섬의 원주민에게 전승되어온 홍수신화를 살펴보자.

> 타아타Taata의 후손에 의해 세상이 사람들로 가득 찬 직후, 바다의 신 루아하투Ruahatu는 바다 깊이 산호숲 가운데에서 낮잠을 즐기던 중에 어느 어부의 방해를 받았다. 어부가 그의 머리맡으로 노를 저어와 산호 사이에 갈고리를 드리웠는데, 하필 그 갈고리가 잠들어 있는 루아하투의 머리카락과 얽혔던 것이다. 어부는 간신히 갈고리를 떼어냈지만, 낮잠을 방해받아 화가 치민 루아하투는 어부에게 지상을 파괴하여 복수하겠노라고 말했다. 깜짝 놀란 어부는 루아하투 앞에 엎드려 자신의 죄를 인정하고 살려달라고 용서를 빌었다. 그의 참회와 끈기에 감동한 루아하투는 그에게 처자식을 데리고 라이아테아의 동쪽에 있는 암초 속의 작은 섬인 토아마라마Toamarama로 가라고 하였다. 어부는 서둘러 집에 돌아와 처자식을 데리고 작은 섬으로 피신하였다. 어부의 가족은 날이 저물기 전에 피난처에 도착했는데, 해가 지자 바닷물이 상승하기 시작하더니 밤새 물이 솟아올라 이튿날 아침에는 높은 산의 꼭대기만 남아 있다가 끝내는 꼭대기마저 물에 잠겼다. 그리하여 어부의 가족을 제외한 모든 사람이 죽었으며, 물이 물러난 후 어부의 가족은 다시 본토로 돌아와 현재 주민의 조상이 되었다.[23]

위의 신화에서 바다의 신 루아하투는 낮잠을 방해한 인간을 징벌하기 위해 홍수를 일으켜 인류를 절멸시킨다. 아이러니하게도 바다의 신의 분노를 촉발한 인간은 구원을 얻어 살아남고 그의 가족을 제외한 모든 사람이 홍수로 죽지만, 어쨌든 홍수를 일으키는 주체는 바로 바다의 신이다. 이처럼 바다의 신이 홍수를 일으키는 경우는 쿡 제도Cook Islands의 망가이아Mangaia 섬에 전승되어온 홍수신화에서도 찾아볼 수 있다. 즉 비의 신 아오케우Aokeu와 바다의 신 아케Ake는 누가 멋진 일을 수행해야 하는가를 둘러싸고 입씨름을 벌이다가 힘을 겨루기로 한다. 아케는 승리를 확실히 하기 위해 바람의 신 라카Raka, 그리고 쌍둥이인 폭풍의 신의 도움을 받아 거대한 폭풍우로 바다의 수위를 끌어올린다. 아오케우 역시 쉬지 않고 비를 뿌려 지상의 수위를 끌어올린다.[24] 두 신이 세력 다툼을 하는 바람에 인간 세상에 홍수가 일어날 위기가 닥친 것이다. 이밖에도 쿡 제도의 라카앙가Rakaanga 섬에 전승되어온 홍수신화에 따르면, 자신에게 신성한 바다거북을 바치지 않은 종족에게 분노한 추장이 바다의 신들을 깨웠는데, 바다의 신들 중의 하나가 추장의 기도에 감응하여 무시무시한 허리케인을 일으켜 섬을 휩쓸어버린다.[25]

이처럼 바다의 신이 홍수를 일으키는 주체로 등장하는 홍수신화는, 많지는 않지만, 오세아니아 외의 다른 지역에서도 살펴볼 수 있다. 즉 필리핀 루손 팅귀아Tinguia족의 홍수신화에서는 영웅신 아포니 탈라우Aponi-talau가 바다의 신 타우 마리우Tau-mariu의 시녀인 후미타오Humitao를 납치하자, 이에 격노한 바다의 신이 그를 징벌하기 위해 홍수를 일으킨다.[26] 또한 필리핀 비사야Visaya 제도의 원주민의 홍수신화에서는 최고신 바탈라Bathala와 바다의 신 두마갓Dumagat 사이에 분쟁이 일어난다. 바탈라의 신하인 까마귀와 비둘기가 물고기를 훔쳤으니 징벌해달라고 두마갓이 바탈라에게 요구하였으나, 바탈라가 이 요구를 무시하자 분노한 두마갓이 홍수를 일으킨다.[27] 또한 대만의 야미족雅美族의 홍수신화에 따르면, 다른 신들의 소유물을 빼앗으려다가 거부당하자 화가 난 카비트Kabitt와 아카Aka라는 두 신은 자신들이 당한 모욕을 되갚아주기 위해 네 명의 바다의 신에게 홍수를 일으켜달라고 부탁한다.[28] 현재까지 수집된 자료에 따르면, 홍수를 일으키는 주체로서의 바다의 신은 주로 동아시아 대륙부가 아닌 도서부에서 나타나고 있음을 엿볼 수 있다.

4. 오세아니아 홍수설화와 보은 모티프

오세아니아의 홍수설화로서 눈길을 끄는 것은 '징벌에 의한 홍수'와 '보은報恩에 따른 구원'을 중심적 줄거리로 이루어지는 홍수설화이다. 이를 대표하는 홍수설화로 뉴기니 북부 해안의 베를린 하버Berlin Harvour에 거주하는 발만Valman족 및 영국령 뉴기니의 원주민에게 각각 전승되어온 이야기를 살펴보자.

> 어느 날 어느 착한 남자의 아내가 거대한 물고기가 둑으로 헤엄쳐오는 것을 보았다. 그녀는 남편을 불렀지만, 처음에 남편은 그 물고기를 보지 못했다. 그래서 아내는 그를 비웃고서 그를 바나나 나무 뒤에 숨겨서 잎사귀를 통해 몰래 엿보게 하였다. 마침내 물고기를 본 남편은 공포에 사로잡혀 아들 하나와 딸 둘을 불러 돌아오게 하고, 그들에게 물고기를 잡아먹지 말라고 하였다. 그러나 다른 사람들은 활과 화살, 끈을 가지고 물고기를 잡아 땅 위로 끌어냈다. 착한 남자가 그들에게 먹지 말라고 했음에도 불구하고, 그들은 잡아먹었다. 착한 남자는 그것을 보고서 급히 각 종류의 짐승들을 짝지어 나무 속에 몰아넣고 가족과 함께 코코넛 나무 속으로 기어 올라갔다. 사악한 사람들이 물고기를 잡아먹자마자 땅에서 물이 격렬하게 솟구쳐 올랐으며, 피할 겨를도 없이 사람들과 동물들은 모두 익사하고 말았다. 물은 가장 높은 나무 정상까지 이르더니 치솟아 오른 만큼이나 빠르게 빠졌다. 착한 남자는 가족과 함께 나무에서 내려와 새로운 농장을 조성했다.29)

> 어느 날 어떤 남자가 물고기가 많이 있는 호수를 발견했다. 호수 밑바닥에는 마력을 발휘하는 장어(magic eel)가 살고 있었지만, 그 사람은 그걸 알지 못했다. 그는 물고기를 많이 잡아 돌아왔으며, 이튿날에는 자신의 이야기를 전해들은 마을 사람들과 함께 호수에 갔다. 마을 사람들 역시 매우 성공적이었는데, 한 여인은 거대한 장어 아바이아Abaia를 붙잡기도 하였다. 아바이아는 호수 깊은 곳에 살고 있었는데, 그녀에게 붙잡혔다가 간신히 도망쳤다. 아바이아는 그의 물고기들이 붙잡히고 심지어 그조차도 사로잡혔는지라 몹시 화가 나서 그날 밤 폭우

를 내리게 하였다. 호수의 물이 불어났으며, 물고기를 먹지 않은 늙은 여인만이 나무에서 목숨을 구했을 뿐 모든 사람이 물에 빠져 죽었다.[30)]

위의 두 편의 홍수설화에 등장하는 거대한 물고기와 마력을 지닌 장어는 모두 잡아먹어서는 안 되는 신성성을 지니고 있다. 남태평양 일부 섬의 원주민의 터부Taboo에 따르면, 완전히 자란 물고기는 신으로 간주되므로 잡아먹어서는 안 되며, 장어는 목욕 중인 여성에게 접근하기 위해 신이 취하는 형상이므로 잡아먹어서는 안 된다.[31)] 쿡 제도의 망가이아섬의 신화에 따르면, 거대한 장어가 멋진 청년 투나Tuna로 변신하여 처녀와 연애를 하다가 마지막 만나는 날 처녀에게 자신의 머리를 잘라 땅에 묻도록 요청한다. 처녀가 그가 요청하는 대로 행하자 땅에서 나무가 자라고 그 나무에서 코코넛이 열린다.[32)] 북동부 뉴기니의 원주민들은 그들의 조상이 토템 동물로부터 비롯되었다고 믿는지라 특정한 바닷물고기나 새(흰 앵무새 등), 동물(돼지, 악어 등)을 먹지 않는다.[33)]

이처럼 오세아니아 여러 지역의 원주민들은 애니미즘과 토테미즘에서 비롯된 터부와 미신에 근거하여 특정한 동물이 신성성을 지니고 있다고 믿는다. 따라서 신성성을 지닌 동물을 사로잡거나 잡아먹는 등의 위해를 가한 사람들은 징벌로서의 홍수의 재난에서 벗어날 수 없는 반면, 그렇지 않은 사람들은 그 보답으로 재난으로부터 구원과 생존의 은혜를 입는다. 다만 위의 이야기에는 물고기와 장어의 보은의 서사가 구체적으로 기술되어 있지 않을 뿐이다. '징벌로서의 홍수'의 재난으로부터 '보은에 의한 생존'의 이야기는 다른 지역, 이를테면 인도네시아, 오키나와, 동아시아 대륙부에서도 찾아볼 수 있다.

일례로 인도네시아 서세람West Ceram에 전승되는 「옛 놀로트 마을에 대한 이야기」에 따르면, 놀로트 마을 사람들이 강에서 뱀장어 한 마리를 잡아먹었는데, 곧바로 강물이 솟구쳐 모두가 빠져 죽었다. 뱀장어를 먹지 않은 노파와 손자만이 피신하여 새로운 놀로트 마을을 세웠다.[34] 이와 유사한 「말하는 뱀장어」에 따르면, 자매가 강에서 뱀장어를 발견하고 죽였는데, 어찌나 크던지 가져갈 수가 없어 마을 사람을 불러 함께 옮기고서 나누어 먹었다. 마을 사람 가운데 임신한 여인과 그녀의 남편만이 뱀장어를 나누어 먹지 않았는데, 그날 밤 홍수가 일어나 마을 사람 모두가 물에 빠져 죽었으나, 임신한 여인과 그녀의 남편만은 살아남았다.[35]

뱀장어를 대신하여 뱀을 잡아먹은 까닭에 홍수의 재난을 당하기도 한다. 이를테면 보르네오 사라왁Sarawak에 거주하는 이반Iban족의 홍수설화에 따르면, 수확물이 풍성한 들판이 밤에 망가진지라 감시한 결과, 하늘에서 내려온 거대한 뱀이 벼를 먹어치우는 것이었다. 이를 본 감시자가 뱀의 머리를 베고 뱀의 살을 요리하여 먹었는데, 곧바로 먹구름과 함께 세찬 폭풍우가 몰아치고 홍수가 일어나 소수만이 언덕으로 피신하여 살아남았다.[36] 또한 보르네오 두순Dusun족의 홍수설화에 따르면, 울타리를 치기 위한 목재를 자르던 사람들이 목재에서 피가 흐르는 걸 보고 이상히 여겨 살펴보니, 거대한 뱀의 머리를 자르고 있음을 알게 되었다. 그들은 말뚝에 뱀을 묶어 죽인 후 뱀의 껍질을 벗겨 북을 만들고 뱀의 살을 요리하여 축제를 벌였는데, 먹고 마시는 동안에는 북을 두드려도 소리가 나지 않았다. 그런데 한밤중이 되자 북이 저절로 소리를 내기 시작하더니 엄청난 허리케인이 닥쳐와 모든 집을 쓸어버렸으며, 이리하여 일부 사람이 타지에 정착하였다.[37]

베트남의 써당Mnam-Sedang족의 설화에서도 무엇인가를 잡아먹은 탓에 홍수의 재난을 당하는 이야기를 찾아볼 수 있다. 즉 어느 남자가 농사지으러 가는 길에 돼지 Chu Chuc Phuc(축복하다의 의미)을 만났는데, 이 흰색의 돼지는 커다란 귀와 발에 끈을 매달고 있었다. 돼지는 겨 대신에 모래를 먹고 금방 자랐으며, 어느 축제날 마을 사람들 모두가 이 돼지를 죽여 요리해 먹었으나 노파만은 두려워 먹지 않았다. 축제를 마친 후 비가 퍼붓기 시작하고 땅이 흔들려 마을 사람 모두가 죽었으나, 돼지고기를 먹지 않은 노파만이 살아남았다. 노파의 어린 손자도 돼지고기를 먹고 죽은지라 홀로 남게 된 두려움을 이기지 못하고 노파는 돼지기름 투성이인 젓가락을 핥아먹고 죽었다.[38]

일본 에도시대 중기에 쓰여진 『미야코지마구사宮古島舊史』에도 이와 유사한 이야기가 실려 있는데, 오키나와현 미야코지마에 전승되어 온 요나타마よなたま라는 이야기로 알려져 있다. 즉 옛날 이라부섬伊良部島 내에 시모지下地라는 마을의 한 남자가 고기잡이를 나섰다가 요나타마라는 인면어人面魚를 잡았다. 마을 사람들이 다음날 먹기 위해 이 물고기를 숯불에 올려 구웠다. 사람들이 돌아간 후 옆집 아이가 갑자기 울면서 이라부로 돌아가자고 떼를 썼다. 아이를 데리고 밖에 나온 아이 엄마는 마침 요나타마를 찾는 아득한 소리와 함께 '지금 숯불에 구워지고 있으니 나를 돌아가게 해달라'는 대답을 듣고서 소름이 끼쳐 아이를 데리고 서둘러 이라부로 돌아갔다. 이튿날 아침 시모지 마을로 되돌아와 보니, 온마을이 홍수로 떠내려가버린 상태였다.[39]

인도네시아와 보르네오, 베트남, 오키나와의 이야기 속에 등장하는 동물들은 모두 신이한 능력을 지니고 있는 존재들이다. 인도네시아의 이야기에 등장하는 뱀장어는 서세람의 여러 이야기들에서 엿볼 수 있듯이 남자로 변신하거나 말을 할 줄 아는 등의 신이한 능력을 지니고 있으며, 보르네오의 이야기에 등장하는 뱀은 하늘에서 내려오거나 뱀껍질로 만든 북이 저절로 소리를 내는 등, 신이한 능력을 지닌 영험한 존재이며, 따라서 죽여서는 안 되는 타부의 대상이다.[40] 베트남의 이야기에 등장하는 돼지는 신이한 모습을 지니고 있을 뿐만 아니라 모래를 먹고서도 급속히 성장하는 비범성을 갖추고 있다. 오키나와의 요나타나라는 물고기는 흔히 바다 정령의 자식으로 알려져 있다. 그러나 이들 이야기는 여전히 생존자의 피택과 관련된 보은의 서사가 구체화되어 있지 않다. 이제 중국 진대晉代의 간보干寶가 엮은

『수신기搜神記』에 실려 있는 이야기를 살펴보자.

> 옛 소국에 어느 날 강물이 느닷없이 불더니, 얼마 후 다시 옛 물길을 회복했다. 뱃길에 무게가 만근이나 되는 거대한 물고기가 나타났는데, 사흘만에 죽고 말았다. 온 군민들이 모두들 물고기를 먹었으나, 한 노파만은 먹지 않았다. 홀연 한 늙은이가 나타나더니 이렇게 말했다. "이는 내 아들이오. 불행히도 이 재앙을 만났으나 그대만은 먹지 않았으니, 내가 후히 보답하겠소. 만약 동쪽 문의 돌거북의 눈이 붉어지면, 성은 틀림없이 무너질 것이오." 노파는 날마다 가서 살펴보았다. 어떤 어린아이가 이를 이상히 여기자, 노파는 사실대로 일러주었다. 어린아이는 노파를 업신여겨 붉은색으로 거북의 눈을 칠했다. 이를 본 노파는 급히 성을 빠져나왔다. 그때 푸른 옷을 입은 동자가 나타나 "나는 용의 아들이오."라고 말하더니, 노파를 이끌고 산을 올랐는데, 성은 무너져 호수가 되었다.[41]

위의 이야기는 지금까지 살펴보았던 '징벌로서의 홍수'의 재난으로부터 '보은에 의한 생존'의 이야기에 '홍수의 예고 및 인위적 조작에 의한 홍수'의 이야기가 결합되어 있다. 이 이야기에 등장하는 거대한 물고기는 물론 용의 아들이며, 이 물고기를 '먹음'과 '먹지 않음'에 의해 홍수의 재난으로부터의 생존 여부가 달라진다. 이 이야기에서 가장 두드러지는 점은 구원과 생존의 피택被擇이 보은에 따른 것, 즉 "그대만은 먹지 않았으니, 내가 후히 보답하겠다"는 것을 분명히 밝히고 있다는 것이다. 위의 이야기에서는 보은의 모티프가 홍수 예고의 모티프로의 계기적 인과성을 강화하고 있는 셈이다.

지금까지 살펴보았듯이, '징벌로서의 홍수'의 재난으로부터 '보은에 의한 생존'의 이야기는 대체로 한 사람 혹은 한 가족을 제외하고 온 마을이 수몰된 연유를 설명하는 수몰담水沒談의 전설에 속한다. '먹음'과 '먹지 않음'에 의한 '보은의 생존'을 주된 모티프로 다루고 있는 홍수전설은 오세아니아뿐만 아니라 동아시아 대륙부와 도서부에서 두루 발견되고 있다. 다만 이러한 홍수전설에서 사람들이 잡아먹는 대상은 이야기가 전승되는 지역의 특수한 자연환경과 생태환경을 반영하여 달라지는데, 대체로 해양 지구에서는 물고기(염수어鹽水魚), 강이나 호수 지구에서는 (뱀)장어와 물고기(담수어淡水魚), 내륙에서는 돼지나 뱀 등이 신성성을 담지한 동물로 등장한다.

5. 오세아니아 홍수신화 속의 에피소드

앞에서도 언급하였듯이, 오세아니아의 홍수신화에서는 홍수의 재난에서 생존한 사람들이 높은 나무에 오르거나 높은 산으로 올라 피신하는 경우도 있지만, 대체로 카누나 뗏목 등을 이용하여 피신하거나 인근 섬으로 피신하는 경우가 많다. 그런데 홍수의 재난으로부터 뗏목을 이용하여 피신하였으나 끝내 죽음에 이르렀다가 신의 도움으로 재생하는 신화도 있다. 이 경우에 특별히 등장하는 에피소드에 주목하고자 하는 바, 미크로네시아의 팔라우Palau 제도의 원주민에게 전승되어온 신화를 살펴보자.

> 옛날에 한 남자가 하늘에 올라가 하늘의 빛나는 눈, 즉 별을 훔쳐왔다. 신들은 별을 되찾아오고 도둑을 징벌하기 위해 땅 위로 내려왔다. 그들은 평범한 사람으로 변장하여 이집 저집 다니면서 음식과 잠자리를 구걸하였으나, 사람들은 인색하여 그들을 내쫓을 뿐이었다. 다만 노파 한 사람만은 그들을 맞아 음식을 차려주었다. 신들은 노파의 집을 떠나면서 그녀에게 다음 보름달이 뜰 때까지 뗏목을 만들고, 보름달이 뜨는 밤이 오면 뗏목 위에 누워 잠들어 있으라고 말했다. 노파는 그들이 시키는 대로 하였으며, 보름달이 뜨자 무시무시한 폭풍우가 닥쳐와 바닷물이 높아져 온 섬을 뒤덮은 바람에 사람들이 모두 익사하였다. 오직 노파만이 살아남아 뗏목을 타고 떠돌다가 그녀의 머리카락이 암리무이Armlimui산의 꼭대기에 있는 나뭇가지에 걸렸으며, 홍

수가 물러가는 동안 그곳에 누워 있었다. 신들이 하늘에서 내려와 착한 노파를 찾았을 때 노파는 이미 죽어 있었다. 신들은 하늘의 여인 한 명을 불러와 노파의 몸속으로 들어가게 하여 그녀를 살렸으며, 소생한 노파가 낳은 다섯 아이는 팔라우섬 사람들의 조상이 되었다.[42]

인간의 도둑질, 이에 대한 신의 징벌로서의 홍수, 신을 후대한 노파의 피택과 홍수의 예언, 노파의 생존. 여기까지의 이야기라면 우리가 흔히 보아왔던 모티프와 줄거리를 갖춘 홍수신화라고 할 수 있다. 그러나 위의 신화에서는 예고받은 홍수의 재난으로부터 살아남아야 마땅한 인간이 죽음을 맞은 후 다시 살아나 인류를 재전승하는 이야기가 추가된다. 이 과정에서 눈여겨 볼 것은 노파의 머리카락이 산꼭대기의 나뭇가지에 걸린다는 에피소드이다. 위의 홍수신화가 전승되는 팔라우 지역에는 똑같은 에피소드가 언급되는 홍수신화가 더 있다. 즉 살해당한 신을 위한 복수를 하고자 친구인 신들이 홍수를 일으키려 하고, 이들은 한 노파에게 자신들의 계획을 알리면서 뗏목을 타고 피신하라고 권유한다. 노파는 그들이 시키는 대로 행했지만, 뗏목을 정박한 밧줄이 짧아 뗏목이 물살에 휩쓸리면서 익사하고 만다. 그녀의 시신은 멀리 떠돌아다니다가 그녀의 머리카락이 나뭇가지에 걸리고, 그곳에서 그녀는 돌로 변한다.[43]

머리카락이 나뭇가지에 걸리는 에피소드는 수마트라 서쪽에 위치한 엔가노Engano섬의 원주민에게 전승되어온 홍수신화에도 다음과 같이 나타난다.

옛날 조수가 높아져 섬을 뒤덮었으며, 여인 한 사람을 제외하고 모든 생명체가 익사하였다. 운 좋게 살아남은 그녀는 조수에 떠밀려가다가 머리카락이 가시가 있는 나무에 걸려 매달릴 수 있었다. 홍수가 빠져나가자 그녀는 나무에서 내려와 세상에 자신만 홀로 남겨졌음을 알고 슬픔에 잠겼다. 허기의 고통을 느끼기 시작하자, 그녀는 음식을 찾아 섬 안을 돌아다녔지만, 아무것도 찾지 못한 채 절망에 빠져 해안가로 돌아와 물고기를 잡을 수 있기를 바랐다. 물고기 한 마리를 발견한 그녀가 물고기를 잡으려 하자, 물고기는 물 위를 표류하던(혹은 해변에 뒹굴고 있던) 시신의 하나 속으로 미끄러져 들어갔다. 그녀는 주저없이 돌을 주워 시신을 날카롭게 내리쳤다. 그러나 물고기는 숨은 곳에서 펄쩍 뛰어 그 안쪽으로 급히 들어갔다. 여자는 뒤따랐지만 몇 걸음 나아갈 수 없었다. 그때 그녀는 놀랍게도 살아있는 남자를 만났다. 자신이 홍수의 유일한 생존자라고 알고 있던 그녀는 그에게 무엇을 하고 있냐고 물었다. 그는 누군가 자신의 죽은 몸을 두들겼으며, 그 결과 다시 되살아났다고 대답했다. 여자는 자신의 경험을 그에게 들려주었으며, 그들은 돌로 시신을 두들겨 죽은 자를 되살릴 수 있을지 없을지 함께 시도해보기로 하고서 곧바로 실행에 옮겼다. 그러자 죽었던 남자들과 여자들이 되살아났으며, 이리하여 그 섬은 대홍수 후에 다시 사람들로 가득 찼다.[44]

위에서 살펴본 세 편의 홍수신화에서는 머리카락이 나뭇가지에 걸리는 에피소드는 동일하게 일어나지만, 이 에피소드와 생존의 관계는 동일하지 않다. 즉 머리카락이 나뭇가지에 걸려 생존하기도 하지만, 머리카락이 나뭇가지에 걸리기 전에 죽기도 하고 걸리고 나서 죽기도 한다는 것이다. 이처럼 생존의 여부 자체는 다르지만, 머리카락이 지니는 신화적 의미는 동일하게 작동되지 않을까? 그렇다면 머리카락이 지니는 신화적 의미는 무엇일까? 혹자는 인도네시아 말루쿠Maluku 제도에 전승되는 이야기로서, 머리카락으로 땋은 밧줄로 멀리 달아난 카누를 끌어당긴 식인 거인을 떠올릴 수도 있다.[45] 아마도 이 이야기에는 밧줄의 재료와 머리카락의 형태적 유사성에서 비롯된 신화적 상상력이 발휘되었으리라 생각되지만, 신화적 상상력으로만 설명하기에는 여전히 미흡하다는 느낌이 든다.

머리카락이 지니는 신화적 의미는 아무래도 전 세계적으로 널리 퍼져 있는 믿음, 즉 머리카락이 힘(strength)의 원천이며, 머리카락이 빠지거나 잘리면 기운을 잃어버린다는 신화적 상상에서 궁구하는 것이 좋을 듯하다. 인도네시아 말루쿠 제도의 암보이나Amboyna섬의 원주민들은 자신들의 힘이 머리카락에 있으며 머리카락을 밀어버리면 힘이 자신들을 떠날 것이라고 믿으며, 말루쿠 제도의 세람Ceram섬의 원주민 역시 젊은 사람이 머리카락이 깎이면 무기력해진다고 믿는다. 머리카락을 잃거나 뽑히면 힘을 상실할 뿐만 아니라 심지어 생명까지도 잃는다고 믿는다.[46] 이와 반대로, 사람의 힘이나 생명의 근원이 머리카락에 있다는 믿음은 죽은 자를 애도하면서 피나 머리카락을 바치는 행위를 낳게 한다. 죽은 자에게 마실 피와 함께 충분한 에너지의 원천으로서 머리카락을 제공해야 한다고 믿었던 것이다.[47] 이러한 믿음은 슬라웨시Sulawesi섬의 토라자Toradja족의 경우 어린아이의 머리카락 일부를 영혼의 피난처로 간주하여 깎지 않은 채 남겨두는 습속으로 남아 있다.[48]

결국 이러한 신화적 상상에 따르면, 머리카락이 온전히 남아 있다면 힘을 되찾고 생명을 되살릴 수 있다는 것이다. 팔라우 제도의 원주민에게 전승되는 두 편의 홍수신화에서 노파는 머리카락이 나뭇가지에 걸린 후에 목숨을 잃거나, 죽은 채 시신의 머리카락이 나뭇가지에 걸린다. 두 명의 노파는 모두 죽었음에도 불구하고 그들의 머리카락은 나뭇가지에 걸려 온전한 모습을 간직하고 있으며, 따라서 그들은 힘과 생명을 회복하여 소생하거나 돌로 부활한다. 또한 엔가노Engano섬에 전승되어온 홍수신화에서처럼 머리카락이 나뭇가지에 걸려 생존한 여인은 자신이 힘과 생명의 원천이 되어 죽은 자들을 소생시키는 힘을 갖게 된다. 오세아니아에서 발견되는, 이 흔치 않은 나뭇가지에 걸린 머리카락의 에피소드는 머리카락이 힘의 근원이라는 원시인류의 신화적 상상에서 비롯되지 않았을까?

6. 나오면서

지금까지 오세아니아 홍수신화가 다른 지역의 홍수신화와 크게 변별되는 주요 사항을 살펴보았다. 즉 우선 오세아니아 홍수신화의 성격을 파악하기 위한 첫걸음으로서 물 혹은 바다의 기원에 관한 독특한 신화적 상상에 주목하였는데, 이들 신화는 물이 어딘가에 갇혀 있거나 숨겨져 있으며, 물은 하늘에서 지상으로 떨어져 내리는 것이 아니라 어딘가에서 지상으로 솟아나온다는 상상을 보여주고 있다. 이어 오세아니아 홍수신화에 나타나는 해양문화적 특성에 주목하였는 바, 특히 홍수 발생의 원인이나 피신수단에 있어서 해양적 요소가 자주 언급되거나 강화되며, 해양과 관련된 신들이 홍수신화의 주인공으로 등장한다는 점을 지적하였다. 아울러 서사구조면에서 보은의 모티프를 지니고 있는 홍수설화를 중심으로, 신성성을 담지한 동물(특히 물고기나 장어)에 대한 위해(사로잡거나 잡아먹는 등)의 여부에 따른 '징벌에 의한 홍수'와 '보은의 구원'의 신화적 의미를 살펴보았다. 또한 오세아니아 홍수신화에 나타나는 '나뭇가지에 걸린 머리카락'의 에피소드에 주목하여, 머리카락이 지니는 신화적 의미를 분석하였다.

오세아니아 홍수신화가 지니는 이러한 변별적 특성은 말할 나위도 없이 오세아니아의 자연환경에 의해 규정되고 있다고 볼 수 있는데, 특히 도서지역에서의 일상생활이 물과 불가분이 관계를 지니고 있다는 점, 그리고 허리케인과 같은 폭풍우 외에, 해저화산의 폭발이 초래한 대형 해일에 의한 홍수가 자주 일어난다는 점이 크게 영향을 미쳤을 것이다. 이러한 자연환경적 요인을 감안하여 이 글에서는 오세아니아 홍수신화의 특성을 언급하면서도 오세아니아와 유사한 자연환경에 처해 있는 동남아 도서부나 대만, 일본의 홍수신화에 나타나는 유사한 사례를 광범하게 살펴봄으로써, 오세아니아 신화와 타 지역 사이의 영향 혹은 전파의 가능성을 열어두고자 하였다.

오세아니아 홍수신화를 타 지역의 신화와 비교하여 검토하는 과정에서 가장 특이하게 여겨지는 것은 중국과 한국, 동남아시아에서 흔히 나타나던 홍수남매혼신화가 이 지역에서는 전혀 나타나지 않는다는 점이다. 필리핀 제도, 특히 루손Luzon섬에서는 홍수남매혼신화가 자주 발견되고 있는데, 루손섬의 동쪽과 동남쪽에 위치해 있는 미크로네시아와 멜라네시아에서는 한 편도 발견할 수 없다. 지리환경으로 본다면, 이들 지역은 해상활동에 있어서 필리핀 제도를 경유하거나 교류하지 않으면 안 될 경우가 매우 많았으리라 추정되는데, 그럼에도 불구하고 동아시아의 홍수신화를 특징지우는 홍수남매혼신화가 전혀 발견되지 않는다는 것은 매우 이례적으로 보여진다.

오세아니아 홍수신화에서는 홍수남매혼신화를 발견할 수 없을 뿐만 아니라, 홍수의 모티프와 불의 획득이라는 모티프가 결합된 예 또한 발견할 수 없다. 오세아니아에도 불의 획득과 관련된 신화는 많이 존재하지만, 홍수신화와는 독립되어 따로 존재한다는 것이다. 반면 필리핀 제도, 특히 루손섬에서는 홍수신화가 불의 획득이라는 모티프와 결합된 예를 다수 찾아볼 수 있다. 이렇게 본다면 적어도 홍수신화만을 고려해볼 때, 오세아니아의 홍수신화는 필리핀 제도보다는 말레이 제도를 비롯한 인도네시아의 홍수신화와 친연성이 더욱 높은 게 아닐까 생각한다. 이에 대해서는 앞으로 신화의 다방면에 걸친 더욱 깊이 있는 연구, 특히 천지개벽과 인간의 창조 등을 포함한 창세신화에 대한 비교연구가 반드시 필요하다고 생각한다.

■ 주석

1) 이 글에서는 인도네시아를 국가 개념이 아니라 자연적 개념으로 사용하는데, 동쪽으로 말루쿠 諸島로부터 서쪽의 수마트라에 이르고, 남쪽으로 자바 및 티모르로부터 북쪽의 필리핀 諸島의 북단에 이르는 지역을 가리킨다.

2) J. C. Frazer, 『*Folk-Lore in the Old Testament*』(Vol. Ⅰ · Ⅱ · Ⅲ), London, Macmillan and Co. Limited, 1918; Louis Herbert Gray Edit. 『*The Mythology of all Races*』(Volume Ⅸ), Boston, Marshall Jones Company, 1916; 松村武雄 編, 『世界神話傳說大系』(제15권), 東京, 名著普及會, 1983. 이 가운데 『*The Mythology of all Races*』(Volume Ⅸ)는 Roland B. Dixon이 『*Oceanic Mythology*』(Boston, Marshall Jones Company, 1916)라는 제목으로 출간한 단행본과 동일한 저작이다. 이밖에 1차 자료로서 참고한 서적은 다음과 같다.
   - Roslyn Poignant, 『*Oceanic Mythology*』, London, Paul Hamlyn Limited, 1967
   - George Grey, 『*Polynesian Mythology*』, London, Woodfall and Kinder, 1855
   - Robert D. Craig, 『*Handbook of Polynesian Mythology*』, Santa Barbara, ABC-CLIO Inc., 2004
   - C. G. Seligmann, 『*The Melanesians of British New Guinea*』, London, Cambridge Univ. Press, 1910
   - Annie Ker, 『*Papuan Fairy Tales*』, London, Macmillan & Co. Ltd, 1910
   - R. H. Codrington, 『*The Melanesians: Studies in their anthropology and folk-lore*』, Oxford, Clarendon Press, 1891

3) 오세아니아 지역 및 이 지역의 신화를 주요한 연구대상으로 다룬 연구논문은 아래와 같다.
   - 김대숙, 「한국 신화와 하와이 및 폴리네시아 신화의 비교연구」, 『국어국문학』 제111권, 1994.5
   - 김현선, 「태평양신화의 구조적 지형학 소묘-제주도에서 오세아니아까지, 그리고 환태평양의 신화 총체적 판도 조명」, 『탐라문화』 37호, 2010
   - 주강현, 「해양권역의 재인식과 '태평양지역연구'로의 전환」, 『탐라문화』 37호, 2010
   - 정진희, 「제주도와 琉球, 沖繩 신화 비교연구의 검토와 전망」, 『탐라문화』 37호, 2010

4) R. H. Codrington, 앞의 책, 370쪽 참조. Aurora Island는 지금의 Maewo Island로서 바누아투(Vanuatu)공화국의 가장 큰 섬인 Espiritu Santo로부터 동쪽 105㎞ 지점에 위치해 있다.

5) 어느 노파가 두 명의 손자와 함께 살고 있었는데, 노파는 집 뒤쪽의 울타리 안에 거대한 칼라듐Caladium 나뭇잎을 가져다 놓고 그 나뭇잎에서 늘 물을 만들었다. 노파는 손자들에게 이것을 보이지 않도록 집 뒤쪽에 친 울타리 안에 절대로 들어가지 못하게 하였다. 어느 날 노파는 음식을 구하러 외출하였는데, 활로 도마뱀을 쏘면서 놀던 손자들이 노파의 명령을 어기고 집 뒤쪽 울타리 안으로 들어가 칼라듐 나뭇잎과 물이 있는 것을 보았다. 그들은 나뭇잎 위에 앉아 있는 도마뱀을 겨누어 화살을 날렸지만 빗맞아 나뭇잎을 맞추고 말았는데, 그 순간 갑자기 물이 터져나와

온 세상의 바다를 가득 채웠다. 위의 책, 372-373쪽 참조. Lepers' Island는 현재의 Ambae(Aoba) Island로서, 바누아투Vanuatu공화국의 가장 큰 섬인 Espiritu Santo와 Maewo Island 사이에 위치해 있다.

6) Louis Herbert Gray Edit., 앞의 책, 37쪽 참조

7) 위와 같음

8) 위의 책, 111쪽

9) 위의 책, 279쪽

10) 이러한 예로, 부랑족布朗族의 「兄妹成婚衍人類」에서는 가뭄에 시달리던 흰원숭이 왕이 비를 관장하던 천신을 찾아갔다가 그의 물항아리가 놓인 탁자를 뒤엎는 바람에 홍수가 발생하며, 이와 흡사하게 창족羌族의 「太陽和月亮」에서도 원숭이 한 떼가 하늘 높이 자란 馬桑樹를 타고 천궁에 올라갔다가 빗물을 담아둔 항아리를 뒤집어엎는 바람에 홍수가 발생한다. 또한 陝西省에 전승되어온 「洪水泡天」에 따르면, 風霜雨雷를 관장하던 옥황상제가 골치 아픈 일이 많아 비와 바람을 제때 내리지 않아 인간세계에 가뭄이 들었는데, 옥황상제의 명으로 王母娘娘에게 淨水瓶을 가져온 孫悟空이 왕모낭낭의 말을 어기고 정수병의 물을 쏟아 부은 바람에 홍수가 발생한다. 中國民間文學集成全國編輯委員會 編, 『中國民間故事集成』(雲南卷), 206-207쪽; 같은 책(四川卷下), 1109-1110쪽; 같은 책(陝西卷), 13-14쪽 참조

11) J. C. Frazer, 앞의 책(Vol. I), 237쪽 참조

12) 위의 책, 250쪽 참조

13) J. C. Frazer, 앞의 책, 242쪽 참조

14) Louis Herbert Gray Edit., 앞의 책, 119-120 참조

15) J. C. Frazer, 앞의 책, 236쪽 참조

16) 위의 책, 236쪽 참조

17) 위의 책, 242-243쪽 참조

18) 위의 책, 237쪽 및 239쪽 참조

19) 위의 책, 234쪽 참조

20) 위의 책, 243-244쪽 참조

21) 위의 책, 240쪽 참조

22) 觀音과 媽祖, 영등할망 등에 대해서는 아래의 연구논문을 참조하시오.
- 상기숙, 「한중 海神信仰 비교연구 -媽祖와 靈登을 중심으로」, 『동방학』 제27권, 2013.5
- 임이랑, 「중국 媽祖神話의 서사적 의미」, 『東아시아古代學』 제49집, 2018.3
- 염원희, 「동아시아 해양신앙의 여신과 제의의 치유적 성격」, 『東아시아古代學』 제57집, 2020.3
- 양은경, 「동남아시아의 媽祖信仰, 그 기원과 전파양상」, 『동아연구』 제41권 1호, 2022

23) J. C. Frazer, 앞의 책, 243-244쪽 참조

24) 위의 책, 246-247쪽 참조

25) 위의 책, 249쪽 참조

26) F. Landa Jocano, 『*Outline of Philippine Mythology*』, Manila, Centro Escolar University Research and Development Center, 1969, 47-49쪽 참조

27) Demetrio, 「The Flood Motif and the Symbolism of Rebirth in Filipino Mythology」, Alan Dundes, 『*The Flood Myth*』, Berkeley·Los Angeles·London, University of California Press, 1988, 263-264쪽 참조

28) J. C. Frazer, 앞의 책, 226쪽 참조

29) 위의 책, 237쪽

30) Louis Herbert Gray Edit., 앞의 책, 120쪽 참조

31) William Wyatt Gill, 『*Life in the Southern Isles: Or, Scenes and Incidents in the South Pacific and New Guinea*』(London: The Religious Tract Society, 1876), 289쪽 및 278-279쪽 참조

32) Louis Herbert Gray Edit., 앞의 책, 55-56쪽 참조

33) J. C. Frazer, 앞의 책, 36-37쪽 참조

34) 아돌프 엘레가르트 옌젠 외, 『하이누웰레 신화』(서울: 뮤진트리, 2014), 532쪽 참조

35) 위의 책, 539쪽 참조

36) R. B. Dixon, 앞의 책, 180-181쪽 참조

37) 위의 책, 181쪽 참조

38) Dang Nghiem Van, 「The Flood Myth and the Origin of Ethnic Groups in Southeast Asia」, 『The Journal of American Folklore』, Vol. 106, No. 421, Summer, 1993, 320쪽 참조

39) 篠田知和基, 丸山顯德 編, 『世界の洪水神話: 海に浮かぶ文明』, 東京, 勉誠出版, 2005, 270쪽 참조

40) 인도네시아 서세람에 전승되는 이야기들 가운데, 「라비와 뱀장어 투왈레」와 「뱀장어 남자들」에서 뱀장어는 남자로 변하고 사람의 말을 할 줄 알며, 「집을 갖고 싶어 한 뱀장어」와 「아히아타족이 뱀장어를 먹지 않는 이유」에서는 뱀장어를 잡거나 먹는 것이 금지되어 있다. 위의 책, 536-541쪽 참조

41) 古巢, 一日江水暴漲, 尋復故道. 港有巨魚, 重萬斤, 三日乃死. 合郡皆食之. 一老姥獨不食. 忽有老叟曰: "此吾子也, 不幸罹此祸, 汝獨不食, 吾厚報汝. 若東門石龜目赤, 城當陷." 姥日往視. 有稚子訝之, 姥以告實. 稚子欺之, 以朱傅龜目. 姥見, 急出城. 有青衣童子曰: "吾龍之子." 乃引姥登山, 而城陷爲湖.

42) J. C. Frazer, 앞의 책, 253-254쪽 참조

43) Louis Herbert Gray Edit., 앞의 책, 257쪽 참조

44) J. C. Frazer, 앞의 책, 119-120쪽 참조

45) Louis Herbert Gray Edit., 앞의 책, 231쪽 참조

46) J. C. Frazer, 앞의 책(Vol.Ⅱ), 484-487쪽 참조

47) 위의 책(Vol.Ⅲ), 303쪽 참조

48) 위의 책, 189쪽 참조

7

일본의 함몰형 홍수전설

1. 들어가면서
2. 일본 본토의 함몰형 홍수전설
    1) 소토바부혈형卒堵婆付血型
    2) 만리노시마萬里島의 함몰전설
    3) 오카메시마お亀島의 함몰전설
    4) 우류지마瓜生島의 함몰전설
    5) 고라이지마高麗島의 함몰전설
3. 나오면서

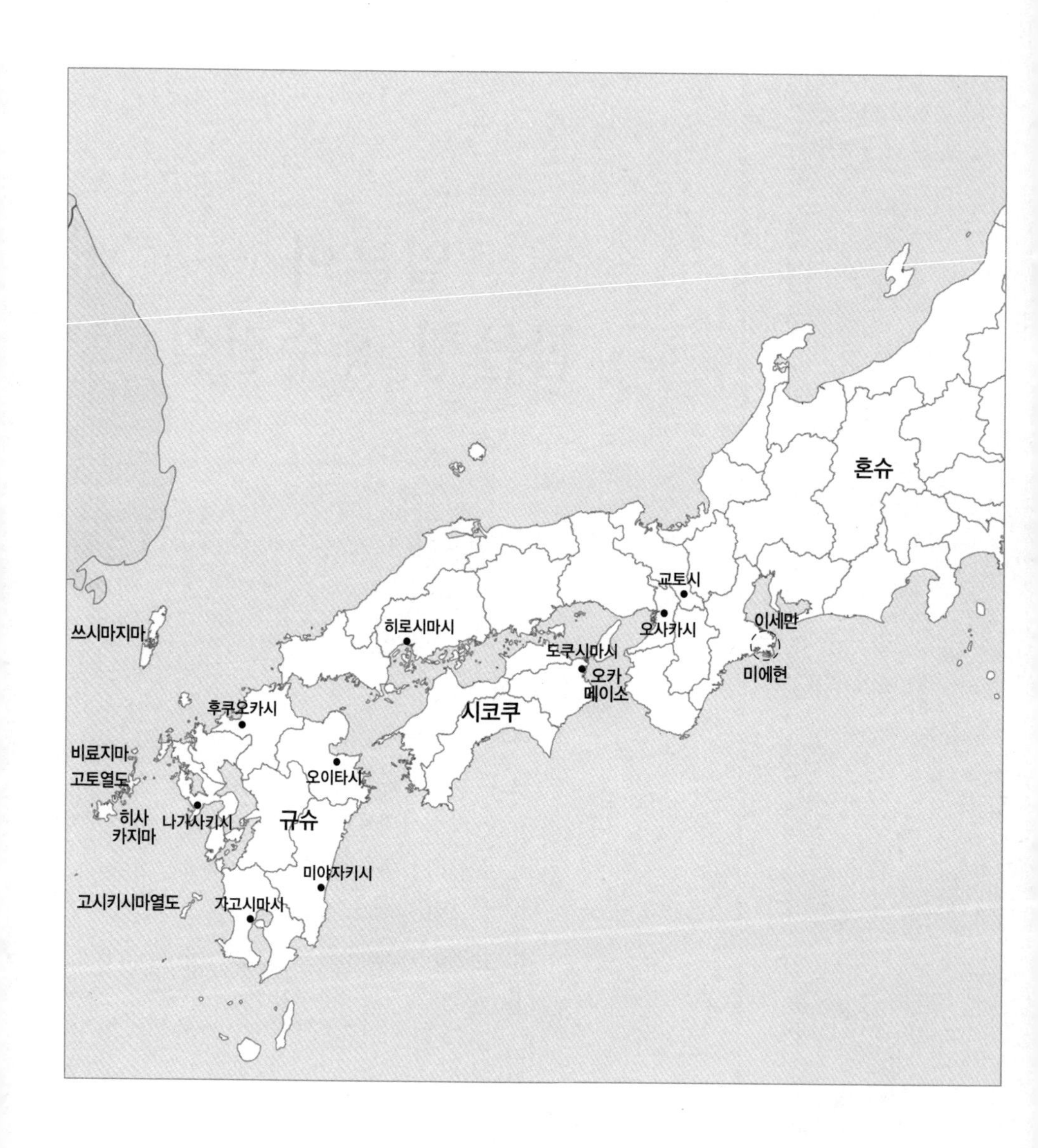
혼슈
교토시
오사카시
이세만
미에현
도쿠시마시
오카
메이소
히로시마시
시코쿠
쓰시마지마
후쿠오카시
비료지마
고토열도
오이타시
규슈
히사
카지마
나가사키시
미야자키시
고시키시마열도
가고시마시

일본 지도

1. 들어가면서

일반적인 의미에서의 홍수신화란 신성성을 지닌 존재가 일으킨 홍수로 인해 인류 대다수가 절멸하고, 살아남은 소수의 인간이 인류를 다시 전승한다는 이야기를 담고 있다. 여기에는 자연발생적인 홍수 외에도 홍수 발생의 원인으로서 신들 사이의 분쟁, 인간의 불충不忠이나 죄악에 대한 신의 징벌 등이 서술되기도 하고, 생존자가 살아남게 되는 필연적인 이유와 피난의 방법이 덧붙여지기도 한다. 게다가 생존자가 한 사람인가, 두 사람인가, 혹은 다수인가에 따라 인류 재전승의 방식이 달라지며, 특히 생존자가 두 사람일 경우 두 사람의 관계에 따라, 즉 모자인가 남매인가, 부부인가에 따라 서사의 내용이 달라질 수밖에 없다. 이처럼 홍수신화는 홍수 발생의 원인, 생존자의 피택被擇 이유와 피난 방법, 생존자의 숫자와 그들의 관계 등에 따라 다양한 내용의 서사가 이루어져 왔지만, 기본적으로 물에 의한 인간과 세계의 정화와 개조라는 상징적 의미를 지니고 있다고 볼 수 있다.

홍수신화는 전세계적으로 널리 전해지고 있는 광포적廣布的 성격을 지닌 신화이다. 우리가 흔히 알고 있는 구약성경의 「창세기」에 나오는 노아의 홍수, 이의 원형으로 간주되는 바빌로니아의 신화 「길가메시 서사시」에 실려 있는 우트나피쉬팀의 이야기, 그리스신화에 나오는 데우칼리온의 이야기, 인도신화에서의 마누Manu와 관련된 홍수 이야기 등은 대표적인 홍수신화이다. 중국에도 '사방을 떠받치고 있던 기둥이 무너지는 바람에 천하가 갈라져 홍수가 일어나자 여와女媧가 갈대의 재를 쌓아 홍수를 막음으로써 인류를 구원했다'는 이른바 '보천補天'의 이야기가 있으며, 흙을 쌓아 홍수를 막은 곤鯀과 물길을 터서 홍수를 물리친 우禹의 이른바 '치수治水'의 이야기가 있다. 이뿐만 아니라 중국 서남부지역의 소수민족 가운데에는 홍수신화와 남매혼신화가 결합된 이른바 홍수남매혼신화가 널리 전승되어 왔는데, 홍수남매혼신화는 인도 중부로부터 동남아시아, 대만, 오키나와, 한국에 이르기까지 널리 분포되어 있다.

이처럼 홍수신화는 전세계적으로 널리 분포·전승되어 왔는데, 그렇다면 일본에서는 어떠할까? 일본 본토의 신화의 보고라고 할 수 있는 『고지키古事記』, 『니혼쇼키日本書紀』, 『후도키風土記』에는 천지개벽, 이자나기伊邪那岐命와 이자나미伊邪那美의 국토창조와 여러 신의 창조, 일본의 건국 등의 신화가 언급되어 있지만, 홍수와 관련된 신화는 전혀 언급되어 있지 않다. 일본 본토에서뿐만 아니라, 과거 류큐 왕국의 신화를 많이 수록하고 있는 『츄잔세이칸中山世鑑』과 『츄잔세이후中山世譜』, 류큐 왕국의 의례 가요모음집인 『오모로소시おもろそうし』 역시 천지개벽, 국토창조, 인류의 기원 등을 다룬 신화를 언급하고 있지만,[1] 이들 서적에도 홍수와 관련된 신화는 보이지 않는다. 요컨대 일본 본토는 물론 과거 류큐 왕국에서 출간된 적잖은 옛 전적에 신화적 내용이 풍부하게 실려 있음에도 불구하고 홍수와 관련된 신화는 언급되어 있지 않다는 것이다.

일본이 폭풍과 지진, 해일에 의한 자연재해가 빈발하는 등 해양문화와 밀접한 연관을 띠고 있으며, 따라서 홍수와 관련된 신화적 상상력이 풍부하게 발휘될 수 있는 섬나라라는 점을 감안한다면, 홍수와 관련된 신화가 존재하지 않는다는 점이 매우 뜻밖이라고 할 수 있다. 이러한 홍수신화의 부재를 새로운 각도에서 해석하기 위한 시도가 이루어졌는데, 이자나기·이자나미 남매혼신화와 중국 서남부 소수민족의 홍수남매혼신화의 유사성을 근거로 이자나기·이자나미 남매혼신화 역시 틀림없이 홍수와 관련되어 있을 것이라고 여긴다. 이러한 추정을 뒷받침하는 개념이 바로 원초홍수형신화原初洪水型神話이다. 즉 태초에 바다만 존재한 경우, 혹은 온 세상을 바다가 뒤덮고 있는 경우를 홍수신화의 특별한 유형으로 간주하여 이러한 유형의 신화를 원초홍수형신화라 명명하고, 일본의 이자나기·이자나미의 남매혼신화도 이러한 유형에 속한다고 여기는 것이다.[2]

이와는 약간 다른 주장으로, 이자나기·이자나미 남매혼이 원래는 홍수신화와 결합된 형태였는데, 『고지키』와 『니혼쇼키』의 편찬 의도, 즉 천황의 만세일계萬世一系를 강화하기 위해 홍수신화를 고의로 탈락시켰으리라는 것이다. 다시 말해 이자나기와 이자나미의 남매혼으로부터 아마테라스天照大神를 거쳐 진무神武천황에서 시작된 천황天皇의 계보가 이후 『고지키』, 『니혼쇼키』의 출간 시기를 지나 후세에까지도 계속 이어져 가리라는 것이다. 이러한 만세일계의 신화적 상상은 당연히 '홍수로 인한 인류의 절멸'과 '소수 생존자에 의한 인류의 재전승'이라는 홍수신화의 내용을 받아들일 수가 없다. 이로 인해 『고지키』, 『니혼쇼키』의 편찬자에 의해 홍수신화는 탈락되었을 것이며, 이후 일본 민간에 전승되어 남아 있던 홍수남매혼신화도 일본 주류문화에 의해 배제되었을 것이라고 본다.[3)]

이처럼 일본에서의 홍수신화의 부재에 대한 해석이 다양하게 제기되고는 있지만, 어쨌든 일본의 신화 가운데에 홍수신화가 존재하지 않는다는 것은 분명한 사실이다. 하지만 홍수와 관련된 민담이나 전설은 여러 옛 전적에 실려 있고, 지금까지도 일본 각지에서 채록되어 보고되고 있다. 실제로 일본은 산악지대가 많은 섬나라인지라, 강우降雨에 의한 홍수보다는 지진과 해일에 의해 함몰을 수반한 홍수나 해수면의 상승에 의한 홍수가 빈번하게 일어난다. 이에 따라 일본 각지에서 이러한 양상의 홍수를 다룬 전설이 다양하게 전승되어 왔다.

이 글은 일본에 구두 혹은 문헌으로 전승되어온 홍수와 관련된 전설과 민담 가운데 함몰형 홍수전설[4)]을 중심으로 유사형과 변이형을 정리함과 아울러, 일본의 함몰형 홍수전설이 갖는 특징을 궁구하는 것을 일차적인 목표로 설정한다. 이 글에서는 편폭을 감안하여 일본 본토에 전승되어온 함몰형 홍수전설을 주요 연구대상으로 삼고자 한다. 일본의 신화, 전설과 민담에 관한 연구는 우리나라에서 다양한 측면에서 진행되고 있지만, 홍수설화에 관한 연구는 그다지 활발하지 않은 듯하다. 이러한 상황에서 이 글이 일본의 홍수설화에 대한 연구의 마중물이 되기를 기대한다.

2. 일본 본토의 함몰형 홍수전설

1) 소토바부혈형卒堵婆付血型[5)]

주지하다시피 『곤자쿠모노가타리슈今昔物語集』는 12세기 초에 엮어진 일본 최대의 설화집이다. 이 설화집은 인도와 중국, 일본의 불교설화 총 1000여편을 싣고 있으며, 헤이안平安 시대의 사회상과 풍속을 엿볼 수 있는 귀중한 자료이다. 이 설화집은 모두 31권(현존 28권)으로 이루어져 있는데, 이 가운데 1권부터 5권까지는 천축天竺, 즉 인도의 불교설화를, 6권부터 10권까지는 진단震旦, 즉 중국의 불교설화를, 그리고 11권부터 31권까지는 일본의 불법과 불교설화를 다루고 있다. 그런데 중국의 불교설화를 다루고 있는 10권의 제36화에는 「매일 소토바에 피가 묻었는지 살펴보는 노파의 이야기嫗毎日見卒堵婆付血語」가 실려 있다. 이 이야기의 대략적인 줄거리는 다음과 같다.

> 〈1-①〉 오랫동안 그 마을에 살고 있는 노파가 가족의 구전口傳을 지켜 매일 험하고 높은 산을 올라 산 정상의 소토바의 모습을 확인하러 다녔다. 이것을 보고 이상히 여긴 젊은이들에게 사정을 들려주었던 바, "소토바에 피가 묻으면 이 산이 무너져 바다로 될 조짐이다"라는 조상 대대로의 구전을 털어놓았다. 노파가 떠나자마자 젊은이들은 장난삼아 소토바에 피를 발랐다. 이튿날 피가 묻은 소토바를 본 노파가 황망히 산을 내려와 온 마을에 알리고 다녔다. 그러나 그 이야기를 사실로 받아들인 마을 사람은 한 명도 없었다. 노파만이 가족을 데리고 마을에서 도망쳤다. 잠시 후 산이 무너지기 시작하더니 순식간에 바다가 되어, 온 마을이 사라져버렸다.[6)]

이 이야기에서 재난은 집안의 구전口傳으로 예고되고, 재난의 징조는 소토바에 묻은 피로 구현되며, 재난 징조의 인위적 조작은 피를 바르는 행위로 이루어진다. 재난의 징조는 젊은이들이 장난삼아 저지른 조작이었음에도 불구하고, 재난의 예고대로 산이 무너져 온 마을

은 바닷속으로 가라앉아버린다. 그런데 이와 흡사한 이야기가 13세기 초에 편찬된 설화집 『우지슈이모노가타리宇治拾遺物語』에도 실려 있다. 총 15권으로 이루어진 『우지슈이모노가타리』의 제2권 12번째의 이야기로서 「중국에서 소토바에 피가 묻은 일唐に卒都婆血つく事」이 실려 있는데, 이 이야기의 대략적인 줄거리는 다음과 같다.

> 〈1-②〉 중국에 있는 커다란 산 정상에 큼직한 소토바가 있었는데, 나이 여든의 노파가 매일 험한 산길을 걸어 소토바를 참배하러 다녔다. 노파의 행위를 이상하게 여긴 청년들이 그 까닭을 묻자 노파는 자신의 집안의 구전이라면서 "소토바에 피가 묻으면 이 산이 무너지고 주변은 깊은 바다로 변할 것이다"라고 들려주었다. 청년들은 노파를 골려주고자 소토바에 피를 바른 후, 마을로 내려와 마을 사람들에게 피를 바른 사실을 알려주었는데, 마을 사람들도 노파를 비웃었다. 이튿날 피가 묻은 소토바를 본 노파가 놀라 산을 내려와 마을 사람들에게 피신하라고 외쳤지만, 청년들은 손뼉을 치면서 웃어댈 뿐이었다. 그 때 산이 흔들리더니 우르르 무너져 깊은 바다가 되었고, 노파의 가족을 제외한 모든 사람이 죽고 말았다.[7)]

이 이야기에서 노파의 나이가 여든으로 밝혀져 있고, 청년들은 물론 마을 사람들도 노파를 비웃었다는 내용이 추가되어 있다. 게다가 마을 사람들에게 재난의 징조를 알려준 이는 노파가 아니라 징조를 조작한 청년들로 바뀌어 있는 등, 모티프에 있어서 약간의 변형이 보인다. 그러나 노파의 나이는 이야기의 사실성 강화를 위해 특정하였을 가능성이 높고, 마을 사람들의 비웃음이 추가된 것 역시 노파만이 구전을 믿었음을 강조하기 위한 서술에 지나지 않는다. 아울러 소토바卒堵婆, 卒都婆는 산스크리트어 스투파stūpa의 가차음假借音[8)]이라는 점에서 위의 두 이야기는 기본적으로 동일한 이야기라고 할 수 있다.

위에 소개한 두 편의 이야기는 일본에서 문헌으로 전해오는 가장 이른 시기의 함몰형 홍수전설이라고 할 수 있으며, 이러한 점에서 위의 두 편을 함몰형 홍수전설의 원형으로 보아도 좋을 것이다. 이야기를 수록하고 있는 전적이 100년을 격해 있음에도 불구하고 이야기의 주요 줄거리와 구성요소가 동일함을 엿볼 수 있다. 위의 함몰형 홍수전설의 주요 구성요소를 서사적 기능에 따라 정리해보면 아래와 같다.

㉠ 누군가에게 재난의 징조가 예고된다
㉡ 다른 누군가가 재난의 징조를 조작한다
㉢ 예고대로 재난이 일어나고 예고를 믿은 자만 생존한다

위의 두 편의 이야기에서 재난의 예고는 '집안의 구전'의 방식으로 이루어지며, 재난의 징조는 '산 정상의 소토바에 피가 묻음'으로 구현되고 재난의 징조의 인위적 조작은 '피를 바름'으로 기술되어 있다. 그러나 재난의 징조로서 소토바의 어느 부위에 피가 묻는 것인지(얼굴인지 코인지?), 징조의 인위적 조작에 사용되는 피의 출처가 무엇인지(개의 피인지 닭의 피인지 물감인지?)는 밝혀져 있지 않다. 이 함몰형 홍수설화에서 다른 유형의 홍수전설과 변별되는 가장 중요한 모티프는 '재난 징조의 인위적 조작'이며, 이것이 신심이 깊은 사람만이 생존하는 '실제 재난의 재앙'을 초래한다. 이제 '재난 징조의 인위적 조작'을 주요 모티프로 전승되는 일본의 함몰형 홍수전설의 다양한 양상을 차례로 살펴보자.

2) 만리노시마萬里島의 함몰전설

'재난 징조의 인위적 조작'에 의한 '실제 재난의 재앙'을 다루고 있는 홍수전설은 겐로쿠元祿 2년(1689년)에 편찬된 『혼쵸코지인넨슈本朝故事因緣集』에도 실려 있다. 즉 이 서적의 제5권에 실려 있는 제120화 「薩州野間御崎明神」이 그것으로, 흔히 '만리노시마萬里島 함몰전설'로 일컬어지고 있다. 만리노시마의 위치에 대해서는 여러 견해가 분분하다. 일찍이 민속학자인 사쿠라다 카쓰노리櫻田勝德는 지금의 고시키시

마甑島열도 가운데 가미코시키시마上甑島 근처에 만리노시마가 존재했다고 여기고 있으며,[9] 민속학자인 야나기타 구니오柳田國男 역시 「고라이지마의 전설高麗島の傳說」이라는 글에서 사쿠라다 카쓰노리의 견해를 소개하고 있다.[10] 이와는 달리 교지交趾, 즉 베트남 북부 근해의 얕은 여울지역, 특히 파라셀제도Paracel Islands라고 보는 견해도 있다.[11] 『혼쵸코지인넨슈』에 실려 있는 이 전설의 줄거리는 다음과 같다.

> 〈2-①〉 중국 만리노시마萬里嶋에 인왕仁王의 상을 세웠는데, 말세에 이르러 인왕의 얼굴이 붉어질 때 섬이 없어진다고 구전되어 왔다. 이때 어떤 못된 사람이 인왕의 얼굴을 주홍빛 안료朱로 칠하자 섬이 절반 넘게 가라앉아 사람이 모두 익사하였다. 이때 아키노카미明神가 배두 척을 양손에 붙들고서 삿슈薩州 노마노쇼野間莊에 날아오셨으며, 마쓰노오묘진松尾明神이라고 하여 오늘날 배의 수호신이 되셨다. 이국異國과 본조本朝의 배가 역풍을 만나 파도에 떠내려갈 때에는 입원기서立願祈誓한다고 한다.[12]

앞의 두 편의 이야기(〈1-①, ②〉)와 견주어보면, 이 함몰전설은 모티프에 있어서 약간의 변형을 드러내고 있다. 즉 재난의 예고가 마을의 구전의 방식을 취하고 있고 재난의 징조가 인왕의 얼굴에 구현되며 재난 징조의 인위적 조작이 주홍빛 안료를 사용하여 이루어진다. 게다가 믿음이 깊은 사람이 재난에서 생존하는 것이 아니라, 섬 주민이 모두 익사하였다고 기술되어 있다. 아울러 만리노시마의 함몰을 다룬 이야기와 함께, 위의 전설은 이러한 함몰의 재난에서 아키노카미가 삿슈라는 특정 지역의 수호신으로 자리잡은 사연을 기술하고 있다. 즉 만리노시마에 있었던 아키노카미가 삿슈의 노마노쇼로 날아와 이곳의 수호신이 되었다는 것인데, 인왕과 아키노카미의 관계가 분명치 않지만 이 섬과 관련된 전설로 미루어보면 인왕이 일본 현지에서 아키노카미로 받들어지고 있는 듯하다. 만리노시마의 함몰과 수호신으로서의 아키노카미를 다룬 또 다른 전설을 살펴보기로 하자.

〈2-②〉 삿슈薩州 노마野間의 미사키御崎의 신은 옛날 중국의 만리노시마萬里嶋에 있었던 금강역사金剛力士의 이왕二王의 상像이다. 그런데 이 이왕의 얼굴이 붉게 변할 때에는 이 섬이 멸망한다고 누구나 말하였다. 그런 까닭이겠지만 이곳의 이왕의 색깔은 하얀 것이었다. 그런데 어느 남자가 그 이왕의 얼굴에 붉은 안료朱를 칠하자 홀연 진동하더니 바다에 가라앉았으며, 사람들은 모두 익사하였다. 이때 아키노카미明神가 배를 타고서 삿슈에 와서 노마노쇼野間の莊에서 현신現身하고 배를 지켜주는 신으로 숭앙받았다. 지금도 이국과 본조 모두 배가 역풍을 만났을 때에는 이 아키노카미에게 빌면 영험스럽게 어려움을 면한다. 오늘날에 이르러 얼굴빛이 변하면 흉사라고 하여 뭇사람이 두려워하고 공경하였다. 또한 마쓰노오묘진松尾明神이라고도 부른다.[13]

이 이야기는 쇼토쿠正德 6년(1716년)에 간행된 『혼쵸카이단코지本朝怪談故事』의 제2권에 실려 있는 제12화 「野摩御崎變面」이다. 이 이야기가 앞의 이야기(《2-①》)와 다른 점은 재난의 징조가 구현되는 곳이 인왕의 얼굴이 아니라 금강역사 이왕의 얼굴이라는 기술이다. 그러나 인왕이 불법의 수호신으로서 수미단須彌壇 전면의 좌우에 안치하는 한 쌍의 금강역사라는 점에서, 금강역사 이왕 역시 인왕과 동일한 신불神佛이라고 할 수 있다. 만리노시마의 함몰과 함께 수호신으로서의 아키노카미의 연유를 다룬 전설을 한 편 더 살펴보자.

〈2-③〉 사츠마국薩摩國 노마野間의 미사키御崎의 신은 옛날 중국의 만리노시마萬重嶋에 있었던 금강역사의 이왕의 상이다. 그런데 이 이왕의 얼굴이 붉게 변할 때에는 그게 바로 이 섬이 멸망할 때라고 누구나 믿고 있었다. 그런 까닭이겠지만 이곳의 이왕의 색깔은 하얀 것이었다. 그런데 어느 남자가 무슨 생각에서인지 이왕의 얼굴에 붉은 안료朱를 칠한 끝에 홀연 산악이 뒤흔들리고 섬은 순식간에 해저로 가라앉았으며, 주민은 이로 인해 모두 익사해버렸다. 이때 아키노카미가 배를 타고서 사츠마에 와서 노마노쇼野間の莊에서 현신하고 곧바로 배를 지켜주는 신으로 숭앙받았다. 지금도 배가 역풍을 만났을 때에는 이 아키노카미에게 빌면 반드시 그 어려움을 면케 해준다. 또 이왕의 얼굴색이 변하는 것은 흉사라고 하여 그때부터는 두려워하고 공경하였다. 이 신은 별명을 마쓰노오묘진松尾明神이라고도 한다.[14)]

이 이야기는 1913년에 간행된 『동양구비대전東洋口碑大全』(상권)의 제1장 제신편諸神篇에 수록된 제53화 「노마의 미사키野摩の御崎」이다. 이 전설의 공간적 배경은 사츠마노쿠니薩摩國, 즉 앞에서 소개한 이야기의 삿슈薩州와 동일한 곳으로서, 지금의 가고시마鹿兒島현 가와나베川邊군이다. 다만 침몰의 재난을 당한 곳이 萬里嶋가 아니라 萬重嶋라고 기술되어 있으나, 앞의 두 편(〈2-①, ②〉)과 견주어볼 때 만리노시마萬里嶋의 오기로 보여진다. 이러한 점에서 이 이야기(〈2-③〉)는 위의 인용문의 끄트머리에 『인넨코지因緣故事』, 즉 『혼쵸코지인넨슈』에서 인용하였다고 밝히고 있지만, 오히려 『혼쵸카이단코지』에서 인용한 것이 아닐까 생각한다. 전체적으로 보아 만리노시마의 함몰과 수호신으로서의 아키노카미의 연유를 다룬 이야기들은 모티프의 변이가 거의 일어나지 않는다고 볼 수 있다.

3) 오카메시마お亀島의 함몰전설

'재난의 징조의 조작'에 의한 '실제 재난의 재앙'을 다룬 또 다른 이야기로는 오카메시마お亀島의 함몰전설을 들 수 있다. 오카메시마는 대체로 지금의 시코쿠四國 도쿠시마德島현 도쿠시마시의 앞바다 5킬로미터쯤에 실재했다고 여겨지는 섬이며, 지금의 오카메이소お亀磯는 바로 오카메시마가 함몰한 이후의 흔적이라고 언급되고 있다. 14세기 후반에 저술되었다고 추정되는 군담소설 『다이헤이키太平記』나 19세기 초 도쿠시마현의 지방지인 『아와지阿波地』에는 오카메시마의 함몰과 관련된 기록을 다수 싣고 있다.[15)] 이들 서적에서 오카메시마는 오카메御甁, 御甕 혹은 오카메센겐御甁千軒 등의 다양한 별칭으로 일컬어지고 있다. 오카메시마의 함몰을 다루고 있는 전설을 살펴보자.

〈3-①〉 옛날 오카메센겐御瓶千軒이라는 번창한 바닷가에서 에비스蛭子를 수호신으로 받들어 제사를 모시고 있었다. 어느 날 신탁이 있었는데, 에비스의 얼굴이 붉어지면(혹은 에비스 신사에 걸려 있는 말 그림繪馬의 얼굴이 붉어지면) 이곳에 커다란 변고가 있을 터이니 즉시 떠나 목숨을 건지라는 것이었다. 어민들은 늘 두세 명씩 차례로 매일 아침 신사를 찾아와 살폈는데, 그때 마침 타지에서 들이닥친 도적들이 이 신탁을 전해 듣고서 어민들을 비웃었으며, 그중의 한 명이 밤중에 몰래 신사에 들어가 에비스의 얼굴을 붉은 안료朱로 칠하였다. 이튿날 아침 참배하러 갔다가 이를 본 어민들은 금은재보金銀財寶의 가벼운 물건만 챙겨 다른 곳으로 달아났지만, 도적들은 빈집에 몰래 들어가 제멋대로 재물을 훔쳐 달아나거나 마을에 남았다. 그날 밤 거센 바람이 불고 땅이 흔들리고 커다란 물결이 일어나더니 일시에 이곳 오카메센겐은 바다로 변하고 말았다.[16]

이 기록은 요코이 키쥰橫井希純이 저술한 『아슈기지자쓰와阿州奇事雜話』(卷之二)에 「오카메지변御瓶地變」이란 제명으로 실려 있다. 요코이 키쥰은 칸세이寬政 연간(1789-1801)에 실존한 인물로 알려져 있을 뿐 그의 이력은 물론 이 책이 저술된 시기 역시 분명치 않다. 『아슈기지자쓰와』는 저자가 직접 들었던 기이한 일을 기록한 것인데, 아슈阿州, 즉 지금의 도쿠시마현의 갖가지 산물과 명소, 동식물, 인물, 기담奇談 등을 소개하고 있다.[17] 바다로 변하였다는 오카메센겐은 아마도 가옥이 천 채나 될 만큼 번성했던 곳으로 보이는데, 섬의 지명은 위의 이야기에 구체적으로 명기되어 있지 않지만 오카메시마로 보아도 좋을 것이다.

이 전설에서는 재난의 예고가 신탁에 의한 구전의 형태를 취하고 있으며, 재난의 징조는 '에비스 신상의 얼굴이 붉어짐'으로 구현된다. 지금까지 살펴본 함몰형 홍수전설에서 재난의 징조는 대체로 '어떤 남자' 혹은 '못된 젊은이'에 의해 조작되었는데, 이 전설에서는 특이하게도 '마을에 쳐들어온 도적'에 의해 조작된다. 아울러 조작된 징조를 보고 마을 사람들이 달아나자 도적들이 마을 사람의 집을 약탈하는 에피소드가 추가되어 있다. 이처럼 모티프의 변이가 약간 나타나고 에피소드가 부가되어 있지만, 함몰형 홍수전설의 주요 줄거리에서 크게 벗어나지 않는다. 오카메이소의 함몰을 다루고 있는 또 다른 전설을 살펴보자.

> 〈3-②〉 오카메센겐御亀千軒에는 수호신을 모시는 신사神社의 기둥문에 백로가 깃들고 고마이누狛犬의 눈이 빨개지면 땅이 꺼져 바다로 된다는 구전이 전해져 왔다. 어느 노파가 이 구전을 믿고 날마다 수호신을 참배하러 왔다. 그런데 노파를 비웃던 어느 젊은이가 노파를 놀려주려고 고마이누의 눈에 단사丹砂를 넣고 백로의 깃털을 우물에 던졌다. 이튿날 아침에 이것을 본 노파는 자식을 데리고 도망쳤다. 그러자 곧바로 땅이 크게 울리더니 하룻밤 사이에 바다로 변해버렸다.[18]

이 전설은 『토카로쿠燈下錄』(卷之九)의 「오카메이소おかめ磯」라는 항에 실려 있다. 『토카로쿠』는 모토키 로슈元木芦洲가 직접 보고 들었던 기이한 일이나 전해오는 이야기 등을 기록하거나 채록한 서적이다. 이 책은 모토키 로슈가 세상을 떠난 후 그의 초고를 친구인 노구치 노부다메野口信爲가 정서한 것이다. 노구치 노부다메는 「부언附言」의 끄트머리에 '文化九申のとし三月'이라고 기록하였는데, 분카文化 9년은 1812년이다. 이로 미루어볼 때, 모토키 로슈가 초고를 기술한 것은 아무리 늦어도 1812년 이전이었으리라고 추정된다.[19]

이 전설에서 재난의 예고는 구전의 형태를 취하고 있으며, 재난의 징조는 '고마이누의 눈이 빨개짐'으로 구현된다. 고마이누狛犬는 신사나 사원의 입구에 놓인 사자나 개 모양의 한 쌍의 석상을 가리키는데, 우리나라의 해태獬豸와 흡사한 것이다. 『토카로쿠』의 원문에는 '고마이누高麗狛'로 적혀 있으며, 이는 고마이누狛犬의 동음이형同音異形이라 할 수 있다. 아울러 백로와 관련된 에피소드가 추가되어 있는데, 이는 함몰형 홍수전설에서 보기 드문 경우라고 할 수 있다. 백로와 신사

사이에 어떤 관계가 있는지 추후 검토할 만하며, 특히 금기와 관련되어 있지 않을까 생각한다. 이 전설은 재난의 징조가 구현되는 장소를 신사 입구에 놓여 있는 고마이누로 설정하여 모티프에 있어서 약간의 변이를 보여주고 있는데, 지금까지 살펴보았던 함몰형 홍수전설의 주요 줄거리를 그대로 유지하고 있다고 볼 수 있다. 이제 오카메시마의 함몰을 다룬 또 다른 전설을 살펴보자.

> 〈3-③〉 옛날 이노야마猪山를 격하여 3리 남짓의 동해에 오카메시마お亀島라는 작은 섬이 있었는데, 어촌의 민가가 천 채나 되어서 흔히 오카메센겐お亀千軒이라 일컬어졌다. 이 섬에는 언제부터인가 커다란 동굴 속에 신을 받들어 모셨으며, 신사 안에는 조그마한 구리 사슴이 안치되어 있었다. 신사 근처에 살고 있는 신심이 깊은 노부부는 날마다 신사에 들러 소원을 빌었다. 어느 날 밤 꿈에 신이 나타나 '신사의 구리 사슴의 얼굴이 붉어지면 곧바로 이 섬을 떠나 안전한 곳으로 가라'고 하였다. 이후 부부는 날마다 신사에 들러 구리 사슴의 얼굴이 붉어졌는지를 살폈다. 이 마을에 못된 젊은이가 부부의 꿈 이야기를 듣고 부부를 놀라게 하려고 어느 날 밤에 사슴의 얼굴을 붉은색 안료紅殻로 빨갛게 칠했다. 이튿날 아침 신사에 들렀던 노부부는 이 사슴의 얼굴이 붉어진 것을 보고 놀라 마을 사람들에게 변고가 있으리라고 알렸지만, 마을 사람들은 곧이듣지 않았다. 못된 젊은이가 자신이 장난삼아 한 일이라고 변명했지만, 노부부는 그의 말에 아랑곳하지 않은 채 자신의 배에 신사의 사슴을 싣고서 섬을 떠났다. 그날 밤 엄청난 해일이 몰려오더니 섬은 바닷속으로 가라앉고 말았다. 후쿠시마福島로 달아난 노부부는 그곳에 구리 사슴을 안치하고 신으로 받들어 모셨다.[20]

이 전설은 가사이 신야笠井新也가 1911년에 엮은 『아와덴세쓰모노가타리阿波傳說物語』의 「오카메시마 이야기お亀島の話」라는 항목에 실려 있는 이야기이다. 이 전설에서는 재난의 예고가 꿈의 계시를 통해 이루어지며, 재난의 징조는 신사에 모셔진 구리 사슴에 구현된다. 오카메시마의 함몰전설에서 재난의 징조가 구현되는 대상이 에비스, 고

마이누와 구리 사슴 등으로 매번 바뀌는데, 이들 전설이 동일 지역에서 전승되고 있음을 감안한다면 이러한 경우는 매우 이례적이라 할 수 있다. 에비스가 민간신앙의 대상인 신상으로서 신성성을 지닌 사물이라면, 고마이누와 구리 사슴은 신사라는 신성한 공간 안에 놓여 있다는 사실만으로도 신성성을 부여받고 있으며, 특히 구리 사슴은 섬이 함몰된 이후 다른 곳으로 옮겨져 신성성을 담지한 신상神像으로 받들어지고 있다.

4) 우류지마瓜生島의 함몰전설

'재난의 징조의 조작'에 의한 '실제 재난의 재앙'을 다룬 이야기로 우류지마瓜生島 함몰전설을 들 수 있다. 우류지마는 오이타현大分縣 벳푸만別府灣에 실재하였으나 게이쵸慶長 원년(1596년) 윤7월(9월)에 직하형直下型 지진에 의한 액상화液狀化와 쓰나미에 의해 바닷속으로 가라앉았다고 여겨지는 수수께끼 섬이다. 이 섬은 무로마치室町시대에 벳푸만의 최고의 무역항으로서 각국에서 들어오는 배로 크게 흥성하였으며, 오이타로부터 우류지마, 히사미쓰지마久光島를 거쳐 벳푸別府로 뻗어 있는 교통로가 펼쳐져 있었다고 한다. 이 섬의 함몰과 관련된 전설을 살펴보기로 하자.

> 〈4-①〉 이 섬의 노인들이 대대로 전해온 바에 따르면, 섬 서쪽 지경에 모시고 있는 에비스蛭子신상이 빨개질 때 이 섬은 가라앉는다고 한다. 이날 어떤 젊은 무뢰한이 신상의 얼굴에 붉은빛 안료朱丹를 칠하여 장난삼아 섬 주민을 현혹하고자 하였다. 과연 섬 주민들은 크게 괴이하게 여겨 수해를 피하려고 여기저기로 달아났다. 이로 인해 익사자는 다른 곳에 비해 많지 않았다고 한다.21)

이 이야기는 분고부豊後府 내성內城의 유학자인 아베 마사레이(阿部正令, 1813-1880)가 덴보天保 연간(1830-1844)에 편찬한 『치죠잣시雉城

雜誌』라는 지방지에 실려 있다. 이 지방지는 우류지마에 관한 기록을 풍부하게 수록하고 있어서 에도江戶시대 후기의 우류지마에 관련된 전설을 집대성하였다는 평가를 받고 있다. 이 전설에서 재난의 예고는 구전의 방식을 취하고 있으며, 재난의 징조는 에비스신상이 붉어지는 것으로 구현되고, 재난 징조의 인위적 조작은 주단朱丹의 붉은색을 칠함으로써 이루어진다. 위의 전설은 함몰형 홍수전설이 지니고 있는 기본적인 줄거리만을 갖추고 있는 편인데, 이 이야기에 비해 상세한 내용을 갖추고 있는 전설을 살펴보기로 하자.

〈4-②〉 오늘날의 오이타항大分港 너머에는 옛날 우류지마가 한가로이 떠 있고, 오키노하마沖の浜라는 읍과 몇 개의 어촌마을이 있었다. 이 섬에는 에비스신사蛭子神社가 있었는데, 섬 주민들의 구전에 따르면 이 에비스상의 얼굴이 빨개지면 섬이 파도에 가라앉는다고 전해지고 있었다. 그래서 섬 주민들은 늘 신사에 들러 무사하기를 빌었다. 그런데 게이쵸慶長 원년 7월 어느 날 어느 섬 주민이 신상의 얼굴이 빨갛게 물들여져 있는 것을 보고 깜짝 놀라 황급히 마을에 알려 소란스러워졌다. 어떤 사람은 배를 내어 본토로 달아나고, 어떤 사람은 예고를 믿지 않은 채 섬에 남아있기로 하였다. 그때 섬에 사는 신사이眞齋라는 안마사는 모두가 허둥지둥하는 꼴을 보고 못마땅하게 여겨 "신상 얼굴이 빨개진 것은 내가 붉은색 안료를 칠했기 때문이다"라고 말했다. 섬 주민들은 반신반의하여 어찌할지 머뭇거리고 있을 때 바다가 떠들썩해지더니 산더미 같은 파도가 밀려와 섬을 한입에 삼켜 하룻밤 사이에 섬은 바닷속으로 가라앉아버렸다.[22]

이 이야기는 1931년에 향토사적전설연구회鄕土史蹟傳說硏究會에서 출간한 『분고덴세쓰슈豊後傳說集』에 「우류지마瓜生島」라는 제명으로 수록되어 있다. 이 전설에서도 재난의 예고는 구전의 방식을 취하고 재난의 징조는 에비스신상의 얼굴이 빨개지는 것으로 구현되는 등, 앞의 이야기(〈4-①〉)와 크게 다르지 않다. 다만 징조의 인위적 조작이 신사이眞齋라는 안마사로 특정된 인물이 붉은색 안료를 칠하는 것으로 기술되어 있는데, 함몰형 홍수전설에서 인위적 조작자의 이름을 밝히는 경우는 매우 드물다는 점에서 이례적이라고 할 수 있다. 이와 더불어 이야기의 서두에 "오늘날의 오이타항大分港 너머에는 옛날 우류지마가 …… 있었다"라고 기술하고 재난이 일어났던 일시를 '게이쵸 원년 7월 어느 날'이라 밝히고 있는 바, 현재의 시점에서 과거의 특정한 시공간의 역사를 기술하는 방식을 취하고 있다는 점 또한 매우 특이하다고 할 수 있다. 이는 적어도 이 이야기를 전하는 사람은 이 이야기를 허구가 아니라 역사적으로 실재한 사건으로 여기고 있었음을 보여주는 기술방식이라고 할 수 있다. 우류지마의 함몰과 관련된 또 다른 전설을 간략히 살펴보자.

〈4-③〉 우류지마에는 노인들에 의해 구전이 내려왔는데, "섬에 사는 주민들은 사이좋게 지내지 않으면 안 된다. 한 사람이라도 불화를 일으키는 자가 있으면 섬안의 신불神佛의 노여움을 사서 섬이 바닷속으로 가라앉아 버린다. 그 징조로 에비스사蛭子社의 신장神將의 얼굴이 빨개진다"는 것이었다. 분로쿠文禄 5년(1596년) 6월 하순의 일로, 섬의 서남단의 사카라스무라申引村에 살고 있던 가토 료사이加藤良齋라는 의사가 "그런 전언 따위는 걱정할 게 없다. 천재지변 등 실제로 일어날 리가 없다. 내가 시험해보겠다."라고 하여 에비스사에 모셔져 있는 12신장의 얼굴을 붉은 가루丹粉로 빨갛게 칠해버렸다. 이것을 본 섬 주민들은 마음을 졸이고 있었는데, 그 이튿날부터 잇달아 지진이 일어나고 섬이 흔들리기 시작했다. 다음 달인 윤달 7월에도 지진이 잇달아 일어나자 사람들은 두려움에 떨면서 섬을 탈출하려고 짐을 싸는데, 12일 미각未刻(오후 2시경)에 섬이 심하게 흔들리고 고야산高野山, 유후산木棉山, 온보산御寶山 등이 한꺼번에 불을 내뿜더니 신각申刻(오후 4시경)이 되자 온 섬이 일시 조용해졌다. 그때 백마를 탄 어느 노인이 사람들에게 "우류지마가 침몰한다. 어서 빨리 도망쳐라!"라고 큰 소리로 외쳤다. 사람들은 앞다투어 배를 타거나 헤엄을 쳐서 육지쪽으로 도망쳤는데, 노인의 예고대로 곧바로 대지진이 일어나더니 뒤이어 어마어마한 해일이 섬을 습격했다. 도장島長인 가쓰타다勝忠는 자식인 노부시게信重와 함께 작은 배를 타고 피신하였으나 파도에 휩쓸려 바닷속으로 내동댕이쳐졌다가 가니쿠라야마加似倉山 기슭으로 밀려나 간신히 목숨을 건졌다. 밤이 지나고 천재지변은 가라앉았지만, 섬은 순식간에 가라앉아버리고 살아남은 사람은 겨우 7명이었다.[23]

위의 이야기는 쓰치야 키타히코土屋北彦에 의해 1972년에 엮어진 『오이타의 민화大分の民話』에 실려 있다. 이 이야기는 앞에서 언급한 우류지마와 관련된 함몰전설과는 모티프가 약간 다른 부분이 있다. 즉 재난의 징조가 구현되는 곳이 에비스사의 12신장의 얼굴로 바뀌어 있으며, 이전의 함몰형 홍수전설에서는 볼 수 없었던 신의 화신으로서의 '백마를 탄 노인'의 에피소드가 부가되었으며, 도장島長이 당한 구체적인 재난 상황이 서술되어 있다. 뿐만 아니라 지금까지 살펴보았던 함몰형 홍수전설에 비해 훨씬 상세한 내용을 담고 있기도 한다. 즉 재난의 예고가 단순히 '어딘가에 어떤 징조가 나타나면 어떠한 재난이 닥친다'라는 형태가 아니라, '이러한 사람이 나타나면 어떠한 재난의 징조가 나타나고 어떠한 재난이 닥친다'는 복합적인 형태를 보이고 있다. 다시 말해 재난의 징조는 어떤 경우에 나타나는가의 조건이 부가되어 있다는 것이다.

아울러 앞의 이야기(《4-②》)에 대해서 언급했듯이, 이 이야기의 서사 역시 역사를 기술하는 방식을 취하고 있다. 즉 재난의 징조를 조작한 일자를 '분로쿠文禄 5년(1596년) 6월 하순'으로 특정하고, 징조의 조작자의 신분과 이름을 '섬의 남서단의 사카라스무라에 살고 있던 가토 료사이라는 의사'라고 분명히 밝히고 있으며, 도장과 그의 아들의 이름도 밝히고 있다. 게다가 일자와 시각에 따라 지진과 쓰나미의 진행상황을 자세히 기록하고 있을 뿐만 아니라, 재난에서 살아남은 자의 숫자가 7명이라고 적시하고 있다. 요컨대 역사적 사건을 기술할 때의 글쓰기 방식에 따라 '누가, 언제, 어디에서, 무엇이, 왜, 어떻게,

일어났는지'를 구체적으로 밝히고 있다. 이렇게 볼 때 우류지마의 침몰을 다룬 홍수전설은 시간이 흐를수록 내용이 더욱 상세해질 뿐만 아니라 역사 기술의 경향을 뚜렷이 보이고 있음을 알 수 있다.

그런데 섬의 침몰을 다루고 있는 전설임에도 역사 기술의 방식을 취하고 있는 것은 무슨 까닭일까? 이는 아마도 우류지마가 단순히 신비로운 수수께끼의 섬이 아니라, 역사적 사건과 깊게 관련된 실재했던 섬이라고 믿기 때문이라고 볼 수 있다. 우류지마가 위치했던 곳으로 여겨지는 벳푸만 지역에 실제로 지진과 함께 쓰나미가 있었다는 기록이 있는데, 『호후기분豊府紀聞』은 다음과 같이 기록하고 있다.

> 게이쵸慶長 원년 윤7월 12일 오후 2시 또는 4시경 천하에 대지진이 일어났다. 분고豊後에서도 곳곳의 땅이 갈라지고 산이 무너졌다. 그리하여 다카사키야마高崎山의 산꼭대기의 커다란 바위가 모두 굴러떨어지고, 그 바위가 서로 부딪쳐 불꽃이 튀었다. 얼마 후 지진은 멈추었다. 부내府內의 백성들은 모두 마음을 놓고서 목욕을 하는 자도 있고, 저녁밥을 먹는 자도 있고, 아직 먹지 않는 자도 있었다. 그때 바다가 큰 소리로 진동하자 사람들은 놀라고 기이하게 여겨 이리저리로 달아났으며 혹 바다쪽을 살펴보기도 하였다. 마을의 우물물은 모두 말라버렸다. 이때 바다로부터 엄청나게 큰 물결이 홀연 일어나 밀려들어, 부내와 인근 마을에 넘쳤다. 쓰나미가 여섯 시간이나 계속되었다.[24]

1977년과 1980년의 두 차례에 걸친 벳푸만의 해저지질조사연구에 따르면, 우류지마를 가라앉혔을 만한 지진과 쓰나미가 일어났던 것은 1596년 9월 4일(분로쿠 5년, 즉 게이쵸 원년 윤7월 12일)이다. 아울러 우류지마라는 지명은 이 재난이 발생한 지 100년이 넘은 1698년에 편찬된 『호후키키가키豊府聞書』라는 문헌에 처음 등장한다.[25] 사실 분고노쿠니豊後國의 사적은 역사서나 야사野史에 자주 보이지만, 『호후키키가키』 편찬 이전에는 우류지마에 관한 사항이 거의 보이지 않는 대신 우류지마의 위치에 해당하는 지역명으로 오키노하마沖の浜가 자주 등장한다. 이러한 점에서 오키노하마가 원래의 명칭이고, 우류지마는 훗날 붙여진 이름이 아닐까 추정하기도 한다.[26] 이렇게 본다면 우류지마의 함몰전설은 역사적 사실의 전설화傳說化를 보여주는 일례라고 할 수 있다.

5) 고라이지마高麗島의 함몰전설

'재난 징조의 인위적 조작'에 의한 '실제 재난의 재앙'을 다루고 있는 홍수설화로 또한 고라이지마高麗島의 함몰전설을 들 수 있다. 고라이지마는 현재의 나가사키長崎현의 고토열도五島列島의 오지카지마小値賀島의 서쪽에 위치한 비료지마美良島로부터 다시 서쪽에 떨어져 있던 섬인데, 한때 번창하다가 어느 날 갑자기 가라앉아버렸다고 알려져 있다. 이 고라이지마 함몰전설은 야나기타 구니오柳田國男가 1931년 5월에 규슈九州의 외딴 섬을 현지조사하는 과정에서 현지인들로부터 채록하여 소개하였던 것이다. 고라이지마 함몰과 관련된 홍수전설의 줄거리를 간략히 살펴보자.

> 〈5-①〉 옛날 고라이지마에는 영험이 지극한 돌로 만든 지장보살地藏菩薩이 하나 있었다. 신심이 깊은 사람들의 꿈을 꾸는 베갯머리에 나타나 '내 얼굴이 붉어지면 큰 재난의 전조로 간주하여 속히 피하여 목숨을 부지하라'는 계시가 있었다. 매몰차고 박정한 무리만은 도리어 이를 조롱하고자 그림물감繪具으로 지장보살의 얼굴을 붉게 칠하여, 놀라 달아나는 자의 어리석음을 보고 웃음거리로 삼으려고 했던 것이지만, 전조는 들어맞아 섬은 하루아침에 가라앉아 남아있던 자는 끝내 모두 죽어버렸다고 한다.[27]

위의 고라이지마의 함몰전설은 앞에서 살펴보았던 여러 편의 이야기와 동일한 모티프와 줄거리를 갖추고 있지만, 구체적인 모티프에 있어서는 상당한 차이를 보여준다. 즉 재난의 징조의 예언 방식이 '꿈을 통한 계시'로 바뀌고, 재난의 징조는 '석상의 지장보살의 얼굴이 붉어짐'으로 구현되며, 재난 징조의 인위적 조작 또한 '그림물감으로 붉게 칠함'으로 이루어진다. 이처럼 모티프와 줄거리는 거의 동일하지만 모티프가 약간 바뀌는 유사형을 고라이지마의 침몰과 관련된 다른 전설에서도 엿볼 수 있다.

> 〈5-②〉 옛날에 와라비蕨를 떠나 북쪽으로 해상 15리의 곳에 고라이지마라는 조그마한 섬이 있었다. 그곳의 주민 중에 신앙이 도타운 사람이 있었는데, 어느 날 그 섬의 제신祭神이 그 사람의 베갯머리에 나타나 "나의 얼굴빛이 변할 때는 이 섬에 일생의 변고가 일어나므로 주의를 기울이고 있다가 이 섬을 탈출하여라"라고 알려주었다. 그래서 그는 이러한 사정을 남에게도 알렸는데, 같은 섬주민 가운데 마음이 착하지 않은 자가 그것을 비웃고 또 장난삼아 어느 날 남몰래 그 제신의 얼굴을 붉게 칠했다. 주민들은 이것을 보고 깜짝 놀라 배를 마련하여 이 섬을 탈출하였는데, 섬을 떠난 지 얼마 지나지 않아 홀연 섬은 바닷속으로 가라앉았다.[28]

이 홍수전설은 1934년에 출판된 『고토민조쿠즈시五島民俗圖誌』에 수록되어 있으며, 히사카지마久賀島에 전승되어온 것이다. 이 홍수전설에서는 위에서 언급한 함몰형 홍수전설의 일반적인 구성요소를 모두 지니고 있으나, 재난의 징조는 신심이 도타운 사람의 꿈을 통해 계시되고, 재난의 징조는 섬 주민의 제사를 받는 '제신의 얼굴빛의 변화'로 구현되며, 재난 징조의 인위적 조작은 '붉게 칠함'으로 바뀌는 등, 모티프에 있어서의 약간의 변이를 보이고 있다. 고라이지마 침몰과 관련된 또 다른 홍수전설을 살펴보기로 하자.

> 〈5-③〉 옛날 오지카지마의 서쪽 35킬로미터의 바닷속에 고라이소네高麗曽根라는 전설의 섬이 있었다. 이 섬에는 제사를 모시고 있던 에비스惠比壽(어업의 신)의 얼굴이 빨개지면 섬이 가라앉는다는 말이 전해

지고 있었다. 이것을 알고 있던 섬의 못된 장난꾸러기가 에비스의 얼굴을 빨갛게 칠하였던 바, 섬 주민은 놀라 일부는 배를 마련하여 섬을 탈출하고, 곧바로 섬은 가라앉았다.[29)]

이 전설은 1978년에 출간된『日本の傳說28·長崎の傳說』에 수록된 이야기인데, 함몰형 홍수설화가 지니고 있는 기본적인 줄거리와 구성요소를 동일하게 갖추고 있다. 다만 재난의 징조가 어업의 신인 '에비스의 얼굴이 빨개짐'으로 바뀌고, 징조의 인위적 조작 역시 '빨갛게 칠함'으로 바뀌는 등의 모티프의 변이가 일부 일어나고 있을 뿐이다. 앞의 전설들에서도 언급하였지만, 이 전설에서 주목할 만한 점은 재난의 징조가 구현되는 장소가 석상의 지장보살에서 제신으로, 다시 에비스로 바뀌었다는 것이다. 이러한 변이가 갖는 의미에 대해서는 잠시 후에 상세히 살펴볼 예정이다.

그런데 야나기타 구니오에 따르면, "고라이지마에 있던 커다란 절은 재난을 피해 처음에는 비료지마美良島의 구석에 재건되었다가 나중에 쇠미해진 후에 오지카小値賀의 본도本島로 옮겼다는데 그 소재는 분명치 않으"며, "다만 교가사키經ヶ崎라는 지명은 고라이지마에 있던 절의 경권經卷이 바다를 건너 이 섬에 표착했던 흔적이며, 섬의 죠젠지淨善寺에는 고라이지마의 절에서 표착漂着한 경經을 사보寺寶로 전하고 있다"고 밝히고 있다.[30)] 요컨대 고라이지마는 실재했던 섬이었으며, 그 섬에 있었던 절의 경권이 훗날 오지카지마의 죠젠지의 보물로 보존되어 있다는 것이다.

이러한 사원 혹은 경전의 이전의 에피소드는 다른 섬의 함몰전설에서도 엿볼 수 있는데, 고라이지마의 함몰전설에는 함몰과 관련된 기념물(monument)을 다룬 에피소드가 전설의 말미에 부기되어 있는 경우가 많다. 이를테면 재난을 피해 도망친 사람들이 지금의 와라비蕨 근처의 오노하마大野浜에 표착한 후 가지고 온 제신을 미야타宮田란 곳에 모셨다거나, 당시 생존자들이 음용했던 물을 고라이미즈高麗水

라고 일컫는다거나, 혹은 고려高麗 도자기의 제조가 이루어진 증거로 바닷속에서 도자기의 유물을 건져올린다는 기술이 부가되어 있다. 물론 이는 이 전설의 사실성을 강화하기 위한 서사적 장치이기도 하지만, 다른 한편으로 고라이지마가 실재했었다는 믿음을 보여주는 반증이기도 하다.

지금까지 함몰형 홍수전설의 원형으로서 '소토바부혈형卒堵婆付血型'과 이와 동일한 모티프를 지니고 있는 변이형으로서 네 곳에서 전승되어온 홍수전설을 시대의 흐름에 따라 각각 최초의 문헌자료와 이후의 구전자료들에 의거하여 살펴보았다. 이들의 전설 외에도 함몰형 홍수전설로서 나가사키長崎현의 쓰시마섬對馬島의 함몰전설, 미에三重현 이세만伊勢灣 어귀의 가미지마神島 근처의 이른바 '끊겨진 섬たえのしま'과 관련된 함몰전설 등을 들 수 있다. 전자의 경우는 재난의 예고, 재난 징조의 인위적 조작과 재난의 발생 등의 모티프와 줄거리를 갖추고 있는 바, 지금까지 살펴본 함몰형 홍수전설의 변이형이라 볼 수 있다. 반면 후자는 섬의 함몰, 주민과 사원의 이주를 주요 줄거리로 삼고 있을 뿐, 재난의 예고나 재난 징조의 인위적 조작 등의 모티프를 지니고 있지 않다는 점에서 지금까지 살펴본 함몰형 홍수전설과는 다르다고 보아야 할 것이다. 이들의 홍수전설에 대해서는 다른 지면을 통하여 살펴볼 수 있기를 기대한다.

3. 나오면서

지금까지 옛 전적에 실린 문헌설화와 구전되어온 구비설화를 바탕으로 일본 본토의 각지에 전승되고 있는 함몰형 홍수전설을 살펴보았다. 이 가운데에서 '소토바부혈형卒堵婆付血型'에서는 공간적 배경으로서 섬을 언급한 적은 없지만, '산이 무너지고 바다가 되어 온 마을이 사라져버렸다'라는 기술에 근거하여 함몰한 대상을 섬으로 간주하여도 좋을 것이다. 이렇게 본다면 지금까지 살펴본 함몰형 홍수전설은 모두 섬의 함몰을 다루고 있으며, 따라서 이들 전설을 도서島嶼함몰형 홍수전설이라 일컬어도 좋을 것이다. 이제 이들 홍수전설을 주요한 구성요소에 따라 정리하면 다음의 표와 같다.

	재난 지역	재난의 예고	재난의 징조	징조 조작	생존자	전승 지역	수록 시기
1-①	중국	집안의 口傳	卒堵婆에 피가 묻음	塗血	信心이 두터운 노파		12세기 초
1-②	중국	집안의 口傳	卒都婆에 피가 묻음	塗血	信心이 두터운 노파		13세기 초
2-①	중국의 萬里島	마을의 口傳	仁王의 얼굴이 붉어짐	染朱		九州 鹿兒島 縣	1689년
2-②	중국의 萬里島	마을의 口傳	金剛力士 二王의 얼굴이 붉어짐	塗朱			1716년
2-③	중국의 萬重島	마을의 口傳	金剛力士 二王의 얼굴이 붉어짐	塗朱			1913년
3-①	御瓶千軒	마을의 口傳	蛭子의 얼굴이 붉어짐	塗朱	信心이 두터운 사람들	四國 德島縣	1801년 이전
3-②	御亀千軒	마을의 口傳	백로가 깃들고 狛犬의 눈이 붉어짐	入丹	信心이 두터운 노파와 가족		1812년 이전
3-③	お亀島	꿈의 계시	구리 사슴의 얼굴이 붉어짐	塗紅殼	信心이 두터운 老夫婦		1911년

	재난 지역	재난의 예고	재난의 징조	징조 조작	생존자	전승 지역	수록 시기
4-①	瓜生島	마을의 口傳	蛭子神像이 붉어짐	塗朱丹	信心이 두터운 사람들	九州 大分縣	1830-1844년
4-②	瓜生島	마을의 口傳	蛭子神의 얼굴이 붉어짐	塗紅殻	信心이 두터운 사람들		1931년
4-③	瓜生島	마을의 口傳	蛭子社 神將의 얼굴이 붉어짐	塗丹粉	信心이 두터운 사람들		1972년
5-①	高麗島	꿈의 계시	地藏菩薩 石像의 얼굴이 붉어짐	塗繪具	信心이 두터운 사람들	九州 長崎縣	1931년
5-②	高麗島	꿈의 계시	祭神의 얼굴빛이 변함	赤塗	信心이 두터운 사람들		1934년
5-③	高麗曽根	마을의 口傳	惠比壽의 얼굴이 붉어짐	赤塗	信心이 두터운 사람들		1978년

우선 위의 표와 관련하여 두 가지 사항에 대해 설명하고자 한다. 하나는 함몰형 홍수전설에서 재난이 예고되는 방식에 관한 것이다. 재난의 예고 방식은 크게 두 가지, 즉 '집안 혹은 마을의 구전'과 '꿈의 계시'를 들 수 있다. 이들 방식은 재난의 예고를 믿는 사람의 숫자와 관련이 있기는 하지만, 이야기가 전개되는 과정에서 재난의 징조를 조작하는 자에 의해서든, 혹은 재난의 예고를 예지받은 자에 의해서든 결국 재난의 예고가 마을 사람 모두에게 알려진다는 점에서 그 방식의 차이가 이야기의 의미생성에서 결정적 의미를 갖지는 않는다. 따라서 실제로 재난이 발생했을 때에 살아남은 이들은 적어도 이 재난의 예고를 믿었던 사람이라고 보아도 좋을 것이다. 위의 표에서 섬

주민이 모두 익사한 〈2〉 유형을 제외한 기타 유형에서 신심信心에 대한 언급의 유무와 관계없이 생존자를 '신심이 두터운 사람들'로 표기한 것은 바로 이러한 이유 때문이다.

다른 하나는 징조 조작의 도구에 관한 것이다. 이들 홍수전설에서 조작의 도구로는 피血와 붉은색 안료朱·丹·朱丹·紅殼, 그림물감繪具, 붉은 가루丹粉 등이 다양하게 사용되고 있으며, 단지 '붉게 칠하다赤塗'라고 기술하여 도구를 밝히지 않은 경우도 있다. 이들 착색도구는 대체로 피의 붉은색을 대신할 수 있는 일상적인 염료로서 이야기의 의미 생성에 있어서 의미 있는 차이를 낳지는 않는다. 다만 일본의 함몰형 홍수전설의 기원을 중국으로 넓혀 궁구할 때 '피를 이용한 착색'이 기원 추적의 주요한 근거가 된다는 점에서 주목할 필요는 있다고 할 수 있다.

이 글에서는 더욱 중요한 점으로, 위의 표를 통해 크게 두 가지, 즉 재난 지역이 어디인가, 그리고 재난의 징조는 어디에 구현되는가를 중심으로 그 의미를 따져보고자 한다. 위의 표에서 엿볼 수 있듯이, 재난 지역은 유형과 시대의 흐름에 따라 중국에서 일본의 도서 지역으로 변모하고 있다. 즉 〈1〉 유형은 이야기가 진단부震旦部에 수록되어 있거나 서두에 '중국에 있는 산 정상'이라고 밝힘으로써 재난 지역이 중국임을 명시하고 있다. 〈2〉 유형 역시 '중국의 만리노시마萬里島'라고 공간적 배경을 밝힘으로써 재난 지역이 중국임을 명시하고 있지만, 섬 함몰의 이야기로 끝나지 않고 일본의 특정 지역, 즉 삿슈의 노마와 연결시킴으로써 공간적 배경을 중국에서 일본으로 확장시키고 있다. 그리고 드디어 〈3〉과 〈4〉, 〈5〉 유형에 이르러 재난 지역은 일본의 특정 지역으로 한정된다. 이렇게 본다면, 〈2〉 유형은 〈1〉 유형에서 〈3〉·〈4〉·〈5〉 유형으로 나아가는 교량적 작용을 담당하고 있다고 보여진다.

이러한 변모의 의미는 재난의 징조가 구현되는 대상에서도 살펴볼 수 있다. 즉 〈1〉 유형에서 재난의 징조는 소토바, 즉 스투파에 구현되며, 〈2〉와 〈5-①, ②〉 유형에서도 인왕, 금강역사 이왕, 지장보살 등에 구현된다. 스투파는 성자聖者의 유골이나 유물을 모시기 위한 불교 건축물이고, 인왕, 즉 금강역사 이왕은 불법의 수호신이며, 지장보살은 육도六道의 중생을 구제하는 보살인 바, 모두 불교문화와 연관된 것이다. 이에 반해 〈3-①〉과 〈4〉, 〈5-③〉 유형에서는 재난의 징조가 에비스惠比壽·蛭子 신상神像에 구현된다. 에비스는 일본의 민간신앙의 대상으로서 흔히 어민들의 안전과 풍어豐漁를 담당하는 신이다. 〈2〉 유형의 전설이 삿슈지역의 배를 지켜주는 수호신으로 아키노카미明神를 언급하고 있는데, 아키노카미가 일반적으로 일본의 신불습합神佛習合, 즉 신도神道와 불교佛教의 조화에서의 불교적인 신의 칭호라는 점에서 〈2〉 유형은 불교에서 신도로의 과도기적 성격을 띠고 있다고 볼 수 있다. 〈3-②, ③〉 유형에서의 고마이누狛犬와 구리 사슴 역시 민간 신앙의 대상이라고 할 수 있다. 이렇게 본다면 일본의 함몰형 홍수전설은 징조 구현의 대상면에서 시대의 흐름에 따라 대체로 불교문화에서 민간신앙으로 나아가는 경향을 드러내고 있다고 여겨도 좋을 것이다.

이렇게 보노라면, 일본의 함몰형 홍수전설은 시대의 흐름에 따라 재난 지역의 측면에서는 중국에서 일본으로, 종교의 측면에서는 불교에서 민간신앙으로 변모하는 양상을 보이고 있으며, 전체적으로 볼 때 〈2〉 유형이 과도기적 매개작용을 담당하고 있음을 알 수 있다. 다시 말해 일본에서의 함몰형 홍수전설은 그 원형으로서의 '소토바부혈형卒堵婆付血型'이 지니고 있는 '징조의 조작'과 '섬의 함몰'이라는 모티프를 똑같이 유지하는 가운데, 여러 전승 지역의 자연환경 및 자연재해의 직간접적 체험, 그리고 종교문화를 반영하여 모티프에 있어서 변이를 거듭해왔던 것이다. 이러한 변이과정은 중국의 함몰형 홍수전설이 일본으로 수용되는 과정에서 자국화 및 현지화의 과정을 밟아왔음을 의미한다.

일본의 침몰형 홍수전설에 두드러지는 자국화 및 현지화의 경향은 홍수전설의 서사에 어떤 영향을 미쳤을까? 이를 궁구하기 위해 일본의 함몰형 홍수전설의 기원을 살펴보지 않을 수 없다. 일본의 대부분의 연구자들은 일본의 함몰형 홍수전설의 기원으로서 후한대後漢代 고유高誘가 『회남자淮南子』를 주석한 『회남홍렬해淮南鴻烈解』에 수록된 역양歷陽에 관한 기록을 언급한다. 이 기록의 내용은 다음과 같다.

> 예전에 어느 노파가 늘 인의를 행했는데, 선비 두 사람이 지나다가 그녀에게 "이 고장은 틀림없이 가라앉아 호수가 될 것입니다."라고 말하면서 "동쪽 성문 문지방에 피가 묻은 것을 보면 북쪽 산으로 도망하되 돌아보지 마시오."라고 했다. 이때부터 노파는 성문의 문지방에 가서 살펴보았다. 문지기가 그녀에게 묻자, 그녀는 여차저차하다고 대답했다. 그날 저녁 문지기는 일부러 닭을 잡아 피를 성문 문지방에 발랐다. 이튿날 아침 일찍 성문에 가서 살펴본 노파는 피를 보고서 북쪽 산으로 올랐는데, 고장은 가라앉아 호수가 되었다. 문지기에게 그 일을 이야기한 지 딱 하룻밤만이었다.[31]

위의 기록은 재난의 예고, 재난 징조의 인위적 조작, 실제 재난의 발생 등, 일본의 함몰형 홍수전설이 지니고 있는 모티프와 주요 줄거리를 모두 갖추고 있다. 물론 이 기록은 모티프에 있어서 일본의 홍수전설과 다른 점이 분명히 존재한다. 이를테면 재난의 예고가 구전이나 꿈의 계시가 아니라 '지나가던 선비'의 예고이고, 생존자가 신심이 두터운 사람이 아니라 '늘 인의를 행한 노파'이며, 재난 징조의 조작은 '성문 문지방에 묻은 피'로 구현된다. 또한 징조의 조작은 닭의 피를 이용하고, 실제 재난의 결과 마을이 수몰된다. 게다가 금기의 위반이 이루어지지는 않았지만, '도망하되 돌아보지 말라'는 금기가 제시되어 있기도 하다. 그렇지만 서사의 표면적 구조만을 따진다면, 위의 기록은 일본의 함몰형 홍수전설의 기원이라고 일컬어도 좋을 것이다.

그런데 비록 모티프의 차이이기는 하지만, 재난의 징조가 구현되는 장소의 차이는 결코 가볍지 않은 의미를 지니고 있다. 위의 기록, 그리고 이른바 '역양형歷陽型'으로 분류되는 중국의 홍수전설에서 재난의 징조가 구현되는 장소는 흔히 성문 문지방, 성문 문설주, 현문縣門의 돌거북, 성황묘城隍廟 앞의 돌사자로 기록되어 있다. 이들 장소의 두드러진 특징은 사람들의 왕래가 많은 세속적 공간으로서 결코 신성하거나 신이한 공간이 아니라는 점이다. 그렇기에 재난의 예고를 받은 이는 특별한 종교적 행위를 하러 그 장소에 가는 것이 아니다. 반면 일본의 함몰형 홍수전설에서 재난의 징조가 구현되는 장소는 불교나 민간신앙과 관련된 신성한 공간이며, 재난의 예고를 예지받은 이는 대부분 종교적 행위를 하기 위해 그 장소에 간다.

이처럼 일본의 함몰형 홍수전설은 종교적 성격이 매우 강하게 침투되어 있다는 특징을 명확히 보여주고 있다. 일본의 함몰형 홍수전설이 중국의 역양형 홍수전설에 기원을 두고 있다면, 그 최초의 문헌기록이라고 할 수 있는 '소토바부혈형卒堵婆付血型'부터 일본화 및 현지화가 이미 진행되었다고 볼 수 있을 것이다. 일본의 함몰형 홍수전설이 지니고 있는 이러한 종교성에 주목하여 야마모토 다카시山本 節는 제사의 대상이 타지로 옮겨가 제사를 받는 이른바 '천좌遷座'를 이들 홍수전설의 주요 모티프로 간주하고 있으며, 하야시 에이이치林英一는 여기에서 한 걸음 더 나아가 천좌遷座의 경위를 밝히는 '천좌연기遷座緣起'의 관점에서 함몰형 홍수전설의 서사를 읽어내고 있다.[32] 이러한 종교성은 이들 홍수전설 속에 신성성을 담지한 물체(신상, 불상 등)나 공간(신사, 사원 등)의 이전과 관련된 에피소드가 후일담의 형식으로 기술되고 있는 점에서도 여실히 엿볼 수 있다.

■ 주석

1) 김용의, 『오키나와 민족설화집 유로설전』(광주: 전남대학교출판부, 2010), 328쪽
2) 佐佐木高明, 『照葉樹林文化之路: 自不丹, 雲南至日本』(昆明: 雲南大學出版社, 1998), 125쪽
3) 李子賢, 「東亞視野下的兄妹婚神話與始祖信仰-以中國彝族相關神話爲切入點」(『中國語文學論集』 제72호, 2012), 345-346쪽
4) 집이나 마을, 섬 등의 특정한 지역이 홍수나 지진, 해일, 용식溶蝕 등의 자연재해에 의해 가라앉거나 쓸려나가 사라져버리는 현상을 흔히 침몰沈沒, 함몰陷沒 등이라 일컫고, 이러한 자연재해로 인해 원래 있던 장소가 못이나 바다로 바뀌는 현상을 흔히 함호陷湖, 해몰海沒 등이라 일컫는다. 이러한 자연재해를 다룬 전설 유형에 대해서 중국에서는 흔히 '함호형陷湖型 홍수전설', 일본에서는 '침몰형沈沒型 홍수전설'이라 일컫는데, 우리나라에서는 이러한 유형의 대표적 전승지인 함경남도 定平郡 宣德面 廣浦에서 이름을 빌려와 廣浦型 혹은 廣浦傳說이라 일컫는다. 이 글에서는 일본의 이 유형에서 특정 지역이 바닷속으로 가라앉는다는 점에 유념하여 함몰형 홍수전설로 통일하고자 한다.
5) 일본에서는 이러한 유형을 흔히 '石像の眼に血が流れる日'(『日本昔話名彙』), 혹은 '石像の血'(『日本昔話事典』) 등으로 분류하고 있다. 이 글에서는 다른 하위 유형과 구분하기 위해 '卒堵婆付血型'으로 구분하고자 한다.
6) 山田孝雄 外 校注, 『今昔物語集 二』(東京: 岩波書店, 1980), 334-336쪽
7) 박연숙, 박미경 역, 『일본 중세시대 설화집-우지슈이 이야기』(서울: 지식과교양, 2018), 130-133쪽 참조
8) 스투파는 대체로 聖者의 유골이나 유물을 모시기 위한 건축물을 가리키는데, 일찍이 중국에서는 窣堵婆, 卒塔婆, 卒都婆, 率塔婆, 窣堵波, 窣睹波, 素睹波, 藪斗婆, 私鍮簸 등의 다양한 假借音으로 일컬어졌다.
9) 櫻田勝德이 1933년 1월 甑島列島를 방문했을 즈음에 萬里島와 관련된 전설을 들었는 바, "이 섬(上甑島)의 가까이에 옛날 萬里島라는 작은 섬이 있었는데 언젠가 이것이 바닷속으로 가라앉아버렸다. 지금도 萬里燒라는 도기가 남아 있지만, 이것은 옛날 이 섬에서 만들어진 것이라고 말해지고 있다." 櫻田勝德, 「甑島遊記」(4)(『民間傳承』 제18권 제1호, 1953.9), 34쪽
10) 최근에 櫻田勝德君이 삿츠마의 下甑島 여행에서 들은 바로는, 이 서쪽 근해에 일찍이 또 하나의 아틀란티스가 있어서 그 이름을 萬里島라 일컬었던 듯하다. 오래전에 바닷속으로 가라앉아버렸지만 이 섬에서도 역시 도기를 제작하고 있었다고 한다. 伊藤整 等編, 『日本現代文學全集36 柳田國男集』(東京: 講談社, 1968), 114쪽 참조
11) 山本 節, 「「石像の血」型伝承の諸相-九州の事例を中心に」(『説話文学研究』 40號, 2005.7), 34쪽 참조. 이보다 더욱 상세하게는 萬里島는 곧 萬里石塘이고, 萬里石塘은 오늘날의 파라셀제도(西沙群島)라고 보는 견해도 있다.
12) 山本 節, 앞의 논문, 34쪽에서 재인용
13) 【本朝怪談故事】(nijl.ac.jp)에서 인용(검색일: 2022.12.26)

14) 巌谷小波 編,『東洋口碑大全』(東京: 博文館, 1913), 82-83쪽. 東洋口碑大全 上巻 - NDL Digital Collections에서 인용(검색일: 2022.12.26)

15) 일례로『太平記』제36권의「大地震並夏雪事」항에는 다음과 같이 적혀 있다. 同年の六月十八日の巳刻より同十月に至るまで, 大地をびたゝ敷動て, 日々夜々に止時なし. 山は崩て谷を埋み, 海は傾て陸地に成しかば, 神社仏閣倒れ破れ, 牛馬人民の死傷する事, 幾千万と云数を不知. 都て山川·江河·林野·村落此災に不合云所なし. <u>中にも阿波の雪の湊と云浦には, 俄に太山の如なる潮漲来て, 在家一千七百余宇, 悉く引塩に連て海底に沈しかば, 家々に所有の僧俗·男女·牛馬·鶏犬, 一も不残底の藻屑と成にけり</u>.(밑줄은 필자에 의함) 太平記/巻第三十六 - Wikisource 参조(검색일: 2022.12.26)

16) 藤沢衛彦 編,『日本傳說叢書·阿波の巻』(東京: 日本伝説叢書刊行会, 1917), 355-359쪽 및 阿州奇事雑話二 (bunmori.tokushima.jp) 参조(검색일: 2022.12.26)

17) 林 英一,「海沒した「島」の傳說みる移民傳承」(『鷹陵史學』 第39號, 2013.9), 118쪽 参조

18) 燈下録五 (bunmori.tokushima.jp) 参조(검색일: 2022.12.26)

19) 林 英一, 앞의 논문, 126쪽 및 林 英一,「「島」の海沒傳承における「神」の意味」(『マテシス·ウニウェルサリス』 제17권 제1호, 2015-11), 25쪽 参조

20) 藤沢衛彦 編, 앞의 책, 45-48쪽 및 笠井新也 編,『阿波傳說物語』(德島: 濟美會, 1911), 3-4쪽. 阿波伝説物語 - NDL Digital Collections 参조(검색일: 2022.12.26)

21) 瓜生島調査会 編,『沈んだ島: 別府湾·瓜生島の謎』(大分: 瓜生島調査会, 1977). 201쪽

22) 金賛會,「沈んだ島「瓜生島傳說」と東アジア」(『ポリグロシア』 第23巻, 2012.10), 80쪽에서 재인용

23) 土屋北彦 編,『大分の民話』(東京: 未來社, 1972), 149-151쪽 参조

24) 원문은 다음과 같다. 慶長元年丙甲閏七月十二日晡時天下大地震. 豊亦所々地裂山崩. 故高崎山顛巨石悉落. 其石互磨発火. 既而震止. 府内民皆安心身. 或有浴者或有食夕飯者有未食者. 其時鉅海大鳴動響諸人甚驚奇之. 走於東西逃於南北. 或視海邊. 村里井水皆悉盡之. 爾時從巨海洪濤忽起来. 洋溢於府内及近邊之邑里. 大波至三時.

25)『豊府聞書』는 府内藩의 藩士인 도쿠라 사다노리戶倉貞則가 옛 기록과 古老의 口傳을 토대로 元祿 11년(1698년)에 편찬한 地方誌로서, 建久 연간으로부터 明曆 연간까지 약 500년에 걸친 神社佛閣의 興廢와 제사의 흥망 등을 기록하고 있다. 이 책의 巻二 第十九世大友義長의 항목에 瓜生島라는 명칭이 나와 있다.『豊府紀聞』은 이 책의 사본으로서 쇼토쿠正德 2년(1712년) 이후에 필사되었으리라고 추정된다.

26) 瓜生島의 존재 여부, 瓜生島 침몰에 관한 문헌 기록, 瓜生島와 오키노하마(沖の浜)의 관계, 瓜生島에 대한 해저지질조사에 대해서는 加藤知弘, 앞의 논문 参조

27) 伊藤整 等編, 앞의 책, 113쪽

28) 山本 節, 앞의 논문, 32쪽에서 재인용

29) 위의 논문, 33쪽에서 재인용

30) 伊藤整 等編, 앞의 책, 113쪽

31) 昔有老嫗, 常行仁義, 有二諸生過之, 謂曰: "此國當沒爲湖." 謂嫗視東城門閫有血, 便走上北山, 勿顧也. 自此, 嫗便往視門閫. 閽者問之, 嫗對曰如是. 其暮, 門吏故殺鷄血涂門閫. 明旦, 老嫗早往視門, 見血, 便上北山, 國没爲湖. 與門吏言其事, 適一宿耳.

32) 山本 節, 앞의 논문의「2 モチーフ·要素の考察」 및 林英一,「海沒した「島」の傳說みる移民傳承」의「二, 遷座緣起としての傳說」 참조

8

일본 류큐열도의 홍수설화

1. 들어가면서
2. 요나타마 유형
3. 홍수남매혼 유형
4. 홍수인수혼 유형
5. 나가면서

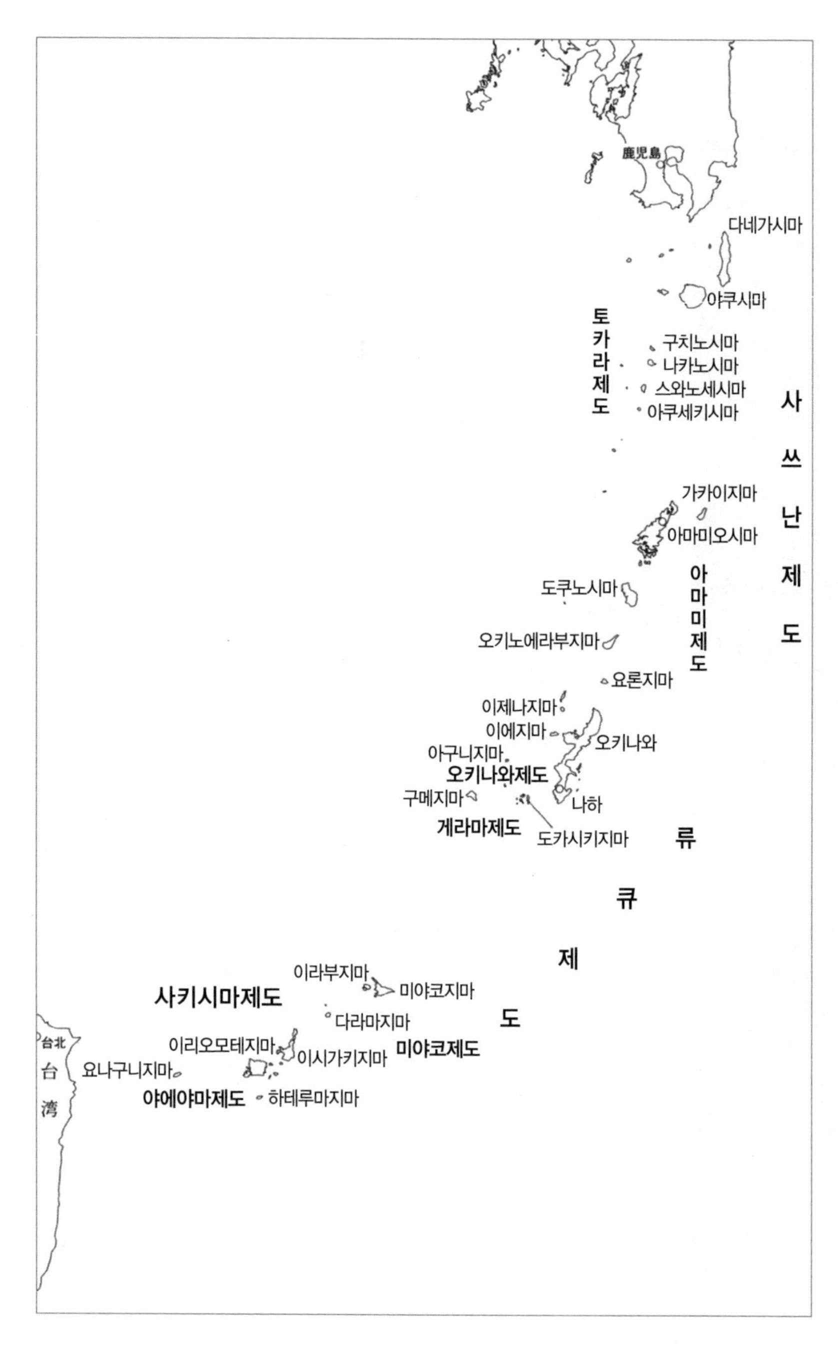
鹿児島
다네가시마
야쿠시마
토카라제도
구치노시마
나카노시마
스와노세시마
아쿠세키시마
사쓰난제도
가카이지마
아마미오시마
아마미제도
도쿠노시마
오키노에라부지마
요론지마
이제나지마
이에지마
오키나와
아구니지마
오키나와제도
구메지마
나하
게라마제도
도카시키지마
류큐제도
이라부지마
미야코지마
사키시마제도
다라마지마
미야코제도
台北
이리오모테지마
이시가키지마
台湾
요나구니지마
야에야마제도
하테루마지마

류큐열도

1. 들어가면서

일본의 함몰형 홍수전설을 살펴보면서 이미 언급하였듯이, 일본 본토는 물론 과거 류큐琉球 왕국에서 출간된 적잖은 옛 전적에는 천지개벽이나 국토창조, 인류의 기원 등을 다룬 신화가 풍부하게 실려 있는 반면, 홍수와 관련된 신화는 거의 실려 있지 않다. 이처럼 비록 홍수신화는 실려 있지 않지만, 홍수와 관련된 신화적 혹은 예술적 상상력이 전혀 발휘되지 않았던 것은 아니다. 실제로 지진과 해일에 의한 재난에 시달렸던 섬나라 일본의 곳곳에서 홍수와 관련된 전설이나 민담이 적잖게 전승되고 있다. 이러한 전설이나 민담의 대표적인 일례가 바로 함몰형 홍수전설이라고 할 수 있다.

일본에서의 홍수전설은 본토뿐만 아니라 과거 류큐 왕국의 지배 권역에서도 엿볼 수 있다. 여기에서 류큐 왕국이 지배했던 권역은 곧 아마미奄美제도, 오키나와沖縄제도, 그리고 미야코宮古제도와 야에야마八重山제도를 가리킨다. 현재 아마미제도는 가고시마鹿児島현에 속해 있고, 나머지 제도는 오키나와현에 속해 있다. 이들의 제도를 포함하여 일본 규슈九州 남쪽에서부터 대만 동북에 이르기까지의 여러 섬들은 흔히 남서제도南西諸島로 일컬어지며, 지리학적 명칭으로서 이들 여러 섬들이 줄지어 늘어서 있는 모양이 활과 흡사하다고 하여 흔히 류큐호琉球弧로 일컬어지기도 한다.

그런데 남서제도와 류큐호라는 용어는 류큐 왕국의 지배 권역보다 훨씬 광범한 지역을 포함하고 있는 바, 류큐 왕국의 지배 권역 외에도 규슈 남쪽의 오스미大隅제도와 도카라吐噶喇제도 외에 센카쿠尖閣제도와 다이토大東제도를 포함한다. 결국 이 글에서 다루는 지역, 즉 과거 류큐 왕국의 지배 권역만을 가리키는 특정한 용어는 역사적으로, 그리고 공식적으로 사용된 적이 없다. 이로 인해 류큐 왕국의 지배 권역을 가리키고자 할 때 많은 연구자들이 명칭의 정명正名을 둘러싸고 곤혹스러움을 느낄 수밖에 없으며, 때로 어쩔 수 없이 기존의 오

키나와라는 용어로 대체하는 경우도 있다.[1)]

이 글에서는 이들 도서지역이 과거 류큐 왕국의 지배 권역이었다는 점을 고려하여 류큐열도라는 용어로 일컫고자 한다. 물론 류큐열도에 센카쿠 제도가 포함되는지의 여부가 여전히 문제로 남아 있기는 하지만, 류큐라는 왕국의 이름을 사용함으로써 이들 지역의 역사성과 지역성을 분명히 할 수 있으리라 기대한다. 이들 지역이 류큐열도라는 용어로 한데 묶여졌지만, 그렇다고 해서 동일한 문화적 정체성을 지녔던 것은 결코 아니었다. 즉 이들 지역은 시기를 달리하여 류큐 왕국으로 통합되었으며, 역사적으로 장기간의 문화공동체를 형성하거나 동질적 문화권역을 이룬 것은 아니었다는 것이다.

이를테면 아마미제도의 주도主島인 아마미오시마奄美大島는 오키나와를 중심으로 한 류큐 왕국의 영향을 크게 받고 있으면서도 독립적인 왕국을 이루고 있었다. 아마미오시마는 1571년에야 류큐 왕국의 지배 아래 들어간 지 얼마 지나지 않아 1609년 사쓰마薩摩의 침공을 받아 사쓰마번의 직할령이 되었고, 이후 1871년에 메이지明治 정부에 의한 폐번치현廢藩置縣의 행정개혁에 따라 가고시마현에 속하게 되었던 것이다. 또한 사키시마先島제도로 일컬어지는 미야코제도와 야에야마제도 역시 한때 아지按司가 통치하던 적이 있었으나 류큐 왕국의 강력한 영향 아래 놓여 있다가 16세기 초에 류큐 왕국에 병합되었으며, 1609년 사쓰마의 침공을 받아 오키나와제도와 함께 사쓰마번에 복속되었고 이후 1872년에 오키나와현에 속하게 되었다.[2)]

이처럼 류큐 왕국의 지배 권역에 위치해 있는 이들 제도는 나름의 독자적인 역사와 문화를 지닌 채, 일정 기간 류큐 왕국이란 이름 아래 통합되었다가 다시 일본의 사쓰마번에 복속되었던 공통점을 지니고 있다. 이러한 역사적 배경 하에서 이들 제도는 일본 본토와는 사뭇 다른 문화권Kulturkreis의 성격을 띠는 한편, 이들 제도 사이에도 류큐 왕국에 완전히 동화되지 않은 상호 독립적인 문화가 잔존하고 있다. 이 글에서는 류큐열도에 전승되고 있는 홍수설화의 유형을 크게 세 가지, 즉 요나타마 유형, 홍수남매혼 유형, 홍수인수혼 유형으로 나누어 살펴보고자 한다. 이들 유형의 다양한 양상을 살펴보는 가운데, 류큐열도 사이의 유사성과 함께 각자의 독자성을 함께 파악할 수 있으리라 기대한다.

2. 요나타마 유형

요나타마ヨナタマ는 흔히 인간의 얼굴에 물고기의 몸통을 지닌 인면어人面魚 혹은 반인반어半人半魚의 물고기로서, 흔히 인어라고 하는데, 지역에 따라 요나이타마ヨナイタマ로 일컬어지기도 한다. 일찍이 1930년대에 야나기타 구니오柳田國男는 「말을 하는 물고기物言ふ魚」라는 글에서 일본 각지에 전해져온 '말을 하는 물고기'와 관련된 여러 편의 설화를 들고 있다.[3] 그가 언급한 '말을 하는 물고기'의 대표적인 어류는 자라泥鼈, 큰도롱뇽大山椒魚, 메기鯰, 뱀장어鰻, 커다란 물고기 등인데, 이들은 모두 커다란 몸집과 더불어 인간의 언어를 구사하는 능력을 지닌 신이한 존재이다. 야나기타 구니오는 '말을 하는 물고기'의 하나로서 요나타마를 들고 있는데, 요나타마에 관한 홍수설화로서 가장 오래된 이야기는 『미야코지마구사宮古島舊史』[4]에 다음과 같이 실려 있다.

〈2-1〉 옛날에 이라부伊良部 섬의 안에 시모지下地라는 마을이 있었다. 어느 사내가 물고기를 잡으러 나갔다가 요나타마라는 물고기를 낚았다. 이 물고기는 사람의 얼굴에 물고기의 몸뚱아리를 지니고 있었다. 어부는 이렇게 진기한 것은 내일 누구나 맛을 보아야 한다고 생각하여 숯을 피워 석쇠에 올려 구웠다. 그날 밤 인적이 끊긴 후 이웃집 어느 아이가 갑자기 울음을 터뜨리더니 이라부 마을로 돌아가자고 했다. 한밤중인지라 아이의 엄마가 이리저리 아이를 달래도 그치지 않은 채 울음소리는 점점 간절해졌다. 엄마가 어쩔 도리가 없어 아이를 안고서 밖으로 나오니 아이는 더 엄마에게 강하게 매달려 떨며 울었다. 엄마도 이상하게 생각하던 참에 저 멀리서 큰 소리로 "요나타마, 요나타마, 왜 이리 늦게 돌아오는 거니?"라고 하였다. 이웃집에서 구워지고 있던 요나타마가 대꾸했다. "저는 지금 숯불 위에 얹혀 구워져 한밤에 이르렀어요. 어서 꺼내어 데려가 주세요." 이 소리에 모자는 머리끝이 쭈뼛해져 급히 이라부 마을로 돌아갔다. 사람들이 괴이하게 여겨 어찌하여 밤늦게 오는지 물었다. 엄마가 여차여차하다고 대답하고서 이튿날 아침 시모지 마을로 되돌아갔더니, 온 마을이 남김없이 쓸려가 버렸으며, 지금에 이르기까지 그 마을의 흔적만 남아 있을 뿐 아무것도 없다. 그 모자가 어떠한 음덕이 있었을꼬. 이러한 급난을 기특하게 벗어난 것이야말로 신기하도다.[5)]

야나기타 구니오에 따르면, '요나'는 이라부섬에서 '이나イナ' 혹은 '우나ウナ'라고도 하는데, 이는 바다를 의미하는 '우미ウミ'의 글자의 자음전환子音轉換이며, '타마'가 신령을 의미하는 '영靈'이라는 점에서 요나타마는 '바다의 신'이라는 의미의 해령海靈이다.[6)] 위의 설화는 신성한 존재인 해령의 성격을 지닌 요나타마에게 위해를 가했기 때문에 쓰나미와 같은 홍수의 징벌을 받아 온 마을이 사라져버린 이야기를 담고 있다. 요컨대 요나타마 유형의 홍수전설은 '신성성을 지닌 물고기에 대한 위해', 그리고 '이로 인한 홍수(쓰나미)의 징벌'이라는 두 가지 모티프를 구성요소로서 지니고 있다. 위의 이야기는 이 두 가지 구성요소를 중심으로 다음과 같은 서사를 보이고 있다.

① 누군가 요나타마를 포획하여 불에 굽는 위해를 가한다
② 다른 집의 어린아이가 평소와 다른 행동을 보여 엄마가 타지로 데려간다
③ 바다에서 들려오는 물음에 요나타마가 구원을 요청한다
④ 온마을이 쓰나미에 휩쓸려 사라지고 어린아이와 엄마만이 생존한다

위의 요나타마 유형 〈2-1〉과 유사한 다른 홍수설화에서 요나타마에 대한 위해 행위는 '절반은 구워 먹고 절반은 소금에 절여 둔다', 혹은 '절반은 구워 먹고 절반은 지붕 위에 말려 둔다'거나 '도마 위에 놓고 칼로 자르려 한다'는 것으로 바뀌어 있다. 또한 평소와 다른 이상 행동은 어린아이가 까닭 없이 울음을 터뜨리는 경우가 대부분이지만, 일부 홍수설화에서는 닭이 어린아이를 데리고 나가거나, 어린아이를 돌보는 업저지가 집주인에게 집에 돌아가겠다고 떼쓰는 것으로 바뀌어 있다. 아울러 쓰나미로 인한 피해 상황 역시 '온마을이 휩쓸려 사라지'는 경우 외에, '두 채의 집이 함몰되어 못이 되기'도 한다.[7] 땅이 함몰되는 경우는 이라부섬과 시모지섬의 지형, 특히 시모지섬의 '도오리이케通り池'라는 곳의 지명의 유래와 깊이 연관되어 있다. 즉 이라부섬과 시모지섬은 좁은 수로를 사이에 두고 있고, 시모지섬의 서쪽에 두 곳의 연못이 자리잡고 있는데, 이 두 곳의 연못의 밑바닥이 서로 통해 있다는 것이다. 이와 관련된 요나타마 유형의 홍수설화를 살펴보자.

〈2-2〉 옛날에 시모지섬의 도오리이케라는 곳에 북쪽 집과 남쪽 집, 두 집이 있었다. 집주인은 어부였는데, 어느 날 밤에 바다 낚시를 나갔다가 요나이타마라는 커다란 물고기를 잡았다. 한쪽을 구워 먹고 다른 쪽은 소금에 절여 놓았다. 어부의 아내는 우이스가(이라부섬의 지명)에서 시집온 사람이었는데, 그날 밤 아이가 "엄마, 엄마, 일어나. 우이스가 할머니댁에 가자"라며 울었다. "지금은 너무 늦어서 갈 수 없어. 너무 늦은 밤이니 어서 자거라."라고 달랬지만, 도통 받아들이지 않는지라 우이스가로 떠났다. 그런데 바다에서 신의 목소리가 들렸다. "어서 오너라, 요나이타마야. 이렇게 늦도록 어째 오지 않니?" 그러자 반쪽짜리 몸으로 염장되어 있던 요나이타마가 대답했다. "저는요, 몸 절반은 이미 구워 먹혔고 반쪽밖에 없어요. 이마저도 염장되어 있어서 돌아갈 수가 없어요." 이에 신이 "자, 내가 큰 파도를 보낼 테니 파도와 함께 오너라. 그렇게 오너라."라고 말하면서 큰 파도를 일으켰고, 요나이타마는 그 커다란 파도와 함께 바다로 돌아갔다. 다음 날 아침 우이스가 친정에 갔던 아내와 아이가 시모지로 돌아와 보니, 북쪽 집과 남쪽 집 모두 쓰나미로 무너져 커다란 두 개의 못 아래로 떨어져 사라져 버렸다. 이렇게 한 것은 용궁의 신이었다. 남편에게 악의는 없었지만, 모르고 물고기를 잡아먹은 것은 운이 없었다. 운이 있었던 아이만이 살아남았다.[8)]

북쪽과 남쪽에 있던 두 채의 집이 함몰되어 못이 되었다는 이 설화는 쓰나미에 의한 함몰형 홍수전설이라고 보아도 좋을 것이다. 그런데 〈2-1〉과 〈2-2〉의 홍수전설에서 주목할 만한 점은 생존자, 즉 엄마(혹은 아내)와 아이가 생존의 은택을 입게 된 피택被擇의 이유나 근거가 제시되었는가의 여부이다. 즉 〈2-1〉에서는 '어떠한 음덕이 있었을 것'이라는 추정만을 제시하고 있는 반면, 〈2-2〉에서는 '모르고 물고기를 잡아먹은 것은 운이 없었다'고 밝힘으로써 어부의 아내와 아이는 요나타마에게 직접적인 위해를 가하지 않았기에, 다시 말해 고기를 먹지 않았기에 생존했던 것이리라 추정할 수 있다. 실제로 요나타마 유형의 다른 홍수전설들에서는 요나타마의 고기를 먹지 않았다는 점을 생존자의 피택의 이유로 명확히 제시하고 있다.

요나타마는 아니지만 말을 할 줄 아는 신이성을 지닌 물고기에게 직접적인 위해를 가함으로 말미암아 쓰나미의 재해를 입은 이야기는 야에야마八重山제도에서도 약간 변형된 형태로 전승되고 있다. 즉 마을 사람들이 피나시사바(상어)를 잡아 석쇠에 올려 굽고 있는데, 신이 나타나 피나시사바에게 내일 아침에 파도를 일으켜줄 테니 그 파도를 타고 내려오라고 말한다. 이 말을 들은 마을사람들은 모두 도망쳤으며, 이튿날 동틀녘에 마침내 쓰나미가 몰아닥쳤다고 한다.[9)] 이처럼 요나타마 대신에 상어가 등장하기는 하지만, 신이한 존재에게 가한 직접적 위해와 이로 인한 쓰나미의 재난을 서사의 주요 구성요소로 삼고 있다는 점에서 이 홍수전설 역시 요나타마 유형의 유사형으로 간주할 수 있다. 요나타마 유형의 유사형으로서 사키마 고에이佐喜眞興英의 『남도설화南島說話』[10]에 실려 있는 '괴물고기 이야기'를 살펴보자.

〈2-3〉 옛날 미사토 마기리美里間切(현재의 오키나와 시에 속함) 구자촌古謝村에 소금을 굽는 사람이 한 명 살고 있었다. 어느 날 바다에 나가 바닷물을 뜨고 있는데, 물고기 한 마리가 떠올랐다가 가라앉기를 반복하고 있었다. 그는 슬며시 이 물고기를 잡아서 돌아와 소쿠리에 넣고 처마에 걸어 두었다. 그러자 신기하게도 그 소쿠리 안에서 희미하게 "파도가 한 차례 치려나, 파도가 두 차례 치려나, 파도가 세 차례 치려나"라는 소리가 들려왔다. 소금을 굽는 사내가 신기하게 여겨 안을 들여다보았지만, 아까 잡은 물고기 외에는 아무 것도 없었다. 그는 점점 괴이한 생각이 들어 이 물고기를 먹었다가는 큰일 나겠다고 생각하여 놓아주려고 집을 나섰다. 그러다가 도중에 알고 지내던 한 무뢰한을 만났다. 어딜 가느냐고 물어서 자초지종을 전부 들려주었다. 무뢰한은 이 말을 듣고서 손뼉을 치며 웃었다. "그런 바보 같은 일이 있을 수 있겠는가. 버릴 것이라면 그 물고기를 내게 주게나"라고 말하였다. 소금을 굽는 사내는 그렇게 하자고 그 물고기를 건네주고 돌아갔다. 이 무뢰한은 맛있는 고기를 얻었다며 서둘러 집으로 돌아가 조리를 해서 먹으려 하였다. 바로 그때 갑자기 큰 해일이 닥쳤다. 근처에 사는 사람들과 가축이 남김없이 전부 휩쓸려가 버렸다.[11]

이 홍수전설 역시 물고기가 말을 한다는 점에서 신이성을 지닌 존재라 할 수 있다. 원래 물고기를 잡았던 사람은 물고기의 신이성에 놀라 놓아주려 하지만 무뢰한이 이 물고기를 전해 받는데, 무뢰한이 신이성을 지닌 이 물고기에게 직접적인 위해를 가함으로 인해 쓰나미가 일어나 재난을 입는다는 점에서 요나타마 유형의 유사형이라 할 수 있다. 지금까지 살펴본 요나타마 유형의 홍수전설은 대체로 미야코宮古제도, 특히 이라부지마와 시모지시마를 중심으로 전승되어 오고 있는 반면, 그 유사형은 미야코 제도 근처의 오키나와 본도 혹은 야에야마제도에서 전승되고 있다.

요나타마 유형의 홍수전설 가운데에는 붙잡힌 인어를 돌려보내자 인어가 그 보답으로 쓰나미의 습격을 예고하여 재난에서 벗어나는 이야기도 있다. 이러한 홍수전설은 야에야마 제도에 속한 이시가키지마石垣島에서 주로 전승되고 있는데, 인어에게 직접적인 위해를 가하지 않는다는 점에서 요나타마 유형의 변이형變異型으로 보아도 좋을 것이다. 이러한 변이형은 대체로 '인어에 대한 호의와 도움', 그리고 '이에 대한 보답으로서 인어의 쓰나미 예고'라는 두 가지 구성요소를 지니고 있다. 이러한 변이형의 대표적인 예로서 시라호白保에 전승되는 홍수전설을 개략적으로 살펴보자.

〈2-4〉 옛날 쓰나미가 일어났을 때의 일이다. 시라호白保의 남자 세 명이 들판 앞의 물가에서 물고기를 잡고 있는데, 머리는 사람 모양이고 꼬리는 물고기 모양을 한 인어가 그물에 걸렸다. 그 인어는 자기가 용궁의 신의 사자이며, 자신을 도와주면 쓰나미가 오는 것을 가르쳐준다고 하였다. 세 남자는 인어로부터 쓰나미가 닥쳐올 날을 듣고서 말을 달려 마을 사람들에게 그것을 알렸다. 마을 사람들은 그것을 듣고도 따르지 않아 결국 세 사람만이 높은 언덕에 올라 목숨을 건졌다. 세 사람은 마을로 돌아와 시라호를 되살렸다.[12)]

위의 홍수전설과 유사한 이야기에 따르면, 마을 사람들과 자주 의견을 달리하는 바람에 마을에서 추방된 세 명의 마을 사람이 인어를 낚아 해신海神의 사자임을 모른 채 절반은 염장을 하고 절반은 국물로 만들어 먹기로 한다. 그런데 솥 안에서, 그리고 소금에 절인 병 속에서 '사람이 엄청 죽는다. 천재다, 천재. 쓰나미가 온다'라는 소리가 들려오는지라 깜짝 놀란 이들은 인어의 고기를 바다로 돌려보낸다. 이윽고 인어가 예언한 대로 쓰나미가 몰려와 세 사람을 추방한 시라호를 맨 먼저 휩쓸어 버렸다고 한다.[13)]

지금까지 요나타마로 일컬어지는 인어, 즉 인간의 얼굴에 물고기의 몸을 지니고서 인간의 언어로 말할 줄 아는 신이성을 갖춘 존재에 위해를 가함으로 말미암아 홍수(쓰나미)의 재난을 겪는 설화를 살펴보았다. 오키나와제도와 미야코제도와 야에야마제도에 요나타마 유형의 홍수전설이 많은 것은 아마도 메이와明和 8년인 1771년 4월 24일 오전 8시경에 일어났던 대해일, 즉 메이와오쓰나미明和大津波 사건과 전혀 무관하지는 않을 것이다. 이시가키섬 남남동 약 40㎞의 진원지에서 진도 7.4의 지진이 일어나고, 이로 인한 최대 85.4m 높이의 쓰나미가 이시가키섬의 여덟 개 마을을 초토화시키고 엄청난 인명피해를 입혔던 것이다. 어쩌면 이러한 역사적으로 실재했던 자연재해의 공포스러운 기억이 요나타마와 연관된 설화의 형태로 나타나, 이른바 '역사의 전설화'가 이루어지지 않았을까 추정할 수 있다.

3. 홍수남매혼 유형

주지하다시피 홍수남매혼 설화는 홍수의 재난에서 살아남은 남매가 결혼하여 인류를 재전승하는 이야기이다. 이러한 설화에서의 홍수는 대체로 강우에 의한 홍수 혹은 쓰나미와 같은 커다란 해일 등에 의한 재난을 가리키는 것이 일반적이다. 그런데 류큐열도처럼 크고 작은 여러 섬으로 이루어진 지역에 전승되는 홍수설화의 경우에는 '배를 저어 바다 위를 떠다님', 즉 '해상의 표류'라는 자연현상이 자주 등장하고 있다. 아직 정착할 땅을 찾지 못한 채 물이 넘실거리는 바다 위에 떠 있는 위험한 처지는 밀어닥친 홍수와 동일한 성질의 수재水災라는 점에서, 표류 역시 넓은 의미의 홍수의 재난에 포함시켜도 좋을 것이다. 이러한 홍수의 재난과 남매혼이 결합된 유형의 설화의 대표적인 일례로 아마미奄美제도의 기카이지마喜界島와 아마미오시마奄美大島에 전해져오는 홍수설화를 살펴보자.

〈3-1〉 기카이지마 남쪽의 데쿠츠쿠手久津久에 신사가 있으며, 제사드리는 신은 아사토 세토朝戸瀬戸와 만노 세토万の瀬戸라는 부부신이다. 이 두 신은 원래 남매로 오키나와에 살고 있었는데, 표류 중에 부부가 되어 기카이지마에 흘러와 거주하게 되었다. 데쿠츠쿠마을의 조상이라 일컬어지며, 이 마을에서는 시마다테가나시島立て加那志라고 하여 떠받들고 있다.[14)]

〈3-2〉 요안用安은 남매 두 사람이 만들었다고 한다. 옛날에 아마미오시마를 물에 가라앉힌 커다란 파도가 닥쳐왔다. 아데쓰アデツ(요안의 일부)의 남매는 커다란 파도가 오는 줄도 모른 채 산에 올라 목숨을 건졌으며, 둘이서 요안을 만들었다.[15)]

위의 홍수설화 가운데 〈3-1〉의 설화는 표류상태에서 벗어난 남매가, 〈3-2〉의 설화는 섬을 집어삼킨 커다란 해일에서 살아남은 남매가 섬을 세우고 마을을 만든 이야기를 담고 있다. 전자는 데쿠츠쿠라는 마을의 기원에 관한 전설이고, 후자는 요안이라는 마을의 기원에 관한 전설이라 할 수 있다. 위의 두 편의 홍수전설은 인류의 창조를 전혀 서술하지 않은 채 매우 간략한 기술에 지나지 않지만, 홍수의 재난에서 살아남아 섬을 만들고 마을을 세운 남매시조담男妹始祖譚의 성격을 보여주고 있다. 이처럼 단순한 서사에서 벗어나 보다 풍부한 내용을 담은 홍수남매 설화로서 아마미제도의 요론지마與論島와 야에야마제도의 하토마지마鳩間島에 각각 전승되어온 설화를 간략히 살펴보자.

〈3-3〉 옛날 옛날, 아주 오랜 옛날의 일이다. 사이좋은 남매가 있었다. 남매는 작은 배를 저어 바다 위를 떠다니고 있었는데, 어느 날 노가 무엇인가에 걸렸다. 오라비가 확인하려고 바다에 내리자, 동서남북의 물이 빠지면서 깊은 바다였던 곳이 얕은 갯벌이 되고 그 갯벌이 금세 높아져서 섬이 되었다. 남매는 하늘을 향해 배향했다. (중략) 남매는 둘이서 살아나갈 섬이 생겨서 매우 기뻤다. 집을 짓고, 그곳을 구니가키國垣라고 했다. 어느 날, 남매의 눈앞에 백조 두 마리가 나타났다.

하늘을 날던 두 마리 백조는 춤을 추며 내려와 부부의 정을 나누었다. 남매는 매우 놀랐다. 남매는 백조를 흉내 내어 사이좋게 살면서 많은 아이들을 낳았다. 바다에서는 많은 산물이 나고 밭에서는 열매가 잘 맺혔기에 그 자손이 섬에 가득해져서 크게 번창했다.[16]

〈3-4〉 옛날에 하토마지마에 쓰나미가 덮쳐 사람들은 모두 쓰나미에 쓸려가 버렸지만, 남매만이 섬의 가장 높은 곳으로 간신히 달아났다. 이름은 알지 못하지만 신도 함께 달아났다. 얼마 지나지 않아 쓰나미가 물러가자 신은 남매를 데리고 마을쪽으로 내려갔다. 신의 뒤를 여동생이 따르고, 맨 뒤에 오빠가 따라왔다. 도중에 비탈길에서 여동생이 돌에 발부리가 채여 넘어졌다. 그러자 오빠도 여동생에게 발이 걸려 여동생 위로 쓰러져 두 사람이 맺어졌다. 여동생은 오빠의 자식을 낳았고, 그 이후 자손의 번영을 보았다.[17]

〈3-3〉은 바다 위를 표류하던 남매가 행한 요론지마의 '섬 만들기'와 '마을 세우기', 그리고 인류 창조의 과정을 보여주고 있다. 〈3-4〉는 쓰나미에서 생존한 남매의 인류 창조의 과정을 서술하고 있다. 위의 두 편의 설화 역시 모두 섬 혹은 마을의 남매시조담의 성격을 지니고 있다. 그런데 위의 두 편의 설화에서 우리가 주목할 만한 점은 인류 창조와 관련하여 남녀가 어떻게 교구를 하게 되었는가에 대해 상당한 편폭을 들여 그려내고 있다는 것이다. 즉 〈3-3〉에서 남매는 암수 두 마리의 백조의 교미를 보고서 이를 모방하여 교구의 방법을 터득하고, 〈3-4〉에서는 여동생의 몸 위에 오빠가 쓰러짐으로써 결합이 이루어졌다는 것이다.

오키나와에서 이러한 남녀 교구의 방법에 관한 에피소드는 홍수남매혼 유형에서만 발견되는 것이 아니라, 인류 창조를 다룬 대다수의 설화에서 엿볼 수 있다. 즉 인류 창조의 주체가 신이든 인간이든, 남매이든 부부이든 상관없이 남녀의 교구 방법의 터득에 대한 에피소드가 덧붙여져 있다. 이를테면 아마미제도의 요론지마에 전해져오는 이야기에 따르면, 아마미쿠와 시나구쿠 두 신이 세 개의 기둥을 박아 물 위에 흔들거리는 섬을 움직이지 않게 하고, 두루미의 교미를 보고 자손을 낳았다고 한다.[18] 또한 오키나와제도의 이제나지마伊是名島에 전해지는 이야기에 따르면, 하늘에서 내려온 남자아이와 여자아이가 바다에서 조개나 고기를 잡다가 해마가 사랑하는 것을 보고 이를 본떠 자손들을 번성시킨다.[19]

남녀 교구의 방법을 모방하는 대상은 매우 다양한데, 대개는 동물, 특히 섬 주변에서 흔히 볼 수 있는 동물, 이를테면 해마, 바닷새, 백조, 그리고 도롱뇽과 비슷한 소디모리, 메뚜기 등을 들 수 있다. 동물의 교미를 모방하는 방법 외에도, 하늘에서 내려온 여신이 남녀에게 '남자의 남는 곳을 여자의 부족한 곳에 채우도록 가르쳐' 주거나 '어떻게 하면 자식이 생길까 하여 온갖 구멍을 가지고 장난을 치다가 여성의 아래에 구멍이 있는 것을 알게' 되기도 한다.[20] 남녀 교구 방법의 터득과 관련된 이러한 에피소드는 류큐열도 전역의 설화에서 두루 찾아볼 수 있다.

남녀 교구 방법의 터득과 관련된 에피소드 외에, 류큐열도의 홍수남매혼에서 주목할 만한 점은 남매가 결혼하여 출산한 이물에 관한 에피소드이다. 이를 잘 보여주는 대표적인 일례로 야에야마제도의 하테루마지마波照間島, 그리고 미야코제도의 다라마지마多良間島에 전승되고 있는 홍수남매혼 설화를 각각 살펴보자.

> 〈3-5〉 옛날, 이 섬에는 많은 사람들이 평온하게 살아가고 있었다. 그런데 어느 날, 돌연 기름비가 쏟아져 살아있는 것들은 모두 사멸해버리고 말았다. 그러나 두 사람의 오누이만은 미시쿠누가마 동굴에 숨어 그 재난을 피해 살아남았다. 두 사람은 동굴에서 살다가 성인이 되자 부부가 되었다. 그러나 처음에 낳은 자식은 '포즈'라는 물고기였다. 두 사람은 두 사람은 집터가 좋지 않다고 여겨 미시쿠 동굴 위쪽으로

옮겨 살았다. 그랬더니 이번에는 독사와 같은 아이가 태어났다. 그래서 이번에는 더욱 위쪽인 야구에 작은 집을 짓고 우물을 파서 살다가 현재 호타모리가保多盛家가 있는 곳으로 이동하여 처음으로 인간을 낳았다. 이 아이를 하테루마 사람들은 아라마리누파新生ぬパー라고 부르며 모시고 있다. 이렇게 해서 하테루마지마 섬은 다시 태어났다고 한다.[21)]

〈3-6〉 아주 오랜 옛날, '부나제'라는 남매가 있었다. 어느 날 남매가 밭에 나가 일을 하고 있는데, 남쪽에서 돌연 커다란 파도가 덮쳐 왔다. 두 사람은 서둘러 언덕 위로 도망쳐 곤경에서 벗어났다. 주위를 살펴보니 집이며 마을은 파도에 휩쓸려가고, 살아남은 것은 남매 두 사람 뿐이었다. 남매는 부부의 연을 맺고 마을의 재건을 계획했다. 처음에 태어난 것은 뱀과 도마뱀이었고, 다음에는 조개와 모시풀이 태어났다. 세 번째에는 인간이 태어나서, 섬은 점차 원래의 모습을 회복하였다.[22)]

위의 두 설화는 기름비油雨 및 커다란 파도의 재난에서 살아남은 남매가 인간을 낳아 재전승하는 이야기를 담고 있다. 그런데 위의 설화들에서 가장 많은 분량으로 서술되어 있는 것은 재난 발생의 원인이나 남매의 생존 수단과 방법 등이 아니라, 남매가 결혼한 후 출산하는 이물들이다. 즉 〈3-5〉의 설화에서는 처음에 물고기를, 두 번째에는 독사를 출산하였다가 세 번째에야 인간을 낳는다. 〈3-6〉의 설화에서는 처음에 뱀과 도마뱀을, 두 번째에는 조개와 모시풀을, 세 번째에야 인간을 낳는다. 하테루마지마에 전승되어온 이와 유사한 홍수남매혼 설화에서는 처음에 독사를, 두 번째에는 지네를, 세 번째에는 도마뱀붙이를, 네 번째에야 인간을 낳는다.[23)]

그런데 이처럼 몇 차례 이물을 출산한 끝에야 인간을 낳는 에피소드는 반드시 남매혼 설화에만 나타나는 것이 아니다. 재난에서 생존한 사람이 남매가 아니더라도 이들이 결혼하여 낳은 것 역시 처음에는 맹독을 가진 물고기를, 두 번째에는 지네를, 세 번째에야 인간을 낳는다.[24] 심지어 하늘에서 내려온 남매 신이 결합하여 낳은 것 역시 처음에는 독성을 지닌 물고기를, 두 번째에는 못생긴 물고기를, 세 번째에는 장어를, 네 번째에야 인간을 낳는다.[25] 이처럼 결혼 주체의 신분(신 혹은 인간)이나 관계(남녀 혹은 남매 등)와 관계없이 이물을 수차례에 걸쳐 출산한다는 점을 고려한다면, 류큐열도의 설화에서는 이물 출산이 남매혼이라는 근친상간의 금기 위반에 대한 윤리적 징벌과 무관함을 알 수 있다.[26]

이러한 단계적 이물 출산이 근친상간에 대한 징벌적 성격을 지니고 있지 않다면, 어떤 문화적 의미를 지니고 있을까? 위의 이야기에 따르면, 이물의 출산은 거주 형태에 따라 달라지고 있다. 즉 동굴에서 동굴 위쪽으로, 다시 더욱 위쪽의 우물이 딸린 작은 집을 거쳐 현재의 거주지로 이동함에 따라 출산물이 달라진다. 하테루마지마波照間島에 전승되어온 다른 홍수설화에서도 거주 형태에 따라 출산물이 달라지는데, 처음의 '해안가 바위 밑'에서 '밭 옆의 한쪽 지붕만 있는 집'으로, 다시 '지붕을 얹은 사각집'으로 바뀐다. 이러한 거주 형태의 변화는 인간의 삶에 있어서 야만 상태에서 문명 상태로의 진화를 의미한다고 할 수 있다. 이런 관점에서 본다면, 단계적인 이물의 출산과 정상적인 인간의 출산은 인간사회의 문명화를 반영하고 있다고 보아도 좋을 것이다.

지금까지 홍수남매혼 유형에서 주목할 만한 점으로 남녀 교구 방법의 터득과 관련된 에피소드, 그리고 수차례에 걸친 이물의 출산과 관련된 에피소드에 대해 살펴보았다. 대체로 전자의 에피소드는 류큐열도 전역에 전승되는 홍수설화에서 폭넓게 살펴볼 수 있는 반면, 후자의 에피소드는 오키나와제도의 남쪽, 즉 이른바 사키시마제도先島諸島라고 일컬어지는 미야코제도의 다라마지마, 야에야마제도의 하테루마지마에서 주로 찾아볼 수 있다. 하테루마지마에 전승되어온 홍수설화에는 이 두 가지 에피소드가 함께 서술되어 있는 경우도 있는데,

간략히 소개하면 다음과 같다.

〈3-7〉 옛날 하테루마에는 온몸에 털이 나 있고 도덕심이라고는 없는 원시인 같은 인간으로 가득차 있었다. 신은 이를 못마땅히 여겨 기름비를 내려 섬사람들을 죽이려고 하였는데, 오직 착한 남녀 두 사람만은 솥으로 덮어 살아남게 하였다. 두 사람은 점점 자라 자연히 남녀를 알게 되었는데, 온갖 구멍을 가지고 장난을 치다가 여성의 아래에 구멍이 있음을 알고 자식을 낳게 되었다. 그런데 처음에는 해안가 바위 밑에서 맹독을 가진 물고기를 낳았다. 그래서 두 사람은 밭 옆에 돌을 쌓고 한 쪽 지붕만 있는 집을 지었는데, 태어난 것은 지네였다. 두 사람은 인간을 낳을 수 있도록 해달라고 신께 빌었으며, 마침 하늘에 별 네 개가 네모 형태로 있는 것을 보고 사각집을 짓고 사각 형태의 지붕을 얹었다. 이리하여 비로소 인간 아이가 태어났다.[27]

4. 홍수인수혼 유형

일반적으로 홍수인수혼 유형은 홍수 혹은 쓰나미, 해상의 표류 등의 수재에서 살아남은 사람이 동물과 결혼하여 인류를 재창조하는 내용을 담고 있다. 이류혼인담異類婚姻譚의 성격을 띤 여러 나라의 설화에서 인간과 결혼하는 동물은 뱀, 원숭이, 돼지, 개구리 등 매우 다양한데, 류큐열도의 설화에서도 뱀, 원숭이, 개구리 등이 여인과 결혼한다.[28] 류큐열도에는 이들 동물 외에도 개가 여인과 결혼하는 설화가 전승되어오고 있다. 이러한 설화의 대표적 일례로 미야코제도의 미야코지마에 전승되어온 두 편의 이야기를 간략하게 살펴보자.

〈4-1〉 옛날, 미야코 전체가 쓰나미에 뒤덮인 일이 있었다. 그때 단 한 명의 여인만이 물결에 휩쓸리지 않은 아파리파라는 산에 의지하여 살아남았으며, 개를 남편으로 삼았다. 물이 빠진 후 해안에 온 신은 문어를 머리에 이고 가는 개를 보고 인간도 있겠다 싶어 개의 뒤를 밟은 끝에 여인을 만나게 되었다. 신은 여인에게 남자가 있는지, 그의 이름이 무엇인지를 묻고 나서 옆에 있던 개를 때려죽였다. 여인은 개가 자신의 남편이라고 말하면서 슬퍼하였다. 그때 개를 깔고 앉아 그 피가 묻었기 때문에 여자는 매월 월경을 한다고 한다. 후에 여인은 그 신과 함께 자손을 늘려갔다고 한다.[29]

〈4-2〉 마을이 모두 쓰나미에 휩쓸려 내려가고, 한 노파와 커다란 개 한 마리만이 높은 봉우리에 올라가 살아남았다. 살아남은 둘 사이에 아이가 생겨났다. 그래서 미야코 사람은 개의 자식이라고 말해지게 되었다.[30]

〈4-1〉의 설화는 쓰나미의 수재에서 살아남은 여인이 개와 결혼하여 살다가 개를 죽인 신과 결합하여 인류를 재전승하였다는 이야기이다. 이 이야기에서는 여자와 신 사이에서 인간이 태어나 번성하는데, 이와 달리 〈4-2〉의 설화는 쓰나미의 수재에서 살아남은 여인이 개와 결합하여 인류를 재전승하고 있다. 이 두 편의 이야기는 물론 섬 마을의 국지적인 재난 및 국지적인 인류의 재전승을 언급하고 있는데, 큰 틀에서 본다면 섬 만들기나 마을 세우기, 혹은 마을 시조와 연관된 전설라고 할 수 있다. 여인과 개의 결합에 의한 섬 만들기 혹은 마을 세우기, 마을 시조에 관한 전설은 특히 미야코제도에 많이 전승되고 있다. 사키마 고에이佐喜眞興英가 1922년에 엮어 출간한 『남도설화南島說話』에서는, "미야코지마 사람들은 개의 자손이라고 한다. 그래서 그들은 사람들 몰래 개 조상의 무덤에 참배한다고 한다"[31]고 기술하고 있다.

여인과 개가 결혼하여 자식을 낳았든 낳지 않았든, 이들 전설은 미야코제도에 전승되어온, 섬이나 마을 세우기와 관련된 시조담이라 할 수 있다. 미야코의 시조담은 미야코제도뿐만 아니라 오키나와 본도에서도 전승되어 오고 있다. 오키나와 본도 북단에 위치한 구니가미손

國頭村과 중부에 속한 요미단손讀谷村에 각각 전승되어온 설화를 아래에서 살펴보자.[32)]

〈4-3〉 전쟁에서 열세에 놓인 대장군이 기르던 개에게 적의 대장의 목을 따오면 소원을 들어주겠노라고 약속하였다. 개가 적의 대장의 목을 가져오고 딸을 달라고 요구하였다. 장녀와 차녀는 거절하였지만, 셋째 딸이 개의 아내가 되기로 승낙하였다. 개와 셋째 딸은 배에 실려 표류하다가 미야코에 표착하였다. 개는 다른 곳에 들어가 멋진 남자로 변신하고, 두 사람은 부부가 되어 미야코의 시조가 되었다.(國頭村)

〈4-4〉 집주인이 개에게 딸의 용변을 처리해주면 딸을 아내로 주겠노라고 말한다. 성장한 딸을 결혼시키려고 하자 개가 훼방을 놓았으며, 개와 딸은 표류하던 끝에 미야코지마에 표착하여 미야코의 시조가 된다.(讀谷村)

앞의 두 설화 〈4-1〉과 〈4-2〉에서는 쓰나미의 재난에서 유일하게 생존한 여인이 개와 결혼한다면, 위의 두 설화 〈4-3〉과 〈4-4〉에서는 개를 기르던 주인이 자신이 원하는 일을 수행해주면 개에게 딸을 아내로 주겠노라고 한 약속에 근거하여 여인이 개와 결혼한다. 개와 결혼할 수밖에 없는 상황의 발단은 다르지만, 쓰나미 혹은 해상표류에서 살아남아 자식을 낳음으로써 섬 만들기의 시조가 되는 것은 동일하다. 〈4-3〉의 이야기는 중국의 반호설화盤瓠說話의 영향을 받았을 것이라 추측되는데, 개가 남자로 변신한다는 모티프는 보기 드문 경우라고 할 수 있다. 반면 '딸의 용변을 처리'하는 〈4-4〉의 시조담은, 나중에 별도로 언급하겠지만, 일본 본토의 '개 신랑 들이기(犬聟入り)' 설화의 영향을 받은 것이라고 할 수 있다.

그런데 미야코제도에는 이러한 시조담 외에도 살해당한 개를 위한 복수담復讐譚도 전승되고 있다. 복수담은 개와 결혼한 여인이 개를 죽인 남자와 다시 결혼하여 자식을 낳지만 끝내는 남자를 죽임으로써 개를 대신하여 복수하는 이야기이다. 이러한 복수담은 기본적으로 '개의 살해'라는 모티프가 운용되고 있음에 주목할 필요가 있다. 복수담의 대표적인 일례로 미야코제도의 다라마지마多良間島에 전승되어온 설화를 간략히 살펴보자.

> 〈4-5〉 개와 결혼한 여인이 있었는데, 개는 잔칫집 같은 곳에서 먹을거리를 훔쳐와 아내를 먹여 살렸다. 그런데 한 청년이 이것을 보고 날카로운 칼을 개가 잘 다니는 곳에 세워 개를 죽여버렸다. 개를 기다리다 밖에 나온 여인은 개가 죽은 것을 본 후 몸에서 생리를 하기 시작하였다. 여인은 개를 죽인 남자와 결혼하여 자식 두 명을 낳았다. 어느 날 여인은 남편에게 집 지을 재목을 구하려 산에 올라가자고 한 다음, 남편에게 커다란 나무를 안도록 하고서 남편의 두 팔에 못을 박았으며, 두 아이들에게도 똑같이 하였다. 여인은 남편과 아이들에게 "나무의 신이 되어라"라고 말하고서 집으로 돌아와 혼자 살았다.[33]

위의 설화는 홍수나 쓰나미와 같은 재난을 언급하고 있지 않지만, 〈4-1〉의 설화와 마찬가지로 여성의 생리가 개의 죽음에서 비롯되었다는 기원설화의 성격을 지니고 있다. 살해당한 개의 피와 여성의 생리를 연관시키는 신화적 상상력에 대해서는 보다 세밀한 고찰이 필요하다고 보여지지만, 여성의 생리 자체를 동물과의 이류혼에서 인간끼리의 남녀혼으로 나아가는 통과제의적 성격을 지닌 것으로 간주하고 있는 것이 아닐까? 어쨌든 위의 설화에서 여인은 개를 죽인 남자와 결혼하여 자식을 낳지만, 끝내 개를 대신하여 남편과 자식을 죽임으로써 복수를 수행한다. 위의 설화와 유사한 복수담으로서 야에야마제도의 요나구니지마與那國島에 전승되어온 설화를 살펴보자.

> 〈4-6〉 옛날, 류큐 중산왕에게 바칠 공물을 실은 배가 구메지마久米島를 떠났는데, 도중에 거친 날씨를 만나 표류한 끝에 요나구니지마에 닿았다. 뭍에 올라 살펴보니 살기 좋은 무인도였으며, 표착한 일행 중

에는 여자 한 명과 개 한 마리가 있었다. 그런데 어느 밤부터 일행 중의 남자가 개에게 물려 한 사람씩 사라지더니, 결국 여자와 개만 살아남아 함께 살았다. 어느 날 고하마지마 섬에 사는 어부가 조개를 캐러 나갔다가 표류하던 중에 요나구니지마에 이르러 여자를 만났다. 여자는 사나운 개가 있어 위험하니 어서 도망치라고 하지만, 남자는 개를 죽이기로 마음먹고 몰래 나무에 올라가 개를 죽였다. 남자는 여자에게 개를 죽인 전말을 이야기해주었지만, 개의 시체를 어디에 묻었는지는 끝내 말해주지 않았다. 남자와 여자는 부부가 되어 5남 2녀를 낳을 때까지 행복하게 살았는데, 고향을 그리워하던 남자가 여자를 떠나 고하마지마의 가족에게로 돌아갔다가 다시 요나구니지마의 가족에게로 되돌아왔다. 어느 날 밤 기분이 좋았던 남자는 이미 일곱 명의 자식을 두었으니 말해도 괜찮겠다 싶어 여자에게 개의 시체를 묻은 곳을 털어놓고 말았다. 그날 밤 여자는 집을 나갔는데, 이튿날 남자가 개를 묻은 장소를 찾아가 보니 여자가 개의 뼈를 품은 채 죽어 있었다.[34)]

위의 설화는 표류 끝에 생존하여 개와 결혼한 여자가 개를 죽인 남자와 다시 결혼하여 일곱 남매를 낳고 살다가 개의 시체를 찾아낸 후 죽음을 맞이하였다는 이야기이다. 개를 죽인 남자를 살해하는 대신에 스스로 목숨을 끊었다는 것이 〈4-5〉의 설화와 다르기는 하지만, 자살함으로써 남편의 기대를 배반했다는 점에서 복수의 방법이 다를 뿐 동일한 효과를 거두었다고 할 수 있다. 아울러 위의 설화 역시 일본 본토의 '개 신랑 들이기(犬聟入り)' 설화의 복수담의 영향이 엿보인다는 점을 미리 밝혀둔다.

여인과 개의 결혼에 관한 설화는 류큐열도 가운데에서도 주로 미야코제도와 야에야마제도, 오키나와제도에서 전승되고 있다. 이들 지역의 설화에서 여인과 결혼한 개는 인간으로 변신하지 않으며, 여인과 개 사이에 자식이 태어난 설화는 시조담에 속하는 반면, 개를 죽인 남자와 여인 사이에 자식이 태어난 설화는 복수담에 속한다. 이러한 점에서 본다면 〈4-1〉은 신에 의한 '개의 살해' 모티프가 작동되고 있음에도 불구하고, 개를 위한 복수가 이루어지는 대신 여인과 신의 결합에 의해 자손이 늘었다는 점에서 복수담이 제거된 시조담이라 할 수 있을 것이다.

5. 나가면서

지금까지 류큐열도의 홍수설화를 세 가지 유형을 중심으로 살펴보았다. 류큐열도에는 이들 세 가지 유형에 포함되지 않는 홍수전설도 전해지고 있는데, 야에야마 제도의 요나구니지마에 전승되어온 홍수전설을 그 일례로 들 수 있다. 이 전설에 따르면, 옛날 요나구니지마에 쓰나미가 몰려와 모두가 죽었는데, 어느 어머니만이 언덕에 올라 아들과 오빠의 자식을 안고서 생존하였다. 그러나 언덕마저도 파도에 뒤덮이게 되자 어머니는 아이 한 명만을 구해야 하는 처지에 놓였으며, 결국 자신이 낳은 아들을 포기하고 조카의 목숨을 구하였다. 요나구니지마는 이 어머니와 조카의 결합에 의한 자손들로 다시 번영했다는 것이다.[35]

이 홍수전설은 섬 만들기의 시조담의 성격을 지니고 있는데, 일반적인 모자혼의 변이형으로 여겨진다. 이 홍수전설에서 흥미로운 점은 여인이 홍수의 재난에서 제 자식 대신에 조카를 선택하여 구원하였다는 것이다. 위의 전설에서는 '혈연을 지키는 길을 선택하여 자신이 낳은 아이를 포기하였다'고 기록하고 있는데, 이는 자기 남편 가계의 계승을 희생하는 대신 친정의 가계를 잇는 중요성을 강조하고 있음을 보여준다. 부계를 우선하는 조상숭배의 관념이 야에야마 제도에 들어온 것이 18세기 이후라는 점에서 본다면, 위의 전설은 쌍계雙系 혹은 모계母系 우선의 사회조직형태에 호응하고 있는 듯하다.[36]

류큐열도에 전승되어온 홍수설화의 세 가지 유형을 전승 지역에 따라 분류해보자. 요나타마 유형은 오키나와제도와 그 남쪽의 미야코 및 야에야마제도에 전승되고 있다. 홍수남매혼 유형의 경우에는 남녀의 교구 방법을 터득하는 에피소드를 포함한 설화는 류큐열도 전역에서 전승되고 있는 반면, 단계적인 이물 출산의 에피소드를 포함한 설화는 미야코제도와 야에야마제도에서만 전승되고 있다. 또한 홍수인수혼 유형 가운데 여인과 개의 교합에 의한 시조담은 오키나와 본도와 미야코 제도에서 전승되고 있는데, 오키나와 본도에 전승되어온 시조담은 대체로 일본 본토의 영향을 많이 받은 것으로 추측된다. 또한 홍수인수혼 유형 가운데 '개의 피살'에 대한 복수담은 미야코 제도와 야에야마 제도에서 전승되고 있다. 이를 표로 나타내면 다음과 같다.

전승 지역	요나타마 유형	홍수남매혼 유형		홍수인수혼 유형	
		남녀 교구 방법의 터득	단계적 이물 출산	시조담	복수담
아마미 제도		○			
오키나와 제도	○	○		○	
미야코 제도	○	○	○	○	○
야에야마 제도	○	○	○		○

위의 표를 살펴보면, 류큐열도에 전승되어온 홍수설화는 미야코 제도에서 가장 다양하게 나타나고 있으며, 이어 야에야마 제도, 오키나와 제도, 아마미 제도의 순으로 나타나고 있다. 이것을 대만에서 일본 본토로 이어지는 맥락에서 바라본다면, 대만에 가까울수록 홍수설화의 다양성이 높아지는 반면, 일본 본토에 가까울수록 다양성이 낮아진다고도 말할 수 있다. 전승 지역에 따른 홍수설화의 다양성의 높고 낮음이 실제로 동일한 세 가지 유형에 있어서 대만과 일본 본토에서도 동일하게 나타나는지 확인해볼 필요가 있다.

■ 주석

1) 정진희, 『오키나와 옛이야기』(서울: 보고사, 2013), 14-15쪽 참조
2) 정진희, 「제주도와 琉球·沖縄 신화 비교 연구의 검토와 전망」(『탐라문화』 37호, 2010). 100-102쪽 참조
3) 柳田國男, 『定本柳田國男集』(第五巻)(東京: 筑摩書房, 1962), 288-293쪽 참조
4) 宮古島의 츄도우지(忠導氏) 오야케아(屋)의 우푸슈(大主)가 이 섬에 관하여 자료를 써서 남겼는데, 이 자료를 바탕으로 건륭 13년(1748년) 5월에 메이유우분쵸료(明有文長良)가 번잡한 부분은 잘라내고 소략한 부분은 보충하여 일본어와 한자를 섞어서 편집한 책이 『宮古島舊史』(또는 『宮古島紀事仕次』)이다. 1884년 6월 오키나와 현령인 西村捨三은 宮古島의 고문서인 『宮古島舊史』를 당시의 보고서인 『南航日記』와 합쳐 『宮古島舊史』라는 책명으로 출간하였다.
5) 西村捨三 著, 『宮古島舊史』, 1884, 107-109쪽. https://dl.ndl.go.jp/pid/993872 참조
6) 柳田國男, 앞의 책, 296쪽. 원문은 다음과 같다. 物をいふ魚の名を, この島ではヨナタマといつてゐたことである. ヨナはイナともウナともなつて, 今も國内の各地に存する海を意味する古語, 多分はウミといふ語の子音轉換であらうといふことは, 前に「風位考資料」のイナサの條に於いて説いたことがある. それがもし誤りでないならばヨナタマは海靈, 即ち國魂郡魂と同様に海の神といふことになるのである.
7) 요나타마 유형의 다양한 전승양상에 대해서는 篠田知和基, 丸山顯德 編, 『世界の洪水神話: 海に浮かぶ文明』(東京: 勉誠出版, 2005), 270-280쪽을 참조하시오.
8) 遠藤庄治 編, 『いらぶの民話』(宮古郡伊良部町, 1989), 318-319쪽
9) 篠田知和基, 丸山顯德 編, 앞의 책, 281쪽
10) 사키마 고에이佐喜眞興英는 오키나와 출신의 법률가이자 민속학자이다. 그는 오키나와 본도에 널리 전승된 구비설화 100편을 한데 엮어 1922년에 『南島說話』를 출간하였다.
11) 사키마 고에이 저, 김용의 역, 『오키나와 구전설화』(광주: 전남대학교출판부, 2015), 104쪽
12) 福田 晃, 『沖縄の傳承遺産を拓く-口承神話の展開』(東京: 三彌井書店, 2013), 228쪽 참조
13) 後藤 明, 『'物言う魚'たち-鰻·蛇の南島神話』(東京: 小學館, 1999), 21쪽
14) 山下欣一, 「南西諸島の兄妹始祖說話をめぐる問題」(『昔話傳說研究』 제2호, 1972), 21-22쪽
15) 위의 글, 25쪽
16) 정진희, 『오키나와 옛이야기』(서울: 보고사, 2013) 32-33쪽 참조
17) 山下欣一, 앞의 글, 30쪽
18) 정진희, 앞의 책, 33쪽
19) 위의 책, 38-39쪽 참조

20) 위의 책, 57쪽과 60쪽 참조
21) 위의 책, 61쪽
22) 위의 책, 87쪽
23) 福田 晃, 앞의 책, 225-226쪽 참조
24) 정진희, 앞의 책, 60-61쪽 참조
25) 위의 책, 87-88쪽 참조
26) 정진희, 『신화로 읽은 류큐왕국』(서울: 푸른역사, 2019), 356-357쪽 참조
27) 정진희, 『오키나와 옛이야기』, 앞의 책, 60-61쪽 참조
28) 遠藤庄治, 「沖縄昔話採集話型一覽(上)」(『沖縄國際大學文學部紀要(國文學篇)』 第4卷 1號, 1975.10) 참조
29) 정진희, 앞의 책, 131-132쪽 참조
30) 위의 책, 132쪽
31) 사키마 고에이 저, 김용의 역, 앞의 책, 35쪽
32) 遠藤庄治, 「沖縄の始祖傳承」(日本口承文藝學會 第3回 研究例會 發表集, 1979), 36쪽
33) 정진희, 앞의 책, 132-133쪽 참조
34) 위의 책, 129-131쪽 참조
35) 위의 책, 59쪽 참조
36) 黃智慧, 「南北文化の邂逅地-與那國島における人類起源神話傳說の比較研究」(『臺灣原住民研究』 제15호, 2011.11), 64쪽 참조

9

대만, 류큐열도 및 일본 본토의 홍수설화

1. 요나타마 유형
2. 홍수남매혼 유형
3. 홍수인수혼 유형
4. 나가면서

지리적으로 볼 때, 류큐열도琉球列島는 대만에서 일본 열도로 이어지는 중간지대에 놓여 있다. 류큐열도는 동아시아의 해상 교류의 중요한 거점으로서 동남아시아의 설화와 일본 본토의 설화가 만나는 교차지점이라 할 수 있다. 이러한 관점에서 여기에서는 지금까지 살펴본 류큐열도의 세 가지 유형의 홍수설화를 대만과 일본 본토의 홍수설화와 비교하여 살펴보기로 하자. 이 글에서는 위의 글의 인용문에서 사용한 번호를 이어받아 사용하기로 한다.

1. 요나타마 유형

먼저, 요나타마 유형의 홍수설화를 살펴보자. 이미 언급하였듯이 요나타마 유형은 인어의 수난受難과 이로 인한 자연재해, 즉 쓰나미로 말미암은 함몰을 주요 모티프와 줄거리로 다루고 있다. 대만의 싸오족邵族의 전설에도 인어와 관련된 설화가 전해지는데, 간략하게 살펴보면 다음과 같다.

> 〈5-1〉 스인(石印)이라는 곳에는 네모난 커다란 바위가 있는데, 태양이 떠오를 때면 '사람의 얼굴을 한 물고기'가 나와 바위 위에서 머리카락을 말린다고 한다. 어른들의 말에 따르면, 이 인어의 머리카락은 매우 길고 몸은 물고기이지만, 여인의 머리와 얼굴을 하고 있다. 그래서 어린아이들은 몹시 두려워하여 스인의 큰 바위 쪽으로 다가가지 못한 채 그저 멀리서 바라보기만 할 뿐인데, 그 인어를 본 적은 없고 전해 들었을 따름이라고 한다.[1)]

싸오족의 인어에 관한 전설은 위의 이야기 한 편뿐이다. 이 전설 속에서 인어의 모습은 얼굴은 사람이나 몸은 물고기人頭魚身이면서 기다란 머리카락을 지닌 여성의 모습인데, 사람들에게 두려움을 안겨주는 대상으로 그려져 있다. 위의 전설은 싸오족에게 전해 내려오는 인어에 대한 단편적 정보만을 제공하고 있을 뿐, 인어와 관련된 이야기가 구체적으로 그려져 있지는 않다. 이와 달리 타우족達悟族에게는 유사한 여러 편의 인어 전설이 전승되고 있다. 이들 전설을 대표하는 이야기를 개략적으로 살펴보기로 하자.

〈5-2〉 아주 오랜 옛날에 어느 부부가 말을 할 줄 아는 인어를 낳았다. 부부는 수치스럽다고 여겨 버리고자 하였는데, 이 물고기가 "나를 버리지 않으면 장차 진짜 사람으로 변할 것이에요"라고 말하는지라 거두어 길렀다. 인어는 점점 자라나 부모를 도와 일을 하였으며, 꼬리로 풀을 베면 잡초가 모두 말라 죽었다. 혼인할 나이가 되자 인어는 어머니에게 짝을 구해달라고 부탁했지만, 어머니는 어떻게 해야 좋을지 알 수 없었다. 어느 마을의 누구에게 결혼해달라고 부탁해야 한단 말인가? 어머니는 어느 마을의 아가씨를 꾀어 데려왔지만, 아가씨는 신랑감이 물고기임을 알고 자신의 집으로 돌아가고자 하였다. 어머니는 그녀를 빈 손으로 돌려보내고 싶지 않아 토란밭으로 향하였으며, 아가씨 역시 어머니를 따라 밭으로 함께 갔다. 아가씨가 떠나려 한다는 것을 알고 있던 인어는 천신에게 사람으로 변하게 해달라고 기도하였으며, 마침내 용모가 준수한 젊은이로 변하였다. 토란밭으로 달려간 그는 어머니와 아가씨에게 자신이 바로 그 물고기였음을 밝혔으며, 아가씨는 그의 준수한 모습을 보고 그와 결혼하여 행복하게 살았다.[2)]

타우족의 인어 전설 중에는 인어가 결혼 후에 자식을 낳아 기르면서 겪는 기이한 이야기가 덧붙여지기도 하고, 인어 부부가 죽은 후 그들의 아들이 겪는 우여곡절의 사건이 덧붙여지기도 한다.[3)] 그러나 이러한 약간의 변형에도 불구하고, 인어의 성격은 근본적으로 동일하다. 즉 인어는 '말을 할 줄 아는 물고기'로서의 신이성, 천신과 소통할 수 있다는 신성성을 지니고 있으며, 용모가 준수한 남성으로 변신하는 존재로 그려지고 있다. 위에서 살펴본 싸오족과 타우족의 인어 전설로 알 수 있듯이, 대만에도 편수는 많지 않지만 인어를 모티프로 한 설화가 전승되고 있음을 알 수 있다.

인어와 관련된 설화는 일본 본토에서도 엿볼 수 있다. 그 일례로 『쇼코쿠리진단諸國里人談』 제1권에 실려 있는 「인어人魚」 항목을 들 수 있는데, 이 이야기의 개략적인 내용은 다음과 같다.

> 〈5-3〉 와카사노구니若狹國 오오이군大飯郡 미센다케御淺獄는 마굴인지라 그 위로는 오르지 않는 곳이었다. 오센묘진御淺明神의 사자使者는 인어라고 전해져 왔었다. 호에이寶永 연간(1704-1711)에 오토미촌乙見村의 어부가 물고기를 잡으러 나갔다가 바위 위에 몸을 뉘어 있는 것을 보니, 머리는 사람인데 목덜미에 닭벼슬처럼 팔랑거리는 붉은 것이 둘러 있고 그 밑으로는 물고기였다. 어부가 별생각 없이 쥐고 있던 노로 후려치자 즉사하고 말았다. 어부는 그것을 바다에 던져버리고 집으로 돌아왔는데, 그때부터 큰바람이 일어나 해명海鳴이 열이레동안 그치지 않았다. 30일쯤 지나 대지진이 일어나 미센다케의 산기슭에서 바닷가까지 땅이 갈라져 오토미촌이 온통 땅속으로 꺼져버렸다. 오센묘지의 징벌이라고 한다.[4]

이 전설은 홍수가 아니라 지진에 의한 함몰이라는 차이를 지니고 있기는 하지만, 신성성을 지닌 인어에게 위해를 가함으로 인해 지진의 재난을 당한다는 점에서 요나타마 유형의 홍수설화와 매우 유사하다고 할 수 있다. 그런데 이 이야기가 전승되는 와카사노구니는 고대 일본의 지방행정구분이었던 율령국律令國의 하나로서, 지금의 후쿠이현福井縣인 바, 혼슈本州의 동해쪽 중부에 위치해 있다. 지리적인 위치로 본다면, 이곳은 류큐 왕국의 영역과는 사뭇 동떨어진 지역이라 하지 않을 수 없다.

이곳뿐만 아니라, 일본 본토의 여러 지역에서 인어에 대한 다양한 설화를 발견할 수 있다. 즉 후쿠이현에는 이른바 '팔백비구니八百比丘尼', 즉 인어 고기를 먹은 여자가 늙지 않은 채 800년을 지냈다는 이야기가 전해지고 있다. 이밖에도 노부부가 데려와 기른 아이가 아름다운 아가씨로 성장하였는데, 사실 인어였던 이 아가씨는 그림을 잘 그리는지라 사람들이 탐하는 대상이 되어 마침내 행상에게 팔리는 신세가 되지만, 배를 타고 가는 도중에 폭풍이 일어 배가 뒤집히자 바다로 되돌아갔다는 이야기도 전해지고 있다. 이 이야기는 나가사키長崎현의 쓰시마津島, 사이타마埼玉현의 이루마入間군 등지에 전승되고 있다.[5] 이로 볼 때, 일본에서의 인어 설화는 대체로 바다를 접하고 있는 지역 곳곳에서 전승되고 있다고 할 수 있다.

이렇게 본다면 대만에서 일본 본토에 이르기까지 인어를 모티프로 하는 설화가 적지 않게 전승되고 있음을 알 수 있다. 이들 지역에서의 인어는 기본적으로 '말을 할 줄 아는 능력'을 가졌거나, 위해를 당하여 자연재해를 일으킬 수 있는 역량을 지닌 신성한 집단의 일원이라고 할 수 있다. 다만 인어의 성별에 있어서 대만의 인어가 대부분 남성의 신분이라면, 류큐열도의 인어는 성별이 밝혀져 있지 않으며, 일본 본토의 인어는 대체로 여성이거나 성별이 밝혀져 있지 않다. 이는 서사의 중심이 어디에 놓여 있는가, 즉 인어의 기이한 혼인과정인가, 혹은 위해를 당한 존재의 보복인가에 따라 성별을 밝힐 필요가 있는지의 여부가 달라질 수 있을 것이다. 즉 신이성과 신성성이 혼인과정에서 중요한 역할을 담당한다면 그러한 자질을 지닌 존재의 성별을 밝힐 필요가 있겠지만, 신성성을 지닌 존재에 대한 위해와 이로 인한 자연재해의 보복을 서술하는 경우에는 성별 자체가 무의미할 수밖에 없을 것이다.

아울러 인어 모티프와 홍수 모티프의 결합이라는 점에서 본다면, 대만과 일본 본토의 인어 모티프는 홍수 혹은 쓰나미 등과 결합되는 예가 드물다.[6] 이에 반해 류큐열도의 인어 모티프는 쓰나미를 포함한 홍수 모티프와 적극적으로 결합하여 함몰형 홍수전설의 성격을 지니고서 빈번하게 나타나고 있으며, 이러한 점이 류큐열도의 인어에 대한 상상의 독특함이라고 할 수 있다. 아마도 이는 류큐열도에 속한 섬의 규모가 대만이나 일본 본토에 비해 훨씬 작기 때문에 쓰나미나 홍수 등의 자연재해에 취약했던 지리적 여건과 깊이 연관되어 있을 것이다.

2. 홍수남매혼 유형

다음으로 홍수남매혼 유형의 설화를 비교해보기로 하자. 이미 언급하였듯이 류큐열도에 전해지는 홍수남매혼 유형의 설화는 크게 두 가지 면, 즉 남녀 교구의 방법과 관련된 에피소드, 그리고 남매가 결혼하여 출산한 이물에 관한 에피소드에서 특징적인 면모를 보이고 있다. 먼저 남녀 교구의 방법과 관련된 에피소드를 대만의 타이얄족泰雅族의 설화에서 살펴보기로 하자.

> 〈5-4〉 옛적에 papak waqa의 산허리에 남녀 두 사람이 태어났다. 두 사람은 날로 성장하여 춘정을 느낄 때에 이르렀지만 여전히 교구하는 방법을 알지 못했다. (그리하여) 처음에는 두 눈을 서로 맞대어 보았지만 춘정을 만족시킬 수 없었다. 다시 코와 코, 귀와 귀, 손과 손, 다리와 다리를 차츰 가까이하였지만, 여전히 제대로 결합할 수 없었다. 우연히 두 마리 금파리가 날아와 교미하는 것을 두 사람이 본 후 처음으로 음양을 맞대니 정의가 깊고 두터우며 그 쾌감이 이루 말할 수 없었다.[7]

위의 신화에서는 남매라고 일컬어도 좋을 두 남녀가 금파리의 교미를 보고서 이를 모방하여 교구하였다는 이야기를 기술하고 있다. 이 신화와 유사한 다른 신화에서의 남녀의 교구 또한 파리가 여인의 음부에 날아와 앉아있는 것을 보고 알게 되거나, 갖가지 시도를 되풀이한 끝에 터득하였다는 등 약간의 변형을 보이고 있다.[8] 심지어 인간 남녀뿐만 아니라 남녀 신들조차도 교구의 방법을 몰라 파리를 모방하여 교구를 행하며, 나아가 파리가 낳은 알이 부화하여 인간이 태

어나는 등 파리에 신성성을 부여하기도 한다.[9)]

이러한 약간의 변형에도 불구하고, 이들 전설에서는 대체로 파리의 교미를 모방하여 남녀 인간 혹은 남녀 신이 교구를 행하고, 이로써 두 남녀가 인류의 시조가 되었다는 시조담의 성격을 지니고 있다. 부눈족布農族의 설화에도 남녀 교구의 방법과 관련된 이야기가 전승되고 있다. 부눈족의 설화 역시 타이얄족의 설화와 마찬가지로 동물의 교미를 모방하는 이야기를 담고 있는데, 그 대표적인 일례를 살펴보자.

> 〈5-5〉 아주 오랜 옛날, 뼈가 없는 두 사람이 있었는데, 땅 위를 기어 다녔다. 언젠가 수많은 개미, 모기와 개구리가 두 사람의 몸 가까이에 모여들었다. 두 사람은 두려운 나머지 벌떡 일어났으며, 이때부터 걸어 다니게 되었다. 어느 날 두 사람은 두 마리 작은 새가 날아오더니 한데 몸을 겹치는 것을 보았다. 두 사람은 비로소 남녀가 화합하는 법을 알게 되었으며, 이리하여 자손이 있게 되었다.[10)]

위의 〈5-5〉의 신화에서 두 사람은 새의 교미 장면을 보고서 교구의 방법을 터득한다. 이 이야기에서 주목할 만한 점은 '뼈가 없고 살만 있는' 기어다니던 인간이 직립보행 인간(Homo Erectus)으로 거듭나고, 이후 생식능력을 갖추어 인류를 전승하였다는 발상이다. 인류의 진화과정을 정확하게 파악하고 있지는 않지만, 적어도 인류를 진화과정 속에서 파악하고 있다는 것이다. 동물의 교미를 모방하는 외에, 부눈족의 설화에서는 남녀 교구 방법의 터득에 관해 색다른 이야기를 전하고 있다. 즉 먼 옛날 lamoyan 평지에 일곱 명의 여자가 있었는데, 하늘에서 다섯 명의 남자가 내려왔다. 하지만 그들은 교구의 방법을 알지 못하였는데, 바보가 알려준 대로 행하여 마침내 두 명의 사내아이를 낳음으로써 자손이 있게 되었다는 것이다.[11)] 타이얄족과 부눈족의 설화에서 엿볼 수 있듯이, 남녀는 동물을 모방하거나 누군가의 지시에 따라 교구의 방법을 터득함으로써 인류의 시조가 된다.

이처럼 남녀 교구의 방법을 터득하는 에피소드는 대만의 설화 가운데에서도 흔히 발견할 수 있지만, 이러한 에피소드가 홍수 모티프와 결합한 예는 좀처럼 찾아볼 수 없다.

한편, 류큐열도의 설화 중에는 신이나 인간 남녀, 혹은 남매가 결합하여 이물을 수차례에 걸쳐 출산하는 이야기가 많이 있다. 이처럼 이물의 출산이 수차례에 걸쳐 단계적으로 이루어지는 설화를 대만 퓨마족卑南族의 설화에서도 엿볼 수 있다. 이 설화에 따르면, 퓨마족이 거주하는 부락에 홍수가 났는데, 다섯 형제자매가 함께 커다란 동이를 타고서 생존하였다. 그들 가운데 한 남자와 한 여자는 어디로 가야 좋을지 살펴보기 위해 산 위로 떠났다가 해와 달이 되었으며, 남은 세 사람 중에 오빠와 누이가 해와 달의 가르침에 따라 결혼하여 부부가 되었다. 부부가 된 이후 이들 남매가 이물을 출산하는 과정을 간략히 살펴보면 아래와 같다.

〈5-6〉 남매가 처음에 낳은 것은 새우, 게와 물고기였다. 두 사람은 어떻게 해야 좋을지 몰라 다시 해와 달에게 가르침을 청했다. 그런 후에 해와 달의 지시에 따라 새우, 게와 물고기를 물속에 놓아주고, 연중 제사를 드릴 때에 이르자 이들을 잡아 제물로 삼았다. 두 사람은 이후에 다시 조그마한 새 한 마리를 낳았으며, 이로 인해 다시 해와 달에게 가르침을 청했다. 해와 달의 지시에 따라 작은 새를 부락 부근의 들판에 놓아주어 각종 소식을 알리게 하였다. 그래서 대지에는 물속의 물고기, 새우, 게, 하늘에는 작은 새들이 있게 되었으며, 이 대지 역시 떠들썩해졌다. 남매는 인간이 아닌 것들을 낳았기에 몹시 고뇌한 끝에, 다시 한 번 해와 달에게 가르침을 청하였는데, 해와 달은 이렇게 말했다. "근친결혼은 좋지 않은 거야. 비록 너희들의 상황이 특수하여 어쩔 수 없었을지라도. 따라서 부부간의 도를 행하고 싶을 때에는 두 사람 사이에 담을 두고 담 중앙에 작은 구멍을 파서 남자의 양물이 작은 구멍을 통하여 아내와 교접하면 된다!" 그들은 해와 달의 지시에 따라 행했으며, 얼마 지나지 않아 아내가 임신하여 백색, 홍색, 녹색, 황색, 흑색의 각종 색깔의 돌을 낳았다. 얼마쯤 시간이 지난 후 검은 돌에 쪼개져 Tinaq와 Pudek 두 사람이 나타났고, 홍색과 녹색, 황색의 돌에서 나타난 것은 서양사람이 되었고, 하얀 돌에서는 일본인과 한인漢人이 나타났다. 이로부터 대지 위에는 많은 상이한 인류가 있게 되었다.[12]

위의 설화에서 홍수에서 생존하여 결혼한 남매는 처음에는 물속에 사는 어류를 낳고, 두 번째에는 새를 낳았으며, 세 번째에는 여러 색깔을 돌을 낳는다. 여러 색깔의 돌이 쪼개져 여러 민족이 나타남으로써 지상에는 상이한 인류가 생겨나게 되었다는 것이다. 퓨마족의 인류기원전설에 따르면, 최초의 인간은 대나무 혹은 커다란 바위가 쪼개지거나 깨지면서 출현한다.[13] 이에 비추어보면 위의 이야기에서 이물 출산의 맨 마지막 단계에 여러 색깔의 돌을 낳는 것은 퓨마족의 인류기원전설 가운데 석생기원설石生起源說이 반영된 결과라고 보아도 좋을 것이다. 이물을 출산한 후에 정상적인 인간을 출산하는 이야기는 아미족阿美族의 홍수설화에서도 엿볼 수 있다.

〈5-7〉 태고적에 마란사馬蘭社 남방쪽에 있는 아야바나바나이산阿雅巴拿巴奈山에 남신과 여신 두 명이 살았다. 그들은 여섯 명의 자식을 낳았다. 이들 가운데 오빠 야야캉雅雅康과 누이 둬제多婕는 홍수가 범람했을 때에 네모난 절구를 타고 물결을 따라 아야바나바나이산에서 치미사奇密社 북쪽에 있는 지야아산吉雅阿珊 산꼭대기에 이르렀다. 다른 인간이 없었기에 그들은 어쩔 수 없이 부부가 되었다. 근친혼이었기 때문에 그들이 낳은 것들은 뱀, 도마뱀, 개구리, 거북 등이었다. 그때 천신 지다吉達(태양)가 지야아산 산 위에 인간이 남긴 흔적을 보고서 자신의 자식을 보내 살펴보게 하였으며, 오빠 야야캉은 그동안 겪었던 일을 모두 알려주었다. 천신 지다는 그들을 동정하여 제사와 기도의 방법을 가르쳐주었다. 이후 그들이 낳은 자식들은 모두 잘 생기고 건강하였으며, 이들이 바로 아미족 각 마을의 조상이다.[14]

위의 설화에서 홍수에서 살아남아 결혼한 남매는 처음에는 뱀, 도마뱀, 개구리, 거북 등의 파충류와 양서류를, 두 번째에는 정상적인 인간을 출산한다. 위의 설화들(〈5-6, 7〉)은 모두 단계에 따른 이물의 출산을 거친 후에야 정상적인 인간을 출산하는 이야기이다. 단계에 따른 이물의 출산은 때로 파이완족排灣族의 인류기원 전설에서처럼 약간의 변형을 보이기도 한다. 즉 홍수에서 살아남아 결혼한 남매는 처음에는 소경이나 사지가 온전치 못한 장애아를 출산하였다가, 제3대에 이르러서야 정상적인 아이를 출산한다.[15]

여기에서 우리가 주목하여 살펴보아야 하는 것은 단계적인 이물 출산이 어떤 문화적 의미를 지니고 있는가이다. 위의 퓨마족의 설화(〈5-6〉)에서 남매는 새우, 게와 물고기를 낳아 해와 달의 지시에 따라 물속에 놓아주었다가 제사를 지낼 때 제물로 사용하며, 작은 새를 낳아 들판에 놓아주어 조점鳥占을 칠 수 있게 된다. 퓨마족에게는 사냥을 하러 나갈 때 반드시 먼저 새 울음소리를 듣고서 갈 것인지의 여부를 결정하는 조점의 습속이 있다. 다시 말해 남매가 단계적으로 출산한 이물은 퓨마족의 문화, 특히 제의와 점복이라는 의례와 깊은 연관을 맺고 있는 것이며, 이러한 문화를 통해 인간이 문명화되었을 때에야 비로소 정상적인 인간을 출산할 수 있게 되는 것이다. 이러한 의미는 위의 아미족의 설화(〈5-7〉)에서도 찾아볼 수 있는 바, 제사와 기도의 문화를 갖게 되어서야 정상적인 인간을 출산한다.

앞에서 이미 살펴보았듯이, 류큐열도의 설화 가운데에도 단계적인 이물 출산을 언급하고 있는 설화가 많이 있다. 야에야마제도의 하테루마지마 설화에 따르면, 거주공간이 동굴에서 동굴 위쪽, 다시 더욱 위쪽의 우물을 갖춘 작은집으로 바뀌며, 이에 따라 출산하는 것 역시 물고기에서 독사, 다시 정상적인 인간으로 바뀐다. 하테루마지마의 또 다른 설화에서도 거주공간은 바위 밑에서 밭 옆의 한쪽 지붕집으로, 다시 사각지붕의 사각집으로 바뀌며, 이에 따라 출산하는 것 역시 물고기에서 지네, 다시 정상적인 인간으로 바뀐다.[16] 혈거에서 가옥으로의 주거양식의 변화, 다시 말해 인류의 문명화가 정상적인 인간

의 출산과 밀접하게 연관되어 있음을 알 수 있다.[17]

이처럼 류큐열도의 설화 속에서 이물의 출산은 인류의 낮은 문명화에서 비롯되는 것일 뿐, 근친상간의 금기 위반과는 전혀 관련이 없다. 이에 반해 대만 원주민의 설화에서 이물의 출산은 근친상간의 금기 위반과 전혀 무관하지는 않다. 앞에서 살펴보았던 설화 〈5-6〉에서처럼 정상적인 인간의 출산은 제의와 점복이라는 의례에 의한 인간의 문명화와 깊이 관련되어 있을 뿐만 아니라, 근친상간의 금기 위반을 보상할 수 있는 주술적 행위가 수반되어야 한다. 그것은 곧 해와 달의 지시에 따라 남매가 교구를 행할 때에 담을 사이에 두고 담 중앙에 파놓은 작은 구멍을 통해서 교접하는 것이다. 아미족阿美族의 다른 홍수설화에서도 홍수에서 살아남아 결혼한 남매는 처음에 물고기와 게의 조상인 괴물을 낳았다가, 행방할 때에 돗자리에 뚫린 구멍을 통해 교접함으로써 돌을 낳고, 그 돌에서 정상적인 인간이 태어난다.[18]

지금까지 살펴보았듯이 홍수남매혼 유형은 류큐열도의 설화에서뿐만 아니라 대만 원주민의 설화에서도 그 존재를 확인할 수 있다. 그리고 류큐열도의 홍수남매혼 유형에서 흔히 엿볼 수 있는 두 가지 에피소드, 즉 남녀 교구의 방법을 터득하는 에피소드와 이물을 단계적으로 출산하는 에피소드는 대만 원주민의 설화에서도 찾아볼 수 있다. 다만 대만 원주민의 설화에서 이물의 단계적 출산의 에피소드가 홍수 모티프와 결합한 형태는 찾아볼 수 있으나, 남녀 교구의 방법을 터득하는 에피소드가 홍수 모티프와 결합한 형태는 찾아볼 수 없었다.

한편 일본 본토에서는 홍수남매혼 유형 자체가 전승되지 않으며, 위의 두 가지 에피소드 가운데 이물의 단계적 출산을 다룬 설화 역시 발견하지 못하였다. 다만 남녀 교구의 방법을 터득하는 에피소드는 홋카이도의 아이누족의 전설에서 엿볼 수 있다. 즉 마쓰우라 다케시로松浦武四郎의 『에조풍속화지蝦夷風俗画誌』라는 서적[19]의 두 번째 항목

에 '교합을 가르치는 올빼미 그림(交合を教えるフクロウの圖)'이란 제목의 그림과 해설이 실려 있는데, 태어난 이래 교합 방법을 알지 못하던 남녀가 나뭇가지 위의 암수 올빼미가 교미하는 것을 보고 그대로 따라 했다는 이야기가 실려 있다.[20]

『에조풍속화지』의 교합을 가르치는 올빼미

3. 홍수인수혼 유형

이제 홍수인수혼洪水人獸婚 유형으로서 인간과 동물이 결합하는 설화를 살펴보자. 대만 원주민의 설화 가운데에는 인간과 동물의 결합을 다룬 이야기가 많이 있다. 이를테면 파이완족에게는 뱀을 남편으로 맞이한 여인의 이야기들이 전해지고 있으며, 이들 이야기에서는 뱀이 미남자로 변신하여 여인과 결혼하기도 한다.[21] 여인이 미남자로 변신한 뱀과 결혼한 이야기는 루카이족魯凱族에게도 전해지고 있다.[22] 또한 아미족阿美族에게는 사슴이나 곰, 멧돼지를 남편으로 맞이한 여인들의 이야기들이 전해지고 있다.[23] 대만의 원주민 설화에는 인간이 동물들과 결혼하지는 않더라도 동물들과 통정通情하는 이야기도 많다. 이때 통정의 대상으로 뱀이나 사슴, 암퇘지 외에도 청개구리나 지렁이가 등장하기도 한다.[24] 인간과 동물이 결혼하거나 통정하는 이야기는 대체로 원주민 사이에서 구전되어온 오락성을 띤 민담이라 할 수 있다.

그렇다면 인간과 개가 교합하는 이야기는 어떠한가? 인간 여인이 개와 결혼하여 자식을 낳고, 그 자식이 특정 종족의 시조가 된다는 견조설화犬祖說話의 일례는 중국에서는 일찍이 응소應劭가 편찬한 『통속통의風俗通義』나 간보干寶가 편찬한 『수신기搜神記』에 실린 반호전설盤瓠傳說을 손꼽을 수 있으며, 이 이야기는 『후한서後漢書』 「남만전南蠻傳」에도 그 내용이 실려 있다. 중국 서남부의 소수민족, 이를테면 야오족瑤族, 서족畲族, 이족彝族, 리족黎族, 먀오족苗族 등뿐만 아니라, 동남아시아에서도 견조설화를 찾아볼 수 있다. 인간 여인과 개의 교합을 다룬 대만의 설화로서 타이얄족의 설화를 간략히 살펴보자.

〈5-8〉 옛날 어느 우두머리가 자식 중에 장애를 지닌 딸을 두었는지라 이를 부끄럽게 여겼다. 어느 날 우두머리는 많은 재물과 애견 한 마리와 함께 딸을 조각배에 태워 바다를 떠돌게 하였다. 며칠 후 딸과 애견은 트루크太魯閣의 해안에 이르렀으며, 애견은 매일 딸을 위해 먹을거리를 찾아내 가져왔다. 수년이 지난 어느 날, 딸은 애견이 자신에게 "난 먹을거리를 구해와 너에게 주었는데, 너는 나에게 어떻게 보답하려는가?"라고 묻는 듯한 느낌을 받았다. 딸은 잠시 머뭇거리다가 그동안 애견이 베풀어준 은덕을 저버릴 수 없어서 자신을 바라보는 애견을 향해 대답했다. "너의 쓸쓸함을 알고 있거니와, 며칠 후 정오에 얼굴에 문신을 한 여인이 지나갈 터이니, 그녀를 데려가 아내로 삼도록 하거라." 며칠 후 딸은 자신의 얼굴에 두 줄기 꽃무늬를 칠하고서 집을 나섰다. 애견은 딸이 말한 대로 문신을 한 여인이 다가오자 그녀를 아내로 맞아들였다. 딸과 애견은 많은 아이들을 낳았으며, 이들이 트루크족太魯閣族이 되었다.[25]

위의 설화는 아버지에게 버림받아 바다에서 표류한 끝에 육지에 표착한 여인이 끝내 개와 결혼하여 많은 자식을 낳았다는 이야기이다. 이 설화는 우선 바다에서의 표류와 같은 수재를 겪었다는 점에서 홍수설화의 성격을 지니고 있으며, 타이얄족의 지계인 트루크족의 기원을 밝히고 있다는 점에서 시조담이라 할 수 있다. 트루크족의 기원을 밝히고 있는 또 다른 설화에 따르면, 뱀과 여인이 돼지똥 속에서 나왔는데, 여인이 뱀의 지시를 따르지 않은 탓에 뱀은 탈피하러 지하로 떠나버린다. 홀로 남은 여인은 어쩔 수 없이 개와 더불어 사내아이를 낳았으며, 그 아이가 자라 어머니와 결혼하여 트루크족의 조상을 낳았다고 한다.[26] 이 이야기와 흡사하게 여인과 개의 인수혼人獸婚, 여기에 모자혼母子婚이 더해진 시조담을 타이얄족의 설화에서 간략히 살펴보자.

〈5-9〉 옛날, 어느 우두머리에게 난치병에 걸린 딸이 있었다. 우두머리는 딸을 치유해주는 사람이 있으면 그가 원하는 대로 사례하겠노라고 방을 내붙였지만, 딸을 치유할 묘방도, 사람도 나타나지 않았다. 우두머리가 실망하던 차에 집에서 기르는 사냥개가 매일 딸을 찾아와 딸의 다리를 핥았는데, 며칠이 지나자 딸은 치유되어 걸어다닐 수 있게 되었다. 이후 사냥개가 매일 밤 딸을 찾아와 함께 지내면서 딸의 온몸을 핥아 정을 나누었다. 집안 식구들은 부끄럽고 창피하여 사냥개를 죽여버리고 싶었지만, 딸을 치유해준 은덕을 생각하여 차마 죽이지 못한 채 마침내 딸과 사냥개를 마을 밖으로 내쫓기로 하였다. 집에서 쫓겨난 딸과 사냥개는 얼마 지나지 않아 사내아이를 낳았으며, 아이는 자라 아버지인 사냥개와 함께 사냥을 하러 다녔다. 그런데 어느 날 사냥을 하던 중에 아이가 쏜 화살에 사냥개가 크게 다쳐 죽고 말았다. 아이는 사냥개를 땅에 파묻고 어머니에게 전후 사정을 이야기했지만, 어머니는 아무 말도 하지 않은 채 친정으로 돌아갔다. 우두머리는 딸의 동정하여 집에 머물도록 하였다. 몇 년 후 어머니와 아이는 동거하여 부부처럼 지내면서 수많은 자식을 낳았으며, 이들이 후대의 트루크족이 되었다.[27]

위의 설화는 여인과 결혼한 개가 자식에게 실수에 의한 죽임을 당한 후, 여인이 자신의 아들과 결혼하여 트루크족의 조상을 낳았다는 이야기를 전해주고 있다. 즉 인수혼과 모자혼에 의한 종족의 기원을 이야기하고 있으며, 이 과정에는 '자식에 의한 살부殺父'라는 모티프가 추가적으로 개입되어 있다. 이와 매우 유사한 설화로서, 역시 인간과 개의 인수혼, 그리고 뒤이은 모자혼을 통해 타이얄족의 지계인 트루크족과 카발란족葛瑪蘭族의 시조담을 다루고 있는 설화도 있다. 그 내용을 간략히 살펴보면 다음과 같다.

〈5-10〉 부모의 돌연한 죽음으로 인해 고아가 되어버린 아가씨가 개에 의지하여 함께 지내던 중 임신을 하여 사내아이를 낳는다. 아이가 자라자 혼처를 구할 수 없었던 어머니는 아들에게 "내일 저녁에 강가에 나갔다가 여인을 만나게 되면 그 여인을 아내로 삼아라"라고 지시한다. 이튿날 어머니는 아들 몰래 옷을 갈아입고 얼굴을 검게 칠하고 두건을 싸맨 채 강가로 나가 아들을 기다렸다. 아들은 어머니인 여인을 만나 함께 잠을 잤으며, 일을 마친 어머니는 아들 몰래 다시 자신의 집으로 돌아왔다. 얼마 후 임신한 어머니는 아들을 낳고 또 딸을 낳았다. 아들과 딸은 욕심이 많아 농지를 두고 늘 다투던 끝에, 딸은 산 위로 올라가 트루크족의 조상이 되었으며, 아들은 산 아래로 내려가 카발란족의 조상이 되었다.[28]

지금까지 살펴보았듯이 여인과 개의 결혼을 다룬 대만 원주민의 설화는, 대체로 류큐열도의 설화가 시조담의 성격을 지니고 있듯이, 타이얄족의 지계인 트루크족과 카발란족의 시조담의 성격을 띠고 있다. 다만 설화 〈5-8〉만이 홍수설화의 성격을 띠고 있을 뿐, 대다수의 설화는 홍수 모티프와는 무관하다. 이들 설화들 가운데 설화 〈5-9〉에서처럼 여인과 개 사이에 태어난 아들이 아버지인 개를 살해하는, 이른바 살부(patricide)의 모티프에 주목할 필요가 있다. 이 모티프는 류큐열도와 일본 본토에서는 제3자에 의한 '개의 피살被殺'로 변형되어

나타난다. 또한 아들의 결혼상대를 구할 수 없어서 어머니가 스스로 아들의 결혼상대가 되고자 하는 경우, 설화 〈5-8, 10〉에서처럼 어머니가 변장變裝과 변복變服, 얼굴 문신 등으로써 아들을 속이는 에피소드가 개입되고 있음을 주목할 필요가 있다.

그렇다면 일본 본토의 설화에서는 인수혼 유형의 설화는 어떻게 나타나고 있을까? 일본의 인수혼 유형의 설화에서 남편으로 나타나는 동물은 뱀, 원숭이, 개, 돼지, 말, 개구리, 우렁이 등이며, 아내로 나타나는 동물은 뱀, 원숭이, 개, 돼지, 말, 수달, 소리개, 개구리, 우렁이 등이다.[29] 여인이 개를 남편으로 맞아들인 이야기로서 일본 본토에서 가장 널리 알려진 것은 12세기 전반에 편찬된 일본 최대의 설화집인 『곤쟈쿠모노가타리슈今昔物語集』의 제31집에 실려 있는 「기타산의 개가 사람을 처로 삼은 이야기北山狗人爲妻語」이다. 이 이야기의 내용을 개략적으로 살펴보면 다음과 같다.

〈5-11〉 도읍에 사는 젊은 남자가 기타 산 주변에 놀러 갔다가 해가 저물어 산속을 헤매게 되었다. 어찌할 바를 모르고 있는 터에 골짜기 틈에 있는 작은 암자가 보여 찾아갔는데, 그 암자는 스무 살 정도의 젊고 아름다운 여자가 있었다. 남자는 여자에게 자신의 딱한 사정을 말하고서 하룻밤을 묵게 해달라고 부탁하지만, 여자는 남편의 의심을 사게 될까 봐 주저했다. 여자는 남자의 간곡한 부탁을 물리치지 못한 여자는 남편에게 오랜 세월 만나지 못한 오라비가 찾아온 것이라고 둘러대기로 하고 묵을 것을 허락하면서, '도읍에 돌아가더라도 이런 곳에 이런 사람이 있다'고 말하지 말아 달라고 부탁했다. 여자는 남자에게 자신이 도읍의 어느 곳에 살던 자의 딸이며 기이한 것에 납치당해 그의 아내로 오랫동안 지내고 있다고 알려주면서 하염없이 울었다. 한밤이 되자 밖에서 으르렁거리는 소리가 나더니 문으로 들어오는 것은 몸집이 당당한 흰 개였다. 흰 개가 남자를 보고 으르렁거리자 여자가 오랫동안 만나지 못한 오라버니가 산속에서 길을 잃고 오게 되었노라고 설명하자, 흰 개는 알아들었다는 듯이 화롯가에 엎드려 있다가 여자와 함께 잠자리에 들었다. 이튿날 도읍으로 돌아온 남자가 여자와의 약속을 저버린 채 여자와 흰 개의 이야기를 떠벌린 바람에 모든 사람이 알게 되었다. 이 일을 알게 된 젊은이들이 개를 죽이고 여자를 구해내기 위해 활과 화살, 칼을 들고 산속의 암자로 찾아왔다. 그러나 개는 여자와 함께 산속 깊숙이 모습을 감춰버리고 말았다.[30)]

위의 이야기는 여인과 개의 교합에 관한 이야기이기는 하지만, 사람들이 이들을 찾아간 이후 산속 깊이 숨어버렸다는 내용을 담고 있을 뿐이다. 여인과 개의 교합에 관한 보다 일본적인 색채가 짙은 이야기는 에도江戶 시대 전기인 엔포延寶 5년(1677년)에 간행된 괴담집인『도노이구사宿直草』에 실려 있다. 이 책의 제4권에는 일곱 번째 이야기로「일곱 자식을 두더라도 여자에게는 방심하지 말라는 이야기(七人の子の中も女に心許すまじき事)」가 실려 있는데, 아래에서 이 이야기의 개략적인 내용을 살펴보자.

〈5-12〉 딸을 둔 어떤 사람이 딸에게 소변을 누일 때마다 집의 개에게 깨끗이 처리해주면 나중에 아내로 주겠다고 놀렸다. 개는 그 말을 알아들었는지 딸의 소변을 깨끗이 처리해주었다. 딸이 자라 결혼할 나이가 되자 중매쟁이가 들락거렸는데, 중매쟁이가 돌아갈 때 개가 중매쟁이에게 달려들어 물었다. 곤혹스러운 처지에 놓인 부모는 점쟁이를 불렀지만, 점괘에서도 개의 집착을 확인했을 뿐이었다. 개의 뜻을 알게 된 부모는 울면서 딸을 개와 결혼시켰지만, 딸은 조금도 탄식하는 기색이 없었다. 딸은 개를 따라 산속 깊이 들어가 함께 살았다. 개가 여우나 너구리, 토끼 등을 잡아오면, 딸은 그것을 시장에 내다 팔아 지냈다. 어느 날 사냥꾼이 산속을 지나가다가 미모의 딸이 개와 부부로 지내는 것에 깜짝 놀라 몰래 개를 죽여 땅에 파묻었다. 며칠이 지나 사냥꾼은 아무 일도 없었던 양 딸을 찾아가, 개가 돌아오지 않는다고 슬퍼하는 딸을 어르고 달래 자신의 아내로 삼아 일곱 명의 자식을 낳았다. 어느 날 밤 사냥꾼이 자신이 개를 죽였다고 딸에게 실토하자, 딸은 그를 미워하여 사냥꾼을 죽였다. 그래서 자식이 일곱이더라도 여자에게는 마음을 놓아서는 안 된다고 세간에서 말하는 것이다.[31)]

위의 이야기는 딸의 부모가 개에게 장난삼아 딸을 시집보내주겠다고 약속하지만 개는 그 약속을 곧이듣는 것으로부터 시작된다. 그리하여 이 이야기는 ① 개와의 약속 - ② 개와 여인의 결혼 - ③ 남자에 의한 개의 살해 - ④ 남자와 여인의 결혼 - ⑤ 여인에 의한 남자 살해의 순서로 진행된다. 위의 이야기는 여자와 개의 결혼을 다룬 인수혼 유형 가운데 복수담復讐譚에 속한다고 볼 수 있다. 남편인 개를 대신하여 복수한다는 점에서, 이 이야기는 앞에서 살펴본 바 미야코 제도의 다라마지마多良間島에 전승되어 온 설화(앞의 글의 〈4-5〉), 그리고 야에야마 제도의 요나구니지마與那國島에 전승되어온 설화(앞의 글의 〈4-6〉)와 동일한 유형에 속한다고 할 수 있다.

그런데 위의 이야기를 류큐열도의 유사형과 비교해보면 매우 흥미로운 사실을 발견할 수 있다. 즉 위의 이야기에서 "딸의 소변을 깨끗이 처리해주면 개에게 아내로 주겠다"는 약속은 오키나와 본도의 설화(앞의 글의 〈4-4〉)에서의 약속과 동일하다. 또한 위의 이야기에서 "개가 여우나 너구리, 토끼 등을 잡아오면 딸이 그것을 시장에 나가 팔았다"라는 대목이 보여주듯이, 개가 경제행위의 주체로 등장하고 있는데, 류큐열도의 설화에서 '개가 문어를 머리에 이고 가는 것'(앞의 글의 〈4-1〉)이나, '잔칫집에서 먹을거리를 훔쳐와 아내를 먹임'(앞의 글의 〈4-5〉) 역시 개가 경제행위의 주체임을 보여주고 있다.[32] 아울러 위의 이야기에서 사냥꾼이 개를 죽인 사실을 실토한 것이 '일곱 명의 자식을 낳은 후'이듯이, 앞의 글의 〈4-6〉의 설화에서도 어부가 개의 시체를 묻은 장소를 털어놓은 것은 '일곱 명의 자식을 낳은 후'이다.

이로써 볼 때 류큐열도에 전승되고 있는 개와 여인의 교합 및 여인의 복수담은 일본 본토의 이야기의 영향을 받고 있다고 보여진다. 다만 류큐열도의 복수담에서 개를 살해한 타인이 어부인 반면, 일본 본토의 복수담에서는 사냥꾼으로 대체되어 있을 따름이다. 이러한 차이는 아마도 바다와 육지라는 생활환경의 차이에서 비롯되었을 것이다.

이러한 개와 여인의 인수혼 유형의 복수담은 류큐열도뿐만 아니라 일본 본토 전역에서 두루 전해지고 있는 반면,[33] 국외에서는 찾아보기 힘들다.

여인과 개의 교합을 다룬 일본 본토의 인수혼 유형에는 복수담 외에 시조담도 존재하는데, 이 시조담은 일본 본토에서는 홋카이도北海道에만 전승되고 있다. 이러한 시조담의 대표적인 일례로서 홋카이도의 아이누족에게 전승되어온 견조전설을 들 수 있는데, 대체로 다음과 같은 내용을 담고 있다.

> 〈5-13〉 옛날 아득히 먼 남쪽 나라에서 여신이 작은 배에 실려 떠돌다가 히다카日高 해안에 표착하였다. 수캐 한 마리가 나타나 여신을 동굴로 데려갔으며, 날마다 나무 열매나 물고기를 가져와 여신에게 주었다. 여신은 어느덧 배가 불러오더니 아들과 딸을 한 명씩 낳았다. 아들과 딸은 성인이 되어 부부가 되었으며, 많은 자식을 낳았다. 이리하여 홋카이도에 아이누가 번성하게 되었다.[34]

이 시조담은 아이누족의 기원을 설명하는 이야기인데, 표류 끝에 육지에 올라온 여신이 개와 교합하여 자식을 낳고, 자식들이 결혼하여 많은 후손을 낳았다는 것이다. 아이누족의 기원설화로는 무라카미시마노죠村上島之允가 저술한 『에조도기관蝦夷島奇観』에 실린 「여신굴거도女神窟居圖」의 해설[35]을 들 수 있으며, 또한 이 서적을 바탕으로 마쓰우라 다케시로松浦武四郎가 그린 『에조풍속화지蝦夷風俗画誌』의 맨 앞에 실려 있는 시조전설의 그림과 해설을 들 수 있다.[36] 이들 풍속화에 곁들인 해설은 사본寫本에 따라 서술된 이야기가 약간 다른 바, 표착한 이의 신분이 아가씨와 여신으로 나뉘고 표착한 곳의 명칭이 달리 기술되어 있다. 그러나 이야기의 전체적인 줄거리는 위의 시조담과 크게 다를 바가 없다. 특히 이 이야기에서 주목할 만한 점은 류큐열도의 복수담에서와 마찬가지로 개가 '여신에게 나무 열매나 물고기를 가져다 주었다'는 경제행위의 주체로서 그려져 있다는 것이다.

『에조풍속화지』의 시조전설

대만으로부터 홋카이도에 이르기까지 인간 여인과 개의 교합에 관한 이야기를 전체적으로 살펴보면, 이 가운데의 시조담은 대만과 류큐열도, 홋카이도의 아이누족에게서 발견되고, 복수담은 류큐열도와 일본 본토에서 발견된다. 류큐열도에 전승되어온 시조담과 복수담은 줄거리의 원형과 변형을 고려해보면 대체로 일본 본토에서 전파되었거나 영향을 받았으리라 추측된다. 인간과 개의 교합을 다룬 설화는 일본 본토를 제외한 대부분의 지역에서 해일이나 표류를 포함하는 홍수 모티프와 결합한다. 또한 대만으로부터 홋카이도에 이르기까지 시조담이든 복수담이든 여인과 교합한 개가 경제행위의 주체로 등장하고 있음을 주목할 만하다. 아마도 이는 개가 짐승임에도 불구하고 남편으로서 가부장의 역할을 수행하고 있음을 부각시키려는 서술일 것이다.

4. 나가면서

지금까지 살펴본 바대로, 인어에 대한 위해로 말미암아 특정 지역이 함몰하였다는 설화, 그리고 인간 여인과 개의 교합을 통한 시조담이나 복수담은 류큐열도의 설화와 일본 본토의 설화가 매우 흡사함을 보여준 반면, 남녀 교구의 방법을 터득하는 에피소드나 단계적으로 이물을 출산하는 에피소드는 류큐열도의 설화와 대만 설화가 유사성을 지니고 있음을 보여준다. 아울러 류큐열도의 홍수남매혼 설화에 나타나는 모티프와 에피소드를 대만 및 일본열도의 설화와 견주어 살펴보면, 류큐열도의 설화는 전반적으로 대만의 설화와 유사하거나 친연성이 있음을 알 수 있다. 이러한 예의 하나로서 홍수의 재난에서 풀을 붙들고서 생존하는 모티프를 들 수 있는데, 미야코제도의 다라마지마多良間島에 전승되어온 이야기를 아래에서 살펴보자.

> 먼 옛날, 남쪽에서 부락으로 쓰나미가 몰려왔다. 그때 밭에 나가 있던 부나이, 비키이(부나제) 남매만이 위네쓰츠의 언덕으로 피신하여 치카라시바力芝에 매달려 목숨을 건졌다. 두 사람은 어쩔 수 없이 부부가 되었으며, 처음에는 뱀, 도마뱀을 낳았고, 다음에는 꼬막조개와 모시풀을 낳았다. 마침내 인간이 태어나고, 이로써 촌락이 재생되었다. 남매 두 사람은 위네쓰츠의 기슭에 모셔졌다.[37]

쓰나미와 같은 홍수의 재난 속에서 남매는 박과 식물의 열매나 북, 나무줄기나 궤짝 등의 특정한 피신수단에 의지하는 대신, 언덕 위의 치카라시바力芝에 매달려 목숨을 건진다. 치카라시바는 다년초로서 볕이 잘 드는 들판이나 길가에 자라는 높이 30-80㎝의 다년초이며, 땅에 뿌리를 강하게 내려서 잘 뽑히지 않는 특징을 지니고 있다. 이처럼 뿌리가 강한 다년초를 붙들고서 생존하는 이야기는 대만의 파이완족과 퓨마족의 홍수설화에서도 엿볼 수 있다. 즉 대홍수에 쓸려

내려가던 남매는 lagagaz라는 풀을 붙들고서 생명을 건지거나[38], 홍수의 물결에 떠내려가던 여자가 haringay 혹은 totolin이라는 풀을 붙들고서 생명을 건진다.[39]

류큐열도의 설화와 대만의 설화의 유사성 혹은 친연성을 보여주는 또 다른 일례는 근친상간의 징벌, 특히 이물의 출산을 피하기 위한 방법으로 남녀가 교구할 때 무엇인가의 도구를 사용하는 에피소드이다. 즉 대만의 설화 가운데 앞의 〈5-6〉에서 이미 언급하였듯이, 부부 사이에 담을 두고 담 중앙에 판 작은 구멍을 통해 교접하거나, 혹은 아미족의 경우에는 돗자리로 부부 사이를 가로막고 돗자리에 나 있는 구멍을 통해 교접하거나[40], 양피로 남녀 사이를 가로막은 채 교접하는 것인데[41], 이러한 방법은 류큐열도에서도 엿볼 수 있다. 즉 아마미제도의 아마미오지마奄美大島나 우케지마請島에 전승되어온 설화에서는 남녀가 털머위ツワブキ의 잎을 끼고 교합하거나 칸막이를 두고서 교합한다.[42] 이처럼 특정 도구를 사용하는 남녀 교구의 방법은 훗날 혼례식을 거행할 때 신부가 부채로 얼굴을 가리는 풍속으로 전화되었을 것이다.

대만 및 류큐열도의 설화와 타지역의 설화와의 친연성에 대해서도 잠시 언급해두고 싶다. 대만과 류큐열도의 홍수남매혼 설화에는 '이물의 단계적 출산'이라는 모티프가 운용되고 있는데, 이러한 모티프를 보르네오Borneo의 카얀족Kayan의 신화에서도 엿볼 수 있다. 그 개략적인 내용은 다음과 같다.

> 태고적에 하늘에서 내려온 거미가 친 거미줄에 조그마한 돌이 쌓이고 쌓여 지평선 아래를 가득 채우고, 이 돌들 위에 낀 이끼에 벌레가 생기고, 그 벌레들의 배설물이 토양을 형성한다. 그 토양에 나무가 뿌리를 내리고 크게 자라더니 덩굴식물이 그 나무를 휘감아 짝짓기를 한다. 그리고 마침내 하늘에서 남녀가 내려와 짝짓기를 하여 아이를 낳는데, 아이는 머리와 몸통만 있을 뿐, 팔과 다리가 없었다. 이 아이가

> 자라 다시 소년과 소녀를 낳고, 이렇듯 여러 세대를 거치는 동안 인간은 마침내 정상의 형태를 지니게 되었다.[43)]

위의 이야기는 세상의 최초의 존재가 신이든 인간이든 상관없이 팔과 다리가 없는 불완전한 신체를 가진 아이를 낳지만, 세대를 거듭하는 가운데 점차 정상적인 형태를 갖추게 되었음을 보여주고 있다. 불완전한 신체로부터 정상적인 신체로 나아간다는 관념은 보르네오뿐만 아니라, 수마트라의 서해안에 위치한 니아스섬Nias island, 그리고 사모아Samoa와 소시에테 제도Society Islands에서도 발견된다.[44)] 이로써 본다면 '이물의 단계적 출산'이라는 모티프는 서태평양 제도로부터 대만을 거쳐 류큐열도에까지 두루 퍼져 있으며, 이물의 출산이 금기위반과 관련이 없는 지역이 훨씬 많음을 알 수 있다.

아울러 대만 및 류큐열도의 설화에 나타나는 아버지인 개의 살해, 즉 아들에 의한 살부의 모티프 역시 타지역에서도 운용되고 있음을 확인할 수 있다. 즉 인도 지역의 불교설화에서 그 유사형을 찾아볼 수 있는데, 스리랑카의 역사기록인 『마하밤사Mahāvamsa』 제6장에 사자와 결혼한 공주의 이야기가 실려 있다. 그 개략적인 내용을 아래에서 살펴보자.

> Vanga의 왕에게 딸이 있는데, 그녀가 태어날 때 사자와 결혼하리라는 예언이 있었다. 성장한 딸은 집을 떠나 상인의 대상단에 합류하여 숲을 지나다가 사자의 공격을 받는다. 그녀가 전혀 두려워하지 않고 사자에게 다가가 그를 어루만지자, 사자는 온순해진다. 사자가 그녀를 자신의 동굴로 데려가 함께 지내는 동안 그녀는 쌍둥이 남매를 낳는다. 아들은 16살이 되자 사자의 동굴을 탈출하여 끝내 아버지인 사자를 죽인 후, 그의 쌍둥이 누이와 결혼하여 새로운 왕국을 건설한다.[45)]

위의 이야기에서는 공주와 사자 사이에 태어난 아들이 아버지인 사자를 죽이는 살부의 모티프가 운용되고 있다. 개 대신에 사자가 등장한다는 점 외에는 대만이나 류큐열도의 살부 이야기와 크게 다를 바가 없는 듯이 보인다. 이러한 아들에 의한 살부의 모티프는 동남아 대륙부에서도 똑같이 운용되고 있는데, 이를테면 베트남의 써당족 Sedang의 홍수신화에서는 여인과 개 사이에 태어난 아들이 자신을 아버지라고 밝히는 개를 때려죽이고 어머니와 혼인하여 민족의 시조가 된다.[46] 그런데 이러한 살부의 모티프가 대만에 이르러서는 아들의 실수에 의한 살부로 변형되고, 류큐열도와 일본 본토에 이르러서는 제3자에 의한 개의 살해로 변형되고 있다. 류큐열도와 일본 본토에서의 이러한 변형은 복수담의 성격이 강화되는 반면 시조담의 성격은 소멸되거나 약화되는 과정과 맞닿아 있다.

■ 주석

1) 達西烏拉彎·畢馬 著, 『邵族神話與傳說』(臺中: 晨星出版有限公司, 2003), 133쪽 참조
2) 達西烏拉彎·畢馬 著, 『達悟族神話與傳說』(臺中: 晨星出版有限公司, 2003), 308-311쪽 참조
3) 인어 부부가 딸과 아들을 하나씩 낳아 기르던 중에 요람에 누워 있던 아들이 거인이 되는 이야기가 있고, 또한 인어 부부가 세상을 떠난 후 그들의 아들은 마을 사람들의 괄시와 핍박을 받으며, 이후 죽은 인어 부모의 도움으로 아들은 결혼 상대를 구하여 자식을 낳는 이야기도 있다. 위의 책, 316-318쪽, 318-320쪽 참조
4) 『諸國里人談』는 에도江戶시대 중기인 간보(寛保, 1741-1744) 연간에 출간되었으며, 일본 각지의 기담이나 괴담 등이 엮어져 있다. 延串卽沾涼 著, 池田二酉堂 藏版, 『諸國里人談』(제1권), https://dl.ndl.go.jp/pid/2557401/1/1 참조
5) 篠田知和基, 丸山顯德 編, 앞의 책, 282-284쪽 참조
6) 노부부에 의해 양육된, 그림을 잘 그리는 인어 아가씨의 이야기는 폭풍과 결합함으로써 홍수전설의 성격을 일부 지닌다고도 볼 수 있다.
7) 達西烏拉彎·畢馬 著, 『泰雅族神話與傳說』(臺中: 晨星出版有限公司, 2003), 448쪽
8) 위의 책, 448-456쪽 참조
9) 위의 책, 450쪽, 451쪽 참조
10) 위의 책, 437쪽
11) 達西烏拉彎·畢馬 著, 『布農族神話與傳說』(臺中: 晨星出版有限公司, 2003), 436쪽 참조
12) 林道生 編著, 『原住民神話與文化賞析』(臺北: 漢藝色研文化事業有限公司, 2003), 164-166쪽 참조
13) 퓨마족의 인류기원전설은 크게 두 계통으로 나뉘는데, 퓨마사군(卑南社群)은 대나무에서 태어났다는 竹生起源說을 따르고 있음에 반해, 즈번사군(知本社群)은 거대한 바위에서 태어났다는 石生起源說을 따르고 있다. 達西烏拉彎·畢馬 著, 『卑南族神話與傳說』, 앞의 책, 28쪽 참조
14) 浦忠成 著, 『被遺忘的聖域』(臺北: 五南圖書出版公司, 2007), 85-86쪽 참조
15) 達西烏拉彎·畢馬 著, 『排灣族神話與傳說』, 앞의 책, 80쪽, 83-84쪽 참조
16) 정진희, 『오키나와 옛이야기』, 앞의 책, 60-61쪽 참조
17) 정진희, 『신화로 읽는 류큐왕국』, 앞의 책, 358쪽 참조
18) 浦忠成 著, 앞의 책, 83-84쪽 참조
19) 마쓰우라 다케시로(松浦武四郎, 1818-1888)는 여행가이자 탐험가로서 1845년 홋카이도를 방문한 이래 수차례에 걸쳐 홋카이도를 탐사하여 지도를 제작하였다. 에조蝦夷 대신에 홋카이도라는 지명을 최초로 지도에 붙인 인물이다. 1859년에 제작되었으리라 추정되는 『蝦夷風俗画誌』는 총 34장의 그림과 함께 해설을 싣고 있는데, 주로 아이누족의 전설과 각종 의례, 생활습속 등을 담고 있다.
20) 大塚和義, 「19世紀中葉以前におけるアイヌの通過儀禮」(『国立民族学博物館研究報告』 12巻 2號, 1987), 518-519쪽 참조

21) 林道生 編著, 『原住民神話·故事全集(2)』(臺北: 漢藝色研文化事業有限公司, 2002), 92-97쪽 참조

22) 達西烏拉彎·畢馬 著, 『魯凱族神話與傳說』, 앞의 책, 265쪽 참조

23) 林道生 編著, 『原住民神話·故事全集(2)』, 앞의 책, 163-168쪽

24) 達西烏拉彎·畢馬 著, 『賽夏族神話與傳說』, 앞의 책, 259-266쪽 참조; 達西烏拉彎·畢馬 著, 『排灣族神話與傳說』, 앞의 책, 268-280쪽 참조; 達西烏拉彎·畢馬 著, 『泰雅族神話與傳說』, 앞의 책, 436-441쪽 참조

25) 林道生 編著, 『原住民神話·故事全集(4)』, 앞의 책, 41-42쪽 참조

26) 達西烏拉彎·畢馬 著, 『泰雅族神話與傳說』, 앞의 책, 441쪽 참조

27) 林道生 編著, 『原住民神話·故事全集(4)』, 앞의 책, 42-43쪽 참조

28) 林道生 編著, 『原住民神話·故事全集(5)』, 앞의 책, 165-167쪽 참조

29) 中村とも子 外, 「異類婚姻譚に登場する動物-動物婿と動物嫁の場合」(日本口承文藝學會, 『*Children and Folktales*』, 2001-4) 참조

30) 馬淵和夫 外 교주, 이시준 외 한역, 『금석이야기집 일본부』(서울: 세창출판사, 2016)

31) https://irdb.nii.ac.jp/00844/0000967024 참조

32) 여인과 개의 교합에 관한 설화에서 개가 경제행위의 주체로 등장하는 이야기는 타이안의 타이얄족泰雅族에 전해지는 설화 (5-8)에서도 찾아볼 수 있다. 이 설화에서 개는 딸을 위해 매일 먹을거리를 구해온다. 林道生 編著, 『原住民神話·故事全集(4)』, 앞의 책, 41-42쪽 참조

33) 稲田 浩二 외, 『日本昔話ハンドブック』(東京: 三省堂, 2006), 58-59쪽 참조

34) 稲田 浩二 編, 『アイヌの昔話』(東京: 筑摩書房, 2005), 20-21쪽 참조

35) 무라카미 시마노죠(村上島之允, 村上島之丞, 1760-1808)는 伊勢國에서 출생하였으며, 본명이 하타노 아오키마로秦檍麿이다. 에도시대 후기에 홋카이도지방 탐사대의 일원으로서 참여하였으며, 이 경험을 바탕으로 『蝦夷見聞記』, 『蝦夷島奇観』 등을 저술하였다. 1800년에 펴낸 『蝦夷島奇観』은 풍속화 118장으로 이루어져 있는데, 아이누족의 전설과 생활상, 습속, 각종 동식물 등을 정밀하게 그려내는 한편, 그림에 대한 해설을 덧붙이고 있다.

36) 大塚和義, 「19世紀中葉以前におけるアイヌの通過儀禮」(『国立民族学博物館研究報告』 12巻 2號, 1987) 참조

37) 福田 晃, 『沖繩の傳承遺産を拓く-口承神話の展開』(三彌井書店, 2013), 227쪽에서 재인용

38) 達西烏拉彎·畢馬, 『排灣族神話與傳說』(臺中: 晨星出版, 2003), 80쪽, 81쪽, 83쪽 참조

39) 達西烏拉彎·畢馬, 『卑南族神話與傳說』(臺中: 晨星出版, 2003), 91쪽; 浦忠成, 『被遺忘的聖域』(臺北: 五南圖書出版公司, 2007), 83쪽 참조

40) 浦忠成, 위의 책, 84쪽

41) 鹿憶鹿, 『洪水神話-以中國南方民族與臺灣原住民爲中心』(臺北: 里仁, 2002), 184쪽

42) 曾我部一行, 「兄妹始祖神話再考-生まれ出ずるものを中心として」(『常民文化』 30호, 2007), 24쪽 참조

43) Roland B. Dixon, 『*The Mythology of all Races: Oceanic*』(Boston: Marshall Jones Company, 1916), 158-159쪽 참조

44) 위의 책, 164쪽 참조

45) Gananath Obeyesekere, 「The Conscience of the Parricide: A Study in Buddhist History」(『*Man*』 Vol. 24, No. 2, Jun. 1989), 238-239쪽 참조

46) Dang Ngheim Van, 「The Flood Myth and the Origin of Ethnic Groups in Southeast Asia」, 『*The Journal of American Folklore*』, Vol. 106, No. 421, Summer, 1993, 325-326쪽 참조

10 한국과 중국의 함호형 홍수전설 비교 연구

1. 들어가면서
2. 한·중 양국의 함호형陷湖型 홍수전설의 양상
3. 중국의 역양형歷陽型과 한국의 광포형廣浦型
4. 함호형 홍수전설 속의 금기와 금기 위반
5. 나오면서

1. 들어가면서

홍수를 소재로 다룬 설화는 전 세계적으로 널리 분포되어 있으며, 지역과 민족에 따라 다양한 내용과 특이성을 보여주고 있다. 그러나 이들 홍수설화는 때로 유형type과 모티프motif에서 상당한 유사성을 보여주기도 한다. 이러한 홍수설화의 유사성은 홍수라는 자연재해에 대해 인류가 유사한 방식과 구조의 신화적 상상력을 발휘하였음을 시사해준다. 이러한 점에서 홍수신화는 자연현상에 대해 고대 인류가 지닌 상상력의 결과물이라 할 수 있다.

중국의 각종 문헌에 나타나 있는 홍수설화 역시 대단히 다양하고 풍부한 모습을 보여주고 있다. 즉 홍수신화로는 인류의 창조자이자 구원자인 여와女媧를 그려낸 보천형補天型 홍수신화, 인류의 구원을 위해 희생하거나 공헌한 곤鯀과 우禹의 영웅적 업적을 그려낸 치수형治水型 홍수신화, 홍수 이후 살아남은 인간에 의해 인류가 다시 전해지거나 재창조되는 재전형再傳型 홍수신화, 이 가운데에서도 특히 홍수 이후 살아남은 남매에 의해 인류가 재창조되는 홍수남매혼신화 등을 들 수 있다. 이들 홍수신화 외에도, 중국에는 광포廣布전설로서 국지적 함몰과 이를 뒤이은 홍수의 재난을 다룬 이른바 '함호형陷湖型 홍수전설'이 있다.

우리나라에도 적지 않은 홍수설화가 전해지고 있다. '대홍수와 목도령' 및 '대홍수와 남매' 등의 홍수설화 외에, 고리봉전설, 광나루廣浦전설, 며느리바위 전설 및 장자못 전설 등의 다양한 홍수전설이 존재해 있다. 이 가운데에서 '대홍수와 목도령' 및 '대홍수와 남매' 등의 홍수설화는 대홍수의 재난에서 살아남은 목도령과 남매에 의한 인류의 재창조를 다루고 있다는 점에서 신화적 성격을 짙게 띠고 있다. 또한 손진태에 의해 명명된 '광포전설廣浦傳說'은 '돌부처 눈 붉어지면 침몰하는 마을'의 이야기를 다루고 있고, 장자못 전설은 '인색한 부자의 집이 징벌에 의해 못으로 변한' 이야기를 다루고 있다. 이 두 전설은 우리나라의 홍수설화 가운데에서 광포廣布전설의 성격을 가장 잘 보여주는 예라고 할 수 있다.

이 글에서는 우리나라와 중국의 다양한 홍수설화 가운데에서, 국지적인 '함몰'과 뒤이은 '홍수'의 모티프를 지니고 있는 함호형 홍수전설을 비교·분석하고자 한다. 이를 위해 우선 한중 양국의 함호형 홍수전설의 양상을 비교하여 그 유사성과 차별성을 살펴본다. 이어 한중 양국에서 가장 많은 편수를 차지하고 있는 유형의 변이형 혹은 유사형을 각각 살펴본 다음, 금기와 위반의 모티프를 중심으로 금기의 서사적 의미를 궁구해보고자 한다. 이 연구를 위해 중국의 자료로는 옛 문헌자료 및 민국 이후에 채록된 문헌자료를 주요 텍스트로 활용하였으며, 한국의 자료로는 『한국구비문학대계』와 『한국구전설화』에 실린 관련 자료를 주요 텍스트로 사용하였다.

2. 한·중 양국의 함호형 홍수전설의 양상

중국의 함호형 홍수전설의 추형雛形으로 흔히 '이윤이 공상에서 태어나다伊尹生空桑'의 고사를 들고 있는데, 특정 지역의 '함몰'과 '홍수'라는 기본 모티프를 모두 갖춤과 동시에 비교적 완정한 줄거리를 지닌 정형화된 이야기는 후한말後漢末 이후의 전적, 이를테면 후한말 고유高誘의 『회남자淮南子』 주석 및 진대晉代 간보干寶의 『수신기搜神記』 등에 나타나고 있다. 여기에서 우선 중국의 많은 함호형 홍수전설 가운데에서 흔히 발견되는 이야기를 중심으로 주요 줄거리를 정리해보면 다음과 같이 두 가지 하위 유형으로 정리할 수 있다.

C-Ⅰ型	C-Ⅱ型
① 누군가 재난을 예언하고 징조를 알려준다 ② 타인이 징조를 인위적으로 조작한다 ③ 함몰과 홍수의 재난이 닥친다 ④ 생존 자격을 갖춘 자만 생존한다	① 뱀을 만나 양육한다 ② 뱀의 위해危害로 인해 양육자가 처벌받는다 ③ 뱀의 복수로 함몰과 홍수의 재난이 일어난다

〈C-Ⅰ형〉은 '재난의 예언자'가 누구인가, 즉 예지능력을 지닌 인물인가 아니면 동요인가에 따라 다시 〈C-Ⅰ-1형〉과 〈C-Ⅰ-2형〉으로 나눌 수 있다. 이는 재난의 예언이 알려지는 대상이 특정한 사람인가 아니면 모든 사람인가와 관련되어 있다. 〈C-Ⅰ-1형〉의 경우처럼 예지능력을 지닌 인물이 특정한 사람에게만 예언하고 징조를 알려줄 때에는, 특정한 사람의 선행 혹은 인의가 생존 자격이 된다. 아울러 〈C-Ⅱ형〉은 뱀의 양육의 계기가 '양육자의 일상생활과 관련된 행위'인가 아니면 '길을 가던 중'인가에 따라, 그리고 뱀의 위해가 짐승에게 미치는가 아니면 사람에게도 미치는가에 따라 〈C-Ⅱ-1형〉과 〈C-Ⅱ-2형〉로 나눌 수 있다. 네 가지 하위 유형의 대표적인 이야기를 이야기의 공간적 배경인 지명을 빌려 각각 역양형歷陽型, 유권형由拳型, 공도형邛都型과 무강형武强型으로 나누어 그 내용을 살펴보자.[1]

> 〈C-Ⅰ-1형〉(역양형) : 예전에 어느 노파가 늘 인의를 행했는데, 선비 두 사람이 지나다가 그녀에게 "이 고장은 틀림없이 가라앉아 호수가 될 것입니다."라고 말하면서 "동쪽 성문 문지방에 피가 묻은 것을 보면 북쪽 산으로 도망하되 돌아보지 마시오."라고 했다. 이때부터 노파는 성문의 문지방에 가서 살펴보았다. 문지기가 그녀에게 묻자, 그녀는 여차저차하다고 대답했다. 그날 저녁 문지기는 일부러 닭을 잡아 피를 성문 문지방에 발랐다. 이튿날 아침 일찍 성문에 가서 살펴본 노파는 피를 보고서 북쪽 산으로 올랐는데, 고장은 가라앉아 호수가 되었다. 문지기에게 그 일을 이야기한 지 딱 하룻밤만이었다.[2]

〈C-Ⅰ-2형〉(유권형) : 유권현은 진나라 때의 장수현이다. 진시황 시절에 "성문에 핏자국이 나면 성은 틀림없이 가라앉아 호수가 되리라"는 동요가 퍼졌다. 어느 노파가 이 동요를 듣고 아침마다 가서 살피곤 했다. 문지기가 노파를 포박하려 하자, 노파는 그 까닭을 말해주었다. 후에 문지기는 개의 피를 성문에 발랐다. 노파는 피를 보고서 곧바로 도망쳤다. 그러자 갑자기 큰물이 현을 집어삼킬 듯 밀려들었다. 현의 주부는 간리幹吏에게 들어가 현령에게 보고하도록 했다. 그러자 현령이 "어찌하여 갑자기 물고기가 되었는가?"라고 묻자, 간리는 "영감께서도 물고기가 되셨는데요"라고 대답했다. 마침내 가라앉아 호수가 되었다.[3]

〈C-Ⅱ-1형〉(공도형) : 공도현 아래에 한 노파가 살고 있었는데, 집안이 가난하고 식구도 없었다. 밥을 먹을 때마다 머리에 뿔이 달린 작은 뱀 한 마리가 침상 사이에 나타났다. 노파는 뱀을 불쌍히 여겨 먹이를 주곤 했다. 나중에 점점 자라 길이가 한 길 남짓 되었다. 당시 현령에게 준마가 있었는데, 뱀이 그 준마를 삼켜버렸다. 이로 인해 크게 성이 난 현령은 노파를 책망하면서 뱀을 내쫓으라 했다. 노파가 "침상 아래에 있다"고 말하자, 현령은 곧바로 땅을 팠지만, 깊을수록 더욱 크게 팠건만 보이는 것이 없었다. 현령은 분풀이로 노파를 죽이고 말았다. 이에 뱀이 영험함으로 사람들에게 감응하여 "못된 현령, 어찌하여 나의 어머니를 죽였는가? 반드시 어머니를 위해 복수하리라"고 말했다. 이후 매일 밤마다 우레 같기도 하고 바람 같기도 한 소리가 들리더니 40여일이나 계속되었다. 백성들은 서로 쳐다보며 모두 놀라 "네 머리 위에 어떻게 갑자기 물고기가 얹혀 있는가?"라고 말했다. 이날 밤 사방 40리의 땅과 성이 일시에 가라앉아 호수가 되었다. 그곳 사람들은 이곳을 함하라 일컬었다. 오직 노파의 집만은 아무 탈 없이 지금껏 남아 있다.[4]

〈C-Ⅱ-2형〉(무강형) : 무강현의 어떤 사람이 길을 가다가 조그마한 뱀을 얻어 길렀으며, 담생이라 일컬었다. 담생이 자라 사람을 물자, 마을 사람들은 붙잡아 옥에 가두었다. 담생은 그 사람을 업고서 달아났다. 마을은 꺼져내려 호수가 되었으며, 현의 관리는 물고기가 되었다.[5]

이들 네 가지 하위 유형 가운데에서 가장 많은 편수를 지니는 예는 〈C-Ⅰ형〉, 특히 〈C-Ⅰ-1형〉이다. 〈C-Ⅰ-1형〉의 함호형 홍수전설은 '징조가 구현되는 장소'가 '성문'에서 다른 장소로 다양하게 바뀌면서 새로운 변이형을 계속 만들어냈다. 반면 〈C-Ⅱ형〉은 『수신기』, 『수경주水經注』, 『태평광기太平廣記』 및 『태평환우기太平寰宇記』 등의 전적에 일부 나타나기는 하지만, 편수가 많지 않을 뿐만 아니라 새로운 변이형으로 발전하지도 않은 채 문헌자료상에서는 거의 소멸되었다고 볼 수 있다.

그렇다면 우리나라의 함호형 홍수전설은 어떠할까? 현재 우리나라에서 흔히 발견되는 함호형 홍수전설을 중심으로 주요 줄거리를 정리해보면 다음과 같이 크게 두 가지 하위 유형으로 정리할 수 있다.

K-Ⅰ型	K-Ⅱ型
① 누군가 재난을 예언하고 징조를 알려준다 ② 타인이 징조를 인위적으로 조작한다 ③ 함몰과 홍수의 재난이 닥친다 ④ 생존 자격을 갖춘 자만 생존한다	① 인색한 부자가 중을 학대한다 ② 이를 본 집안 식구가 스님을 후대한다 ③ 스님은 '자신을 따라오되 돌아보지 말라'는 금기를 제시한다 ④ 재난이 닥쳐 부잣집은 못으로 변한다 ⑤ 집안 식구는 금기를 위반하여 이물異物로 변한다

〈K-Ⅰ형〉은 〈C-Ⅰ형〉과 마찬가지로 '재난의 예언자'가 누구인가, 즉 예지능력을 지닌 인물인가 아니면 전설인가에 따라 다시 〈K-Ⅰ-1형〉과 〈K-Ⅰ-2형〉으로 나눌 수 있다. 이는 재난의 예언이 알려지는 대상이 특정한 사람인가 아니면 모든 사람인가와 관련되어 있다. 〈K-Ⅰ-1형〉의 경우처럼 예지능력을 지닌 인물이 특정한 사람에게만 예언하고 징조를 알려줄 때에는, 특정한 사람의 선행이 생존 자격이 된다. 세 가지 하위 유형의 대표적인 고사 내용을 살펴보자.

〈K-Ⅰ-1형〉 : 어느 마을에 마음씨 착한 노파가 주막집을 경영하면서 살고 있었다. 어느 날 초라한 행색의 노인이 주막에 들러 음식을 구걸하자 노파는 정성껏 대접하였다. 주막을 떠나면서 노인은 "산위 묘앞에 서 있는 동자석상童子石像에 피가 흐르면 산 위로 피난하라"고 알려주었다. 이후 노파는 매일 그곳에 가서 피눈물이 흐르는지 살펴보았으며, 마을 불량배들에게도 이 사실을 알려주었다. 마을 불량배들이 노파를 혼내주려고 일부러 석상에 붉은 칠을 하였다. 이를 본 노파는 양식을 싸들고 산으로 피난하였는데, 순식간에 해일이 일어 그 마을은 바다 속으로 함몰하였다.[6]

〈K-Ⅰ-2형〉 : 경주慶州에는 "미륵 콧구멍에서 피가 나면 난亂이 난다"는 전설이 전해왔다. 마을의 어느 노인은 그 말을 믿고서 날마다 미륵을 살펴보았다. 이를 본 동네청년들은 노인을 곯려주려고 도살장에 가서 소피를 가져와 미륵의 코에 발랐다. 노인의 아들들이 미륵의 코에 묻은 피를 보고 노인에게 알리자, 노인은 전답을 팔고서 피난을 가자고 했다. 아들들이 아버지의 말에 코웃음을 치자, 노인은 혼자서 산을 오르다가 산신령을 만났다. 산신령은 노인을 데리고 산꼭대기에 올라 "여기에서 쉬시오"하더니 홀연 사라졌다. 잠시 후 억수같은 비가 쏟아져 온 마을은 바다가 되고 말았다.[7]

〈K-Ⅱ형〉 : 황지黃池라는 곳에는 원래 부잣집이 있었다. 어느 날 이 부잣집에 스님이 시주를 받으러 왔는데, 인색한 부자는 스님에게 거름을 퍼주었다. 스님이 거름을 짊어지고 나가는 순간, 이를 본 며느리가 따라 나와 시주를 했다. 스님은 며느리에게 "뒤를 돌아보지 말고 나를 따라오라"고 말했다. 고갯마루를 올라서자 천둥번개가 요란스럽게 울렸다. 며느리가 무슨 일인가 궁금하여 뒤를 돌아보았는데, 집은 꺼져내려 못이 되고, 며느리는 바위가 되고 말았다.[8]

이들 하위 유형 가운데 〈K-Ⅰ형〉은 손진태에 의해 '광포전설廣浦傳說'이라 일컬어지고 『한국구비문학대계』의 유형분류집에서는 '돌부처 눈 붉어지면 침몰하는 마을'이라는 명칭으로 일컬어지는 유형으로서,

우리나라에서 지금까지 채록된 고사는 총 16편으로 보고되어 있다.[9] 또한 〈K-Ⅱ형〉은 흔히 '장자못 전설'로 일컬어지고 있으며, 우리나라에 전해져 온 이야기는 『한국구비문학대계』에 실려 있는 60편 가량이며, 여타의 자료집을 포함할 경우 100편을 웃돈다고 보고되어 있다.[10]

지금까지 살펴본 중국과 한국의 함호형 홍수전설을 평면적으로 비교해보면, 〈C-Ⅰ형〉과 〈K-Ⅰ형〉은 이야기의 주요 줄거리가 동일하다는 점에서 볼 때 유사성이 매우 높다고 할 수 있다. 〈C-Ⅰ-1형〉과 〈K-Ⅰ-1형〉은 '길을 가던 서생'이나 '초라한 노인' 등의 예지능력을 지닌 이가 '인의를 행하거나 마음 착한 특정인'에게 재난을 예고한다는 점에서, 그리고 〈C-Ⅰ-2형〉과 〈K-Ⅰ-2형〉은 동요와 전설 모두 공동체의 모든 구성원에게 '재난의 예고와 징조'를 제시한다는 점에서 매우 유사하다. 세부적인 면에서 재난의 징조가 나타나는 장소가 약간 다르기는 하지만, 궁극적으로 공동체의 구성원의 출입이 빈번한 곳이라는 점은 동일하다. 아울러 〈C-Ⅰ형〉이 중국의 장강長江 유역인 안휘성安徽省과 절강성浙江省을 중심으로 전승되고 있다면, 〈K-Ⅰ형〉은 주로 우리나라의 서해안을 중심으로 전승되는 경향을 보여주고 있는데, 이는 '함몰'과 '홍수'의 모티프가 동시에 발생할 수 있는 지역적 특성을 반영하고 있다고 할 수 있다. 한편 뱀이 이야기의 중심을 이루고 있는 중국의 〈C-Ⅱ형〉은 우리나라에서 발견되지 않는다. 대신 우리나라의 함호형 홍수전설의 대부분을 차지하고 있는 〈K-Ⅱ형〉은 중국에서 찾아보기 어렵다.

3. 중국의 역양형과 한국의 광포형

중국에서 가장 흔히 발견되는 함호형 홍수전설은 〈C-Ⅰ형〉이며,

앞에서 언급하였듯이 〈C-Ⅰ-1형〉은 변이형의 특징을 가장 명확히 보여준다. 여기에서는 중국의 〈C-Ⅰ-1형〉(역양형)의 변이형을 중점적으로 살펴보면서, 이 변이형들이 우리나라의 〈K-Ⅰ형〉(광포형)의 변이형과 어떤 차이점을 보이는지 살펴보기로 하자.

〈C-Ⅰ-1-ㄱ〉 : 화주 역양은 꺼져내려 호수가 되었다. 이전에 어느 서생이 할미를 만났다. 할미는 서생을 후하게 대접했다. 서생은 할미에게 "이 현문縣門의 돌거북의 눈에 붉은 피가 흘러나오면, 이곳은 틀림없이 무너져 호수가 될 것입니다"라고 말했다. 할미는 이후로 자주 가서 살펴보았다. 문지기가 할미에게 묻자, 할미는 자세히 대답해주었다. 문지기는 붉은색으로 거북의 눈을 칠했다. 할미가 그것을 보고서 달아나 북쪽 산에 올랐다. 성은 마침내 무너졌다.[11]

〈C-Ⅰ-1-ㄴ〉 : 정산호淀山湖는 예전에 성지城池였다. 성안에는 효자가 있었는데, 어머니를 효성스럽게 모셨다. 어느 날 밤 효자의 꿈속에 어느 노인이 나타나 이렇게 말했다. "이 성은 곧 가라앉아 호수가 될 것이다. 성황묘 앞의 돌사자의 눈에 피가 흐르는 것을 보게 되면 성이 가라앉을 터이니, 너는 서둘러 어머니와 함께 달아나거라. 네가 효자라서 특별히 너를 보살펴주는 거란다." 꿈이 너무나 역력하여 그는 믿지 않을 수 없었다. 그래서 그는 매일 이른 아침에 성황묘 앞에 가서 돌사자의 눈에 피가 흐르는지의 여부를 살펴보았다. 어느 백정이 그가 날마다 돌사자를 살피러 가는 것을 보고 이상히 여겼다. 효자가 그러는 까닭을 물어 알게 된 백정은 그를 놀려주려고 돼지피를 돌사자의 눈에 발랐다. 이튿날 이른 아침, 돌사자의 눈에 피가 흐르는 것을 본 효자는 곧장 어머니를 업고서 동쪽으로 달아났다. 효자가 달아난 후 그 성은 금세 가라앉고 말았다. 효자는 3리 남짓을 달아나서야 걸음을 멈추었다. 그 성은 가라앉은 후 정산호가 되었다. 효자가 걸음을 멈춘 곳은 바로 지금의 주가각朱家角이다. 그 주가각은 청포현의 커다란 진鎭이었으며, 진에 성황묘가 있다. 이 성황묘가 바로 정산호 안의 옛 성황묘이다.[12]

이들 〈C-Ⅰ-1형〉의 변이형은 다음과 같은 서사 단락을 갖추고 있다.

① 재난에서 생존할 자격을 갖춘 사람이 있다
② 누군가 그(그녀)에게 재난을 예고하고 재난의 징조를 알려준다
③ 타인이 예언과 징조를 알고서 징조를 인위적으로 조작한다
④ 함몰과 홍수의 재난이 닥친다
⑤ 생존 자격을 갖춘 그(그녀)만 생존한다

이들 변이형을 살펴보면, ①의 '생존자격을 갖춘 이'가 인의나 선행, 효행 등 주로 전통적인 윤리도덕관과 관련되어 있다는 점, ②의 '재난의 예고자'가 예지능력을 갖추고 있다는 점 등은 앞에서 살펴본 바의 〈C-Ⅰ-1형〉과 조금도 다를 바가 없다. 다만 중국의 변이형에서 특히 주목할 만한 것은 ③의 '재난의 징조가 구현되는 장소'가 〈C-Ⅰ형〉의 '(성문의) 문지방'에서 '(현문의) 돌거북'(《C-Ⅰ-1-ㄱ》)으로, 다시 '(성황묘 앞의) 돌사자'(《C-Ⅰ-1-ㄴ》)로 시대의 흐름에 따라 바뀐다는 점이다.[13] 이러한 변화는 아래의 우리나라의 〈K-Ⅰ-1형〉의 유사형을 살펴보면 명확히 드러난다.

〈K-Ⅰ-1-ㄱ〉 : 어느 마을 사람들은 인심이 몹시 사나왔다. 어느 날 도사가 시주를 받으러 왔는데, 아무도 시주하지 않고 오직 할머니 한 분만이 시주를 하였다. 도사는 할머니에게 "뒷산의 망부석에 코피가 나면 뒤돌아보지 말고 얼른 피하시오!"라고 하였다. 할머니는 도사의 이야기를 마을 사람들에게 전했지만, 아무도 할머니의 말을 믿지 않은 채 할머니를 미쳤다고 여겼다. 마을 사람 가운데 어느 못된 사람이 개의 피를 망부석에 바르고 나서 할머니에게 망부석에 코피가 났다고 알렸다. 할머니는 그 말을 듣고서 멀리 도망을 쳤는데, 억수같이 쏟아지는 비에 산이 뒤집혀 마을을 집어 삼켰다.[14]

〈K-Ⅰ-1-ㄴ〉: 어느 고을에 가뭄이 들어 고생을 하고 있던 터에, 어느 도사가 물을 얻어먹기 위해 집에 들어갔다. 그 집의 부인은 한 시간이나 걸려 물을 떠다가 도사에게 주었다. 부인의 친절에 감동한 도사는 부인에게 개 모양의 바위를 우물 자리라고 알려주면서, "물이 먹고 싶다면 이 바위를 파고, 만약 이 돌의 눈에서 피가 나오면 피해야 한다"고 말했다. 부인이 바위 위를 파자 샘물이 터져 나왔다. 이후 부인은 물을 길러 갈 때마다 바위의 눈에서 피가 나오는지를 살폈다. 이를 이상하게 여긴 이웃 사람이 묻자, 부인은 도사가 했던 말을 전해주었다. 이웃 사람 가운데 짓궂은 아낙이 닭을 잡았다가 닭피鷄血를 개 모양의 바위에 묻혔다. 부인은 이 소식을 듣고 산꼭대기로 피신했는데, 큰물이 나서 마을은 잠겨버렸다.[15]

이들 〈K-Ⅰ-1형〉의 유사형은 ①의 '생존자격을 갖춘 이'의 품성 및 ②의 '재난의 예고자'의 예지능력 등에서 〈C-Ⅰ-1형〉 및 그 변이형과 조금도 차이가 없다. 그러나 ③의 '재난의 징조가 구현되는 장소'는 주로 '돌미륵이나 돌부처의 코나 망부석, 혹은 바위' 등, 공동체내의 왕래가 빈번한 곳으로서, 중국과 달리 장소의 변화가 거의 나타나지 않는다. 다시 말해 우리나라의 〈K-Ⅰ-1형〉은 변이형의 패턴을 형성하지 않은 채 다양한 유사형만 보여주고 있다는 것이다. 이는 한국의 함호형 홍수전설이 대부분 20세기의 특정 시기에 채록되었기에 시대의 흐름에 따른 전승내용의 변형이 줄어들었을 가능성이 크기 때문이라고 할 수 있다.

중국의 〈C-Ⅰ-1형〉의 변이형 가운데에서 주목할 만한 것은 ①의 '재난에서 생존할 자격을 갖춘 사람'과 관련된 에피소드가 첨가된 이야기이다. 대부분의 이야기에서는 '생존자의 생존 자격'과 관련하여 생존자의 인의나 선행, 효행을 간단하게 진술할 따름이지만, 아래의 이야기는 상당한 편폭을 할애하여 재난의 생존자가 피택被擇될 수밖에 없는 필연적 이유를 진술하고 있다.

〈C-Ⅰ-1-ㄷ〉: 옛 소국에 어느 날 강물이 느닷없이 불더니, 얼마 후 다시 옛 물길을 회복했다. 뱃길에 무게가 만근이나 되는 거대한 물고기가 나타났는데, 사흘 만에 죽고 말았다. 온 군민들이 모두들 물고기를 먹었으나, 한 노파만은 먹지 않았다. 홀연 한 늙은이가 나타나더니 이렇게 말했다. "이는 내 아들이오. 불행히도 이 재앙을 만났으나 그대만은 먹지 않았으니, 내가 후히 보답하겠소. 만약 동쪽 문의 돌거북의 눈이 붉어지면, 성은 틀림없이 무너질 것이오" 노파는 날마다 가서 살펴보았다. 어떤 어린아이가 이를 이상히 여기자, 노파는 사실대로 일러주었다. 어린아이는 노파를 업신여겨 붉은색으로 거북의 눈을 칠했다. 이를 본 노파는 급히 성을 빠져나왔다. 그때 푸른 옷을 입은 동자가 나타나 "나는 용의 아들이오"라고 말하더니, 노파를 이끌고 산을 올랐는데, 성은 무너져 호수가 되었다.[16]

이 고사는 '재난의 징조'가 '성문의 핏자국'에서 '돌거북의 눈이 붉어짐'으로 바뀌었다는 점에서 〈C-Ⅰ-1-ㄱ형〉의 변이형이라 볼 수 있는데, '재난의 생존자'의 피택의 근거로서 계기적 에피소드가 추가되었다는 점이 가장 특징적이다. 이 에피소드는 재난 속에서 생존자가 선택받을 수밖에 없는 이유를 설명하여 이야기의 계기성을 제고함과 동시에, 신성성의 상징인 용을 이야기 속에 개입시킴으로써 고사의 신이성神異性을 강조하기 위한 서사전략이라 할 수 있다. 함호형 홍수전설에서 거어巨魚가 등장하는 고사는 우리나라에서도 발견된다. 아래의 고사를 살펴보자.

어떤 사람이 강에서 커다란 잉어 한 마리를 낚았다. 한 노인이 이것을 보고서 잉어를 놓아주었다. 얼마 후 사내아이가 노인을 따라오더니, "어르신, 이쪽으로 좀 비켜주십시오"라고 말했다. 노인이 무슨 까닭인지 묻자, 시간이 바쁘다는 것이었다. 노인이 다시 아이에게 누구인지 묻자, 아이는 이렇게 대답했다. "나는 용왕국龍王國에서 왔는데, 내가 놀다가 몹쓸 것을 물어 하마터면 죽을 뻔했습니다. 다행히 어르신 덕분에 살아났는데, 제 아버지가 나를 사람으로 환생시켰습니다. 이 동네를 박살을 내려고 가는 길이니, 길을 비켜주십시오." 노인이 아이와 돈을 챙기고 소를 몰아 산으로 가는데, 번개가 치고 비가 쏟아지더니 온 마을은 못이 되었다.[17]

이 고사는 중국의 〈C-Ⅰ-1-ㄷ〉에 비해 줄거리가 크게 다르다. 즉 물고기에 위해危害를 가했는가의 여부가 함몰과 홍수의 재난에서의 생존 자격과 밀접히 연관되어 있을 뿐, '재난의 예고와 징조' 및 '징조의 인위적 조작'은 나타나 있지 않다. 게다가 우리나라에서 물고기의 보은報恩과 관련된 함호형 홍수전설은 연구의 텍스트로 삼은 전적 가운데에서 이 이야기가 유일하다. 따라서 이 이야기는 함호형 홍수전설의 다른 하위유형으로 간주하여도 좋을 것이다.

4. 함호형 홍수전설 속의 금기와 금기 위반

우리나라의 함호형 홍수전설에서 가장 많은 편수를 차지하고 있는 것은 〈K-Ⅱ형〉이다. 게다가 앞에서도 언급하였듯이, 이 하위 유형은 중국의 함호형 홍수전설에서 거의 보이지 않는, 우리나라의 매우 특징적인 유형이라 할 수 있다. 그렇다면 〈K-Ⅱ형〉은 어떠한 특징을 보이는지 아래의 예문을 통해 알아보기로 하자.

〈K-Ⅱ-1〉 : 옛날 황지黃地라는 곳에 장자長者가 있었는데, 하루는 중이 시주를 나왔다. 장자는 소똥을 퍼주고서 중을 내쫓았다. 이것을 지켜보던 그의 아내는 중이 안스러워 쌀을 퍼서 시주했다. 그러자 중은 그의 아내에게 "나를 따라오되, 뒤를 돌아보지 말라"고 말했다. 중을 따라가던 그의 아내는 재를 넘어가다가 벼락소리가 나자 뒤를 돌아다보았다. 바라보니 자기의 집은 소沼가 되어버리고, 그녀는 돌미륵이 되고 말았다.[18]

〈K-Ⅱ-2〉: 옛날 충청도에 황黃부자가 살았는데, 그는 유명한 구두쇠였다. 어느 날 스님이 시주를 받으러 오자, 그는 소똥을 퍼서 바랑에 넣어주었다. 이것을 보고 있던 그의 며느리가 시아버지 몰래 쌀을 가지고 나와 담아주었다. 그러자 스님은 며느리에게 "오늘 저녁 몇 시경에 이곳에 커다란 변고가 일어날 터이니, 집을 떠나 어느 지점으로 가되 절대 뒤를 돌아보아서는 안 된다"고 말했다. 그날 저녁 며느리가 집을 나와 어느 지점에 이르렀을 때, 돌연 천둥이 울리고 비가 쏟아지기 시작했다. 집이 걱정된 며느리가 뒤를 돌아보니, 황부자 집은 큰 못이 되어 있었다. 뒤를 돌아본 며느리는 돌부처로 변하고 말았다.[19]

이들 〈K-Ⅱ형〉 계열은 기본적으로 다음과 같은 서사단락을 지니고 있다.

① 인색한 부자가 스님을 괄시하거나 학대한다
② 이를 본 집안 식구가 스님을 후대한다
③ 스님은 '자신을 따라오되 돌아보지 말라'는 금기를 제시한다
④ 재난이 닥쳐 부잣집은 못으로 변한다
⑤ 집안 식구는 금기를 위반하여 이물로 변한다

이들 〈K-Ⅱ형〉은 이러한 서사단락의 틀 위에서 이야기에 따라 약간의 차이를 보인다. 이를테면 ② '스님을 후대厚待하는 집안식구'는 며느리가 대부분이지만, 이야기에 따라 아내 혹은 딸이 등장하기도 한다. ⑤의 이물異物은 대체로 바위와 관련된 사물이며, 흔히 돌미륵이나 돌부처로 나타난다. 그러나 이와 같은 약간의 차이에도 불구하고, 〈K-Ⅱ형〉의 고사들은 대부분 '함호'와 '홍수' 외에, '금기와 위반', '화석化石'의 모티프를 특징적으로 보여주고 있다.

이에 반해 중국의 함호형 홍수전설에는 '금기와 위반', '화석'의 모

티프가 거의 나타나지 않는다. 이러한 점에서 우리나라와 중국의 함호형 홍수전설에서 가장 특징적인 차이는 '금기와 금기 위반'이라는 모티프의 존재 여부이지만, 그렇다고 해서 중국의 함호형 홍수전설에 이들 모티프가 전혀 나타나지 않는 것은 아니다. 중국의 함호형 홍수전설의 추형雛形이라 할 수 있는 '이윤이 공상에서 태어나다伊尹生空桑'의 이야기를 살펴보자.

> 갓난아이의 어머니는 이수 위에 살다가 임신하였는데, 꿈에 신이 이렇게 알려주었다. "절구에서 물이 나오면 동쪽으로 달아나되, 돌아보지 말라." 이튿날 절구를 보니 물이 나오자 이웃에게 알렸다. 동쪽으로 10리를 달려 그 고을을 돌아보니, 온통 물바다가 되어 있었다. 그녀의 몸은 이로 인해 공상으로 변하였다.[20]

『여씨춘추呂氏春秋·효행람孝行覽·본미편本味篇』에 실려 있는 이 고사에는 '돌아보지 말라勿顧'라는 금기와 함께 금기 위반으로 말미암아 '공상으로 변하였다化爲空桑'는 징벌이 제시되어 있다. 『열자列子·천서편天瑞篇』의 '伊尹生乎空桑'에 진대晉代의 장담張湛이 가한 주석[21]에도 '무고無顧'와 '화위공상化爲空桑'이 나타나 있으며, 『초사楚辭·천문天問』의 "물가의 나무에서 저 어린 것을 얻었는데, 어찌하여 그를 싫어하여 시집가는 딸의 노복으로 삼았는가?(水濱之木, 得彼小子, 夫何惡之, 媵有莘之婦?)"에 대해 왕일王逸이 가한 주석[22]에서는 '무고無顧'와 '익사溺死'가 나타나 있다. 심지어 당대唐代 마총馬總이 펴낸 『의림意林』에도 다음과 같이 기록되어 있다.

> 역양은 회남현이다. 어떤 사람이 역양의 아낙에게 "성문에 피가 보이면 달아나되 돌아보지 말라"고 알려주었다. 이후에 문지기가 일부러 문지방에 피를 묻혔는데, 아낙은 곧바로 북쪽의 산으로 올랐다. 현은 과연 물속에 가라앉았으며, 아낙은 마침내 바위로 변하였다.[23]

〈C-Ⅰ-1형〉(역양형)의 변이형인 이 이야기에도 '돌아보지 말라無顧'와 '바위로 변함化石'의 모티프가 제시되어 있다. 이처럼 함호형 홍수전설의 추형인 '이윤이 공상에서 태어나다伊尹生空桑'의 이야기뿐만 아니라, 매우 드문 경우이기는 하지만 〈C-Ⅰ형〉에도 금기와 금기의 위반에 따른 징벌이 등장하고 있다. 이들 고사는 중국의 함호형 홍수전설 가운데에 금기와 금기 위반의 모티프가 완벽하게 활용되어 있는 경우라고 할 수 있다. 그러나 이들 몇몇 이야기를 제외하고, '이윤이 공상에서 태어나다伊尹生空桑'의 이야기의 변이형은 물론 〈C-Ⅰ형〉 및 그 변이형에서도 금기와 금기 위반이 거의 나타나지 않으며, 설령 나타난다고 할지라도 금기 모티프가 약화되거나 소실된 흔적만이 나타난다. 아래의 예를 살펴보자.

> 이윤이 태어날 때, 그의 어머니는 어떤 사람이 "절구에 물이 나오면 서둘러 동쪽으로 달아나되 돌아보지 말라"고 말하는 꿈을 꾸었다. 이튿날 아침 절구에 물이 나오는 것을 보자, 곧장 동쪽으로 10리를 달아나 자신의 마을을 바라보았는데, 온통 물이 되어 있었다.[24]

'이윤이 공상에서 태어나다伊尹生空桑'의 변이형이라 할 수 있는 이 이야기에는 '돌아보지 말라毋顧'라는 금기만 제시되어 있을 뿐, '마을을 바라보다顧其邑'라는 금기의 위반에 대한 징벌은 나타나지 않는다. 또한 앞에서 인용한 〈C-Ⅰ-1〉에도 '돌아보지 말라勿顧'라는 금기만 제시되어 있을 뿐, 금기의 위반에 대한 징벌은 나타나지 않는다. 이와 반대로 『수경주水經注·이수伊水』의 기록에는 금기는 서술되어 있지 않지만, '금기 위반'에 따른 징벌이 나타나 있는 경우도 있다.[25] 이들 고사는 '금기와 위반'의 모티프가 약화된 채 그 흔적만을 남기고 있는 경우라 할 수 있다. 실제로 〈C-Ⅰ형〉 계열의 이야기 가운데 돌거북과 돌사자가 등장하는 변이형에서는 '금기와 위반'의 모티프가 나타나지 않는다. 중국의 〈C-Ⅰ형〉뿐만 아니라, 이와 유사한 우리나라의 〈K-Ⅰ형〉

에서도 '금기와 위반'의 모티프는 나타나지 않는다.

이처럼 중국의 〈C-Ⅰ형〉과 우리나라의 〈K-Ⅰ형〉에서는 '금기와 위반'의 모티프가 소실되었거나 아예 나타나지 않는다. 반면 우리나라의 〈K-Ⅱ형〉에서는 금기와 위반의 모티프가 약화되거나 소실된 경우가 전혀 없지는 않지만,[26] 대개의 경우 이야기의 중요한 서사단락으로서 이들 모티프가 작동하고 있다. 〈C-Ⅰ형〉 및 〈K-Ⅰ형〉과 달리, 대부분의 〈K-Ⅱ형〉에서 '금기와 위반'의 모티프가 지속적으로 등장하는 것은 무슨 까닭일까?

첫째, 고사의 신이성神異性을 담보할 만한 서사적 장치를 얼마나 갖추고 있는가를 살펴보자. 즉 '함몰과 홍수' 외에 〈C-Ⅰ형〉 및 〈K-Ⅰ형〉에서는 이미 '재난의 예고와 징조의 구현' 자체가 대단히 신이한 일임에 반해, 〈K-Ⅱ형〉은 신이성을 드러낼 만한 별다른 서사장치가 없다. 다시 말해 〈K-Ⅱ형〉에서 '금기와 금기 위반에 따른 징벌'의 서술이 없다면 서사구조가 매우 단순해질 뿐만 아니라, 이야기의 내용 역시 평범해지고 만다. 그렇다면 '금기와 금기 위반'은 서사적 필요에 의한 반전反轉의 성격을 강하게 띠고 있다고 할 수 있다.

둘째, 고사의 갈등대립구조가 서로 다르다는 점이다. 즉 〈C-Ⅰ형〉 및 〈K-Ⅰ형〉에는 등장인물 사이의 갈등대립의 구조가 뚜렷하게 드러나지 않지만, 〈K-Ⅱ형〉의 경우에는 스님으로 대표되는 '신성한 세계'와 인색한 부자로 대표되는 '범속한 세계'가 첨예하게 대립한다. 이러한 대립의 결과 '범속한 세계'는 '신성한 세계'에 의해 패배하고, '범속한 세계'의 예외자(며느리나 아내, 딸)는 돌미륵 혹은 돌부처의 형태로 '신성한 세계'로 편입된다. '신성한 세계'로 편입되는 '범속한 세계'의 예외자는 '범속한 세계'와 '신성한 세계'라는 상이한 두 범주의 경계에 처할 수밖에 없는 문제적 인물이다. 바로 이 문제적 인물이 '금기와 위반'의 모티프의 존립 근거라고 할 수 있다.

셋째, 독자의 흥미를 유발할 수 있는 요인이 서로 다르다는 점이다.

즉 〈C-Ⅰ형〉 및 〈K-Ⅰ형〉에서는 ‘재난의 징조가 구현되는 방식’과 ‘인위적 조작’이 독자의 흥미를 끌어낸다면, 〈K-Ⅱ형〉에서는 며느리(혹은 아내, 딸)의 예상치 못한 죽음이 독자의 흥미를 끌어낸다. 따라서 전자에서는 ‘재난의 징조가 구현되는 방식’과 ‘인위적 조작’이 얼마나 기이한가가 중요하다면, 한국의 경우에는 며느리(혹은 아내. 딸)가 왜 죽음을 맞는가가 중요하다. 그렇다면 며느리(혹은 아내, 딸)의 죽음을 가장 극적으로 만들 수 있는 방법은 무엇일까? 그것은 새로운 삶으로 인도해준 이가 던져놓은, 도저히 뿌리칠 수 없는 유혹의 덫에 자신도 모르게 걸려드는 것이다.

그렇다면 금기와 금기의 위반은 어떤 문화적 의미를 갖는가?[27] 이를 살펴보기 위해 우리는 먼저 금기에 대해, 그리고 금기의 메카니즘에 대해 이해하지 않으면 안 된다. 사실 전 세계에서 전해지는 이야기 속의 금기는 그 이유도, 그 기원도 알 수 없는 경우가 많다. 물론 에덴동산에서 아담과 하와에게 선악과善惡果의 열매를 먹지도 만지지도 말라는 하나님의 금기는 ‘그것을 먹는 날에는 너희 눈이 밝아져 하나님과 같이 되어 선악을 알게 됨’이라는 이유가 제시되어 있다. 그러나 제우스가 판도라에게 상자를 주면서 ‘절대로 열어보지 말라’고 했던 금기나, 천사가 롯에게 ‘도망하여 생명을 보존하라. 돌아보거나 들에 머물지 말라’고 했던 금기에는 아무런 이유가 제시되어 있지 않다.

이처럼 금기는 아무 이유도, 기원도 알 수 없지만, 인간은 금기에 대한 두려움을 지님과 동시에 그것을 위반하고 싶은 욕망을 지니고 있다. 이러한 의미에서 금기는 불완전한 존재로서의 인간의 원초적 사고와 깊은 관계를 맺고 있으며, 사물에 대한 근본적인 사고방식을 보여주는 상징체계라고 할 수 있다. 인간의 원초적 사고는 기본적으로 ‘A’와 ‘비非A’라는 명확한 범주의 구분으로부터 시작한다. ‘A'와 ’비A'는 각각 배타적 고유성을 지니고 있는데, 아래와 같이 구체화할 수 있다.[28]

A	非A
신 나의 것 먹을 수 있는 것 만질 수 있는 것 결혼할 수 있는 대상	신이 아닌 것 나의 것이 아닌 것 먹을 수 없는 것 만질 수 없는 것 결혼할 수 없는 대상

그러나 만약 이러한 범주가 명확히 구분되지 않거나 구분이 애매해질 경우에는 금기의 메카니즘이 작동한다. 예컨대 '신'도 아니고 '신이 아닌 것'도 아닌 경우(이를테면 인간이 신의 고유성인 선악을 알 수 있는 능력을 지니게 되었을 때), '나의 것'도 아니고 '나의 것이 아닌 것'도 아닌 경우(이를테면 침과 땀, 월경과 똥), '먹을 수 있는 것'도 아니고 '먹을 수 없는 것'도 아닌 경우(이를테면 특정 종족에게 있어서의 돼지고기), '결혼할 수 있는 대상'도 아니고 '결혼할 수 없는 대상'도 아닌 경우(이를테면 부모나 형제 등의 근친)가 바로 그것이다. 이처럼 범주가 혼재되거나 범주의 경계에 놓인 존재는 불순하고 불결한 존재로 간주되어 금기의 대상이 된다.

그렇다면 함호형 홍수전설에서 금기의 대상은 무엇이며, 왜 금기의 대상이 되는 것일까? 함호형 홍수전설에서 'A'와 '비非A'의 경계지역에 있는 것은 다름 아닌 재난에서 살아남은 자이다. 이 생존자는 신성계가 아닌 범속계에 존재하고 있지만 신성성의 담지자에 의해 신성성의 자질을 지닌 자로 간주된다. 따라서 이 생존자는 범속성과 신성성이 혼재된 존재이다. '따라오되 뒤돌아보지 말라'는 사실상 금기 대상에게 제시된 구체적 행위일 뿐이다. 다시 말해 '뒤돌아보지 말라'는 '먹지 말라' '만지지 말라' '보지 말라' '결혼하지 말라' 등과 마찬가지로, 금기의 대상을 시험하는 장치이다.

금기의 위반이 이루어지는 것은 바로 금기의 대상이 숙명적으로 경계에 서 있기 때문이다. 스님을 따라가던 며느리(혹은 아내, 딸)는 고갯마루(혹은 산마루)에 올라선 순간, 스님이 제시한 금기를 어긴 채 뒤를 돌아보고 만다. 이때 며느리(혹은 아내, 딸)가 올라선 고갯마루(혹은 산마루)는 바로 '범속계'와 '신성계'가 나뉘는 공간적 경계이다. '신성계'로 들어서려는 순간, 며느리(혹은 아내, 딸)는 '범속계'를 떠올리는데, '범속계'에 대한 미련은 흔히 집안 식구의 안위安危, 집안일에 대한 걱정으로 나타난다. 스님의 '뒤돌아보지 말라'는 진술이 구체적 행위를 지시하는 표층의미라면, 이 진술의 심층의미는 '신성계'와 '범속계'의 혼재에 빠지지 말라는 것이다.

신성성의 담지자의 지시를 위반한 순간 며느리(혹은 아내, 딸)는 돌미륵(혹은 돌부처, 바위)으로 변한다. 이 변함은 일견 금기 위반에 대한 징벌처럼 보인다. 그러나 한국의 〈K-Ⅱ〉 계열에서는 징벌로만 해석하기에는 어려운 점이 있다. 즉 〈K-Ⅱ〉 계열의 상당수의 이야기에서는 며느리(혹은 아내, 딸)가 단순한 바위가 아니라, 돌미륵 혹은 돌부처로 변했다고 함으로써 신성성을 부여하고 있다는 것이다.[29] 아마도 이는 며느리(혹은 아내, 딸)의 세속적인 의미의 죽음을 안타깝게 여긴 전승집단이 그녀의 죽음에 바위의 영원불변성과 미륵 혹은 부처의 신성성을 동시에 부여한 것이라 보아도 좋을 것이다. 이렇게 본다면 돌미륵이나 돌부처로의 변화는 며느리(혹은 아내, 딸)의 죽음이 단순한 징벌이 아니라, 전혀 다른 범주로의 진입을 위해 필요한 정결의식淨潔儀式으로서 통과제의通過祭儀적 성격을 지니고 있다고 할 수 있다.

5. 나오면서

지금까지 한중 양국에서 특정 지역의 '함몰'과 '홍수'를 모티프로 하는 함호형 홍수전설의 양상과 특징을 중심으로 살펴보았다. 대체로 보아 중국의 함호형 홍수전설은 '이윤이 공상에서 태어나다伊尹生空桑'

의 이야기를 그 추형으로 하여 후한말後漢末 이후 정형화되었다고 할 수 있으며, 『회남자』, 『수신기』, 『태평광기』 및 『태평환우기』 등의 각종 옛 전적에 수록되어 있을 뿐만 아니라, 20세기 이후에 수차례에 걸쳐 채록·정리되었다. 한국의 함호형 홍수전설은 옛 전적에 수록된 경우는 보이지 않으며, 일본 강점기 및 20세기 후반에 채록·정리한 『한국구전설화』 및 『한국구비문학대계』에 수록되어 있을 뿐이다. 따라서 우리나라의 경우에서처럼 전설의 수집과 정리가 특정 시기로 한정되었을 경우, 관련된 전설 편수의 수량이 많지 않음은 물론 전설의 변이 혹은 발전 양상 또한 상대적으로 협소하게 나타날 수 있음을 고려해야 한다.

중국의 함호형 홍수전설은 크게 보아 두 가지 유형, 즉 재난의 예언과 재난 징조의 인위적 조작, 뒤이은 함몰과 홍수의 재난을 주요 줄거리로 하는 유형(〈C-Ⅰ형〉), 그리고 뱀의 양육과 뱀의 위해로 인한 양육자의 처벌, 뱀의 복수에 따른 함몰과 홍수의 재난을 주요 줄거리로 하는 유형(〈C-Ⅱ형〉)으로 나눌 수 있다. 반면 한국의 함호형 홍수전설 역시 크게 두 가지 유형, 즉 재난의 예언과 재난 징조의 인위적 조작, 뒤이은 함몰과 홍수의 재난을 주요 줄거리로 하는 유형(〈K-Ⅰ형〉, 광포형廣浦型), 그리고 스님에 대한 박대와 스님의 금기 제시, 함몰 및 홍수의 재난과 금기의 위반을 주요 줄거리로 하는 유형(〈K-Ⅱ형〉, 장자못형)으로 나눌 수 있다.

한중 양국의 이러한 유형상의 차이를 바탕으로, 양국의 함호형 홍수전설을 비교할 때 나타나는 특징적인 면모를 정리해보자. 첫째, 중국의 경우에는 〈C-Ⅰ형〉이 주류를 형성하면서 시대의 흐름을 따라 다양한 변이형으로 발전하고 있는 반면, 〈C-Ⅱ형〉은 소멸되었다는 점을 들 수 있다. 우리나라의 경우에는 〈K-Ⅰ형〉의 편수가 상대적으로 빈약하고, 〈K-Ⅱ형〉이 주류를 형성하고 있다. 아울러 뱀이 이야기의 중심을 이루고 있는 중국의 〈C-Ⅱ형〉은 우리나라에서 발견되지 않는 대신, 우리나라의 함호형 홍수전설의 대부분을 차지하고 있는

〈K-Ⅱ형〉은 중국에서 찾아보기 어렵다.

둘째, 〈C-Ⅰ형〉과 〈K-Ⅰ형〉은 이야기의 줄거리와 모티프가 동일하다는 점에서 유사성이 크게 두드러진다. 이들 유형의 전승지역은 각각 중국의 장강長江 유역인 안휘성安徽省과 절강성浙江省, 그리고 우리나라의 서해안 지역, 즉 '함몰'과 '홍수'의 모티프가 동시에 발생할 수 있는 지역적 특성을 똑같이 지니고 있다. 그러나 이와 같은 유사성에도 불구하고 〈K-Ⅰ형〉이 변이형을 만들어내지 못한 채 고정되어 있다면, 〈C-Ⅰ형〉은 시대의 흐름에 따라 변이형을 지속적으로 만들어내고 있다는 점이 크게 다르다. 즉 〈C-Ⅰ형〉은 재난의 징조가 구현되는 장소가 대중의 왕래가 빈번한 장소의 '문지방'에서 '돌거북', 다시 '돌사자'로 바뀌며, 이러한 변화는 거북과 사자에 대한 사회문화적 의미의 시대적 변화를 반영하고 있다. 물론 이러한 차이는 위에서 언급한 대로 전설을 수집·정리한 기간의 폭과 횟수의 차이에서 비롯된 것이다.

셋째, 중국의 함호형 홍수전설에서는 금기와 금기의 위반에 따른 징벌이 추형인 '이윤이 공상에서 태어나다伊尹生空桑'의 이야기뿐만 아니라 매우 드물게 〈C-Ⅰ형〉에도 등장하지만, 정형화된 단계 이후에는 약화되거나 소실되어 거의 등장하지 않는다. 반면 우리나라의 경우 금기와 금기의 위반에 따른 징벌이 같은 유형인 〈K-Ⅰ형〉에는 전혀 등장하지 않는 대신, 〈K-Ⅱ형〉에는 지속적으로 등장하여 주요한 모티프로 작동하고 있다. 〈K-Ⅱ형〉이 '스님에 대한 학대虐待 및 후대厚待'와 관련되어 있다는 점에서 권선징악적 도덕률의 선양이나 민간신앙화한 불교의 영향을 전혀 배제할 수는 없겠지만, 서사장치로서의 금기는 그것이 위반되어야만 반전의 묘미를 통해 범속계에 살고 있는 우리 모두의 동정 혹은 공감을 이끌어 낼 수 있는 장치가 될 수 있다.

한중 양국의 함몰형 전설을 전체적으로 살펴보면, 유사도가 매우 높은 〈C-Ⅰ형〉과 〈K-Ⅰ형〉의 경우 변이의 지속성 및 변이형의 다양성을 고려할 때 중국의 영향을 받았을 가능성이 매우 높다. 실제로 함호형 홍수전설을 많이 싣고 있는 중국의 전적 가운데, 『회남자』와

『수신기』의 최초 전입기록은 『고려사』(세가世家·제10·선종宣宗 8년)(1091년)에 보이고,[30] 『태평광기』에 대한 기록은 대체로 1100-1200년 사이에 한국에 전입되었으리라 보고 있다.[31] 반면 중국에서는 발견할 수 없는 〈K-Ⅱ형〉은 다른 나라, 특히 인도를 포함한 동남아시아로부터의 영향이 확인되지 않는다면 우리나라에서 자생하였을 가능성이 높다고 할 수 있다.

■ 주석

1) 중국의 陷湖型 전설의 하위 유형에 대한 분석은 이주노의 「중국의 陷沒型 홍수전설 試探」(『中國文學』 제64집, 2010.8)을 참조

2) 昔有老嫗, 常行仁義, 有二諸生過之, 謂曰: "此國當没爲湖." 谓嫗視東城門閫有血, 便走上北山, 勿顧也. 自此, 嫗便往視門閫. 閽者問之, 嫗對曰如是. 其暮, 門吏故殺鷄血涂門閫. 明旦, 老嫗早往視門, 見血, 便上北山, 國没爲湖. 與門吏言其事, 適一宿耳. (『淮南子·俶真訓』의 高誘 注)

3) 由拳縣, 秦時長水縣也. 始皇時, 童謠曰: "城門有血, 城當陷没爲湖." 有嫗聞之, 朝朝往窺. 門將欲縛之. 嫗言其故. 後門將以犬血涂門, 嫗見血, 便走去. 忽有大水欲没縣. 主簿令幹入白令. 令曰: "何忽作魚?" 幹曰: "明府亦作魚." 遂淪爲湖. (晉代 干寶의 『搜神記』卷十三)

4) 邛都縣下有一老姥, 家貧孤獨, 每食輒有小蛇, 頭上戴角, 在床間. 姥憐之, 飴之. 後稍長大, 遂長丈餘. 令有駿馬, 蛇遂吸殺之. 令因大憤恨, 責姥出蛇. 姥云: "在床下." 令即掘地, 愈深愈大而無所見. 令又遷怒殺姥. 蛇乃感人以靈言: "瞋令何殺我母, 當爲母報讐." 此後每夜, 輒聞若雷若風, 四十許日. 百姓相見咸驚, 語: "汝頭那忽戴鱼?" 是夜, 方四十里與城, 一時俱陷爲湖. 土人謂之曰陷河. 唯姥宅無恙, 訖今猶存. (『後漢書. 西南夷傳. 邛都夷』의 李賢 注, 李膺의 『益州記』 인용)

5) 武强縣有行於涂, 得一小蛇養之, 名擔生. 長而噬人. 里人遂補繫獄. 擔生負而奔, 邑淪爲湖, 縣官吏爲魚矣. (晉代 李石의 『續博物志』)

6) 손진태, 『조선민족설화의 연구』(서울: 을유문화사, 1947), 14-15쪽

7) 『韓國口碑文學大系』 1-4, 「돌부처의 피눈물」, 149-151쪽

8) 『韓國口碑文學大系』 7-6, 「장자못」, 56-57쪽

9) 권태효, 「'돌부처 눈 붉어지면 침몰하는 마을'담의 홍수설화적 성격과 위상」(『口碑文學硏究』 제6집, 1998년) 참조. 이 글에서는 손진태의 '廣浦傳說'을 포함하여 '돌부처 눈 붉어지면 침몰하는 마을'을 담은 고사들을 '廣浦型'이라 통칭하고자 한다.

10) 신동흔, 「설화의 금기 화소에 담긴 세계인식의 층위 -장자못 전설을 중심으로」(『비교민속학』 제33집, 2007.2.) 참조

11) 和州歷陽淪爲湖. 先是有書生遇一老姥. 姥待之厚. 生謂姥曰: "此縣門石龜眼出血, 此地當陷爲湖." 姥後數往視之. 門吏問姥, 姥俱答之. 吏以朱點龜眼. 姥見, 遂走上北山. 城遂陷焉. (梁 任昉, 『述異记』)

12) 淀山湖從前是個城池, 城里有個孝子, 非常孝順地供養他的母親. 有一晚, 孝子夢見一位老頭子對他說道: "這個城快要沉沒爲湖了, 你若見到城隍廟前石獅子眼中流血, 就是城沉的時間, 你赶快和你母親逃走, 因爲你是孝子, 所以特爲關照你." 這個歷歷如畫的夢境, 他不能不信, 所以每天淸晨到城隍廟前看看石獅子的眼睛, 有沒有流血. 有個殺猪的, 見他天天去看石獅子, 很是奇怪. 問明了他的原因, 殺猪的就和他開玩笑, 現把猪血涂在石獅子的眼里, 第二天淸早, 孝子一見石獅子眼中果然流了血, 馬上背了他的母親向東逃走. 那城就在孝子走後一步馬上沉沒了. 孝子走了三里多路才停止. 那城沉沒之後成爲淀山湖. 孝子停止的地方就是現在的朱家角. 那朱家角是青浦縣的一個大鎭, 鎭上却有城隍廟, 此廟就是淀山湖中的舊城隍廟. 馬昌儀, 劉錫誠, 『石與石

神』(北京: 學苑出版社, 1994), 122-123쪽. 이 전설은 陳志良이 1929년에 上海 인근의 青浦縣에서 수집·채록했다.

13) 陷湖型 傳說에서 돌거북이 등장하는 변이형은 늦어도 晉代에 출현하여 唐宋代까지 유행하였으며, 돌사자가 등장하는 변이형은 명대 이후에 나타났으리라 본다. 돌거북과 돌사자로 변이되는 양상 및 그것의 문화적 의미에 대해서는 이주노, 앞의 글, 「중국의 陷沒型 홍수전설 試探」을 참조하시오.

14) 『韓國口碑文學大系』 1-7, 「놋다리 이야기」, 182-183쪽

15) 『韓國口碑文學大系』 8-3, 「도사가 가르쳐준 우물」 356-358쪽

16) 古巢, 一日江水暴漲, 尋復故道. 港有巨魚, 重萬斤, 三日乃死. 合郡皆食之. 一老姥獨不食. 忽有老叟曰: "此吾子也, 不幸罹此祸, 汝獨不食, 吾厚報汝. 若東門石龜目赤, 城當陷." 姥日往視. 有稚子訝之, 姥以告實. 稚子欺之, 以朱傅龜目. 姥見, 急出城. 有青衣童子曰: "吾龍之子." 乃引姥登山, 而城陷爲湖.

17) 『韓國口碑文學大系』 8-13, 「잉어의 보복으로 만들어진 못」, 152-153쪽

18) 『韓國口碑文學大系』 3-3, 「황지 '구멍소'의 전설」, 445-446쪽

19) 『韓國口碑文學大系』 6-3, 「황지 전설」, 259-260쪽

20) 其母居伊水之上, 孕, 梦有神告之曰: "臼水出而東走, **勿顧**." 明日, 视臼水出, 告其隣; 東走十里, 而**顧**其邑, 盡爲水. 身因**化爲空桑**. (『吕氏春秋·孝行覽·本味篇』)

21) 伊尹母居伊水之上, 既孕, 夢有神告之曰: "臼水出而東走, **無顧**!" 明日視臼出水, 告其鄰, 東走, 十里而**顧**, 其邑盡爲水, 身因**化爲空桑**.

22) 小子谓伊尹. 媵, 送也. 言伊尹母妊身, 梦神女告之曰: "臼竈生鼃, 亟去**無顾**!" 居無幾何, 臼竈中生鼃. 母去, 东走. **顾**视其邑, 尽为大水. 母因**溺死**, 化为空桑之木. 水乾之後, 有小兒啼, 水涯人取养之. 既长大, 有殊才. 有莘恶伊尹从木中出, 因以送女也.

23) 歷陽, 淮南縣也. 有一人告歷陽母曰: '見城門有血則走, **無顧**.' 此後門吏故汚血於門限, 母便上北山, 縣果陷水中, 母遂**化作石**也. (唐 馬總 『意林』卷二 引『淮南子·俶真训』)

24) 伊尹且生之时, 其母梦人谓己曰: "臼出水, 疾东走, **毋顾**." 明旦视臼出水, 即东走十里, **顾**其乡, 皆为水矣. (王充, 『論衡·吉驗篇』

25) 昔有莘氏女采桑于伊川, 得嬰儿于空桑中, 言其母孕于伊水之滨, 夢神告之曰: 臼水出而東走. 母明视而見臼水出焉. 告其隣居而走, **顧**望其邑, 咸为水矣. 其母**化为空桑**, 子在其中矣.('又東北過陸渾縣南'의 주석)

26) 대표적으로 「영산 장자늪」(『韓國口碑文學大系』 8-11, 385-386쪽)과 「삭실늪이 생긴 유래」(『韓國口碑文學大系』 8-11, 168-170쪽)를 들 수 있다.

27) 우리나라에서 장자못전설 속의 금기와 위반의 의미에 대한 기존의 연구성과를 정리한 논문으로는 신동흔의 「설화의 금기 화소에 담긴 세계인식의 층위」(『비교민속학』 제33집, 2007.2)와 김혜정의 「'장자못 전설'의 전파력 연구 -'돌부처 눈 붉어지면 침몰하는 마을' 설화와의 비교를 중심으로」(『구비문학연구』 제28집, 2009.6)를 참조하시오.

28) 야마우치 히사시 지음, 정성호 옮김, 『터부의 수수께끼』(서울: 사람과사람, 1997) 제4장 '문화상징과 터부' 및 제5장 '터부의 암호를 풀어라'를 참조

29) 이처럼 돌미륵 혹은 돌부처로 변하였다는 이야기들은 주로 경기도, 강원도, 경상남북도, 충청북도 지역에서 주로 나타나고, 북한을 포함한 기타 지역에서는 나타나지 않는다. 이러한 점이 지역적 민간신앙 혹은 불교와 직접적인 관련이 있는지 연구할 만한 가치가 있다고 본다.

30) 閔寬東, 『中國古典小說在韓國之傳播』(上海: 學林出版社, 1998), 239쪽 참조

31) 위의 책, 244쪽 참조

11 동아시아 및 인도의 홍수남매혼 신화

1. 들어가면서
2. 중국의 홍수남매혼 신화
3. 동남아시아의 홍수남매혼 신화
4. 대만과 류큐열도의 홍수남매혼 신화
5. 인도의 홍수남매혼 신화
6. 나오면서

1. 들어가면서

인류학자들이 오랫동안 관심을 갖고 연구했던 주제는 인간은 왜 종교를 갖게 되었을까, 그리고 사회라는 집단생활의 기초인 가족은 어떻게 만들어졌을까 등이었다. 이른바 종교와 친족의 기원과 양상에 관한 관심이라고 할 수 있을 것이다. 친족의 명칭과 제도에 대한 연구는 당연하게도 혈연관계와 혼인제도를 바탕으로 이루어지지 않으면 안 되었다. 19세기 인류학자 가운데 이 분야의 연구를 이끌었던 학자로는 모건L. H. Morgan을 들 수 있으며, 그의 『인류가족의 혈연과 인척 관계의 체계(*Systems of Consanguinity and Affinity of Human Family*)』(1871년)와 『고대사회(*Ancient Society*)』(1877년)는 이 분야의 기념비적 업적이라 할 수 있다.

모건의 『고대사회』에 따르면, 인류의 가족관념은 다섯 단계를 거쳐 진화하였다. 즉 난교亂交상태에서 부모와 자녀 사이의 근친상간을 금지함으로써 생겨난 공동체 가족이 제1단계(혈연가족)이고, 남자집단과 여자집단이 혼인하되 친형제자매간의 혼인을 금지함으로써 생겨난 집단외혼 가족이 제2단계(푸날루아 가족)이며, 외혼제 아래 남녀가 개별적으로 혼인하지만 배타적 동거가 이루어지지 않는 대우혼對偶婚 가족이 제3단계(신디아스미아 가족)이다. 이어 한 명의 남자와 여러 명의 아내의 혼인을 기초로 하는 가부장제 가족이 제4단계로 나타나고, 마지막으로 인류가 문명단계에 접어들어 일부일처제 가족이 나타난다는 것이다.[1)]

이 지점에서 우리의 눈길을 끄는 것은 친형제자매간의 혼인을 금지하는 가족형태인데, 남매간의 금혼이 제도화되었던 까닭은 무엇일까? 남매혼의 금제禁制를 둘러싸고 많은 연구자들이 다양한 견해를 제기하고 있다. 이를테면 웨스터마크E. A. Westermarck는 '어릴 때부터 가까이 살아온 사람 간의 상호성교에 대한 성애욕의 결여와 혐오감'을 남매혼 금제의 원인으로 제시하고 있다.[2)] 또한 모건은 "혼인에 기초를 두고 있는 친족 관계를 승인하는 집단이 커지면 커질수록 점점 근친 번식의 폐해는 적어진다"[3]고 밝힘으로써, 남매혼의 경우 근친 번식의 폐해가 일어날 가능성이 높다는 것을 금제의 원인으로 제시하고 있다.

남매혼과 같은 근친상간의 금제에 대한 이러한 설명은 도덕적 혹은 심리학적 해석이나 생물학적 해석에 속한다고 할 수 있다. 이러한 해석과 달리, 레비 스트로스Claude Levi Strauss는 프랑스 사회학자 모스Marcel Mauss의 증여에 관한 이론을 성적 관계로 변용하여 남매혼을 금지하는 사회의 기본구조를 분석한다. 즉 한 집단의 근친 금혼이 제도화하는 것은 이를 통해 사회적으로, 그리고 경제적으로 이익을 얻을 수 있기 때문이다. 여자를 집단 간에 교환할 수 있는 기호로 간주하여, 이 기호들을 교환함으로써 공통적인 유대와 협력관계를 얻을 수 있다. 다시 말해 남매혼의 금제에는 호혜성의 원칙(rule of reciprocity)이라는 교환구조가 깔려 있다는 것이다.[4]

이처럼 남매혼은 훗날 금제의 대상이 되었지만, 원시적인 가족형태에서는 근친상간의 금기가 없었음은 물론, 형제와 자매는 최초의 부부였으며 부모와 자녀 간의 성교도 허용되고 있었다.[5] 그렇다면 남매혼과 이에 대한 금제에 대해 고대 원시인류는 어떻게 생각하였을까? 이에 대한 원시인류의 사고는 역사적 유물의 발굴에 의지하기보다는, 구전되어온 신화와 전설을 분석함으로써 가능하지 않을까? 적어도 신화와 전설에는 남매혼에 대한 원시인류의 사고가 비록 온전하지 않더라도 희미하게나마 남아 있을 것이다.

남매혼 가운데에서 신 혹은 신격 간의 남매혼은 세계 곳곳의 신화에서 흔히 살펴볼 수 있다. 이를테면 우리에게 널리 알려진 그리스신화의 주신인 제우스Zeus는 누나인 여신 헤라Hêra와 결혼하였으며, 이집트신화의 사자死者와 부활의 신인 오시리스Osiris는 만물의 창조신인 여동생 이시스Isis를 아내로 맞이한다. 일본신화의 창조신인 이자나기伊邪那岐命와 이자나미伊邪那美는 남매로 함께 태어났다가 부부가 된다.

남매로서 부부가 된 신들은 세계를 창조하고 만물을 낳으며 카오스를 코스모스로 바꾸는 창조주의 역할을 담당한다. 창조주인 이들은 혈통의 순수성과 신성성神聖性을 유지하기 위해 남매이지만 부부로 맺어지는 것이 당연하게 받아들여진다.

이에 반해 인간의 남매혼은 우선적으로 인간이 창조주의 피조물이라는 점을 전제로 한다. 전지전능하고 무소불위의 힘을 지닌 창조주와 달리, 인간은 재난에 무력하며 창조주의 섭리와 의지에 복종하지 않으면 안 되는 존재이다. 인간 남매의 혼인은 대체로 세상의 종말을 가져온 대재난의 발생으로 말미암아 부득이 남매끼리 혼인할 수밖에 없는 불가피한 상황에서 이루어진다. 여러 가지 재난 가운데에서도 신화나 전설에서 가장 많이 언급되는 재난은 홍수라고 할 수 있다. 이러한 홍수남매혼 유형의 설화는 대체로 홍수의 대재난 속에서 남매만이 살아남아 혼인한 끝에 인류를 재전승한다는 내용을 담고 있다.

중국학자 가운데 홍수남매혼 설화에 대해 전문적으로 연구한 학자로 루이이푸芮逸夫를 들 수 있다. 그는 1938년에 발표한 「먀오족의 홍수이야기와 복희·여와의 전설苗族的洪水故事與伏羲女媧的傳說」이라는 글에서 다음과 같이 밝히고 있다.

> 이들 홍수 이야기는 모두 대동소이하게 남매(兄妹, 姊弟)가 짝을 이루어 인류를 전한 신화이다. 구드S. Baring Gould씨의 인도유럽 민간고사의 분류방법에 따라, 이들 홍수 이야기를 전술한 먀요족의 홍수 이야기와 동일 형식의 이야기로 포함시킬 수 있으며, 이를 '남매배우형男妹配偶型' 홍수 이야기라고 일컬을 수 있다. 이 형식의 홍수 이야기의 지리분포는 대략 북쪽으로 중국 본토에서 남쪽으로 남양군도에 이르고, 서쪽으로 인도 중부로부터 동쪽으로 대만 섬에 이른다.…… 이른바 동남아시아 문화구(culture area)의 범위 이내에서 지리적으로 살펴보면 그 문화중심(culture center)은 중국 본토의 서남부임에 틀림없다. 그래서 나는 남매배우형 홍수 이야기가 중국의 서남부에서 기원하여 사방으로 전파되었을 것이라고 추측한다.[6]

루이이푸는 이 글에서 이러한 주장을 위해 대만과 인도지나반도는 물론 보르네오와 인도에서 채집된 홍수남매혼 신화를 근거로 제시하고 있다. 그러나 이러한 근거는 이 유형의 지리적 분포를 입증해줄 수는 있을지라도 전파의 경로를 밝혀주기에는 미흡하다. 루이이푸는 이들 설화에 공통적으로 나타나는 구성요소, 즉 홍수의 발생과 남매의 생존, 남매의 결혼과 인류의 재전승 등을 주목하고 있을 뿐, 중국의 서남부 기원설의 근거가 무엇인지 명확히 밝히고 있지는 않다. 이러함에도 불구하고 루이이푸의 이 글이 발표된 이래 홍수남매혼 설화의 연구자들은 그의 주장을 별다른 의심 없이 정설로서 받아들이고 있다.[7)]

그렇다면 전파의 경로를 보다 명확히 추정하기 위해서는 어떤 작업과 방법이 수행되어야 할까? 우선, 비록 홍수남매혼 신화의 주요 구성요소를 동일하게 지니고 있을지라도, 각 지역의 신화마다 상이한 모티프와 에피소드를 곁들이고 있다는 점에 주목하여 지역별 차이를 밝혀내고, 아울러 지역별 차이가 나타내는 문화적 의미망을 살펴볼 필요가 있다. 그리고 신화 서사의 보편적 원리, 이를테면 단순한 구조에서 복잡한 구조로의 이야기의 발전 등에 근거하여 홍수 서사의 전파 경로를 추정해볼 수 있다. 이 글은 이러한 문제의식을 바탕으로 동아시아와 인도에 전승되어온 홍수남매혼 신화를 크게 네 지역으로 구분하여 그 상이한 양상을 살펴보고자 한다.

2. 중국의 홍수남매혼 신화

홍수남매혼 신화란 일반적으로 홍수의 재난 속에서 살아남은 남매가 결혼하여 인류를 재창조하는 신화를 가리킨다. 그리하여 홍수남매혼 신화의 기본적인 서사는 ㉠ 홍수의 발생 - ㉡ 남매의 생존 - ㉢ 남매의 결혼 - ㉣ 인류의 재창조 등의 네 가지 구성요소로 이루어진다. 중국의 홍수남매혼 신화에 나타나는 가장 단순한 기본형의 홍수남매혼 신화를 아래에서 살펴보자.

> 홍수가 나서 지상의 모든 사람이 죽고 여와女媧와 그녀의 오빠만이 살아남았다. 훗날 남매는 결혼하여 아이를 길렀다. 그런데 아홉 달만에 아이 한 명을 낳는다면, 언제 천하를 사람들로 가득 채울 수 있겠는가? 그래서 여와는 진흙으로 사람을 빚어 햇볕에 말린 다음 숨을 불어넣어 사람으로 만들기로 하였다. 어느 날 폭우가 쏟아졌는데, 많은 진흙인형을 햇볕에 말리지 못한 채 놓아둔 바람에 장애인이 생겨났다.(한족, 河北省 涉縣)[8]

위의 이야기는 홍수남매혼 신화의 원형적인 구성요소 외에, 인류의 재창조와 관련된 여와의 활동을 상대적으로 많은 편폭을 들여 서술하고 있다. 인류 재창조와 관련된 이 에피소드는 후한말後漢末 응소應劭가 집록한 『풍속통의風俗通義』의 내용[9]을 약간 변형하여 싣고 있다. 중국의 홍수남매혼 신화는 이러한 기본적인 구성요소에 남매의 결혼을 위해 천의天意를 묻고 징험이 나타나는 '천의 묻기와 징험'의 모티프를 추가하거나, 남매가 결혼한 후에 이물異物을 출산하는 '이물 출산'의 모티프를 추가하기도 한다. 기본적인 서사구조에 이러한 모티프를 두루 갖춘 홍수남매혼 신화를 아래에서 살펴보기로 하자.

> 아주 오랜 옛날, 이레 동안 주야로 비가 내려 홍수가 났는데, 제비 한 쌍이 복희伏羲 남매를 커다란 조롱박에 들어가게 한 덕분에 살아남아 천문天門에 이르렀다. 선인仙人이 망망한 물을 막대기로 내리치자 홍수는 반쯤 물러갔으며, 선인은 바다의 용왕에게 내일까지 물이 흐르지 않도록 물을 내보내라고 명령하였다. 하늘을 순찰하던 선인은 거북을 만났는데, 거북이 3리를 더 가면 인간을 만날 수 있다고 알려주었다. 복희 남매를 만난 선인은 두 사람에게 결혼을 권유하였으나, 남매는 결혼에 반대하였다. 선인은 강 양쪽 언덕에 나뭇가지를 쌓아 불을 붙이고서 양쪽의 연기가 합쳐지면 결혼하라고 했는데, 양쪽 연기

가 합쳐졌다. 복희 남매는 하늘의 뜻임을 깨닫고서 결혼하여 얼마 후 조롱박 모양의 살덩어리를 낳았다. 깜짝 놀란 두 사람은 건들지 않고 내버려두었는데, 구주옥녀九州玉女가 이를 알고서 칼로 살덩어리를 잘게 썰어 대지 곳곳에 뿌리자 이것이 360개의 성씨가 되었다.(야오족瑤族, 廣東省 連南瑤族自治縣)[10]

위의 이야기에서 엿볼 수 있듯이, 남매의 생존을 도와주는 조력자가 등장하기도 하고, 인류의 재전승을 위해 남매에게 결혼을 권유하는 신 혹은 신격이 등장하기도 한다. 위의 이야기와 유사한 신화들을 살펴보면, '천의 묻기와 징험'의 모티프는 '맷돌 혹은 절구 굴려 합쳐지기', '활을 쏘아 바늘구멍 맞추기', '바늘에 실 꿰기', '누이를 뒤쫓아 따라잡기' 등으로 변형되는데, 이들 변형은 모두 남녀의 교구交媾를 상징하는 행위라는 특성을 지니고 있다. 또한 '이물 출산'의 모티프 역시 가죽끈이나 숫돌, 맷돌, 조롱박 등의 출산으로 변형되는데, 이들은 칼로 자르거나 도구로 깨트리면 여러 조각으로 분할될 수 있는 물건이라는 공통점을 지니고 있다.

이러한 서사구조에서 한 걸음 더 나아가 홍수의 발생 원인과 관련된 에피소드로서 홍수가 일어나기 이전의 사건이 추가되기도 한다. 추가된 에피소드를 통해 홍수의 징조, 홍수의 피신수단 등이 예고되기도 하는데, 이를 대표하는 신화를 살펴보도록 하자.

누이와 남동생이 학교에 다니는 길에 1년 동안 패방牌坊 아래의 돌사자의 입에 밥을 한 덩어리씩 넣어주었다. 어느 날 노파가 돌사자 앞에서 선 채 누이에게 8월 15일에 홍수가 날 것이며, 돌사자의 눈이 동그래지고 입이 커지면 그 안으로 들어가 비를 피하라고 알려준다. 8월 15일 되어 남매가 돌사자의 입속으로 들어가자, 그 안에는 마른 음식이 마련되어 있는지라 1년 동안 안에서 지낼 수가 있었다. 1년 후 밖으로 나온 남매는 길을 가다가 노파로 변신한 신선을 만났는데, 노파는 두 사람에게 결혼을 권유하였다. 남매가 노파의 권유를 거절하자,

노파는 맷돌을 굴려 합쳐지면 부부가 되기로 하였다. 맷돌을 굴려 합쳐지는지라 남매는 결국 결혼하였으며, 얼마 후 살덩어리를 낳았다. 노파는 살덩어리를 100조각으로 잘게 자른 뒤 물 한 그릇을 가져와 입에 머금고서 내뿜었다. 그러자 100개의 살 조각은 100명의 남자로 변하였으며, 노파는 각각에게 성을 붙여주었다. 남매가 두 번째로 살덩어리를 낳았을 때, 누이 자신이 직접 80조각으로 자른 뒤 노파와 똑같이 행하여 80명의 여자를 만들었는데, 이것이 남녀의 수가 다른 까닭이다.(한족, 浙江省 泰順縣)[11]

위의 이야기는 돌사자의 눈이 동그래지고 입이 커지는 이적異蹟을 통해 홍수를 예고하고 돌사자의 입속이라는 피신수단을 제시하고 있다. 이러한 '돌사자의 이적'에 의한 홍수의 전조前兆와 피난수단의 예고를 서술한 에피소드가 홍수의 발생에 앞서 부가되었을 뿐, 그 이후의 서사의 구성요소는 앞에서 살펴본 이야기와 마찬가지로 '남매의 생존' - '남매의 결혼' - '인류의 재창조'의 기본적인 서사구조에 '천의 묻기와 징험'의 모티프와 '이물 출산'의 모티프가 추가로 부가되어 있다. 위의 이야기의 유사형에서 '돌사자의 이적'은 흔히 돌사자의 눈이 붉어지는 것으로도 나타나며, 돌사자 대신에 돌거북, 돌암퇘지, 돌인형 등으로 변형되기도 한다. 또한 '인류의 재창조'에서 '이물의 출산'을 대신하여 황토로 인간을 빚어 만든 여와의 인류 창조의 모티프가 개입되기도 한다.

'돌사자의 이적'의 에피소드는 '어느 지방의 성황당 앞의 돌사자의 눈에 피가 흐르면 성이 가라앉을 터이니 서둘러 달아나야 한다'는 함몰형 홍수전설과 동일한 모티프를 운용하고 있다. 이 모티프는 그 원류를 거슬러 올라가면 '역양歷陽이 함몰되어 호수가 되었다'는 전설과 만나게 되는데, '역양의 동쪽 성문 문지방에 피가 묻은 것을 보면 북쪽 산으로 도망하되 돌아보지 말라'는 예고를 무시하고 이에 대한 인위적 조작(문지방에 닭의 피를 바름)이 행해진 결과 마을이 함몰되었다는 것이다.[12]

홍수가 발생하기 이전의 사건을 에피소드로 부가한 홍수남매혼 신화에서는 '돌사자의 이적'의 에피소드 외에도 다양한 에피소드를 제시하기도 한다. 이를테면 '뇌공雷公과 인간의 분규'를 다룬 에피소드, 형제들이 종일토록 밭을 갈았지만 이튿날이면 원상으로 회복되는 '원상회복의 이적'의 에피소드, 기이한 새가 나타나 조롱박을 심으라고 권유하는 에피소드 등이 그것이다. 여기에서는 여러 에피소드를 대표하여 '뇌공과 인간의 분규'를 다룬 에피소드를 간략히 소개하고자 한다.

> 아주 오랜 옛날, 천상의 뇌공은 지상의 아페이궈번阿陪果本이라는 사람과 의형제를 맺어 그의 집을 자주 방문하였다. 뇌공은 닭을 몹시 싫어하여 닭고기를 전혀 먹지 않았는데, 아페이궈번이 일부러 닭요리를 준비한 후 뇌공을 식사에 초대하였다. 뇌공이 닭요리를 맛있게 먹자, 아페이궈번은 그가 먹는 음식이 닭요리라고 알려주었다. 뇌공은 크게 화를 내면서 아페이궈번을 두 동강 내버리겠다고 말했다. 이에 아페이궈번은 뇌공에게 7년간 보슬비를 내리게 하고 자신의 집 지붕을 통해 지상으로 내려올 것을 조건으로 내걸어 그의 도전을 받아들인다. 뇌공이 천상으로 떠난 후, 아페이궈번은 날마다 오동나무와 구나무의 껍질을 구하여 지붕을 덮었으며 처마 아래에 깊은 도랑을 팠다. 7년 동안 보슬비를 맞아 지붕은 미끄러운 이끼로 가득 덮였다. 마침내 때가 되자 뇌공이 도끼를 들고 아페이궈번을 베러 왔으나, 지붕을 밟자마자 미끄러져 도랑에 빠지고 말았다. 아페이궈번은 재빨리 뇌공을 붙잡아 철창에 가둔 다음, 뇌공을 절일 소금을 사러 나가면서 아들과 딸에게 절대로 뇌공에게 불씨를 주지 말라고 당부하였다. 철창에 갇힌 뇌공은 남매에게 담배를 필 수 있도록 불씨를 달라고 요청하지만, 남매는 아버지의 당부를 떠올리고서 거절하였다. 그러자 뇌공은 불씨를 물에 담군 후에 주면 되지 않느냐고 남매에게 애걸하였다. 남매는 뇌공을 가엾게 여겨 불씨를 물에 담군 후에 주었지만 뇌공은 불씨가 꺼지기 전에 불을 살려내 철창을 녹여 도망쳤다. 아페이궈번의 집에서 도망친 뇌공은 홍수를 내려 아페이궈번을 죽일 계획을 세웠으며, 자신의 생명을 구해준 남매에게 몰래 호박씨를 주어 정원에 심게 하고 얼마 후 커다란 호박을 따게 되었다. 뇌공은 남매에게 홍수가 질

때 호박꼭지를 떼어내 호박 속에 들어가 앉아 있으면 생명을 보전할 수 있을 것이라고 말해주었다.(먀오족苗族, 湖南省 花垣縣 猫兒鄉)[13]

지금까지 중국의 홍수남매혼 신화의 서사구조를 가장 단순한 기본형에서부터 모티프 및 에피소드가 추가된 부가형에 이르기까지 살펴보았다. 중국의 홍수남매혼에서 가장 자주 등장하는 서사구조는 '홍수의 발생' - '남매의 생존' - '천의 묻기와 징험' - '남매의 결혼' - '이물의 출산' - '인류의 재창조'의 구성요소로 이루어져 있다. 중국의 홍수남매혼 신화를 특징짓는 모티프는 남매의 근친상간과 관련된 '천의 묻기와 징험'과 '이물의 출산'이라는 모티프이며, 이 두 가지 모티프와 관련된 에피소드가 신화의 서사를 이끌어가는 주요 동력이다. 중국의 홍수남매혼 신화에서 '천의 묻기와 징험'이 기본적으로 근친상간의 위반에 따른 절대자의 징벌에 대한 심리적 방어기제 혹은 근친상간을 정당화하기 위한 자기합리화라는 의미를 지니고 있다면, '이물의 출산'은 천의를 얻었음에도 불구하고 씻어낼 수 없는 심리적 불안의 등가물이자 통과의례적 산물이라 할 수 있다.

3. 동남아시아의 홍수남매혼 신화

동남아시아 신화를 연구할 때 종교문화, 언어문자 및 민족기원 등을 고려하여 크게 대륙부(베트남, 라오스, 캄보디아, 태국, 미얀마를 포함)와 도서부(말레이시아, 싱가포르, 브루나이, 인도네시아, 필리핀을 포함)로 나누어 살펴볼 필요가 있다. 아울러 현재의 국경을 초월하여 동남아 곳곳에 산재하는 과계跨界민족이 많다는 점을 고려하여 국가 단위가 아니라 동남아 전체를 하나의 단위로 살펴보는 것 또한 설화의 전체 양상을 연구할 때 도움이 될 것이다.[14] 이 글에서는 이러한 점을 감안하여 우선 동남아 대륙부의 홍수남매혼 신화의 양상을 살펴보기로 하자.

> Chang Lo Co가 바나나 잎으로 만든 지붕을 덮은 집을 짓자, 그 집을 부수기 위해 천둥 족장이 수탉으로 변신하여 집 꼭대기에 내려왔으나 땅바닥으로 미끄러져 Chang에게 사로잡히고 말았다. 이튿날 Chang은 수탉을 잡아 잔치를 열려고 술을 사러 시장에 갔다. 집에 남아 있던 Chang의 어린 아들 Phuc Hy는 한 남자가 우리에 갇혀 있는 것을 발견하고서 그에게 다가갔다. 천둥 족장은 몹시 목이 마른 시늉을 하면서 마실 물을 달라고 요청했으며, 어린 아들은 그에게 물을 가져다주었다. 물을 마신 후 천둥 족장은 기력을 회복하여 우리를 부수고 빠져나오더니, 그를 구해준 보답으로 아이에게 이빨 하나를 주면서 그것을 심어 일곱 날이 지나 박이 열리면 박 안에 숨으라고 말했다. Phuc Hy와 그의 여동생은 그가 시킨 대로 행하여 이레째가 되자 박이 매우 커졌으며, 거센 비가 내리고 세찬 바람이 불자 남매는 박 안으로 들어갔다. Chang은 천둥 족장이 보복하리란 것을 잘 알고 있었기에 뗏목을 만들어 하늘문에 이르러 천둥 족장과 싸웠지만, 세찬 물살에 뗏목이 산과 충돌하는 바람에 머리가 으깨져 죽고 말았다. 남매를 실은 박은 Con Lun 산에 내렸다. 그들은 각각 자신들을 위한 짝을 찾았으나 끝내 만날 수 없었다. 어느 날 오빠는 금거북을 만났다. 거북은 두 사람이 인류를 전하기 위해 결혼할 것을 권하였다. 그 제안에 화가 난 오빠는 돌을 던져 거북을 껍질을 부쉈지만, 깨진 흔적을 남긴 채 곧바로 거북은 원래의 모습을 되찾았다. 그러자 대나무가 그들에게 똑같은 권유를 하였다. 오빠는 또 화가 나서 칼로 조각조각 잘랐지만, 역시 잘린 흔적을 남긴 채 원래의 모습을 되찾았다. 깜짝 놀란 오빠는 누이에게 이것들은 그들에게 결혼하라는 하늘로부터의 징조라고 말했으나 여동생은 거절했다. 그날 밤 남매는 개울의 양편으로 잠자러 갔으며, 개울물이 서로를 갈라놓고 있었다. 그러나 그들이 잠들었을 때 두 개의 나무가 그들의 배에서 자라나 한데 얽혔다. 3년 석 달 사흘이 흐른 후, 그녀는 박을 낳았다. 오빠는 아내에게 박을 잘라 씨앗을 곳곳에 심자고 말했다. 아내는 저지대에 씨앗을 심기 시작했는데, 그녀가 고지대에 이르렀을 때 씨앗이 얼마 남지 않았다. 이것이 평원지대의 인구는 많음에 반해 산악지역에 사는 인구가 훨씬 적은 까닭이다.[15]

위의 이야기는 베트남 북쪽에 거주하는 야오족Yao의 홍수남매혼 신화이다. 이 신화에 등장하는 Chang Lo Co와 천둥 족장은 중국 서남부의 홍수남매혼 신화에 흔히 등장하는 장궈라오張果老와 뇌공일 터인데, 전승과정에서 장궈라오張果老가 짱로꼬Chang Lo Co로 와전되었을 뿐이다. 아울러 생존한 사내아이의 이름 '푹히Phuc Hy'는 복희伏羲의 현지어음이고, 남매가 표착한 꼰룬ConLun산 역시 곤륜산崑崙山의 현지어음으로 추정된다. 이뿐만 아니라 베트남의 야오족이 중국 서남부에 거주하는 야오족瑤族의 일족이란 점을 고려한다면, 위의 설화는 중국의 홍수남매혼 설화가 민족의 이동에 따라 베트남에 전파된 것이라 보아도 좋을 것이다.

위의 설화에는 홍수남매혼 신화의 기본적인 구성요소가 잘 갖추어져 있다. 전체적으로 본다면 홍수발생의 원인으로서 Chang Lo Co와 천둥 족장의 갈등, 홍수 예고와 피신수단의 제시, 남매의 생존, 천의 묻기와 징험, 남매의 결혼, 그리고 이물의 출산과 인류의 재창조 등을 담고 있다. 그런데 이러한 서사 가운데에서도 천의를 확인하는 에피소드에서는 거북과 대나무가 결혼권유자로 등장하여 각각 이적異蹟을 보이고 격리된 두 사람의 배에서 자라난 두 그루가 나무가 한데 얽힘으로써 '천의 묻기와 징험'의 모티프를 완성하고 있는데, 이 과정에서 거북과 대나무의 외형적 특성에 대한 기원설화를 아울러 서술하고 있다.

위의 신화와의 유사형에서는 '천의 묻기'에 해당하는 에피소드를 통해 홍수에서 생존한 남매가 각각 따로 잠을 자지만 깨어나면 함께 누워있는 이적이 일어나고 마침내 백발노인으로 변장한 천신이 남매에게 나타나 인류의 전승을 위해 결혼할 것을 권유한다.[16] 또 다른 신화에서는 남매가 바위를 굴리고 바늘을 던지는 방식에 따라 천의를 묻기로 하였는 바, 산 위에서 굴린 바위 두 개가 산 아래에 딱 붙은 채 멈추어서고 하늘로 던진 바늘이 동시에 한 군데로 떨어지는 징험에 의해 혼인하기로 한다.[17] 이들 신화들은 모두 중국의 홍수남매혼 신화의 전파 혹은 영향을 보여주는 예라고 할 수 있다.

그렇다면 동남아시아의 원주민의 홍수남매혼 신화는 어떠할까? 그 일례로 라오스 북부의 원주민인 커무족Khmu의 홍수남매혼 신화를 살펴보기로 하자.

> 옛날 호박촌에 오빠와 누이 두 사람이 살고 있었는데, 어느 날 두 사람은 숲속에서 다람쥐 한 마리를 잡았다. 다람쥐는 그들에게 놓아달라고 사정하면서 머잖아 홍수가 닥칠 것이니 속이 빈 나무줄기를 구해놓으라고 알려주었다. 남매는 다람쥐를 놓아주고 그의 말에 따라 홍수를 대비하였다. 오래지 않아 과연 홍수가 밀어닥쳐 오직 남매만이 살아남았다. 인류가 끊어질 위기 앞에서 새 한 마리가 날아와 남매에게 부부가 되어 인류를 구할 것을 권하였다. 오누이는 재삼 생각한 끝에 새의 권유를 받아들였으며, 결혼 후 얼마 지나지 않아 아내는 두 개의 커다란 호박을 낳았다. 어느 날 아내가 쌀을 찧다가 절굿공이가 손안에서 빠져나가는 바람에 호박에 구멍을 내고 말았다. 그런데 놀랍게도 호박 안에서 계속해서 타이족泰族, 리족黎族, 라오족佬族이 걸어나왔다. 깜짝 놀란 아내가 쇠몽둥이를 빨갛게 달구어 다른 호박에도 커다란 구멍을 내고 말았다. 그러자 여러 명의 커무족이 호박안에서 걸어나왔다. 이들의 몸에 호박 입구의 재가 묻어 있었기 때문에 모두의 피부가 까무잡잡했다.[18)]

위의 이야기는 베트남 서북부에 거주하는 커무족, 그리고 태국 북부의 도시인 람빵Lampang의 카무족Kammu에게서도 거의 유사하게 전승되고 있는데, 이들은 지역에 따라 호칭만 다를 뿐 동일한 소수민족이다. 이들의 홍수남매혼 설화에서는 홍수의 피난수단이 속 빈 나무줄기에서 북이나 통나무로 바뀌거나, 홍수 예고자가 다람쥐에서 대나무쥐로, 결혼권유자가 작은 새에서 tgook새나 뻐꾸기로 바뀌었을 뿐, 기본적인 서사내용과 서사구조는 동일하다. 이들 신화에서는 남매의 결혼이라는 근친상간의 금기를 둘러싸고 결혼권유자가 등장하고 '이물의 출산'의 모티프가 운용되고 있는 반면, '천의 묻기와 징험'의 모티프는 작동되고 있지 않다.

이를 대신하여 위의 이야기에서는 오히려 이물을 출산한 이후의 에피소드를 통해, 여러 민족이 탄생되었던 과정, 각각의 민족의 피부색이 다른 이유를 밝히고 있다. 베트남 커무족의 유사한 설화 역시 남매가 낳은 박에 불태운 막대기로 구멍을 내자 여러 민족이 걸어나오고, 조바심이 난 아내가 막대기로 박을 조각조각 잘라내자 비엣Viet족과 중국인이 나왔으며, 숯의 그을음이 묻었는가의 여부에 따라 피부빛깔이 검거나 하얗게 되었다고 서술하고 있다.[19] 태국의 카무족의 유사형에서도 남자가 쇠막대기를 불에 달구어 박에 구멍을 뚫자 여러 민족이 나왔으며, 박의 구멍에 묻은 재로 인해 피부색깔이 다르다는 설명을 덧붙이고 있다.[20]

위의 홍수남매혼 신화에서는 남매의 근친상간과 관련한 모티프로서 '이물 출산'의 모티프가 운용되고 있는 반면, 동남아 대륙부의 다른 유사형에서는 '천의 묻기와 징험'은 물론 '이물 출산'의 모티프 역시 서술되지 않는다. 즉 베트남 써당족Sedang의 신화에 따르면, 까마귀와 까치의 분쟁으로 발생한 홍수의 재난 속에서 생존한 누이와 남동생은 '서로 멀리 떠났음에도 끝내 다시 만나는 이적'을 겪고서 결혼하여 많은 자식을 낳는다.[21] 이 신화에서는 '서로 멀리 떠났음에도 끝내 다시 만나'는 이적으로써 '천의 묻기와 징험'을 대신하고 있는 바, '천의 묻기와 징험' 및 '이물 출산'의 모티프는 약화되거나 소멸되었다고 볼 수 있다. 또한 베트남의 바나족Bahnar의 홍수남매혼 신화에 따르면, 인간의 악행에 대한 징벌로 발생한 홍수의 재난 속에서 태고太鼓를 타고 생존한 남매는 결혼하여 7남 11녀를 낳고, 이들이 서로 결혼하여 인류를 재전승한다. 이 신화에서는 '천의 묻기와 징험' 및 '이물 출산'의 모티프는 완전히 소멸되었다고 볼 수 있다.

그렇다면 동남아 도서부의 홍수남매혼 신화는 어떠할까? 동남아 도서부의 홍수남매혼 신화는 에피소드의 성격에 따라 크게 두 가지 유형으로 나누어 살펴볼 수 있다. 그 가운데의 하나는 남녀 교구의 방법을 터득하는 에피소드가 서사의 주요 내용을 이루는 유형이다. 이러한 유형의 일례로서 북부 보르네오Borneo에 거주하는 무루트족Murut의 신화를 아래에서 살펴보자.

> 태초에 거대한 홍수가 일어나 모든 것이 파괴되었으며, 홍수가 물러가자 남은 것은 오직 소녀와 어린 남동생뿐이었다. 어느 날 입으로 부는 화살총을 가지고 사냥을 나간 남동생은 사냥감을 하나도 찾지 못한 채, 교미를 하고 있는 두 마리의 도마뱀에게 다가갔다. 새로운 욕망이 그의 몸 속에서 일어났다. 그는 누이에게 돌아와 며칠간 아무 말 없이 먹기를 거부했다. 누이가 걱정되어 그에게 무얼 원하느냐고 묻자, 그가 가리켰다. "네가 원하는 게 내 치마야?" "조금만 더" "내 허리띠?" "조금만 더" "내 배꼽?" "조금만 더" "알았어," 그의 뜻을 알아차린 누이가 말했다. "네가 아무것도 먹지 않아 걱정했는데, 그럴 만했구나. 하지만 넌 그러지 않은 척 해야 돼." 남동생은 누이가 시키는 대로 행했다. 하지만 그가 안 그런 척하고 있는 사이에 말벌이 날아와 뒤에서 그를 쏘는 바람에, 그는 앞으로 펄쩍 뛰었다. 이렇게 하여 결국 쌍둥이가 태어났고, 이것이 현재 인류의 기원이다.[22]

위의 이야기는 '홍수의 발생' - '남매의 생존' - '남매의 결혼' - '인류의 재전승'이라는 기본적인 서사구조를 지니고 있을 뿐, 남매의 근친상간과 관계된 '천의 묻기와 징험' 혹은 '이물의 출산' 등의 모티프는 서술되어 있지 않다. 그 대신에 이 이야기에는 남매가 교구하기까지의 과정이 상당한 편폭의 에피소드로 상세히 그려져 있는데, 특히 우리가 주목할 만한 것은 도마뱀의 교미를 통해 남녀 교구의 방법을 터득하였다는 내용이다. 위의 이야기의 유사형 역시 홍수에서 생존한 남매가 인류를 재전승하는 과정에서 남동생이 다람쥐의 교미행위를 보고 남녀 교구의 방법을 터득하였다고 서술하고 있다.[23]

동남아 도서부의 홍수남매혼 신화의 또 다른 유형은 '불의 획득'을 주요 에피소드로 다루고 있는 이야기이다. 이러한 유형은 필리핀 북부의 루손Luzon island에 거주하는 이푸가오족Ifugao 혹은 이고로트족Igorot에게 전승되어온 신화에서 흔히 엿볼 수 있다. 이들 신화를 대표할 수 있는 예로서 이고로트족의 홍수남매혼 신화를 아래에서 살펴보기로 하자.

> 옛날 세상에 산이 없이 평평하였을 때, 대신령인 루마위그Lumawig의 아들인 두 형제가 살았다. 형제는 사냥을 좋아했지만, 산이 형성되지 않은지라 멧돼지와 사슴을 잡을 곳이 없었다. 그래서 형이 "온 세상에 물을 흘려보내 세상을 뒤덮어버리자. 그러면 산들이 생겨날 거야"라고 말했다. 그리하여 홍수가 온 지상을 뒤덮자, 형제는 덫을 놓아 수많은 짐승을 잡았다. 이때 하늘에서 지상을 내려다보던 루마위그는 그의 아들들이 한 군데만을 제외하고 온 지상을 홍수로 뒤덮었으며, 홍수로 인해 세상의 모든 사람들이 물에 빠져 죽고 포키스Pokis에 살고 있던 남매만이 살아남았다는 것을 알게 되었다. 루마위그가 지상으로 내려가 남매를 만나자, 남매는 살아남았지만 너무 춥다고 말했다. 루마위그는 그의 개와 사슴에게 불을 구해오라고 명령하였다. 개와 사슴은 불을 구하러 떠났지만, 아무리 기다려도 돌아오지 않았다. 루마위그가 직접 그들을 뒤쫓아가 어서 불을 구해오라고 채근하였다. 개와 사슴이 불을 구했으나 돌아오는 길에 헤엄쳐 건너오다가 불이 꺼지고 말았다. 그리하여 개와 사슴은 다시 불을 구하러 떠났는데, 사슴이 가져온 불은 꺼져버렸지만, 개가 가지고 온 불은 루마위그가 재빨리 개에게서 받아온 덕분에 꺼지지 않았다. 루마위그는 그 불로 불을 피워 남매를 따뜻하게 해주었다. 홍수가 물러나자 산이 생겨난 것 외에 세상은 전과 다름이 없었다. 남매는 결혼하여 자식을 낳았으며, 이리하여 지상에 많은 사람들이 있게 되었다.[24)]

위의 이야기는 홍수남매혼 신화의 기본적인 서사로서 '홍수의 발생' - '남매의 생존' - '남매의 결혼' - '인류의 재전승'의 구성요소를 모두 갖추고 있다. 하지만 이 이야기에는 남매의 근친상간과 관련된

'천의 묻기와 징험' 및 '이물의 출산' 등의 모티프는 전혀 서술되어 있지 않으며, 그 대신에 '불의 획득'의 모티프와 관련된 에피소드가 이야기의 대부분의 편폭을 차지하면서 서사를 이끌어가는 가장 중요한 동력으로서의 역할을 수행하고 있다.

동남아 도서부의 홍수남매혼 신화에서 '불의 획득'의 모티프는 흔히 두 가지 유형으로 나누어볼 수 있는데, 불을 획득하는 과정에서 주동적 역할을 담당하는 주체가 누구인가와 연관이 있다. 하나의 유형은 위의 이야기처럼 누군가를 보내 불을 가져오는 방식(Bringing fire)이고, 다른 유형은 누군가가 불을 보내오는 방식(Sending fire)이다. 전자의 방식에서는 위의 이야기처럼 대신령이 개와 사슴의 조력을 받아 불을 가져오거나, 생존자들이 개와 고양이를 보내 불을 가져오기도 한다.[25] 또한 후자의 방식에서는 불을 가진 생존자 집단의 우두머리가 불을 갖지 못한 집단에게 개를 통해 불을 보내온다.[26]

아울러 위의 이야기에서는 홍수 발생 원인으로서 '사냥감이 살 수 있는 산의 조성'을 들고 있는데, 이밖에도 필리핀의 루손에 전승되어 온 다른 유사형에서는 '강을 준설하다가 강의 샘을 터뜨렸기 때문'이라고 서술한 경우도 있다. 아울러 남매에게 결혼을 권유하는 자로서 창조주 카부니안Kabunian이나 대신령 루마위그, 혹은 흰수염의 천신이 등장하고, 남매가 '잠에서 깨어보니 함께 자고 있'는 이적이 나타나기도 한다. 이러한 신의 결혼 권유와 이적의 출현으로써 '천의 묻기와 징험'의 모티프를 대신하고 있을 뿐이며, 특히 남매가 정상아를 출산함으로써 '이물의 출산'의 모티프는 전혀 서술되지 않는다. 이러한 점을 고려한다면, 동남아시아 도서부의 홍수남매혼 신화 역시 동남아시아 대륙부의 홍수남매혼 신화와 마찬가지로 전반적으로 '천의 묻기와 징험' 및 '이물의 출산'의 모티프가 크게 약화되거나 소멸되었다고 보아도 좋을 것이다.

4. 대만과 류큐열도의 홍수남매혼 신화

필리핀 군도Philippine archipelago에서 일본열도로 이어지는 중간지대에는 대만과 류큐열도가 놓여 있다. 이곳은 동남아 도서부와 일본열도가 교차하는 한편, 동아시아 대륙의 밀접한 영향권 아래 위치해 있다. 이러한 지리적 여건으로 인해, 이곳의 설화는 대륙문화와 해양문화가 만나고 동남아시아와 동북아시아의 문화가 섞임으로써 설화의 전파 및 영향의 특성을 잘 보여주고 있다. 홍수남매혼 신화에 있어서도 이러한 특성을 분명히 드러내고 있는데, 먼저 대만 원주민의 홍수남매혼 신화를 살펴보도록 하자. 대만의 원주민 가운데 아미족阿美族, 파이완족排灣族, 루카이족魯凱族, 퓨마족卑南族으로부터 홍수남매혼 신화를 엿볼 수 있다.

> 카빌Kavil과 아칸Akan 부부는 북방에 살고 있는 코몰 사바투르크Komol Sabaturk에게 사슴을 요구하였다가 거절을 당하자 부끄럽고 분하여 대홍수를 일으켜 보복하였다. 홍수가 닥쳐오자 코몰 사바두르크의 아들 술라Sula와 딸 나카우Nakau는 산 위에서 놀고 있다가 나무절구를 타고서 홍수의 재난을 피하였다. 그들은 나무구멍 속에 거주하면서 야채와 과일을 먹고 지냈는데, 나중에 술라의 귀에서 조와 쌀이 한 톨씩 빠져나오자 부모의 농경을 떠올리면서 농사를 지었다. 쌀을 수확한 후 그들은 추수제를 올려 조상께 감사의 제사를 지냈다. 생활이 많이 안정되자 나카우가 자식을 갖고 싶어 술라에게 결혼하자고 제안하여 다섯 아이를 낳았으며, 다섯 아이는 다섯 마을의 시조가 되었다.(아미족阿美族, 加納納社)[27]

위의 이야기는 홍수남매혼의 기본적 서사로서 '홍수의 발생' - '남매의 생존' - '남매의 결혼' - '인류의 재창조'의 구성요소를 잘 갖추고 있다. 이 이야기에는 남매의 근친상간과 관련된 모티프인 '천의 묻기와 징험' 및 '이물의 출산'은 서술되어 있지 않다.[28] 이 이야기에서 상당한 편폭으로 서술되고 있는 것은 '곡물 종자의 획득'과 관련된 에피소드이다. 아미족의 유사형에서도 홍수가 물러간 후 조와 밭벼의 씨앗을 찾아내고 떠우란荳蘭으로 이주한 후 또 고구마의 씨앗을 찾아내어 경작을 시작하였다고 서술하고 있다.29) 이처럼 이 이야기에서는 농경문화와 관련된 에피소드가 전체 서사를 이끌어가는 주요 동력으로서 운용되고 있다.

농경문화와 관련하여 지렁이의 배설물이 경작지의 땅을 형성하였다고 서술하는 이야기도 있다. 농경지의 생성을 다룬 에피소드에서는 지렁이를 대신하여 도마뱀의 배설물이 이 역할을 담당하기도 한다.30) 지렁이와 연관된 에피소드는 흙속의 유기물을 섭취하고서 소화기관을 통하여 흙을 배설하는 지렁이의 생태적 습성을 반영한 것이라 볼 수 있다. 농경문화와 관련된 에피소드 외에, 불을 획득하는 과정을 주요 에피소드로 운용하는 홍수남매혼 신화를 살펴보자.

> 옛날 갑자기 폭풍우가 일어나고 홍수가 범람하여 모두 죽고 남매만 살아남았다. 두 사람은 소나무 가지에 기름을 바르고 부싯돌을 쳐서 간신히 불을 지폈으나 얼마 지나지 않아 꺼져버리고 말았다. 그런데 멀리 동쪽 바다에 불빛이 비치는지라 그곳을 향하여 더듬거리면서 나아가다가 사슴을 만나 그들을 대신하여 불을 구해달라고 부탁했다. 그러나 사슴은 뿔이 너무 무거워 바다에 빠지는 바람에 불을 구해오지 못하였다. 그러던 중 희미한 불빛을 내는 벌레 한 마리가 여동생의 이마에 붙어있는데, 다리를 문지르면서 불빛을 내고 있었다. 남매는 이를 본받아 나뭇가지를 맞비벼 불을 구했다. 짝이 없는 두 사람은 부부가 되었으며, 맨 처음에는 장님의 불구의 아이를 낳았다. 후에 3세대, 4세대에 이르러서야 정상적인 아이를 낳았다.(루카이족魯凱族)31)

위의 이야기 역시 홍수남매혼 신화의 기본적인 서사구조를 지니고 있으며, '이물 출산'의 모티프를 운용하고 있다. 이 이야기에서 신화의 서사를 주도하는 것은 '불의 획득'과 관련된 에피소드이다. 홍수 모티프와 '불의 획득' 모티프가 결합한 예를 이미 동남아시아 도서부의 홍수남매혼 신화에서 살펴본 적이 있는데, 이 이야기에서는 사슴을 통한 '불 가져오기(Bringing fire)'가 실패한 뒤 발광곤충luminescent insect의 다리를 문지르는 행위를 모방하여 나뭇가지를 마찰함으로써 '불 피우기'에 성공한다. 대만 원주민의 홍수남매혼신화에서 '불의 획득'은 사슴이나 산양, 염소 및 조류에 의한 '불 가져오기', 파리 등의 벌레나 곤충의 동작의 모방에 의한 '불 피우기' 등의 다양한 방식에 의해 이루어진다.

아울러 위의 이야기에는 '이물 출산'의 모티프가 운용되고 있는데, 이물의 출산이 수차례에 걸쳐 단계적으로 이루어지고 있다는 점이 특징적이다. 즉 남매가 낳은 자식이 처음에는 장님의 장애아였는데, 세 번째, 네 번째 출산에 이르러서야 비로소 정상아를 낳았다는 것이다. 이는 첫 번째 출산에서 이물을 낳고, 이 이물을 쪼개거나 잘라 여러 민족이나 사람을 창조했다는 유형과는 사뭇 다르다고 할 수 있다. 이 이야기를 포함한 대부분의 신화에는 이물의 출산이 단계적으로 이루어진 까닭이 전혀 기술되어 있지 않다.[32] 그러나 아래에 소개한 두 편의 유사형을 통해, 단계적인 이물의 출산이 지닌 문화적 의미를 유추할 수 있다.

> (홍수가 발생한 후 남매가 높은 산에 올라 생존한 내용은 생략) 다른 사람이 없었기에 그들 남매는 결혼하여 부부가 될 수밖에 없었다. 그리하여 그들이 낳은 것은 모두 뱀, 도마뱀, 청개구리, 거북 등이었다. 당시 천신이 산 위에 사람의 자취가 있음을 보고 자식을 보내 살펴보게 하였는데, 남매 두 사람은 그동안 겪은 일을 이야기해주었다. 천신은 그들의 처지를 대단히 딱하게 여겨 그들에게 제사와 기도의 방법을 가르쳐주었다. 이후로 그들이 낳은 아이들은 모두 아주 잘 생겼으며, 이들이 곧 아미족 각 마을의 선조이다.(아미족阿美族 大巴望社)[33]

> (홍수에서 생존한 다섯 남매 가운데 두 명의 남매가 해와 달의 가르

침에 따라 결혼한 내용은 생략) 남매가 처음 낳은 것은 새우, 게와 물고기였다. 두 사람은 해와 달의 가르침에 따라 이들을 물속에 놓아주었다가 연중 제사를 지낼 때에 이들을 잡아 제물로 드렸다. 남매가 두 번째로 낳은 것은 새 한 마리였다. 남매는 해와 달의 가르침에 따라 작은 새를 놓아보내 각종 소식을 알리게 했다. 인간이 아닌 것들을 낳아 고민하는 남매에게 해와 달은 "부부간의 도를 행하고 싶을 때에는 두 사람 사이에 담을 두고 담 중앙에 작은 구멍을 파서 남자의 양물이 작은 구멍을 통하여 아내와 교접하면 된다!"고 말해주었다. 해와 달의 지시에 따라 행하여 남매는 각종 색깔의 돌을 낳았는데, 얼마쯤 시간이 지나자 각종 색깔의 돌이 쪼개져 여러 민족이 나오게 되었다. (퓨마족卑南族)[34]

위의 두 편의 이야기 모두 이물의 출산이 단계적으로 이루어졌음을 보여주고 있다. 그런데 출산의 단계를 구분하는 것은 아미족의 경우 '제사와 기도'라는 제의 행위이며, 퓨마족의 경우 제의와 점복占卜 행위이다.[35] 다시 말해 정상적인 인간의 출산은 제의와 점복이라는 문화와 제도에 의한 인간의 문명화와 깊이 관련되어 있다. 즉 문화와 제도가 갖추어지고 시행됨으로써 야생동물과 같은 야만의 상태에서 신의 교화를 입은 문명의 상태로 접어든 이후에야 인류는 정상적인 번식과 전승이 가능해졌다는 것이다.

게다가 정상적인 인간의 출산은 근친상간의 금기 위반을 보상할 수 있는 주술적 행위가 수반되어야 한다. 그것은 곧 해와 달의 지시에 따라 남매가 교구交媾를 행할 때에 담을 사이에 두고 담 중앙에 파놓은 작은 구멍을 통해서 교접하는 것이다. 아미족의 다른 신화에서도 홍수에서 살아남아 결혼한 남매는 처음에 물고기와 게의 조상인 괴물을 낳았다가, 행방行房할 때에 돗자리에 뚫린 구멍을 통해 교접함으로써 돌을 낳고, 그 돌에서 정상적인 인간이 태어난다.[36]

류큐열도는 과거 류큐 왕국의 지배권역이었던 아마미奄美제도, 오키나와沖繩제도, 그리고 미야코宮古제도와 야에야마八重山제도를 통틀어 가리킨다. 크고 작은 여러 섬으로 이루어져 있는 류큐열도에서는 정착할 땅을 찾지 못한 채 바다 위를 표류하는 것 역시 홍수의 범람만큼이나 위험한 수재인지라, 신화 속의 표류 역시 홍수의 재난에 포함시켜도 좋을 것이다. 류큐열도의 홍수남매혼 신화는 에피소드를 둘러싸고 크게 두 가지 유형으로 나눌 수 있다. 그 중의 하나는 남녀 교구의 방법을 터득하는 에피소드인데, 대표적인 일례를 살펴보자.

> 옛날 옛날, 아주 오랜 옛날의 일이다. 사이좋은 남매가 있었다. 남매는 작은 배를 저어 바다 위를 떠다니고 있었는데, 어느 날 노가 무엇인가에 걸렸다. 오라비가 확인하려고 바다에 내리자, 동서남북의 물이 빠지면서 깊은 바다였던 곳이 얕은 갯벌이 되고 그 갯벌이 금세 높아져서 섬이 되었다. 남매는 하늘을 향해 배향했다. (중략) 남매는 둘이서 살아나갈 섬이 생겨서 매우 기뻤다. 집을 짓고, 그곳을 구니가키國垣라고 했다. 어느 날, 남매의 눈앞에 백조 두 마리가 나타났다. 하늘을 날던 두 마리 백조는 춤을 추며 내려와 부부의 정을 나누었다. 남매는 매우 놀랐다. 남매는 백조를 흉내 내어 사이좋게 살면서 많은 아이들을 낳았다. 바다에서는 많은 산물이 나고 밭에서는 열매가 잘 맺혔기에 그 자손이 섬에 가득해져서 크게 번창했다.(奄美諸島 與論島)[37]

위의 이야기는 바다 위를 표류하던 남매가 요론지마與論島라는 섬을 만들고 구니가키國垣라는 마을을 세우는, 이른바 '섬 만들기'와 '마을 세우기' 과정과 더불어 인류 창조의 과정을 서술하고 있으며, 전체적으로 섬 혹은 마을의 남매시조담의 성격을 띠고 있다. 이 이야기는 홍수남매혼 신화의 기본적인 서사로서 '바다 위의 표류' - '남매의 생존' - '남매의 결혼' - '인류의 재창조'라는 구성요소를 모두 갖추고 있는 반면, 남매의 근친상간과 관련된 '천의 묻기와 징험' 및 '이물의 출산'의 모티프는 운용되고 있지 않다.

위의 이야기에서 주목할 만한 점은 이러한 구성요소 외에 '남녀 교구 방법의 터득'에 관련된 에피소드를 상당한 편폭을 들여 그려내고 있다는 것이다. '남녀 교구 방법의 터득'을 다룬 에피소드는 류큐열도의 홍수남매혼 신화뿐만 아니라 인류 창조를 다룬 대다수의 신화들에서 인류 창조의 주체의 신분(신 혹은 인간)이나 관계(남매 혹은 부부)에 상관없이 자주 등장한다. 교구를 모방하는 동물은 매우 다양한데, 대체로 섬 주변에서 흔히 볼 수 있는 동물, 즉 해마, 백조, 도룡뇽, 두루미, 메뚜기 등이다. 동물의 교미를 모방하는 외에도, 하늘의 여신이 남녀에게 '남자의 남는 곳을 여자의 부족한 곳에 채우도록 가르쳐' 주거나 '어떻게 하면 자식이 생길까 하여 온갖 구멍을 가지고 장난을 치다가 여성의 아래에 구멍이 있는 것을 알게' 되기도 한다.[38]

남녀 교구 방법의 터득과 관련된 에피소드 외에, 류큐열도의 홍수남매혼에서 주목할 만한 또 하나의 에피소드는 남매가 결혼하여 출산하는 이물異物에 관한 것이다. 이를 잘 보여주는 대표적인 일례로 야에야마 제도의 하테루마지마波照間島에 전승되고 있는 홍수남매혼 신화를 살펴보자.

> 옛날, 이 섬에는 많은 사람들이 평온하게 살아가고 있었다. 그런데 어느 날, 돌연 기름비가 쏟아져 살아있는 것들은 모두 사멸해버리고 말았다. 그러나 두 사람의 오누이만은 미시쿠누가마 동굴에 숨어 그 재난을 피해 살아남았다. 두 사람은 동굴에서 살다가 성인이 되자 부부가 되었다. 그러나 처음에 낳은 자식은 '포즈'라는 물고기였다. 두 사람은 두 사람은 집터가 좋지 않다고 여겨 미시쿠 동굴 위쪽으로 옮겨 살았다. 그랬더니 이번에는 독사와 같은 아이가 태어났다. 그래서 이번에는 더욱 위쪽인 야구에 작은 집을 짓고 우물을 파서 살다가 현재 호타모리가保多盛家가 있는 곳으로 이동하여 처음으로 인간을 낳았다. 이 아이를 하테루마 사람들은 아라마리누파(新生ぬパー)라고 부르며 모시고 있다. 이렇게 해서 하테루마지마는 다시 태어났다고 한다.(八重山諸島 波照間島)[39]

위의 이야기는 기름비油雨의 재난에서 살아남은 남매가 결혼하여 인류를 재전승하는 내용을 담고 있다. 홍수남매혼 신화의 기본적인 구성요소를 잘 갖추고 있을 뿐만 아니라, '이물의 출산'이란 모티프 또한 작동되고 있다. 그런데 위의 이야기에서 가장 많은 분량으로 서술되어 있는 것은 남매가 결혼한 후 단계적으로 출산하는 이물들에 관한 에피소드이다. 이 이야기에서는 맨 처음에 물고기를, 두 번째에는 독사를 출산하였다가 세 번째에야 인간을 낳는다. 단계적인 이물의 출산을 다룬 에피소드는 남매혼 신화뿐만 아니라 류큐열도의 다른 유형, 즉 남매혼이 아닌 신화에서도 흔히 찾아볼 수 있는데,[40] 결혼 주체의 신분(신 혹은 인간)이나 관계(남녀 혹은 남매 등)와 상관없이 이물을 수차례에 걸쳐 출산한다. 이로써 류큐열도의 신화에서는 이물 출산이 남매혼이라는 근친상간의 금기 위반에 대한 윤리적 징벌과 무관함을 알 수 있다.

이처럼 단계적 이물 출산이 근친상간에 대한 징벌적 성격을 지니고 있지 않다면, 이것은 어떤 문화적 의미를 지니고 있을까? 위의 이야기에 따르면, 이물의 출산은 거주 형태에 따라 달라지고 있다. 즉 동굴에서 동굴 위쪽으로, 다시 더욱 위쪽의 우물이 딸린 작은 집을 거쳐 현재의 거주지로 이동함에 따라 출산물이 달라진다. 위의 이야기와 유사한 다른 홍수신화에서도 거주 형태에 따라 출산물이 달라지는데, 처음의 '해안 가 바위밑'에서 '밭 옆의 한쪽 지붕만 있는 집'으로, 다시 '지붕을 얹은 사각집'으로 바뀐다.[41] 이러한 거주 형태의 변화는 인간의 삶에 있어서 야만 상태에서 문명 상태로의 진화를 의미한다고 할 수 있다. 이런 관점에서 본다면, 단계적인 이물의 출산과 정상적인 인간의 출산은 인간사회의 문명화를 반영하고 있다고 보아도 좋을 것이다.

대만과 류큐열도의 홍수남매혼 신화를 전체적으로 살펴보면, 기본적인 서사로서의 구성요소를 모두 갖추고 있는 반면, 근친상간과 관련된 '천의 묻기와 징험'의 모티프는 약화되거나 소멸되었다. 그리하여 서사를 이끌어가는 동력은 대만의 경우 '곡물종자의 획득' 및 '농경지의 조성'과 관련된 농경문화의 에피소드, '불의 획득'을 다룬 에피소드, 그리고 단계적인 '이물의 출산'을 다룬 에피소드이며, 류큐열도의 경우에는 남녀 교구의 방법을 터득하는 에피소드, 단계적인 '이물의 출산'과 관련된 에피소드이다.

5. 인도의 홍수남매혼 신화

인도의 홍수신화로 널리 알려진 것은 인류의 시조 마누Manu와 관련된 이야기이다. 즉 강가에서 손을 씻던 마누가 자신을 길러달라는 물고기의 부탁을 받고 물고기를 데려와 항아리에 넣어 기른다. 물고기는 몸이 커짐에 따라 연못으로, 다시 바다로 옮겨졌는데, 바다로 들어갈 때 물고기는 마누에게 홍수를 예고하면서 배를 만들라고 말한다. 마누는 배를 만들고 각종 씨앗과 일곱 현자를 배에 태운 후 물고기의 뿔에 밧줄을 동여매어 홍수에서 살아남는다는 이야기이다. 이러한 마누의 홍수신화 외에도, 인도 중부에는 홍수남매혼 신화가 적잖이 전승되어왔다. 우선 두 편의 이야기를 개략적으로 살펴보도록 하자.

> 먼 옛날 경건한 생활을 하던 남자가 강에서 옷을 빨다가 물고기로부터 홍수가 다가온다는 예고를 받았다. 물고기는 늘 자신에게 먹이를 주는 그에게 답례로 피신할 커다란 상자를 준비하라고 말했다. 남자는 그의 말에 따라 상자를 준비하고 상자 안에 누이동생과 수탉을 실었다. 홍수가 일어난 후 라마Rama는 상황을 살펴보기 위해 사자使者를 보냈으며, 사자는 수탉의 울음소리를 듣고 상자를 발견했다. 사자가 상자를 가져오자 라마는 남자에게 어떻게 홍수에서 살아남았는지 그 연유를 물었으며, 피신하도록 도와준 이가 물고기라는 사실을 알게 되었다. 라마는 비밀을 발설한 대가로 물고기의 혀를 잘랐으며, 이후 물고기는 혀를 갖지 못하게 되었다. 라마는 남자에게 황폐해진 세상

에 인간을 번식하도록 명령하였으며, 남자는 누이동생과 결혼하여 일곱 아들과 일곱 딸을 두었다.[42]

태초에 신은 남자와 여자를 창조하였으며, 이들 부부는 남녀 아이를 낳았다. 신은 자신의 화를 돋군 자칼을 익사시키기 위해 홍수를 보내 세상을 뒤덮었다. 이들 부부는 홍수가 다가오자 자식을 식량과 함께 속이 빈 나무상자 안에 집어넣고 뚜껑을 닫았다. 홍수는 12년간 계속되었으며, 두 아이를 제외한 모든 생명체가 익사했다. 12년이 지난 후 신은 두 마리 새를 창조하여 자칼이 죽었는지 살펴보도록 하였다. 새들은 통나무를 발견하고 그 위에 내려앉아 쉬던 중에 아이들의 이야기 소리를 듣고서 신에게 날아가 알렸다. 신은 홍수를 물러가게 한 후 통나무에서 아이들을 나오게 하였다. 아이들은 신에 의해 길러졌으며, 때가 되자 결혼하였다. 이들로부터 상이한 카스트가 만들어졌으며, 세상의 모든 사람들이 전해 내려왔다.[43]

위의 두 이야기 가운데, 전자는 인도 중서부의 고원지대에 거주하는 빌족Bhils에게 전승되어온 이야기이고, 후자는 인도 중부 라이푸르Raipur 근처에 거주하는 드라비다인에 속하는 카마르족Kamars에게 전승되어온 이야기이다. 두 편의 이야기 모두 '홍수의 발생', '남매의 생존과 결혼', '인류의 재창조'라는 홍수남매혼 신화의 기본적인 구성요소를 갖추고 있다. 그런데 위의 이야기들이 각각 가장 많은 편폭을 들여 서술하는 내용은 이들 기본적인 구성요소가 아니라, 홍수 이후에 벌어지는 상황이다. 즉 전자에서는 사자를 통해 발견한 생존자 남자가 누구이며 어떻게 생존하였는지, 여자는 남자와 어떤 관계인지에 대한 물음과 대답이 서술되고 있으며, 결국 물고기에게 왜 혀가 없는지, 즉 물고기의 외형적 특성을 설명하는 기원신화의 내용을 담고 있다. 후자의 이야기 역시 홍수 이후에 두 아이가 어떻게 신에게 발견되어 양육되었는지의 경과를 상세히 알려주고 있다.

이처럼 인도의 홍수남매혼 신화는 공통적으로 지니고 있는 기본적인 서사의 구성요소 외에, 대체로 부차적인 사건이 에피소드로 덧붙여지는 경우가 많다. 여기에서 '부차적'이라는 말은 에피소드의 사건 자체가 중요하지 않다는 의미가 아니라, 홍수남매혼 유형의 기본적인 서사에서 약간 벗어나 있음을 의미할 따름이다. 인도의 홍수남매혼 신화에서 부가된 에피소드가 어떤 양상을 보이는지 살펴보기 위해 아래의 두 편을 개략적으로 살펴보자.

> 세상은 물과 진흙으로 범벅이었으며, 물에서 다람 데코타Dharam Decota가 나왔다. 그는 몸의 오른편에서 나온 때로 여자 인형을 만들고 왼쪽에서 나온 때로 남자 인형을 만든 후, 인형들에게 생명을 불어넣었다. 이들은 남매였지만 다람 데코타가 천연두로 그들의 모습을 바꾸었기에 알아보지 못한 채 결혼하여 파리하르Parihar라는 아들을 낳았다. 신들은 물과 진흙인 세상을 단단하게 만들기 위해 사내아이를 제물로 원하였던지라 호랑이를 보내 아이를 잡아오게 하였지만 실패하고 말았다. 신들은 호랑이에게 파리하르가 목욕중일 때 죽이라고 명하였으며, 그 명령에 따라 호랑이는 마침내 그를 죽였다. 죽은 파리하르의 피가 대지에 떨어지자 대지가 딱딱해졌으며, 그의 다리는 커다란 나무로, 그의 팔은 작은 나무로, 그의 손가락은 관목으로, 그의 머리카락은 풀로, 그의 뼈는 바위와 돌멩이로, 그의 머리는 해로, 그의 가슴은 달로, 그의 피는 붉은 흙으로 변하였다. 파리하르의 아버지가 아들을 잃고 슬퍼하자, 다람 데코타는 그에게 가족을 주겠다고 약속하여 아이들이 태어났다.[44]

> 엄청난 비가 내리는 바람에 최초의 세계는 물에 잠겼다. 가자 비물Gaja Bhimul은 오빠 카와치Kawachi와 누이 쿠라미Kuhrami를 박 속에 넣었으며, 두 아이를 태운 박은 이리저리 표류하다가 마침내 거대한 바위 위에 좌초되었다. 창조주인 마하푸룹Mahapurub은 살아남은 인간을 찾도록 까마귀를 날려 보냈는데, 여기저기 날아다녔으나 보이는 것은 물과 바위 위에 있는 박뿐이었다. 마하푸룹은 까마귀에게 박 안에 생명체가 있는지 살펴보도록 하였으며, 까마귀는 박 근처에 생겨난 나무 위에 앉아 박을 쪼아 열어젖혔다. 그러자 아이들은 박에서 나와 뜨거운 바위를 피해 나무 위로 올라가 수액樹液으로 허기진 배를 채웠지

만, 수액이 금방 떨어지자 울기 시작하였다. 마하푸룹은 아이들의 울음소리가 듣기 싫어 까마귀를 보내 울음을 그치게 하도록 시켰지만 실패했다. 마하푸룹은 잇달아 호랑이를 보냈지만 호랑이 역시 실패하자 원숭이를 다시 보냈다. 원숭이는 아이들에게 왜 우는지를 물었으며, 아이들은 "갈 곳도 없고 먹을 것도 없다"고 말하였다. 원숭이는 마하푸룹에게 돌아와 아이들의 말을 전하였으며, 마하푸룹은 멧돼지에게 "바위 근처에 진흙과 찰흙으로 지은 거북의 집이 있을 터이니 진흙을 떼어내어 바위 너머로 뿌려라"라고 명령한다. 멧돼지가 마하푸룹의 명령대로 행하자 대지가 생겨나고, 그 땅에 아이들은 씨를 뿌리고 곡식을 거두었다. 가자 비물이 세상에 생명을 전하기 위해 두 아이에게 결혼하라고 요구했지만, 아이들은 그의 요구를 받아들이지 않았다. 그래서 가자 비물은 부디 마탈Budi Matal을 불러 아이들에게 천연두를 주어 세계를 이곳저곳을 떠돌게 만들었다. 어느 날 그들은 다시 만났지만 서로 알아보지 못한 채 결혼하여 12명의 소년과 12명의 소녀를 낳았다.[45]

전자의 이야기는 인도 중부의 케온자르주Keonjhar State의 부이야족Bhuiya에 전승되어왔으며, 후자의 이야기는 인도 중부의 바스타르주Bastar State의 비손혼 마리아족Bison-horn Maria에 전승되어왔다. 위의 두 이야기 모두 홍수남매혼의 기본적인 구성요소를 모두 갖추고 있는데, 특이한 것은 신이 남매로 하여금 천연두를 앓게 하여 얼굴 모습이 변함으로 인해 남매가 서로 알아보지 못한 채 혼인한다는 점이다. 천연두를 앓게 하는 대신, 일부 다른 유사형에서는 남매를 다른 곳으로 멀리 보내어 소년을 문둥이로, 소녀를 사팔뜨기로 변모시켜 혼인하도록 만들기도 한다.[46] 비록 소수의 이야기이기는 하지만, 남매의 결혼에 신이 개입하여 근친상간의 금제를 깨트렸음을 알 수 있다.

위의 두 이야기에서 엿볼 수 있듯이, 서술의 대부분은 홍수남매혼의 기본적인 구성요소 외의 부가적인 에피소드가 차지하고 있다. 즉 전자에서는 대지를 단단하게 안정시키기 위해 희생양으로서 사내아이를 잡아 죽이고, 죽은 사내아이의 여러 신체부위에서 만물이 생겨나는 과정을 보여준다. 또한 후자에서는 생존한 아이들의 '갈 곳도 없고 먹을 것도 없'는 절박한 상황을 해결하기 위해 멧돼지를 시켜 거주하고 경작할 땅을 만들어내는 과정을 에피소드로 보여준다. 이로써 부가된 에피소드가 모두 대지(땅)의 창조 및 안정을 다루고 있음을 알 수 있다. 그런데 인도의 홍수남매혼 설화들을 살펴보면, 대지(땅)의 창조는 크게 두 가지 방식으로 이루어진다. 전자처럼 신에게 누군가를 희생제물로 바쳐 희생양의 피와 살로써 대지를 창조해내는 방식, 그리고 후자처럼 흙을 품고 있는 동물에게서 흙을 가져와 대지를 창조해내는 방식이 그것이다.

우선 전자의 방식의 경우, 인도의 홍수남매혼 신화의 유사형에서 희생제물이 누구인가에 따라 약간의 변형이 일어난다. 이를테면 팔라하라주Pal Lahara State의 신화에서는 신에게 희생제물로 바친 암소의 피로써 대지가 안정되며,[47] 코라프트지구Koraput district의 신화에서는 신에게 처녀를, 혹은 아들과 딸을 희생양으로 바치고서야 대지가 만들어지거나 안정된다.[48] 또한 바스타르주Bastar State의 신화에서는 신의 명령에 따라 흙을 뱃속에 머금고 있는 여신 카비탑Kabitab을 죽이자 그녀의 살은 흙이 되고 뼈는 바위가 되어 대지를 창조해낸다.[49] 심지어 창조주인 마하푸룹은 자신의 배에서 태어난 남녀 아이가 다투자 자신을 방해한다는 이유로 아이들을 죽이는데, 죽은 아이들의 살이 땅이 되고 뼈와 피와 머리카락은 돌과 물과 풀이 되어 세상을 만들기도 한다.[50] 여기에서의 제물로 바쳐지는 희생양의 죽음은 단순한 죽음과 종말이 아니라, 창조와 유지, 파괴의 삼신일체trimūrti의 힌두이즘의 교리 속에서 새로운 삶과 시작을 의미한다고 볼 수 있다.

아울러 후자의 방식 역시 인도의 홍수남매혼 신화의 유사형에서 약간의 변형을 보여주고 있는데, 대지(혹은 세계) 창조의 원천인 흙을 누구에게서 구하느냐의 차이에 따라 달라진다. 대부분의 유사형에서는 멧돼지가 신을 도와 대지를 창조하는 주체로 등장하는데, 위의 이야기처럼 거북의 등껍데기에서 흙을 구하기도 하고, 멧돼지 자신의 뻣뻣한 털에 붙어있는 흙을 털어내어 대지를 창조하기도 한다.[51] 이 밖에도 흙을 뱃속에 담고 있던 물고기에게서 흙을 구하기도 하고, 지렁이에게서 긁어내기도 하며, 세상을 집어삼킨 라랑Lalang의 몸을 쥐어짜 흙을 토해내도록 만들기도 하고,[52] 쥐의 도움을 받아 쥐의 배에서 흙을 꺼내기도 한다.[53]

흥미롭게도 대지의 창조를 다룬 에피소드는 대지 창조의 방식에 따라 서사구조에 있어서 약간의 차이를 보여준다. 즉 희생양의 피와 살로써 대지를 창조해내는 방식의 에피소드는 남매의 혼인 이후에 서술되며, 따라서 남매가 낳은 자식이 대지 창조의 희생양이 된다. 반면 흙을 품고 있는 동물에게서 흙을 가져와 세계를 창조해내는 방식의 에피소드는 남매의 혼인 이전에 서술되며, 따라서 신이 흙을 구해오도록 동물에게 명령하는 역할을 담당한다. 아울러 대지의 창조를 다룬 에피소드에는 대지의 안정을 강화하거나 시험하기 위한 추가적인 행위가 덧붙여지기도 한다.[54]

인도 중부에 전승되어온 홍수남매혼 신화를 전체적으로 살펴보면, 이들 신화는 대체로 홍수남매혼 신화가 지니고 있는 주요한 구성요소 외에, 대지(땅)의 창조와 안정, 즉 세계의 창조를 다룬 에피소드를 주요한 구성요소로 덧붙이고 있음을 알 수 있다. 이렇게 본다면, 인도의 홍수남매혼 신화에는 홍수와 남매혼이라는 모티프의 결합 외에, '세계는 누가 어떻게 창조하였는가'의 우주기원론적 관심이 여전히 작동되고 있다고 보아도 좋을 것이다.

6. 나오면서

지금까지 동아시아와 인도의 홍수남매혼 신화를 크게 네 지역으로 나누어 그 양상을 살펴보았다. 홍수남매혼 신화는 홍수의 재난 속에서 살아남은 남매가 결혼하여 인류를 재전승하는 이야기인 바, 기본적으로 '홍수의 발생', '남매의 생존', '남매의 결혼', '인류의 재전승'이라는 구성요소를 지니고 있다. 이 네 가지 기본적인 구성요소를 갖추고 있더라도, 전승되어온 각 지역마다의 지리적, 환경적, 문화적인 차이와 특성에 의해 이야기의 서사는 달라질 수밖에 없다. 즉 신화적 서사를 이끌어가는 동력으로서의 모티프와 에피소드가 지역에 따라 동일하지 않다는 것이다.

위에서 살펴본 바의 각 지역별 홍수남매혼 서사를 간략하게 정리해보자. 중국의 홍수남매혼 신화는 '남매의 결혼'과 '인류의 재창조'에 서사를 이끌어가는 동력이 실려 있다. 즉 '남매의 결혼'을 위한 '천의 묻기와 징험', '인류의 재창조'를 위한 '이물의 출산'의 모티프와 에피소드가 서사의 중심을 이루고 있다. '남매의 결혼'에서는 '천의 묻기와 징험'보다는 약간 약화된 형태로서, 신 혹은 신격의 결혼 권유나 남매간에 일어난 이적이 간혹 제시되기도 한다. 이들 구성요소 외에, 민족이나 성씨의 기원을 서술하는 에피소드가 부가되거나, 홍수 발생의 원인과 관련된 에피소드가 부가되기도 한다.

동남아 대륙부의 경우, 베트남 북서부의 홍수남매혼 신화는 접경지역인 중국 서남부의 소수민족의 이주에 따라 그 지역의 신화가 전파되었거나 그 신화로부터 강력한 영향을 받았음을 감안하여 중국의 홍수남매혼 신화의 문화권에 포함시켜도 좋을 것이다. 동남아 대륙부 원주민의 홍수남매혼 신화는 대체로 중국의 홍수남매혼 신화와 흡사하게 서사의 중심이 '남매의 결혼'과 '인류의 재창조'에 놓여져 있다. 그러나 '천의 묻기와 징험'의 모티프는 '이적의 출현'으로 약화되고 '이물의 출산'의 모티프 역시 '정상적인 인간의 출산'으로 대체되는 경우가 적지 않다. 다만 대륙부의 농경문화를 반영하는 '곡물 종자의 획득'과 '농경지의 조성'을 다룬 에피소드, 그리고 여러 민족의 탄생과 함께 상이한 피부색의 유래를 다룬 에피소드가 부가되었다.

동남아 도서부의 홍수남매혼 신화는 기본적으로 '남매의 생존'과 관련된 모티프와 에피소드에 서사의 중심이 놓여져 있다. 즉 '불의 획득'이라는 모티프와 관련된 에피소드가 서사를 이끌어가는 주요 동력으로 작용하고 있으며, 이와 더불어 '곡물 종자의 획득'과 '농경지의 조성'의 에피소드가 약하게나마 서사되고 있다. 아울러 '남매의 결혼'에서의 '천의 묻기와 징험'의 모티프는 소멸된 대신 '이적의 출현'을 서사한 경우가 적지 않다. 또한 '남녀의 교구 방법의 터득'과 관련된 에피소드가 등장하는 반면, '이물의 출산'의 모티프는 전혀 운용되지 않는다.

대만의 홍수남매혼 신화는 '남매의 생존'과 '인류의 재창조'에 서사의 중심이 놓여져 있는데, 특히 '불의 획득' 및 '단계적 이물 출산'과 관련된 에피소드가 서사의 동력으로 작동되고 있다. 이밖에 농경문화와 관련지어 '곡물 종자의 획득'과 '농경지 조성'을 다룬 에피소드 역시 신화적 서사의 주요한 역할을 담당하고 있다. '남녀 교구 방법의 터득'과 관련된 에피소드는 대만의 다른 유형의 신화에는 서술되어 있지만, 홍수남매혼 유형과 결합된 예는 발견하지 못했다. 전체적으로 살펴볼 때 '남매의 결혼'과 관련된 모티프나 에피소드는 소멸되었다고 볼 수 있다.

류큐열도의 홍수남매혼 신화는 '인류의 재창조'에 서사의 중심이 놓여 있으며, 특히 '남녀 교구 방법의 터득'과 '단계적 이물 출산'의 에피소드가 신화적 서사의 강력한 동력으로 작동되고 있다. 류큐열도에 전승되는 다른 유형의 신화에는 '곡물 종자의 획득'이나 '농경지의 조성'을 다룬 에피소드가 자주 서술되고 있지만,[55] 홍수남매혼 유형과 결합한 예는 찾아보기 어렵다. 전체적으로 '남매의 생존' 및 '남매의 결혼'과 관련된 모티프나 에피소드는 거의 소멸되었다고 보아도 좋을 것이다.

인도의 홍수남매혼 신화는 '남매의 생존'과 관련하여 '대지(땅)의 창조와 안정'을 다룬 에피소드가 신화적 서사의 강력한 동력을 이루고 있다. 아울러 남매에게 천연두를 앓게 하거나 장애(사팔뜨기, 문둥이)를 갖게 하는 등의 신의 개입을 통하여 남매가 결혼하는 이야기가 일부 전하고 있는데, 이는 '이적의 출현'과 동일한 성격을 일부 지니고 있다고 보아야 할 것이다. 그러나 대부분의 이야기에서는 '남매의 결혼' 및 '인류의 재창조'와 관련된 모티프나 에피소드는 거의 소멸되었다고 볼 수 있다.

위에서 정리한 바의 내용을 서사의 주요 구성요소에 따라 주요 모티프 혹은 에피소드를 중심으로 표로 만들어보면 아래와 같다.

	남매의 생존			남매의 결혼		인류의 재창조		
	불의 획득	곡물 종자의 획득	대지(땅)의 조성	천의 묻기와 징험	이적의 출현	남녀 교구 방법 터득	이물 출산	단계적 이물 출산
중국	×	×	×	○	○	×	○	
동남아 대륙부	×	○	□	×	○	×	△	
동남아 도서부	○	△	○	×	△	○	×	
대만	○	○	○	×	×	□		○
류큐 열도	×	□	□	×	×	○		○
인도	×	×	○	×	△	×	×	

(○는 관련된 모티프나 에피소드가 존재함을, △는 소수만 남아 있거나 미약함을, □는 홍수남매혼 유형에는 없으나 다른 신화에는 있음을, ×는 거의 혹은 전혀 존재하지 않음을 의미한다)

이 표를 살펴보면 지역에 따라 신화적 서사를 이끌어가는 주요 동력이 매우 다름은 물론, 특정한 모티프나 에피소드가 특정 지역의 홍수남매혼 신화에서만 운용되고 있음을 알 수 있다. 이를테면 '불의 획득'의 모티프는 동남아 도서부, 그중에서도 필리핀제도와 대만에서만 서술될 뿐, 타지역에서는 거의 운용되지 않는다.[56] '천의 묻기와 징험'의 모티프 역시 중국에서만 강력하게 작동할 뿐, 동남아 지역과 인도에서는 '이적의 출현'이라는 약화된 형태로 나타나고 나머지 지역에서는 거의 운용되지 않는다. '이물 출산'의 모티프 역시 동남아 도서부와 인도를 제외한 전 지역에서 운용되고 있는데, 중국과 동남아 대륙부에서는 '일회적 이물 출산'이 대부분인 반면, 대만과 류큐열도의 홍수남매혼 신화에서는 '단계적 이물 출산'의 형태를 띠고 있다.

이와 함께 특정한 에피소드가 특정 지역권에 나타나는 경우를 엿볼 수 있다. 예를 들면 농경문화권인 동남아와 대만에서는 농경문화와 밀접한 '곡물 종자의 획득'이나 농경할 '대지의 조성'과 관련된 에피소드가 서술되는 반면, 동남아 도서부와 대만, 류큐열도의 해양문화권에서는 '남녀 교구 방법의 터득'과 관련된 에피소드가 자주 서술되고 있다. 이 가운데 '대지(땅)의 조성'과 관련된 에피소드의 경우, 인도에서는 농경지 조성의 의미와 함께 세계창조의 일환으로서의 '대지의 창조'라는 성격을 지니고 있으며, 동남아와 대만에서는 농경문화와 관련하여 농경지의 조성을 의미하고, 류큐에서는 농경지의 조성과 함께 '섬 세우기', 즉 섬의 창조와 안정을 의미한다. 이들 세 지역에서는 '대지(땅)의 창조'와 관련지어 특히 지렁이의 배설물 혹은 뱃속의 흙, 벌레의 똥을 대지 혹은 농경지 조성을 위한 흙의 원천으로 서술하고 있다.[57)]

이처럼 특정한 모티프나 에피소드가 특정한 지역권에서 공통적으로 운용되고 있는 것은 지리적 인접에 따른 활발한 민족 이동 및 빈번한 교류와 밀접한 연관이 있을 것이다. 특히 '남녀 교구 방법의 터득' 및 '단계적 이물 출산'의 에피소드는 동남아 도서부에서 일본열도로 이어지는 해상교통로와 연관이 있을 것이다. 한편, 농경문화와 깊은 관련을 맺고 있는 '곡물 종자의 획득'이나 '대지의 조성' 등의 에피소드는 인도로부터 동아시아 대륙부로 이어지는 육상교통로와 연관이 있을 것이다. 어쩌면 이러한 해상교통로와 육상교통로를 따라 홍수남매혼 신화의 특정한 모티프나 에피소드가 전파되거나, 특정 지역의 서사환경과 결합하여 영향을 주었을 것이다.

그렇다면 이 글의 첫 부분에서 언급한 루이이푸芮逸夫의 주장, 즉 '남매배우형 홍수 이야기는 중국의 서남부에서 기원하여 사방으로 전파되었을 것'이라는 추정은 여전히 타당할까?[58] 홍수남매혼 신화의 원형과 기원을 모색하기 위해서는, 서사구조가 얼마나 단순하거나 복잡한지를 파악하는 것은 물론, 홍수남매혼 신화의 서사의 중심이 어디에 맞추어져 있는지, 그리고 남매혼의 근친상간에 대한 금제의 원리가 신화적 서사에 작동하는가의 여부를 확인할 필요가 있다. 이러한 점에 비추어보고 인류의 결혼제도의 발전단계를 감안해보면, 남매의 근친상간의 금제와 관련된 모티프와 에피소드에 서사의 중심을 두고 있는 중국의 홍수남매혼 신화보다는, 근친상간의 금제와 그다지 관련이 없고 서사구조가 단순한 타지역의 홍수남매혼 신화가 오히려 시기적으로 앞선 이야기일 가능성을 배제할 수 없다.

일반적으로 특정 유형의 신화가 어느 지역에서 기원하여 어떻게 다른 지역으로 전파되었는지를 규명하기란 매우 어려운 일이다. 지역간의 전파를 논하기 위해서는 단일한 유형의 신화보다는 다양한 신화, 이를테면 천지창조 및 천지개벽, 인류 기원 등과 관련된 다방면의 신화를 함께 비교하여 살펴보지 않으면 안 된다. 아울러 동아시아의 홍수남매혼 신화가 세계의 홍수신화 속에서 어떠한 문화적 의미를 지니는지, 그리고 어떠한 점에서 동아시아적 특성을 보여주는지 고찰하고, 나아가 동아시아와 인도의 홍수남매혼 신화가 모티프와 에피소드에 있어서 사뭇 상이한 양상을 드러내는 까닭이 무엇인지를 고찰하는 것 역시 이에 못지않게 중요한 과제일 것이다.

■ 주석

1) 모오건 저, 최달곤 외 역, 『고대사회』(서울: 현암사, 1979), 396-412쪽
2) E. Westermarck, 정동호 역, 『인류혼인사』(서울: 세창출판사, 2013), 109-115쪽
3) 모오건 저, 앞의 책, 425쪽
4) 레비 스트로스), 『슬픈 열대』(서울: 한길사, 1998), 75-77쪽; 발터 에어하르트 외 엮음, 『테오리아』(서울: 개마고원, 2006), 316-317쪽
5) 프리드리히 엥겔스, 김대웅 옮김, 『가족 사유재산 국가의 기원』(서울: 아침, 1997), 47쪽
6) 馬昌儀 編, 『中國神話學文論選萃(上編)』(北京: 中國廣播電視出版社, 1994), 408쪽
7) 이를테면 중국신화학의 대표적 학자의 한 사람인 劉錫誠은 芮逸夫의 '東南亞文化區'를 토대로 아시아를 주체로 하는 동방문화전통의 부흥과 전파를 주장하고 있는데, 이 '東南亞文化區'의 구체적 예증의 하나가 바로 홍수남매혼 신화 및 이에 대한 그의 주장이다. 劉錫誠, 「'東南亞文化區'與同胞配偶型洪水神話」(『長江大學學報』38卷-9期, 2015), 1-2쪽
8) 中國民間文學集成全國編輯委員會 編, 『中國民間故事集成』(河北卷)(北京: 中國ISBN中心, 2002), 8-9쪽
9) 『風俗通義』의 관련 내용은 다음과 같다. 하늘과 땅이 열렸을 때 아직 사람이 없었다. 여와가 황토를 빚어 사람을 만들었다. 힘을 다해 만들어도 시간이 부족하여 진흙 속에서 동아줄을 당겨 들어 올리니 (진흙방울이 튀어) 사람이 되었다. 그래서 부귀한 자는 황토로 빚은 자이고, 빈천한 자는 동아줄을 당겨 만든 사람이라고 한다.
10) 中國民間文學集成全國編輯委員會 編, 앞의 책(廣東卷), 7-8쪽
11) 위의 책(浙江卷), 42-44쪽
12) 이주노, 「중국의 陷沒型 홍수전설 試探」(『中國文學』 64輯, 2010), 111-134쪽
13) 中國民間文學集成全國編輯委員會 編, 앞의 책(湖南卷), 23-26쪽
14) 이주노, 「동남아시아의 홍수신화 小考」(『中國文學』 114집. 2023), 238-239쪽
15) Dang Nghiem Van, 「The Flood Myth and the Origin of Ethnic Groups in Southeast Asia」(『*The Journal of American Folklore*』, Vol. 106, No. 421, 1993), 326-327쪽
16) 張玉安 主編, 『東方神話傳說』(第6卷)(北京: 北京大學出版社, 1999), 58-61쪽
17) 위의 책, 65-66쪽
18) 張玉安 主編, 앞의 책(第6卷), 119-120쪽
19) Dang Nghiem Van, 위의 글, 305쪽
20) Alan Dundes, 『*The Flood Myth*』(Berkeley · Los Angeles · London: Univ. of California Press, 1988), 186-191쪽
21) 本多 守, 「ベトナム, モン·クメール系諸民族の起源説話の共通性」(『アジア文化研究所研究年報』 55號, 2021), 85-86쪽
22) Owen Rutter, 『*The Pagans of North Borneo*』(London: 1929), 248쪽
23) 위의 책, 248-249쪽

24) Mabel Cook Cole, 『*Philippine Folk Tales*』(Chicago: A.C. McClurg and Company, 1916) 102-104쪽

25) 이 경우에는 개와 고양이가 함께 협력하여 불을 구해온다. 張玉安 主編, 앞의 책, 257쪽

26) 張玉安 主編, 위의 책, 291-292쪽

27) 林道生, 『原住民神話·故事全集⑤』(臺北: 漢藝色研文化事業有限公司, 2004), 129쪽

28) 장기간에 걸쳐 漢族에 동화되어 漢族 문화를 받아들임으로써 臺灣의 원주민으로 인정받지 못하는 平埔族의 홍수남매혼 신화의 경우, '천의 묻기와 징험'의 모티프는 소멸되었지만 '이물의 출산'의 모티프는 여전히 운용되고 있다. 浦忠成, 『被遺忘的聖域』(臺北: 五南圖書出版公司, 2007), 91-92쪽

29) 위의 책, 86쪽

30) 達西烏拉彎·畢馬, 『排灣族神話與傳說』(臺中: 晨星出版, 2003), 80쪽; 林道生, 『原住民神話·故事全集②』, 앞의 책, 85쪽

31) 鹿憶鹿, 『洪水神話』(臺北: 里仁, 2002), 189-190.쪽

32) 이를테면 파이완족의 홍수남매혼 신화에서도 이물의 출산은 단계적으로 이루어졌음을 아래와 같이 밝히고 있다. "그들이 낳은 첫 세대의 자녀들은 모두 소경이나 불구의 장애아들이었으며, 두 번째 세대의 아이들은 그런대로 정상적이었으며, 세 번째 세대에 이르러서야 건강하고 정상적인 아이를 낳았다." 達西烏拉彎·畢馬, 『排灣族神話與傳說』, 앞의 책, 80쪽

33) 浦忠成, 앞의 책, 85-86쪽

34) 林道生 編著, 『原住民神話與文化賞析』(臺北: 漢藝色研文化事業有限公司, 2003), 164-166쪽

35) 퓨마족卑南族의 신화에서 '작은 새를 놓아보내 소식을 알리게 한다'는 것은 사냥을 하러 나갈 때 반드시 먼저 새 울음소리를 듣고서 갈 것인지의 여부를 결정하는 퓨마족의 鳥占이라는 습속과 연관이 있다.

36) 浦忠成 著, 앞의 책, 83-84쪽

37) 정진희, 『오키나와 옛이야기』(서울: 보고사, 2013), 32-33쪽

38) 위의 책, 57쪽, 60쪽

39) 위의 책, 61쪽

40) 미야코 제도의 다라마지마多良間島에 전승되어온 홍수남매혼 신화에서는 처음에 뱀과 도마뱀을, 두 번째에는 조개와 모시풀을, 세 번째에야 인간을 낳는다. 미야코제도의 이라부지마에 전승되어온 홍수신화에서는 남매신이 처음에는 해로운 물고기를, 두 번째는 못생긴 물고기를, 세 번째는 장어를, 그리고 네 번째에야 인간을 낳는다. 또한 하테루마지마에 전승되어온 홍수남매혼 신화에서는 처음에 독사를, 두 번째에는 지네를, 세 번째에는 도마뱀붙이를, 네 번째에야 인간을 낳는다. 위의 책, 87쪽, 87-88쪽; 福田 晃, 『沖繩の傳承遺産を拓く-口承神話の展開』(東京: 三彌井書店, 2013), 225-226쪽

41) 정진희, 위의 책, 60-61쪽

42) C. E. Luard, 『*The Jungle Tribes of Malwa*』(Lucknow: Newul Kishore Press, 1909), 17쪽

43) R. V. Russell, 『*Tribes and Casts of the Central Provinces of India*』(Vol. Ⅲ)(London: Macmillan & Co., Ltd, 1916), 326-327쪽

44) Verrier Elwin, 『*Myths of Middle India*』(London: Oxford Univ. Press, 1949), 29-30쪽

45) 위의 책, 30-31쪽

46) 위의 책, 34쪽

47) 위의 책, 39-40쪽

48) 위의 책, 41-42쪽

49) 위의 책, 47쪽

50) 위의 책, 42-43쪽

51) 위의 책, 31-33쪽

52) 위의 책, 32-37쪽

53) 위의 책, 45쪽

54) 이를테면 멧돼지의 빳빳한 털을 털어 만들어진 대지는 멧돼지가 먹는 야생의 뿌리에 의해 단단히 고정되거나 대지의 안정을 위해 네 개의 쇠못 혹은 가시나무 못을 사방의 구석에 박아넣는다. 또한 대지가 창조된 후 얼마나 단단한가를 시험하기 위해 암탉, 돼지, 버팔로를 차례대로 내보내기도 한다. 위의 책, 34, 37, 42, 43-44쪽

55) 가장 대표적인 경우 미야코지마의 창세신화를 들 수 있다. 류큐열도의 신화에서 '곡물 종자의 획득'이나 '농경지 혹은 대지의 조성'은 대체로 신의 도움을 받거나 신이 가져다주는 방식으로 이루어진다. 정진희, 앞의 책, 46-49쪽

56) 중국의 신화나 전설 가운데에도 '불의 획득'을 다룬 이야기가 적지 않지만, 홍수와 '불의 획득'의 모티프가 결합된 예는 매우 드물다. 彝族의 「洪水潮天的故事」는 홍수에서 살아남은 생존자가 불을 얻는 과정을 서술하고 있는데, 불을 구하는 과정이 간략히 서술되어 있을 뿐 사건으로 그려져 있지는 않다. 本書編委會 編, 『中華民族故事大系』(第3卷)(上海: 上海文藝出版社, 1995), 24쪽

57) 중앙 보르네오의 카야족Kaya의 신화에 따르면, 바위에 이끼가 끼고 그 이끼에 벌레가 달라붙고, 그 벌레의 똥으로부터 처음으로 흙이 만들어졌다고 한다. Roland B. Dixon, 『*Oceanic Mythology*』(Boston, Marshall Jones Company, 1916), 159쪽

58) 홍수남매혼신화가 苗族에게서 시작되었다는 芮逸夫의 주장에 대해, 일찍이 岑家梧는 다른 소수민족에게도 이러한 유형의 신화가 많이 전승되고 있다는 점을 들어 의문을 제기한 바 있다. 岑家梧, 「黔南仲家的祭禮」(『風物志集刊』 제1기, 1944.2) 참조

12

중국 홍수신화의 연구 개황

1. 개척기(5·4운동기-중일전쟁 발발 이전)
2. 발전기(중일전쟁-중화인민공화국 수립)
3. 침체기(1949-1970년대 말)
4. 부흥기(1970년대 말-2000)
5. 번영기(2000-현재)

중국에는 본래 신화神話라는 용어가 존재하지 않았다. 지금까지의 연구에 따르면, 중국에서 신화라는 용어가 처음으로 사용된 것은 1897년경이라 여겨진다. 즉 탕차이창唐才常이 「각국종류고各國種類考」라는 글에서 세계의 상이한 지역의 유사한 신화를 의식적으로 비교하고 있다. 그는 이 글에서 "중국과 서양에 세상이 있게 된 것은 홍수 이후로부터이다"라고 여겨 홍수를 역사적 사실로 간주하는 듯한 견해를 펼치고 있다.[1] 이와 거의 같은 시기에 쑨바오푸孫保福 역시 『실학보實學報』라는 간행물에서 신화라는 용어를 사용하였다고 한다.[2] 『실학보』는 1897년 8월 28일 상해에서 창간된 순간旬刊의 간행물로서, 서구의 신문명과 신지식을 선전·보급하기 위해 영국과 프랑스, 일본의 언론매체에 실린 글을 번역하여 게재하였는데, 일본의 글을 번역하여 게재하는 과정에서 신화라는 용어가 처음 도입되었으리라 추정된다.

신화라는 용어를 사용하기 시작하면서 신화를 수단으로 국민을 계몽하거나 중국문화를 분석하는 작업이 진행되었는데, 이들 작업은 주로 1900년대 초의 개량파에 의해서 이루어졌다. 이러한 경향을 가장 보여주는 이로는 우선 량치차오梁啓超를 들 수 있다. 그는 1902년 요코하마橫濱에서 『신민총보新民叢報』를 창간하여 민족주의를 제창하였는데, 이 잡지에 1902년 2월 8일부터 「신사학新史學」이란 글을 연재하였다. 이 연재물의 한 편이 「역사와 인종의 관계歷史與人種之關系」인데, 이 글에서 그는 "그리스의 고대 신화는 신의 명칭이나 제례가 앗시리아, 페니키아에서 비롯되지 않은 것이 없다"고 지적하였다. 부국강병을 이루기 위해서는 민족주의를 제창해야 한다는 새로운 역사관 속에서, 그는 민족주의를 고취하기 위한 수단으로서 신화를 언급하였던 것이다.

개량파의 또 다른 인물은 량치차오와 더불어 활약했던 장즈유蔣智由(자는 관운觀雲)이다. 1902년에 일본으로 건너간 그는 당시 개량파의 진지였던 『신민총보新民叢報』에서 편집을 담당하였는데, 이 시기에

「신화·역사가 길러낸 인물神話歷史養成之人物」, 「중국인종고中國人種考-중국인종의 여러 견해中國人種之諸說」, 「중국인종고-곤륜산崑崙山」 등, 신화와 관련된 여러 편의 글을 잇달아 발표하였다. 「신화·역사가 길러낸 인물」은 신화와 역사가 인간의 흥미를 증진시키고 인간의 의욕을 고취함으로써 나라의 천재를 길러낸다는 주장을 담고 있다. 「중국인종고」는 당시 중국에 유행했던 '중국인종 서래설西來說', 즉 중국인종의 기원이 서쪽, 특히 바빌로니아에서 비롯되었다는 견해와 깊은 관련이 있는데, 그는 이 견해를 입증하거나 설명하기 위해 중국과 그리스, 유대민족, 바빌로니아의 홍수신화의 유사성을 언급하고 있다.[3]

20세기 초의 신화에 대한 관심은 신화 그 자체에 대한 학술적 관심이라기보다는 신화라는 새로운 학술담론을 통해 민지를 계발하거나 중국문화를 성찰하는 것이었다. 이러한 한계에도 불구하고 이 시기의 신화에 대한 관심은 새로운 학문분야로서의 신화학에 대한 학술적 관심을 불러일으키는 데에 성공하였다고 볼 수 있다. 중국신화에 대한 학술적 관심은 바로 당시의 불안하고 어지러운 정치상황 속에서 기존의 전통적인 학술사상과 연구방법에 대해 회의적이거나 비판적인 태도를 지니고 있던 이들이 서양의 과학지식과 새로운 학문분야의 각종 학설과 연구방법을 과감하게 받아들임으로써 가능했다고 볼 수 있다. 이 글에서는 20세기 초 이래 중국 신화학의 발전을 다섯 단계로 나누어 설명하는 가운데, 중국에서의 홍수신화에 대한 연구의 발자취를 주요 연구자와 논점을 중심으로 살펴보고자 한다.

1. 개척기(5·4운동기-중일전쟁 발발 이전)

5·4운동기로부터 중일전쟁이 발발하기까지의 시기는 신화연구에 있어서 기틀을 마련한 시기라고 볼 수 있다. 이 시기에 신화학이 발돋움하는 데 기여하였던 것으로 크게 두 가지를 지적할 수 있다. 하

나는 1918년 5월 북경대학에서 시작된 가요운동歌謠運動이다. 이 운동을 통해 민간문학작품의 수집붐이 전국적으로 일어났는데, 이 열기 속에서 민간에 전승되어온 많은 신화와 전설이 수집될 수 있었다. 당시의 지식인들은 민간에서의 수집운동을 통해서 국민의 소양을 계몽하고 교화할 수 있기를 도모하였던 것이다. 가요운동에 참여했던 인물 가운데 저우쭤런周作人은 일찍이 앤드류 랭Andrew Lang 등의 인류학파 신화학 이론을 소개한 바 있었는데, 신화와 관련된 저술로서 「신화와 전설神話與傳說」, 「신화의 변호神話的辯護」, 「신화의 변호 속편續神話的辯護」 등을 잇달아 발표하였다.[4)]

신화학의 발전에 기여한 다른 한 가지는 구제깡顧頡剛을 비롯한 의고파疑古派, 즉 고사변파古史辨派가 중국 고대사의 진위에 대해 문제를 제기하였던 점이다. 이들의 문제 제기에 의해 역사에서 밀려난 상고上古의 제왕들이 신화의 영역으로 환원되는 가운데 신화에 대한 연구가 활발해졌던 것이다. 이러한 학술적 분위기 속에서 신화에 관련된 전문학술서가 속속 간행되었는데, 대표적인 저작으로는 황스黃石의 『신화연구神話研究』, 셰류이謝六逸의 『신화학 ABC』, 마오둔茅盾의 『중국신화연구 ABC』, 마오둔의 『신화 잡론雜論』, 마오둔의 『북유럽신화 ABC』, 중징원鍾敬文의 『초사 속의 신화와 전설楚辭中的神話和傳說』, 린후이샹林惠祥의 『신화론神話論』 등을 들 수 있다.[5)]

이처럼 신화에 대한 학술적 접근이 이루어지는 가운데, 홍수신화에 관한 연구 역시 활발히 이루어졌다. 홍수신화 연구논문으로서 우선 살펴보아야 할 것은 량치차오가 1922년에 발표한 「홍수고洪水考」이다. 그는 중국의 옛 전적에서 홍수와 관련된 기록으로 여와女媧를 다룬 기록, 공공共工을 다룬 기록, 그리고 곤鯀 및 우禹를 다룬 기록을 들고 있다. 그는 비교신화학의 관점에서 이들 기록을 성경의 「창세기」, 인도, 그리스, 북유럽, 남태평양군도, 중남미 등의 홍수신화와 비교하여 똑같이 홍수신화가 나타남을 지적하면서, 전세계적으로 동일한 대홍수를 겪었을 것이라고 추정한다. 아울러 그는 중국신화의 민족적 특징으로서 절대자의 징벌이라는 종교관념이 없다는 점과 함께, 자연에 굴하지 않고 사람의 힘으로 자연에 맞서 싸우는 이상을 드러내고 있음을 언급하고 있다.[6]

고사변파가 제시한 새로운 역사연구는 기본적으로 하夏 이전의 역사에 대해 과감하게 회의하고 부정함으로써 신화와 전설을 옛 역사의 범주에서 배제하려는 것이었다. 이를 위해 그들은 역사고증의 시각에서 옛 역사를 고찰하였는데, 이러한 역사관은 구제깡이 제기한 '층루설層累說', 즉 '역사란 겹겹이 쌓여 이루어진 것'이라는 관점에서 잘 드러나 있다. 이러한 역사연구법을 바탕으로 그들은 역사 속의 신화적 인물에 대한 연구에서도 고증의 방법을 운용하였다. 이러한 연구방법론에 입각하여 홍수신화와 관련된 연구성과로는 구제깡의 「홍수전설과 치수 등의 전설洪水之傳說及治水等之傳說」, 양콴楊寬의 「우의 치수 전설의 추측禹治水傳說之推測」, 펑자성馮家升의 「홍수전설의 추측洪水傳說之推測」, 웨이쥐셴衛聚賢의 「천지개벽 및 홍수전설 탐원天地開闢及洪水傳說的探源」 등을 들 수 있다.[7]

이들 연구성과 가운데 구제깡의 「홍수전설과 치수 등의 전설」에 대해 살펴보자. 이 글에서 그는 중국의 홍수에 관한 기록을 수집·정리하여 갖가지 홍수에 관한 견해를 일곱 항목으로 귀납한 후, 이 가운데에서 홍수와 밀접히 연관된 것으로 '홍수의 유래', '홍수 당시의 정황', '치수의 방법', '치수의 조력자'를 들고 있다. 그에 따르면, 중국 옛 시기의 홍수관은 주대周代 사람들이 믿었던 우의 업적을 중심으로 전국시대에 이르러 기본적인 틀이 형성되었는데, 우의 업적을 '치수의 성공으로 만물이 질서를 회복하였다地平天成'는 위업으로 확대시켰다는 것이다. 그의 홍수신화 연구는 신화에 맞추어져 있는 것이 아니라, 역사기록에 대한 고증에 의지하여 역사화된 우를 신화의 범주로 밀어내는 것이었다.

이 시기의 홍수신화 연구는 대체로 옛 전적에 실려 있는 기록을 주요 연구대상으로 삼아 이루어졌다. 그런데 옛 전적에 실린 문헌자료

외에 당시 구전되어온 구술자료를 연구의 대상으로 수용함으로써 연구자료의 활용에 있어서 획기적인 계기를 마련한 글이 있다. 그것은 중징원이 1931년에 발표한 「중국의 수재전설中國的水災傳說」이다. 중징원은 옛 전적 중의 이윤伊尹전설, 함호陷湖전설 등을 수집·정리하는 한편, 당시의 구전자료 중의 함호전설과 인류재전승신화를 적극적으로 인용하였다. 아울러 그는 중국의 홍수 이야기와 히브리신화를 비교하여 중국의 홍수 이야기가 히브리 신화 및 서구의 신화와 계통이 다름을 밝혀냄과 동시에, 홍수전설 가운데 꿈의 계시나 재난의 징조 등의 요소에 대해 탐구하였다.[8] 이 글은 중국의 신화연구에 있어서 최초로 특정 지역이 함몰되어 호수로 변모하는 함호전설, 그리고 홍수의 재난에서 살아난 사람에 의한 인류의 재전승을 다룬 신화 등에 대해 체계적으로 정리하고 논술하였을 뿐만 아니라, 히브리신화를 중심으로 국내외의 동일한 모티프를 운용한 신화를 비교하였다는 점에서 의미가 매우 크다고 할 수 있다.

2. 발전기(중일전쟁-중화인민공화국 수립)

1920년대와 1930년대 중반까지 개척한 신화학의 토대 위에서, 이 시기에는 신화학의 다양한 이론을 모색하는 한편, 현지조사에 의해 구전자료를 대거 수집하고 정리함으로써 연구대상을 민간문학으로 확장하였을 뿐만 아니라 연구방법의 다원화를 도모하였다고 할 수 있다. 이 시기에는 일제의 침략으로 인해 중국 정부가 중경重慶으로 이전하였으며, 대학 역시 전시체제 아래에서 새로운 상황을 맞게 되었다. 즉 북경과 상해, 광주 등의 교수 및 연구자가 피난하여 대거 운남성과 광서성 등지의 서남부로 몰려들었으며, 곤명昆明에 국립서남연합대학國立西南聯合大學이 설립되었던 것이다.

중국 서남부로 피난온 민간문학연구자들의 관심을 끌었던 것은 이곳에 거주하고 있는 소수민족 사이에 구전되어온 방대한 양의 신화와 전설이었다. 민간문학연구자들의 일차적 과제는 방대한 양의 구전설화를 수집하고 정리하는 것이었다. 그들은 수집·정리된 소수민족의 구전설화를 바탕으로 그때까지의 고증적 방법론뿐만 아니라 민족학, 사회학, 인류학, 고고학, 신화학 등의 연구방법을 이용하여 구체적인 신화작품에 대한 연구를 진행하였다. 당시 이들의 연구는 연구집단에 따라 연구대상 및 연구방법의 차이를 보여주는데, 크게 세 집단으로 나누어 살펴볼 수 있다.

첫 번째 연구집단은 사천성 남부의 남계南溪로 이전해온 중앙연구원中央研究院을 중심으로 활동한 연구자들이다. 이들은 서남부 소수민족의 민간문학자료를 대거 수집·정리하여 민간문학연구의 지평을 확장시켰다. 이들 연구집단을 대표하는 연구자로는 루이이푸芮逸夫를 들 수 있는데, 그는 상서湘西 먀오족苗族을 현지조사하여 먀오족의 민간문학, 특히 신화와 전설을 수집하였다. 중앙연구원의 연구자로서 마쉐량馬學良은 운남의 이족彝族 거주지에서 현지조사를 진행하여 민속과 신화, 전설 등의 자료를 수집하였으며, 리린찬李霖燦은 나시족納西族의 둥바경東巴經의 민간고사와 신화를 전문적으로 연구하였다.

두 번째 연구집단은 곤명의 운남대학과 국립서남연합대학을 중심으로 활동한 연구자들이다. 현지의 학자로는 추투난楚圖南, 쉬자루이徐家瑞, 팡궈위方國瑜, 멍원퉁蒙文通 등을, 서남연합대학의 학자로는 원이둬聞一多, 주쯔칭朱自清, 마윈쿠이馬雲逵 등을, 중앙대학의 학자로는 마창서우馬長壽를 들 수 있다. 추투난은 서남부 소수민족의 민간문학에 깊은 조예를 지니고 있었으며, 1938년과 1939년에 걸쳐 「중국 서남민족신화 연구中國西南民族神話的研究」라는 장편의 논문을 발표하였다. 마창서우는 먀오족과 야오족瑤族의 기원에 관해 연구하였는데, 고고학, 역사학, 훈고학과 신화학의 다양한 연구방법을 이용하여 비교연구를 진행하였다.

세 번째 연구집단은 귀주貴州의 귀양貴陽으로 이주해온 상해上海 대하大夏대학의 사회학과를 중심으로 활동한 연구자들이다. 이 연구집단은 현지조사를 통해 수집한 자료를 바탕으로 각종 조사보고서와 함께 '귀주 먀오족연구총간貴州苗夷研究叢刊'을 발행하였다. 이들을 대표하는 연구자로서 우쩌린吳澤霖은 인류학의 연구방법과 태도로써 주로 먀오족의 사회생활을 연구함과 동시에 민간문학에 관심을 기울였으며, 신화 연구에 있어서 신화의 사회문화적 기능을 고찰하였다. 천궈쥔陳國鈞 역시 민간문학 연구에서 뛰어난 성과를 거두었는데, 특히 한족漢族의 영향을 거의 받지 않은 산간벽지의 성먀오生苗의 민속자료를 수집하고 연구하는 데 크게 이바지하였다.[9)]

이들 연구집단의 대표적인 연구성과로는 루이이푸의 「먀오족의 홍수이야기와 복희·여와의 전설苗族的洪水故事與伏羲女媧的傳說」, 우쩌린의 「먀오족 중의 선조 내력의 전설苗族中祖先來歷的傳說」과 「먀오족 중의 신화전설苗族中的神話傳說」, 마창서우의 「먀오야오의 기원신화苗瑤之起源神話」, 천궈쥔의 「성먀오의 시조신화生苗的人祖神話」, 마쉐량의 「운남 원주민의 신화雲南土民的神話」, 청양즈程仰之의 「고촉의 홍수신화와 중원의 홍수신화古蜀的洪水神話與中原的洪水神話」, 타오윈쿠이陶雲逵의 「리쑤족의 홍수전설栗粟族的洪水傳說」 등을 들 수 있다.[10)]

이러한 연구성과 가운데 이 시기의 연구방법과 연구경향을 가장 잘 드러내주는 연구로서 루이이푸의 「먀오족의 홍수이야기와 복희여와의 전설」을 살펴보기로 하자. 루이이푸는 호남성 서부지역을 현지조사하여 현지의 먀오족으로부터 구전되어온 수 편의 홍수 이야기와 더불어 강창講唱 텍스트 두 편을 채록하는 한편, 현지조사를 진행한 서구 학자의 기록에서 여러 편의 변이형을 발견하였다. 그는 이들 이야기를 비교하여 '복희·여와의 이야기는 원래 먀오족의 홍수유민洪水遺民 이야기'라고 주장하였다. 아울러 이러한 이야기를 형매배우형兄妹配偶型 홍수이야기라고 명명하고, "이 형식의 홍수이야기의 지리분포는 대략 북쪽으로 중국 대륙, 남쪽으로 남양군도에 이르고, 서쪽으로 인도 중부로부터 동쪽으로 대만섬에 이른다”고 밝히면서 이 유형의 이야기는 “아마 중국의 서남부에서 기원하여 이곳에서 사방으로 전파되었을 것”이라고 추론하였다. 이 연구는 최초로 소수민족의 홍수신화를 채록하고 연구하였을 뿐만 아니라, 당시에 확보한 여러 자료들을 바탕으로 홍수남매혼신화의 지리적 분포와 그 기원을 추론하였다는 점에서 학술사적 의미가 매우 크다고 할 수 있다.

이 시기에는 여러 소수민족으로부터 채록된 신화와 전설을 바탕으로 상이한 지역과 상이한 민족의 홍수신화의 같고 다름에 주목하여 비교신화학적 관점에서 연구를 진행하기도 하였다. 위에서 언급한 타오윈쿠이의 「리쑤족栗粟族의 홍수전설」은 단일한 소수민족의 홍수전설에 대한 연구임에도 불구하고, 여러 소수민족의 홍수신화와의 같고 다름에 주목하는 한편, 미시적 각도에서 유형 및 모티프에 대해 비교연구를 진행하였다. 이 글은 현지조사에 의해 채록된 구전자료를 적극적으로 활용함으로써 문헌상의 진위를 따지는 기존의 고증적 방법에서 완전히 벗어났다고 할 수 있다.

이와 함께 1942년부터 중국신화에 관한 일련의 글을 지속적으로 발표해온 원이둬聞一多의 연구 역시 이러한 연구경향의 맥락에서 살펴볼 수 있다. 그는 「복희고伏羲考」에서 중국 서남부 소수민족의 홍수유민洪水遺民신화 49편을 옛 전적 및 관련 고고학 자료와 비교함으로써, 중국 고대의 인수사신상人首蛇身像 및 쌍두사雙頭蛇, 이룡신二龍神은 복희·여와와 공통된 신화원神話源으로서 용龍을 지니고 있다고 보았다. 그는 용을 부락이 겸병되는 과정에서 생겨난 토템으로 간주하고, 용 토템이 중화문화에서 우세한 지위를 지닌다고 여겼다. 아울러 그는 홍수 이야기의 핵심은 인류를 다시 만들어내는 것이고 그 과정에서의 핵심은 조롱박葫蘆이며, 복희·여와의 원형은 바로 조롱박이라고 주장하였다.[11]

3. 침체기(1949-1970년대 말)

1950년대로부터 1970년대에 이르기까지 대륙에서는 문학예술의 창작뿐만 아니라 학술사상의 연구에서도 좌경적, 혹은 극좌적 정치운동의 영향 아래 당파성과 계급성이 편향적으로 강조되는 한편, 지식인의 전문성보다 노농병의 사상성이 훨씬 중시되었다. 게다가 민속학과 신화학의 대표적인 연구자들 가운데 반우파투쟁 및 문화대혁명기에 반당·반사회주의反黨反社會主義의 '반동학술권위反動學術權威'로 내몰려 비판받은 이들이 적지 않았다. 이러한 사회적 분위기로 말미암아 전문적인 연구자의 역량에 의지할 수밖에 없는 신화연구는 침체기에 접어들지 않을 수 없었다.

이 시기의 중국의 신화연구는 홍콩과 마카오, 대만 등의 해외 학자들에 의해 명맥을 유지하였다. 대표적인 연구성과로는 링춘성凌純聲의 「운남 카와족과 대만 고산족의 저두제雲南卡瓦族與臺灣高山族的猪頭祭」, 리후이李卉의 「대만 및 동남아의 동포배우형 홍수전설臺灣及東南亞的同胞配偶型洪水傳說」, 리린찬의 「모쒀족의 홍수 이야기么些族的洪水故事」와 「모쒀족의 이야기么些族的故事」, 장광즈張光直의 「중국 창세신화의 분석과 고대사 연구中國創世神話之分析與古史研究」, 쑨자지孫家驥의 「홍수전설과 공공洪水傳說與共工」, 러우쯔쾅婁子匡의 「모쒀족의 홍수전설么些族洪水傳說」 등을 들 수 있다.12)

이들 가운데 링춘청은 대륙의 중앙연구원 사회과학연구소 연구원, 국립중앙대학 주임교수를 역임한 바 있는, 소수민족학 연구의 개척자이자 신화학 전문가이다. 그는 1949년 대만으로 건너와 대만대학 고고인류학과 교수로 재직하였으며, 대만의 중앙연구원 민족학연구소 주임을 담당하였다. 루이이푸 역시 대륙의 중앙연구원 사회과학연구소 및 역사언어연구소의 연구원을 지냈으며, 국립중앙대학 교수를 역임하였다. 루이이푸는 1930년에 링춘청을 따라 허저족赫哲族의 민족학 조사연구를 함께 한 적이 있었다. 또한 리린찬은 중일전쟁기에 운남에서 민족학 및 신화학 연구를 진행하였으며, 특히 나시족 연구에서 독보적인 업적을 이룩하였다. 이 당시에 이루었던 연구성과는 그가 대만으로 건너간 이후에 발표되었다. 이처럼 지난날 대륙의 대학이나 연구소에서 연구경력을 쌓았던 이들, 특히 중앙연구원에 재직했던 연구자들이 1949년 이후 대만의 민속학, 인류학, 신화학 연구를 이끌었음을 알 수 있다.

4. 부흥기(1970년대 말-2000)

문화대혁명이 종식된 후 중국은 일시적으로 정치적 혼란을 겪었지만, 덩샤오핑鄧小平이 정권을 장악하면서 정치적 안정을 되찾았다. 덩샤오핑은 국정운영의 원칙으로 개혁개방을 내세웠으며, 이로써 중국은 인민공화국 수립 이후 약 30년간의 폐쇄 상태에서 벗어나 세계를 향해 문을 열어젖혔다. 개혁개방정책을 실시한 이래 정신오염精神污染 반대운동(1983년), 부르주아자유화 반대운동(1987년), 나아가 6·4천안문사태(1989년) 등의 정치적 위기도 있었지만, 개혁개방정책의 기본적인 방향은 변하지 않았다. 개혁개방정책이 안정적으로 지속됨에 따라, 이전의 학술계에 요구되었던 계급성 및 당파성에 대한 일방적이고 경직된 요구는 점차 완화되었다. 문화대혁명이 종식된 지 얼마 지나지 않은 1980년대 초까지 중국 사회는 여전히 문화대혁명의 극좌적 그늘에서 벗어나지 못했지만, 이러한 사회적 분위기에 힘입어 신화학 연구에서도 새로운 변화를 모색하기 시작하였다. 그 새로운 변화는 크게 세 가지로 나누어 살펴볼 수 있다.

첫째, 신화학 연구의 토대라고 할 수 있는 자료의 수집과 정리에 있어서 주목할 만한 성과를 거두었다는 점이다. '세기의 경전世紀經典'

혹은 '문화장성文化長城'이라 일컬어졌던 대형 프로젝트인 '3질의 집성三套集成', 즉 『중국민간고사집성中國民間故事集成』, 『중국가요집성中國歌謠集成』과 『중국속담집성中國諺語集成』의 편찬은 1984년 5월 문화부, 국가민족사무위원회, 중국민간문예연구회가 공동으로 발기한 정부 주도의 문화사업이다. '3질의 집성'은 1984년부터 전국의 민간문학연구자들이 일제조사에 착수하여 1987년에 그 조사를 마쳤으며, 2000년까지 예상 권수의 1/3에 해당하는 30권을 출판하였다. 이 가운데 『중국민간고사집성』은 각 성과 시, 자치구마다 분권分卷되어 있는데, 1992년에 첫 권을 출간한 이래 2000년까지 11권을 출간하였다. 또한 중국의 소수민족별로 신화와 전설, 민담을 수집·정리한 『중화민족고사대계中華民族故事大系』 총 16권이 1995년에 상해문예출판사에서 출간되었다. 이로써 그동안 자료 수집과 정리의 개별성과 산발성을 극복하여 각지, 각 민족의 신화와 전설을 총체적으로 살펴볼 수 있는 토대를 마련하였다.

둘째, 신화학 연구의 다양성을 확보하기 위한 서구이론의 적극적인 소개와 도입에 있어서 괄목할 만한 성과를 거두었다는 점이다. 그동안 폐쇄 상태에서 벗어난 중국의 신화학계는 신화 연구의 도약을 위해 새로운 이론을 모색해왔다. 이러한 모색은 주로 서구의 신화학 연구를 대표하는 저서를 번역하여 소개하는 형태로 이루어졌다. 이를테면 1981년에 레비 브륄Lucien Lévy-Bruhl의 원시사유原始思維에 관한 서적을 일부 번역하여 엮은 서적이 『원시사유』라는 제명으로 출판되었다.[13] 레비 브륄에 따르면, 원시인의 사유는 서구 문명인의 사고와 본질적으로 달라서 '논리 이전pre-logic'의 사유방식을 지니고 있으며, 논리 이전의 신비적인 관여participation를 통해 사유한다는 것이다. 이 번역서를 뒤이어 1987년에 프레이저J. G. Frazer의 『*The Golden Bough*』가 번역되어 출간되었으며, 1990년에는 리밍David Adams Leeming과 벨다Edwin Belda의 공저 『*Mythology*』가 『신화학』이란 제명으로 번역·출간되었다. 이어 1992년에는 카시러Ernst Cassirer의 『*Das mythische Denken*』을 번역한 『신화사유神話思維』가 출간되었다.14) 이밖에 복수의 이론서를 발췌하여 번역한 경우도 있는데, 1987년 예수셴葉舒憲이 번역하여 출간한 『신화: 원형비평原型批評』이 이러한 경우이다. 이 서적은 원형비평파의 대표적인 논문을 체계적으로 엮었는데, 원형비평의 양대 이론적 기초로서 프레이저의 문화인류학 및 융C. G. Jung의 분석심리학에 주목하였다. 그리하여 이 서적에는 프레이저의 『황금가지』의 제4부인 '아도니스'와 융의 「분석심리학과 시의 관계를 논함」을 번역하여 수록하고 있다. 이들 번역서들은 기본적으로 인간과 자연, 신화와 철학, 미개와 문명의 상호관계에 천착하고 있는 바, 중국 신화학 연구의 시야를 확장하는 데 크게 기여하였다.

셋째, 신화학 연구를 전문적으로 수행하기 위한 기구와 단체가 설립되고, 전문학술지가 활발하게 발간되었다는 점이다. 즉 1979년에 중국소수민족문학연구회가 창립되었으며, 같은 해에 중국사회과학원 산하에 소수민족문학연구소(2002년에 민족문학연구소로 개칭)가 설립되었다. 소수민족문학연구소는 1983년에 『민족문학연구』라는 학술지를 창간하였으며, 이 학술지는 중국소수민족연구 분야의 유일한 국가급 학술간행지이다. 이밖에 전국적인 민간문학연구자의 연구단체로 중국민간문예연구회(1987년에 중국민간문예가협회로 개칭)가 있으며, 이 연구회는 1981년에 학술지로 『민간문학논단民間文學論壇』을 창간하였다. 이들 연구단체는 신화와 전설을 포함한 민간문학, 특히 소수민족의 민간문학의 구전자료를 수집·정리하는 데 크게 기여하였으며, 이들이 간행하는 전문학술지는 신화연구의 진지가 되어 민간문학 평론과 연구논문, 각종 보고서와 문헌자료 등을 꾸준히 발표하였다.

이러한 신화학 연구에서의 새로운 변화에 힘입어 적지 않은 성과를 거두었다. 우선, 소수민족 문학사 및 소수민족의 신화와 전설에 관한 편저, 신화연구 논문자료집 등이 잇달아 출간되었다. 이를테면 마오싱毛星이 엮은 『중국소수민족문학』(전3권)이 1983년에, 구더谷德가 엮은 『중국소수민족신화선』(상·하)이 1987년에, 리쯔셴李子賢이 엮은

『운남소수민족신화선』이 1990년에, 그리고 타오양陶陽과 중슈鍾秀가 엮은 『중국신화』가 1990년에 각각 출간되었다. 이들 서적은 소수민족의 신화와 전설을 풍부하게 수록함으로써, 『중국민간고사집성』과 『중국민족고사대계』가 출간되기 이전에 많은 신화학 연구자들에 자료를 제공해주었다. 이밖에 마창이馬昌儀가 중국신화와 관련된 연구논문을 엮어 1994년에 출간한 『중국신화학문론선췌中國神話學文論選萃』 역시 연구자들의 시야를 확장하는 데에 크게 기여하였다.

둘째로 신화학 이론방면에서의 성과를 들 수 있는 바, 1992년에 예수센이 출간한 『중국신화철학』을 대표적인 성과로 들 수 있다. 이 저서는 구조주의, 인류학, 원형비평 등의 이론을 운용하여 중국신화를 연구하였으며, 신화사유와 논리사유의 관계라는 관점에서 중국 나름의 신화연구의 토대를 탐색하였다. 아울러 중국신화의 전문연구서로서 세쉬안쥔謝選駿이 1989년에 '중국민간문학연구총서'의 하나로 출간한 『중국신화』를 들지 않을 수 없다. 이 저서는 중국신화를 크게 '탄생誕生신화'와 '재생再生신화'로 나누어, 각각 창세신화와 기원신화, 그리고 홍수신화와 영웅신화 등의 갖가지 형식과 문화적 의미를 고찰하였다. 이밖에 비교신화학 연구서로서 차이마오쑹蔡茂松이 1993년에 출간한 『비교신화학』 역시 값진 성과라 하지 않을 수 없다. 이 저서는 중국과 서양의 신화를 비교하여 신화사유의 공통성을 모색하고자 하였다. 이와 같은 신화학 이론방면에서의 성과는 당시 중국신화 연구자들이 민속학, 인류학, 민족학 등의 연구방법론은 물론, 서구의 원형비평, 구조주의, 심리학, 유형과 모티프 이론을 통하여 연구시야를 크게 확장하였기에 가능하였다고 할 수 있다.

이 시기 중국신화학의 연구에 있어서 간과할 수 없는 중요한 업적으로 위안커袁珂의 신화학 연구를 들지 않을 수 없다. 그는 1980년에 신화학의 관점에서 『산해경山海經』을 분석한 『산해경교주校注』를 출간한 이래, 1985년과 1998년에는 최초의 신화사전인 『중국신화전설사전中國神話傳說詞典』과 『중국신화대사전中國神話大詞典』을 출간하고,

1988년에는 최대 편폭의 중국신화사인 『중국신화사』를 출간하였다. 특히 그는 신화와 전설, 선화仙話 등이 확실하게 구분될 수 있는 것이 아니라는 점을 들어 기존의 신화와 전설 외에 역사전설과 선화 역시 신화의 범주에 넣었다. 이른바 '광의廣義의 신화'라는 개념을 제기함으로써 위안커는 중국신화의 단편성斷片性을 극복하여 중국신화를 풍부하고 다양하게 체계화하였다.

위안커와 신화학 연구와 더불어 일부 학자들의 참신한 문제 제기 역시 눈여겨볼 만하다. 리쯔셴은 일찍이 「와족 신화를 논함論瓦族神話」(1987년)이란 글에서 '살아있는 형태活形態의 신화'로서의 와족 신화를 언급한 바 있는데, 신화의 연구대상을 옛 문헌자료보다 여전히 실제 생활 속에 남아있는 자료에 초점을 맞추어야 한다고 주장하였다. 그의 이러한 문제의식은 이후에 씌어진 「활형태신화에 관한 졸견活形態神話芻議」(1989)과 「활형태신화 연구와 중국신화학 건설活形態神話研究與中國神話學建構」(2010)에서 더욱 예리해졌는데, 중국신화학계가 유럽의 신화이론 중심론, 그리스신화 패러다임, 문헌신화 정통론에 편향되어 있음을 지적하면서 중국 각 민족의 전통민속생활 가운데 살아있는 형태의 신화를 마땅히 중시해야 한다고 주장한다.[15]

리쯔셴과 입장을 함께 하는 학자로는 멍후이잉孟慧英을 들 수 있다. 그는 「활태신화연구의 역사 기초活態神話研究的歷史基礎」(1989)에서 각 민족의 생활습속에 살아있는 자료에 대한 현지조사의 중요성을 언급함과 아울러, 신앙이나 제의를 포함한 소수민족의 각종 생활양태 속에 살아 숨쉬는 신화를 신화연구의 중심에 놓을 것을 강조한다. 민속학을 토대로 하는 그의 이러한 관점은 1990년에 출간된 『활태신화活態神話-중국소수민족신화연구』에 여실히 반영되어 있는데, 이 저서는 신화의 전달매체와 기능, 전승 메카니즘 등을 분석함과 아울러 활태신화의 각종 운용법칙 및 이론에 대해 설명하고 있다.[16]

이러한 신화학 연구 전반에 걸친 변화와 이에 따른 성과로 인해, 1990년대는 중국학술사에 있어서 '신화열神話熱'이라고 일컬어질 만큼

신화에 대한 학술적 관심이 뜨거웠다. '신화열'과 관련지어 198,90년대를 관통하는 연구의 흐름 가운데 하나는 중국신화의 근원이자 보고로서의 『산해경』에 대한 연구이다. 이와 더불어 이 시기의 신화 연구의 주된 흐름으로 자리잡은 것은 소수민족의 신화에 대한 연구였으며, 이 가운데 중요한 부분을 차지하고 있는 것이 바로 홍수남매형 신화에 대한 연구였다.

이 시기의 홍수신화에 대한 주요 연구성과로는 리쯔셴의 「운남 소수민족의 홍수신화 시론試論雲南少數民族的洪水神話」, 우빙안烏丙安의 「홍수이야기 중의 비혈연혼인관洪水故事中的非血緣婚姻觀」, 천빙량陳炳良의 「광서 야오족 홍수이야기 연구廣西瑤族洪水故事研究」, 뤼웨이呂微의 「중국홍수신화 구조분석中國洪水神話結構分析」, 쑹자오린宋兆麟의 「홍수신화와 조롱박 숭배洪水神話與葫蘆崇拜」, 장전리張振犁의 「중원 홍수신화 졸견中原洪水神話管窺」, 중징원의 「홍수후 남매재식인류신화洪水後兄妹再殖人類神話」, 루이루鹿憶鹿의 「홍수후 남매혼신화 신탐洪水後兄妹婚神話新探」, 푸광위傅光宇의 「'난제구혼' 이야기와 '천녀혼배형' 홍수유민신화'難題求婚'故事與'天女婚配型'洪水遺民神話」, 천젠셴陳建憲의 「중국홍수신화의 유형과 분포中國洪水神話的類型與分布」, 루이루의 「이족 천녀혼 홍수신화彝族天女婚洪水神話」 등을 들 수 있다.17) 이 가운데 홍수신화 연구사에 의미 있는 논문을 몇 편 살펴보기로 하자.

먼저 리쯔셴의 「운남 소수민족의 홍수신화 시론」(1980)을 살펴보자. 리쯔셴은 운남 소수민족의 홍수신화의 내용을 크게 세 가지 유형으로 분류한다. 즉 천신이 홍수를 일으켜 인류를 절멸할 때 남매가 생존하여 결혼하여 인류를 다시 번성하는 유형, 천신이 홍수를 일으켜 인류를 절멸할 때 남자 한 명이 생존하여 천신과의 투쟁 끝에 그의 딸을 아내로 삼아 인류를 다시 번성하는 유형, 그리고 홍수가 인류의 기원과 관련되어 있음을 이야기할 뿐 남매혼을 통해 인류를 재전하는 내용은 없는 유형 등이 그것이다. 이 세 가지 가운데 첫 번째 유형이 가장 전형적인 형식이라 할 수 있다. 아울러 그는 운남 소수민족의 홍수신화의 특징으로서, 첫째, 대부분 홍수범람과 남매혼의 결합으로 이루어진다는 점, 둘째, 남매가 결혼하여 각 민족의 공동의 시조가 된다는 점, 셋째, 고대 원시인류가 대자연의 압박 앞에서 불굴의 투쟁정신으로 꿋꿋한 삶의 의지를 지니고 있다는 점을 들고 있다. 이 글이 발표될 당시에는 소수민족의 신화에 관한 자료가 많지 않은 지라 유형 분석에 한계를 보이고 있지만, 홍수신화의 유형분석의 틀을 제시하였다는 점에서 학술적 의미가 있다.

다음으로 우빙안의 「홍수이야기 중의 비혈연혼인관」(1982)을 살펴보자. 우빙안에 따르면, 혈연혼인형 신화전설에는 다종의 형태가 있는데, 이 가운데 가장 전형적인 것은 남매혼인형 이야기이며, 이 이야기는 기본적으로 혈연혼인제를 반영하고 있다. 그는 이들 홍수 이야기에는 세 가지의 구성요소가 존재한다고 본다. 즉 '남매의 결혼은 강요에 따른 것이다' - '여동생은 여러 차례 반대한다' - '남매가 결혼한 후 이물을 출산한다'는 것이다. 이들 구성요소가 모두 혈연혼에 반대하는 관념을 드러내고 있다는 점에서, 우빙안은 남매혼형 신화전설이 드러내는 비혈연혼인 관념에 근거하여 이 이야기들이 혈연가족의 남매혼제를 반영하는 것이 아니라 혈연가족의 형제자매혼으로부터 형제자매혼을 배제하는 씨족조직으로 나아가는 과도기를 반영하고 있음을 입증해준다고 주장한다. 이 글은 홍수남매혼신화의 남매혼이 인류의 혈연관계와 혼인제도에 있어서 어떤 위치에 놓여 있는지를 고찰하고 있다는 점에서 의미를 부여할 수 있다.

뤼웨이는 「중국홍수신화 구조분석」(1986)에서 홍수이야기의 유형을 크게 두 가지로 분류한다. 즉 유형 Ⅰ은 원이둬가 형매배우형兄妹配偶型 홍수유민재조인류洪水遺民再造人類 이야기라고 일컬었던 것으로서 뇌공雷公 이야기를 담고 있으며, 이것의 변이형으로서 원상으로 회복되는 이야기도 포함한다. 유형 Ⅱ의 대표적인 예는 '이윤공상伊尹空桑'의 이야기이다. 그에 따르면, 홍수신화는 인류의 생육현상을 상징하는데, 홍수신화의 기본 요소인 홍수와 피수避水 도구는 생육현상과 임신 모체의 상징이다. 두 유형의 구조는 모두 징벌 모티프 - 예언 모티프 - 징조 모티프 - 피수避水(인류 재생) 모티프를 포함하는데, 홍수신화는 자연계의 사계의 변화를 상징하는 한편 인류 모체의 생육을 상징한다.

중징원의 「홍수후 남매재식인류신화-이 유형의 신화 속의 두세 가지 문제에 대한 고찰」(1991)을 살펴보자. 중징원은 홍수남매혼신화에 두 가지 모티프, 즉 '홍수 재난' 모티프와 '남매의 결혼' 모티프가 존재한다고 본다. 그는 홍수남매혼 신화에 대해 크게 세 가지 문제를 제기하는 바, 이러한 신화가 생겨난 시기의 문제(혈연혼이 허용되는 시기인가, 금지된 시기인가?), 두 가지 모티프의 관계 문제(동시에 존재했는가, 유전 과정에 합쳐진 것인가?), 돌사자와 돌거북의 문제(각기 독립적으로 생겨난 것인가, 유전 과정에서 변모한 것인가?) 등이다. 그는 이러한 신화가 혈연혼이 유행하거나 허용되던 시기에 생겨났으며, 두 가지 모티프가 원래 각각 분리되어 존재했으나 후에 하나로 합쳐졌으며, 돌거북에서 돌사자로 변모했으리라고 추측한다.[18]

위에서 소개한 글들은 기본적으로 민간문학 관련사업의 추진에 따라 홍수신화와 관련된 자료가 대거 채록·수집되고 있는 상황을 반영하고는 있지만, 아쉽게도 채록과 수집 사업이 완결되지 않은 상황인지라 모든 소수민족의 홍수신화를 연구대상으로 다루고 있지는 못하다. 따라서 홍수남매혼신화의 특정한 에피소드, 이를테면 돌사자와 관련된 에피소드에 주목할 뿐, 다른 유형의 에피소드를 포함하여 총체적인 시좌視座에서 홍수신화를 고찰하지 못하는 한계를 드러내고 있다. 그러나 이 글들에서 신화의 유형과 모티프를 분석하는 방법을 운용하여 홍수남매혼신화에 대한 분석을 시도하고 있다는 점에서 알 수 있듯이, 중국의 신화연구는 차츰 유형과 모티프의 분류 및 그 의미에 대한 분석으로 나아가면서 다원화의 추세를 보여주고 있다.

5. 번영기(2000 - 현재)

2000년대 초 이래로 중국의 신화연구는 이전의 연구성과를 토대로 비약적인 발전을 거듭하였다. 이러한 발전은 이른바 '세 질의 집성三套集成', 즉 『중국민간고사집성』, 『중국가요집성』 『중국속담집성』의 편찬작업이 2009년에 이르러 완수되었기에 가능했다. '세 질의 집성' 가운데 『중국민간고사집성』은 2007년까지 편찬작업을 완료하여 총 30권을 출간하였다. 정부의 주도로 행해진 이 사업은 이야기의 수집·채록의 기준으로서 '과학성', '전면성'과 '대표성'을 내세워 전국의 민간고사에 대해 체계적이고 조직적으로 수집과 채록을 진행하였다. 이로써 『중국민간고사집성』은 1995년에 이미 출간된 총 16권의 『중화민족고사대계』와 함께 신화연구의 튼튼한 기반으로 자리잡았다.

이 시기에는 1980, 90년대 신화학 이론연구의 심화 및 연구기구의 활발한 활동, 특히 문화연구(culture studies)라는 이름의 학제간 연구가 활발해진 상황에 힘입어 신화학과 관련된 대형의 총서가 간행되었다. 우선 2010년부터 출간한 '신화역사총서神話歷史叢書'를 살펴보자. 이 총서는 1990년대 중후반에 예수센과 샤오빙蕭兵이 주관했던 '중국문화의 인류학적 암호해독人類學破譯' 시리즈의 출간과 깊이 관련되어 있다. 이 시리즈는 1991년부터 『시경詩經』, 『초사楚辭』, 『설문해자說文解字』, 『노자老子』, 『산해경』 등 중국의 경전 저작에 대한 새로운 해석을 통해 '신국학新國學'을 제창함으로써 학계의 관심을 모았다.[19] 예수센이 총주편總主編을 맡은 '신화역사총서'는 이 시리즈의 문제의식을 이어받아 신화와 역사의 관계에 관심을 기울인다. 이 총서는 기본적으로 신화가 각각의 역사단계에서 어떤 기능을 하였는지, 역사서에는 어떤 신화의 그림자가 남겨져 있는지를 추적한다.[20] 이 총서는 중국의 경전 저작에 대한 신화·역사의 새로운 해독이자, 중국문화 원류에 대한 새로운 인문학적 해석이라 할 수 있다.

또 하나의 총서는 역시 예수센이 주편한 '신화학문고神話學文庫'이다. 이 문고는 기본적으로 신화를 민간문학이라는 폐쇄된 공간에서 해방시키고 파편적이고 단절적인 상태의 학문을 소통시킴으로써 인문학의 뿌리를 찾아내는 것을 목표로 제시하고 있다. 이 문고에서는 2013년에 제1집 총 17권의 연구서를 출간하고 2019년에는 제2집 총 21권의 연구서를 출간하였으며, 2024년에 제3집 총 23권을 출간할 예정이다. 이 가운데에는 『신화-원형비평原型批評』이나 『구조주의신화학結構主義神話學』, 『문화기호학文化符號學』 등처럼 여러 편의 신화이론 관련 논문을 한데 엮은 서적도 있지만, 전문저작과 번역서가 주류를 이루고 있다. 번역서로는 프레이저의 『*Folk-lore in the old Testament*』, 롤스톤Thomas William Hazen Rolleston의 『*Myths & Legends of the Celtic Race*』, 크레이머Samuel Noah Kramer의 『*Sumerian Mythology*』, 던디스Alan Dundes의 『*The Flood Myth*』, 마리나토스Nanno Marinatos의 『*Minoan Kingship and the Solar Goddess*』 등이 잇달아 번역·출간되었다.

또 다른 총서는 '신화역사총서'를 뒤이어 학제간 연구의 대표적인 성과로 꼽히는 '문명기원文明起源의 신화학 연구총서'이다. 이 총서 역시 예수센이 주편을 맡았는데, 신화학의 관점으로 중화문명의 근원을 탐구하는 것을 목표로 제시하고 있다. 예수센은 중국과 서구의 학술 전통의 바탕 위에서 문화인류학의 새로운 연구방법론으로 '사중증거법四重證據法'[21])을 제시하고 이를 이 총서에서 운용하였다. 이 총서는 사회과학문헌출판사에서 다양한 논저와 역서를 출간하였는데, 대표적인 논저로는 예수센의 『중화문명 탐원探源의 신화학 연구』(2015), 탄자譚佳의 『신화와 고사古史: 중국현대학술의 구축과 아이덴티티認同』(2016) 등을 들 수 있다. 번역서로는 김부타스Marija Gimbutas의 『*The Language of the Goddess: Unearthing the Hidden Symbols of Western Civilization*』, 더글라스Mary Douglas의 『*Leviticus as Literature*』, 버켓Walter Burkett의 『*Babylon, Memphis, Persepolis: Eastern Contexts of Greek Culture*』 등이 잇달아 번역·출간되었다.

신화학 연구에서의 이러한 상황과 발맞추어 중국의 홍수신화에 대한 연구에는 어떤 움직임이 있었는지 살펴보자. 21세기에 접어들어 중국의 홍수신화에 대한 연구 역시 기존의 연구자 외에 새로운 연구 인력이 충원되면서 저서와 학위논문, 소논문이 쏟아져나왔다. 이 글에서는 여전히 홍수신화에 관한 논의를 이끌어가고 있는 소수 연구자들의 학위논문과 저서를 중심으로 개략적으로 살펴보고자 한다.

이 시기의 연구성과로 우선 중국 홍수신화에 관한 전문저작인 루이루의 『홍수신화 -중국 남방민족과 대만 원주민을 중심으로』[22]를 살펴보자. 루이루는 중국 홍수설화에 관한 지금까지의 관련 연구성과를 간략히 정리하는 한편, 특히 홍수 후에 남매가 결혼하는 유형의 신화에 대해 집중적으로 살펴보고 있다. 그는 이러한 유형의 신화는 적어도 한대漢代에 이미 완정된 텍스트로 형성되었다고 보고 있으며, 이러한 유형의 신화에 등장하는 복희伏羲와 여와女媧는 애초에 별도의 신화 텍스트에 속해 있었을 가능성이 높으며, '홍수'와 '인류 재창조'의 두 가지 모티프 역시 훗날 합쳐졌을 가능성이 높다고 본다. 이와 더불어 그는 대만 원주민의 홍수신화를 '홍수 후 형매혼신화'와 '뱀 혹은 뱀장어가 일으킨 홍수신화' 등의 지계支系로 나누고, 이 가운데의 '고산으로의 피난高山避水' 모티프, '나무절구 피난木臼避水' 모티프, '불의 획득取火' 모티프 등에 대해 인류학 자료와 연관지어 고찰하고 있다. 전반적으로 이 저서는 중국 홍수설화에 관해 풍부한 자료를 제공하고 있다는 점, 그리고 대륙과 대만의 홍수설화를 비교·분석하고 있다는 점에서 미덕을 보여주고 있다.

박사학위논문으로는 차오커핑曹柯平의 「중국의 홍수후 인류재생신화 유형학 연구中國洪水後人類再生神話類型學研究」[23]를 들 수 있다. 그는 신화의 분류에 있어서 민족언어학의 기능을 과감하게 적용하여 신화 텍스트를 소속 어계語系, 어족語族, 나아가 어지語支와 대응시킴으로써 홍수신화의 구전 텍스트를 과학적이고 체계적으로 분류하고자 하였다. 그리하여 그는 중국의 홍수신화를 짱멘어족(藏緬族群, Tibeto-

Burman Language Family), 먀오야오어족(苗瑤族群, Miao-Yao Language Family), 좡둥어족(壯侗族群, Zhuang-Dong Language Family) 및 기타 족군의 몇 집단으로 나누었다. 그는 모티프의 조합을 통하여 각 어족군語族群의 홍수신화의 특질을 파악하고자 하였으며, 이에 따라 151편의 중국의 각 민족의 홍수후 인류재생신화를 7형型 5식式으로 나누었다. 즉 짱멘어족군의 A형(AⅠ·AⅡ·AⅢ식 포함), B형과 C형, 먀오야오어족군과 좡둥어족군의 D형(DⅠ·DⅡ식 포함), 그리고 알타이민족, 남도민족南島民族, 한족 각각 1형이 그것이다. 이처럼 그는 홍수신화의 연구에 언어학, 고고학, 민족학과 역사지리학의 연구성과를 과감하게 인용하여 연구의 지평을 확장하였으나, 유감스럽게도 그의 논지 전개는 짱멘어족에 한정되어 진행되었을 뿐이다.

이에 뒤이어 박사학위논문으로는 천젠셴陳建憲의 「중국 홍수이야기권을 논함論中國洪水故事圈-568편의 이문에 관한 구조분석關于568篇異文的結構分析」[24]을 들 수 있다. 그는 역사지리학의 기초 위에 모티프 분석법을 가미하였는데, 560여편의 홍수이야기의 구조를 네 가지 줄거리 단락으로 귀납하여 매 단락의 불변不變 모티프와 가변可變 모티프를 분석하였다. 이 가운데 7개의 가변 모티프에 각각의 변량變量에 따라 숫자를 부여하고, 이 변량에 변화가 있을 경우에는 숫자를 더하였다.[25] 이와 같은 방식으로 그는 상이한 모티프의 수량, 지역, 족속, 문헌기록과 역사고증 등의 요소를 분석하고, 이에 근거하여 상이한 모티프 간의 조합관계를 연구하였다. 이 연구의 결과 그는 중국의 홍수이야기의 존재형태를 크게 네 가지 아형亞型으로 나누었다. 즉 한족漢族 아형, 먀오야오좡둥苗瑤壯侗 아형, 짱멘藏緬 아형, 남도南島 아형이 그것이며, 이밖에 기타 아형이 있다는 것이다. 이 가운데 한족 아형은 '천재天災 + 돌거북(돌사자)를 이용한 피난 + 남매의 점복占卜에 의한 결혼 + 진흙으로 인간을 빚거나 기형아를 잘게 잘라 인류를 재전승 + 백가성의 유래'로 이루어져 있다. 이 아형은 중원지구를 중심으로 북쪽으로 동북, 남쪽으로 호남과 광서, 동쪽으로 대만, 서쪽의 사천에 이르는 광대한 한족 거주지에 두루 분포하고, 기타 섞여 거주하는 일부 소수민족 중에도 보인다.

마지막으로 왕셴자오王憲昭의 모티프 분류 및 목록화 작업과 관련된 연구활동을 들 수 있다. 그의 연구업적을 살펴보기 위해 먼저 그의 박사학위논문인 「중국민족신화 모티프 연구中国民族神话母题研究」를 살펴보자.[26] 그는 중국민족신화의 모티프를 크게 '기원 모티프', '신의 명칭 모티프', '재난 모티프', '질서 모티프' 등의 기본유형으로 나누고, 상이한 텍스트에서도 신화분석이 가능하도록 이들 유형을 세분하였다. 이로써 그는 신화 모티프에 대해 크게 세 가지를 강조하고 있다. 첫째, 민족신화 모티프는 원형적 의의를 지니고 있으며, 특히 모티프의 유비類比와 상징에는 사상 경향과 현실 우의寓意가 갖추어져 있다. 둘째, 민족신화 모티프는 장기에 걸친 발전과정에서 모티프의 공성共性과 개성個性을 형성하여 모티프의 기능과 함의에서 유사성과 함께 민족마다의 차이를 보여준다. 어느 민족신화 모티프의 공성과 개성이든 모두 상대적이며, 공성과 개성이 늘 함께하는 특징을 드러낸다. 셋째. 어느 민족신화 모티프이든 그 형성은 역사발전과정에 부단히 쌓여진 결과이며, 모티프의 퇴적은 사회생산력 상황, 민족 자신의 특징, 신화의 전승형식 및 기타 문화요소의 영향을 받는다. 모티프의 유전과정에서 모티프의 함의가 확대 혹은 축소되기도 하고, 모티프가 변이를 일으켜 약화 혹은 소실되는 현상을 일으키기도 한다는 것이다.

이러한 문제의식에 기반하여 왕셴자오는 신화 모티프에 관한 지속적인 연구를 통해 중국신화 연구의 기반조성에 크게 이바지하였다. 그는 자신의 모티프 분류법에 근거하여 중국신화의 과학적이고 체계적 자료 구축을 시도하였는데, 그러한 성과로서 『중국민족신화 모티프 연구』(2006)와 『중국신화 모티프 W 편목』(2013), 『중국인류기원신화 모티프 실례와 색인』(2016) 등을 들 수 있다.[27] 특히 후자의 두 색인집은 중국의 특유한 신화 모티프인 W항과 이에 따른 중국 인류

기원신화의 모티프에 대한 전문적이고 체계적인 색인을 보여주고 있다. 이들 저서에서 그는 구전텍스트와 문헌텍스트 12,600여 편의 신화를 근거로 중국 각 민족의 신화 모티프를 취합하여 내재적 논리에 따라 모티프의 명칭과 숫자를 정하였다. 그는 모티프를 크게 10대 유형으로 나누고, 매 유형마다 3개의 모티프 층위를 설정하여 모두 33,469개의 모티프를 열거하고 있다.[28] 그는 여기에서 한 걸음 더 나아가 『중국 창세신화 모티프(W1) 데이터목록』(2017), 『중국 신화인물 모티프(W0) 데이터목록』(2019), 『중국 신화인물 모티프 데이터색인』(2020) 등을 잇달아 출간함으로써[29] 중국신화의 모티프 분류 및 목록 작업에 박차를 가하고 있다.

■ 주석

1) 唐才常, 「各國種類考」, 『湘學報』 第15-17號, 1897年 9月 7日-1898年 2月 11日)
2) 譚佳, 「中國神話學研究七十年」, 『民間文化論壇』, 2019-6, 51쪽 참조
3) 觀雲, 「神話歷史養成之人物」, 『新民叢報·談叢』 第36期, 1903; 觀雲, 「中國人種考-中國人種之諸說」, 『新民叢報叢』 第3卷 第5-9期, 1904; 觀雲, 「中國人種考-崑崙山」, 『新民叢報叢』 第3卷 第10期, 第12期, 1904, 1905. 참조
4) 仲密, 「神話與傳說」, 『婦女雜志』, 1922年 8期; 作人, 「神話的辯護」·「續神話的辯護」, 『晨報副刊』 1924年 1月 29日 및 4月 10日
5) 黃石, 『神話研究』, 開明書店, 1927; 謝六逸, 『神話學ABC』, 世界書局, 1928; 玄珠, 『中國神話研究ABC』, 世界書局, 1929; 茅盾, 『神話雜論』, 世界書局, 1929; 方璧, 『北歐神話ABC』, 世界書局, 1930; 鍾敬文, 『楚辭中的神話和傳說』, 中山大學語言歷史研究所民俗學會, 1930; 林惠祥, 『神話論』, 商務印書館, 1934
6) 「洪水考」는 「太古及三代載記」 가운데 '古代傳疑章 第一'의 부록으로 덧붙여져 있는 글이다. 馬昌儀 編, 『中國神話學文論選萃』(上卷)(北京: 中國廣播電視出版社, 1994), 54-61쪽 참조
7) 顧頡剛, 「洪水之傳說及治水等之傳說」, 『史學年報』, 1930-2; 楊寬, 「禹治水傳說之推測」, 『民俗周刊』, 1933. 116-118期; 馮家升, 「洪水傳說之推測」, 『禹貢』, 1934-2; 衛聚賢, 「天地開闢及洪水傳說的探源」, 『學藝』 第13卷 第1期, 1934
8) 鍾敬文, 「中國的水災傳說」, 『民衆教育季刊』 第1卷 第2號, 1931
9) 劉錫誠, 『二十世紀中國民間文學學術史』(上卷)(北京: 中國文聯出版社, 2014), 442-454쪽 참조
10) 芮逸夫 「苗族的洪水故事與伏羲女媧的傳說」, 『人類學集刊』, 1938-1; 吳澤霖, 「苗族中祖先來歷的傳說」, 『革命日報·社會旬刊(貴陽)』 第4, 5期, 1938.5; 吳澤霖, 「苗族中的神話傳說」, 『社會研究』, 1940-1; 馬長壽, 「苗瑤之起源神話」, 『民族學研究集刊』 1940-2; 陳國鈞, 「生苗的人祖神話」, 『社會研究』 第20期, 1941.3; 馬學良, 「雲南土民的神話」, 『西南邊疆』, 1941-12; 程仰之, 「古蜀的洪水神話與中原的洪水神話」, 『說文月刊』 第3卷 第9期, 1942; 陶雲逵, 「栗粟族的洪水傳說」, 『中央研究院歷史語言研究所集刊』, 1948-17
11) 「伏羲考」는 원이둬 사망 이후 주쯔칭朱自淸이 원이둬가 남긴 생전의 글들을 한데 모아 엮어 1948년에 출간한 것이다. 馬昌儀 編, 앞의 책, 683-753쪽 참조
12) 凌純聲, 「雲南卡瓦族與臺灣高山族的猎頭祭」, 『考古人類學刊』, 1953-2; 李卉 「臺灣及東南亞的同胞配偶型洪水傳說」, 『中國民族學報』, 1955-1; 李霖燦, 「么些族的洪水故事」, 『民族學研究所集刊』 1957-3; 李霖燦, 「么些族的故事」, 『民族學研究所集刊』 第26輯, 1968; 張光直, 「中國創世神話之分析與古史研究」, 『民族學研究所集刊』, 1959-8; 孫家驥, 「洪水傳說與共工」, 『臺灣風物』 第10卷 第1期, 1960; 婁子匡, 「么些族洪水傳說」, 『聯合報』, 1962.3
13) 원시사유를 다룬 레비 브륄의 서적은 총 3권으로, 『Les fonctions mentales dans les sociétés inférieures(저급사회 속의 지력 기능)』(1910), 『La mentalité primitive(원시인의 심령)』(1922), 『L'âme primitive(원시인의 영혼)』(1927) 등이다. 중국어판 『원시사

유』는 『Les fonctions mentales dans les sociétés inférieures』 전부와 『La mentalité primitive』의 제1, 2장과 마지막 장을 번역하여 수록하고 있다.

14) 카시러(Ernst Cassirer)의 『Philosophie der symbolischen Formen』은 모두 3권으로 이루어져 있는데, 제2권이 『Das mythische Denken』이다.

15) 李子賢, 「論瓦族神話-兼論活形態神話的特徵」, 『思想戰線』, 1987-6; 李子賢, 「活形態神話芻議」, 『西北民族大學學報』, 1989.8; 李子賢, 「活形態神話研究與中國神話學建構」, 『民間文學論壇』, 2010.6 참조

16) 孟慧英, 「活態神話研究的歷史基礎」, 『民族文學研究』, 1989.3; 孟慧英, 『活態神話-中國少數民族神話研究』, 天津: 南開大學出版社, 1990. 참조

17) 李子賢, 「試論雲南少數民族的洪水神話」, 『思想戰線』, 1980.3; 烏丙安, 「洪水故事中的非血緣婚姻觀」, 『民間文學論文選』, 湖南人民出版社, 1982; 陳炳良, 「廣西瑤族洪水故事研究」, 『幼獅學刊』 第17卷 第4期, 1983; 呂微, 「中國洪水神話結構分析」, 『民間文學論壇』, 1986-2; 宋兆麟, 「洪水神話與葫蘆崇拜」, 『民族文化研究』, 1988-3; 張振犁, 「中原洪水神話管窺」, 『民間文學論壇』, 1989-1; 鍾敬文, 「洪水後兄妹再殖人類神話」, 『中國與日本文化研究』 第1輯, 1991; 鹿憶鹿, 「洪水後兄妹婚神話新探」, 『東方文化』, 1993-3; 傅光宇, 「'難題求婚'故事與'天女婚配型'洪水遺民神話」, 『民族文學研究』, 1995-5; 陳建憲, 「中國洪水神話的類型與分布」, 『民間文學論壇』, 1996-3; 鹿憶鹿, 「彝族天女婚洪水神話」, 『民間文學論壇』, 1998-2

18) 馬昌儀, 앞의 책(下卷), 710-733쪽 참조

19) '중국문화의 인류학적 암호해독人類學破譯' 시리즈는 1991년부터 호북인민출판사에서 『楚辭的文化破譯』(1991), 『詩經的文化闡釋』(1994), 『老子的文化解讀』(1994), 『說文解字的文化說解』(1995), 『莊子的文化解釋』(1997), 『中庸的文化省察』(1997), 『史記的文化發掘』(1997), 『山海經的文化尋踪』(2004) 등을 잇달아 출간하였다.

20) '신화역사총서'는 2010년부터 남방일보南方日報출판사에서 『文化記憶與儀式敍事: 「儀禮」的文化闡釋』(2010), 『神話敍事與集體記憶: 「淮南子」的文化闡釋』(2010), 『斷裂中的神聖重構: 「春秋」的神話隱喩』 『禮制文明與神話編碼』: 「禮記」的文化闡釋』(2010), 『寶島諸神』(2011), 『儒家神話』(2011), 『수메르蘇美尔神話』(2014), 『韓國神話歷史』(2015), 『圖說中華文明發生史』(2015), 『南詔大理國的圖像敍事與神話歷史』(2015) 등을 잇달아 출간하였다.

21) '사중증거법四重證據法'이란 인류학, 민족학, 민족학, 신화학 등의 학제간 연구의 방법론으로서 예수셴葉舒憲이 제창하였다. 사중의 증거 가운데, 첫 번째 증거는 예부터 전해 내려온 문헌자료, 두 번째 증거는 지하에서 출토된 문자자료(갑골문, 금문, 죽간과 백서帛書 등), 세 번째 증거는 민속학 및 민족학에서 제공된 참조자료(구비전승된 신화와 전설, 민속과 제례 등), 네 번째 증거는 발굴되거나 전해져온 오래된 실물과 도상圖像 등이다. 葉舒憲, 「探尋中國文化的大傳統-四重證據法與人文創新」, 『社會科學家』, 2011-11; 葉舒憲, 「論四重證據法的證據間性」, 『陝西師範大學學報』, 2014.9; 葉舒憲, 「再論四重證據法的證據間性」, 『社會科學戰線』, 2015.6; 王憲昭, 「中華文明探源中的神話學證據法」, 『中國社會科學平價』, 2023.9. 참조

22) 鹿以鹿, 『洪水神話-以中國南方民族與臺灣原住民爲中心』(臺北, 里仁書局, 2002)

23) 曹柯平, 「中國洪水後人類再生神話類型學研究」, 揚州大學 博士學位論文, 2003.12

24) 陳建憲, 「論中國洪水故事圈-關于568篇異文的結構分析」, 華中師範大學 博士學位論文, 2005.5

25) 네 개의 줄거리 단락과 7개의 가변 모티프는 다음과 같다. 1, A원인으로 인해 천신이 홍수를 일으켜 인류를 멸절시킨다. 2, B원인에 의해 C가 신의 보우를 얻어 혹은 기타 도움으로, D방법을 이용하여 홍수의 재난에 생존한다. 3, 신의 보우와 도움 아래 C는 E의 테스트를 통과하여 가정을 이룬다. 4, C는 F의 방식으로 인류를 재전하고, 이것이 G사물의 유래가 된다. (1-4는 네 개의 줄거리 단락, A-G는 가변 모티프) 7개의 가변 모티프에 각각의 변량에 따라 숫자를 부여하는데, 홍수 원인인 A의 경우, A1은 원시의 물, A2는 천재, A3는 천신의 다툼 등으로 숫자를 부여한다. 아울러 이 변량에 변화가 있는 경우 숫자를 더하여주는데, A2 천재의 경우 폭우는 A21, 지하수는 A22, 하늘이 무너지고 땅이 꺼짐은 A23 등으로 숫자를 덧붙여준다.

26) 王憲昭, 「中國民族神話母題研究」, 中央民族大学 博士學位論文, 2006.5

27) 王憲昭, 『中國民族神話母題研究』, 北京: 民族出版社, 2006; 王憲昭, 『中國神話母題W編目』, 北京: 中國社會科學出版社, 2013; 王憲昭, 『中國人類起源神話母題實例與索引』, 北京: 中國社會科學出版社, 2016

28) 10대 유형의 모티프는 '신과 신성 인물 모티프', '세계와 자연물 모티프', '인간과 인류 모티프', '동물과 식물 모티프', '자연현상과 자연질서 모티프', '사회조직과 사회질서 모티프', '유형문화와 무형문화 모티프', '혼인과 성애 모티프', '재난과 전쟁 모티프', '기타 모티프' 등이다.

29) 王憲昭, 『中國創世神話母題(W1)數據目錄』, 北京: 中國社會科學出版社, 2017; 王憲昭, 『中國神話人物母題(W0)數據目錄』, 北京: 中國社會科學出版社, 2019; 王憲昭, 『中國神話人物母題數據索引』, 北京: 中國社會科學出版社, 2020

【參考文獻】

[중문서적]

江蘇省宜興縣文化局 編,『陶都宜興的傳說』, 北京: 中國民間文藝出版社, 1984
谷德明 編,『中國少數民族神話』(上下), 北京: 中國民間文藝出版社, 1987
達西烏拉彎·畢馬,『泰雅族神話與傳說』, 臺中: 晨星出版, 2002
達西烏拉彎·畢馬,『賽夏族神話與傳說』, 臺中: 晨星出版, 2003
達西烏拉彎·畢馬,『鄒族神話與傳說』, 臺中: 晨星出版, 2003
達西烏拉彎·畢馬,『布農族神話與傳說』, 臺中: 晨星出版, 2003
達西烏拉彎·畢馬,『排灣族神話與傳說』, 臺中: 晨星出版, 2003
達西烏拉彎·畢馬,『魯凱族神話與傳說』, 臺中: 晨星出版, 2003
達西烏拉彎·畢馬,『阿美族神話與傳說』, 臺中: 晨星出版, 2003
達西烏拉彎·畢馬,『卑南族神話與傳說』, 臺中: 晨星出版, 2003
達西烏拉彎·畢馬,『達悟族神話與傳說』, 臺中: 晨星出版, 2003
達西烏拉彎·畢馬,『邵族神話與傳說』, 臺中: 晨星出版, 2003
達西烏拉彎·畢馬,『撒奇萊雅族神話與傳說』, 臺中: 晨星出版, 2019
達西烏拉彎·畢馬,『太魯閣族神話與傳說』, 臺中: 晨星出版, 2020
達西烏拉彎·畢馬,『賽德克族神話與傳說』, 臺中: 晨星出版, 2020
陶陽, 鍾秀 著,『中國創世神話』, 上海: 上海人民出版社, 1989
陶陽, 鍾秀 編,『中國神話』(全3冊), 北京: 商務印書館, 2008
鄧啓耀,『中國神話的思維結構』, 重慶: 重慶出版社, 2004
酈道元 著, 陳橋驛 等 譯注,『水經注全譯』, 貴陽: 貴州人民出版社, 1996
鹿憶鹿,『洪水神話-以中國南方民族與臺灣原住民爲中心』, 臺北: 里仁書局, 2002
劉錫誠,『二十世紀中國民間文學學術史』, 北京: 中國文聯出版社, 2014
劉守華,『中國民間故事史』, 漢口: 湖北教育出版社, 1999
劉安 等著, 許匡一 譯注,『淮南子全譯』, 貴陽: 貴州人民出版社, 1995
林道生 編著,『原住民神話·故事全集(1)』, 臺北: 漢藝色研文化事業有限公司, 2001
林道生 編著,『原住民神話·故事全集(2)』, 臺北: 漢藝色研文化事業有限公司, 2002
林道生 編著,『原住民神話·故事全集(3)』, 臺北: 漢藝色研文化事業有限公司, 2002

林道生 編著,『原住民神話·故事全集(4)』, 臺北: 漢藝色研文化事業有限公司, 2004
林道生 編著,『原住民神話·故事全集(5)』, 臺北: 漢藝色研文化事業有限公司, 2004
林道生 編著,『原住民神話與文化賞析』, 臺北: 漢藝色研文化事業有限公司, 2003
馬昌儀 編,『中國神話學文論選萃』(上下), 北京: 中國廣播電視出版社, 1994
馬昌儀, 劉錫誠,『石與石神』, 北京: 學苑出版社, 1994
毛星 主編,『中國少數民族文學』(全3卷), 長沙: 湖南人民出版社, 1983
閔寬東,『中國古典小說在韓國之傳播』, 上海: 學林出版社, 1998
范祥雍 校注,『洛陽伽藍記校注』, 上海: 上海古籍出版社, 1999
本書編委會 編,『中華民族故事大系』(全16卷), 上海: 上海文藝出版社, 1995
謝選駿,『中國神話』, 杭州: 浙江教育出版社, 1995
安遇時 編集,『包龍圖判百家公案』, 上海: 上海古籍出版社, 1992
余錦虎, 歐陽玉,『神話·祭儀·布農人』, 臺中: 晨星出版, 2002
王憲昭,『中國民族神話母題研究』, 北京: 民族出版社, 2006
王憲昭,『中國神話母題W編目』, 北京: 中國社會科學出版社, 2013
王憲昭,『中國人類起源神話母題實例與索引』, 北京: 中國社會科學出版社, 2016
王憲昭,『中國創世神話母題(W1)數據目錄』, 北京: 中國社會科學出版社, 2017
王憲昭,『中國神話人物母題(W0)數據目錄』, 北京: 中國社會科學出版社, 2019
王憲昭,『中國神話人物母題數據索引』, 北京: 中國社會科學出版社, 2020
袁珂 編,『中國神話大詞典』, 成都: 四川辭書出版社, 1998
袁珂 著,『中國神話史』, 上海: 上海文藝出版社, 1988
袁珂, 周明,『中國神話資料萃編』, 成都: 四川省社會科學出版社, 1985
應劭 撰, 王利器 校注,『風俗通義校注』, 北京: 中華書局, 1981
李福淸,『從神話到鬼話』, 臺中: 晨星出版, 1998
張玉安 主編,『東方神話傳說』(全8卷), 北京: 北京大學出版社, 1999
張華 著, 祝鴻杰 譯注,『博物志全譯』, 貴陽: 貴州人民出版社, 1992
鍾敬文 著,『謠俗蠡測』, 上海: 上海文藝出版社, 2001
宗懍 著, 金谿熊 瀾校,『荊楚歲時記』, 中華書局
佐佐木高明 著, 劉愚山 譯,『照葉樹林文化之路 : 自不丹、雲南至日本』, 昆明: 雲南大學出版社, 1998
周天游, 王子今 主編,『女媧文化研究』, 西安: 三秦出版社, 2005
中國民間文學集成全國編輯委員會 編,『中國民間故事集成』(全30卷), 北京: 中國ISBN中心, 1992-2007

陳穎 主編,『中外神話傳說總集 1-4』, 北京: 紅旗出版社, 2014
編審委員會 編,『中國各民族宗教與神話大詞典』, 北京: 學苑出版社, 1993
浦忠成(巴蘇亞·博伊哲努),『原住民的神話與文學』, 臺北: 臺原出版社, 1999
浦忠成(巴蘇亞·博伊哲努),『被遺忘的聖域』, 臺北: 五南圖書出版公司, 2007
浦忠成(巴蘇亞·博伊哲努),『臺灣原住民族文學史綱』(上下), 臺北: 里仁書局, 2009

[국문서적]

강영문,『동남아 지역연구』, 서울: 두남, 2010
강정식,『아시아신화여행』, 서울: 실천문학사, 2016
강종식,『다시 보는 일본신화』, 부산: 부산대학교출판부, 2001
更科源藏 저, 이경애 역,『아이누 신화』, 서울: 역락출판사, 2000
그레그 베일리 외 지음, 박인용 옮김,『세계의 신화』, 파주: 생각의나무, 2011
김광식,『마쓰무라 다케오의 조선·대만·아이누 동화집』, 파주: 보고사, 2019
김민정 외,『동남아의 사회와 문화』, 서울: 오름, 1993
김선자,『만들어진 민족주의 황제신화』, 서울: 책세상, 2007
김선자,『중국 소수민족 신화기행』, 파주: 안티쿠스, 2009
김선자 외,『남방실크로드 신화여행』, 파주: 아시아, 2017
김선풍 외 편저,『중국소수민족설화집』, 서울: 국학자료원, 1993
김용의 역,『오키나와 민족설화집 유로설전』, 광주: 전남대학교출판부, 2010
김용환,『모건의 가족 인류학』, 파주: 살림출판사, 2007
김한식,『동남아 정치』, 서울: 모시는사람들, 2004
김헌선 외,『중동신화여행』, 파주: 아시아, 2018
김형준 엮음,『이야기 인도 신화』, 서울: 청아출판사, 1994
김화경,『일본의 신화』, 서울: 문학과지성사, 2002
나상진 편역,『오래된 이야기』, 서울: 민속원, 2014
노성환,『일본신화의 연구』, 서울: 보고사, 2002
노영자.『신화로 만나는 인도』, 부산: 부산외국어대학교출판부, 2000
당 응이엠반 외, 조승연 옮김,『베트남의 소수민족』, 서울: 민속원, 2013
동북아역사재단 편,『동아시아사 입문』, 서울: 동북아역사재단, 2020
동아시아고대학회 편,『동아시아 여성신화』, 서울: 집문당, 2003

레비 스트로스,『슬픈 열대』, 서울: 한길사, 1998
레비 스트로스 저, 임봉길 역,『신화학 1-3』, 파주: 한길사, 2005-2021
류경희,『인도 신화의 계보』, 서울: 살림, 2003
마르셀 데티엔 지음, 남수인 옮김,『신화학의 창조: 누가 신화를 창조했는가?』, 서울: 이끌리오, 2001
馬淵和夫 外 교주, 이시준 외 한역,『금석이야기집 일본부』, 서울: 세창출판사, 2016
말리노우스키 지음, 서영대 옮김,『원시신화론』, 서울: 민속원, 2001
말리노브스키 지음, 최협 옮김,『서태평양의 항해자들』, 광주: 전남대학교출판부, 2013
매리 하이듀즈 저, 박장식 외 역,『동남아의 역사와 문화』, 서울: 솔과학, 2012
모오건 저, 최달곤 외 역,『고대사회』, 서울: 현암사, 1979
무경 저, 박희병 역,『베트남의 신화와 전설』, 서울: 돌베개, 2000
박연숙, 박미경 역,『일본 중세시대 설화집-우지슈이 이야기』, 서울: 지식과교양, 2018
박장식 외,『동남아의 사회와 문화』, 서울: 오름, 1997
박종욱 지음,『라틴아메리카 신화와 전설』, 서울: 도서출판 바움, 2005
박창기,『일본신화 코지키』, 서울: 제이앤씨, 2006
발터 에어하르트 외 엮음,『테오리아』, 서울: 개마고원, 2006
배영기,『결혼의 역사와 문화』, 파주: 한국학술정보, 2006
베로니카 이온스 지음, 임웅 옮김,『인도 신화』, 서울: 범우사, 2004
사키마 고에이 저, 김용의 역,『오키나아 구전설화』, 광주: 전남대학교출판부, 2015
서울대학교 종교문제연구소 편,『신화와 역사』, 서울: 서울대학교출판부, 2003
서유원,『중국창세신화』, 서울: 아세아문화사, 1998
서유원,『중국민족의 창세신 이야기』, 서울: 아세아문화사, 2002
세르기우스 골로빈 외 지음, 이기숙 외 옮김,『세계 신화 이야기』, 서울: 까치, 2001
손진태,『조선민족설화의 연구』, 서울: 을유문화사, 1947
손진태,『孫晉泰先生全集』(전3권), 서울: 태학사, 1981
신윤환,『동남아 문화산책』, 서울: 창비, 2008
신화아카데미 편,『세계의 창조신화』, 서울: 동방미디어, 2001

아돌프 엘레가르트 옌젠 외, 『하이누웰레 신화』, 서울: 뮤진트리, 2014
아침나무, 『세계의 신화』, 서울: 삼양미디어, 2009
안청시, 전제성 엮음, 『한국의 동남아시아 연구』, 서울: 서울대학교출판문화원, 2019
야나기타 구니오 저, 김용의 역, 『일본의 민담』, 광주: 전남대학교출판부, 2002
야나기타 구니오 저, 김용의 역, 『도노 모노가타리』, 광주: 전남대학교출판부, 2009
야마우치 히사시 지음, 정성호 옮김, 『터부의 수수께끼』, 서울: 사람과사람, 1997
에이미 크루즈 저, 배경화 편역, 『이야기 세계의 신화』, 서울: 푸른숲, 1998
완서 지음, 박희병 옮김, 『베트남의 기이한 옛이야기』, 서울: 돌베개, 2000
요시다 아츠히코 외 저, 양억관 역, 『일본의 신화』, 서울: 황금부엉이, 2005
요시다 아츠히코 외 저, 하선미 역, 『세계의 신화 전설』, 파주: 혜원출판사, 2010
원이둬 저, 홍윤희 역, 『복희고』, 서울: 소명출판사, 2013
위앤커 지음, 전인초 외 옮김, 『중국신화전설 1·2』, 서울: 민음사, 1999
유인선, 『베트남과 그 이웃 중국』, 서울: 창비, 2012
윤진표, 『현대 동남아의 이해』, 서울: 명인문화사, 2016
위안커 지음, 김선자 외 옮김, 『중국신화사』(상하), 서울: 웅진지식하우스, 2007
E. Westermarck, 정동호 역, 『인류혼인사』, 서울: 세창출판사, 2013
E. B. 타일러 지음, 유기쁨 옮김. 『원시문화: 신화, 철학, 종교, 언어, 기술, 그리고 관습의 발달에 관한 연구』, 파주: 아카넷, 2018
이유경, 『원형과 신화』, 파주: 이끌리오, 2004
이은구, 『인도의 신화』, 서울: 세창미디어, 2003
이인택, 『타이완 원주민신화의 이해』, 서울: 학고방, 2016
任晳宰, 『任晳宰全集 韓國口傳說話』, 서울: 평민사, 1991
임봉길 외, 『세계신화의 이해』, 서울: 소화, 2009
임진호, 『용의 후예 베트남의 신화와 전설』, 서울: 지성인, 2014
전북대 인문학연구소 편, 『창조신화의 세계』, 서울: 소명출판, 2002
정병철 외 편저, 김용의 역, 『오키나와 민족설화집 유로설전』, 광주: 전남대학교출판부, 2010
정재서, 『앙띠 오이디푸스의 신화학: 중국신화학의 새로운 정립을 위하여』, 파주: 창비, 2010

정진희, 『오키나와 옛이야기』, 서울: 보고사, 2013
정진희, 『신화로 읽는 류큐왕국』, 서울: 푸른역사, 2019
제임스 조지 프레이저, 박규태 역주, 『황금가지』, 서울: 을유문화사, 2005
조동일, 『동아시아 구비서사시의 양상과 변천』, 서울: 문학과지성사, 1997
조지프 캠벨 저, 과학세대 역, 『신화의 세계』, 서울: 까치, 2002
존 비어호스트 지음, 『라틴아메리카의 신화, 전설, 민담』, 서울: 서울대학교출판문화원, 2018
J.F.비얼레인 저, 현준만 역, 『세계의 유사신화』, 서울: 세종서적, 1996
천호재 엮음, 『일본의 옛날이야기』, 서울: 인문사, 2011
최병욱, 『동남아시아: 전통 시대』, 서울: 대한교과서, 2006
최원오 편역, 『아이누의 구비서사시』, 서울: 역락, 2000
최원식, 『제국 이후의 아시아』, 파주: 창비, 2009
최혜영 외, 『유라시아 신화여행』, 서울: 아모르문디, 2018
클로드 레비 스트로스 저, 임옥희 역, 『신화와 의미』, 서울: 이끌리오, 2000
토머스 볼핀치 지음, 김경희 옮김, 『그리스로마신화』, 서울: 브라운 힐, 2006
프레이저 J. G. 저, 이양구 역, 『문명과 야만(1-3)』, 서울: 강천출판사, 1996
프리드리히 엥겔스, 김대웅 옮김, 『가족 사유재산 국가의 기원』, 서울: 아침, 1997
하진희, 『인도민화로 떠나는 신화여행』, 서울: 인문산책, 2010
한국구비문학회 편, 『동아시아 제 민족의 신화』, 서울: 박이정, 2001
한국정신문화연구원, 『韓國口碑文學大系』, 서울: 한국정신문화연구원, 1980-1988
활안 편, 『불교설화문학대사전』, 가평: 불교정신문화원, 2012

[영문서적]

Alan Dundes, 『*The Flood Myth*』, Berkeley · Los Angeles · London: Univ. Of California Press, 1988
Annie Ker, 『*Papuan Fairy Tales*』, London, Macmillan & Co. Ltd, 1910
C. E. Luard, 『*The Jungle Tribes of Malwa*』, Lucknow: Newul Kishore Press, 1909
C. G. Seligmann, 『*The Melanesians of British New Guinea*』, London, Cambridge Univ. Press, 1910

Charles Gabriel Seligman, 『*The Melanesians of British New Guinea*』, Cambridge: At The University Press, 1910

Charles Hose & William McDougall, 『*The Pagan Tribes of Borneo*』, London: MACMILLAN AND CO., LIMITED, 1912

Fay-Cooper Cole, 『*Traditions of the Tinguian: A Study in Philippine Folk-Lore*』, Assistant Curator of Malayan Ethnology, 1915

F. Landa Jocano, 『*Outline of Philippine Mythology*』, Manila: Centro Escolar University Research and Development Center, 1969

George Grey, 『*Polynesian Mythology*』, London, Woodfall and Kinder, 1855

George Turner, 『*Nineteen Years in Polynesia*』, London: John Snow, Paternoster Row, 1861

H. Otley Beyer, 『*Origin Myths among the Mountain Peoples of the Philippines*』, Manila: Bureau of Science, 1912

I. H. N. Evans, 『*THE RELIGION OF THE TEMPASUK DUSUNS OF NORTH BORNEO*』, CAMBRIDGE AT THE UNIVERSITY PRESS 1953

Irene Dea Collier, 『*Chinese Mythology*』, Enslow Pub Inc, 2001

James G. Frazer, 『*Folk-Lore in the Old Testament*』(Volume 1), St. Martin's Street, London: Macmillan and Co., Limited, 1918

James G. Frazer, 『*Myths of the Origin of Fire*』, St. Martin's Street, London: Macmillan and Co., Limited, 1930

John Batchelor, 『*The Ainu and their folk-lore*』, London: Religious Tract Society, 1901

Lorimer Fison, 『*Tales from Old Fiji*』, London : Alexander Moring Ltd, 1904

Louis Herbert Gray Edit. 『*The Mythology of all Races*』, Boston: Marshall Jones Company, 1918

Mabel Cook Cole, 『*Philippine Folk Tales*』, Chicago: A.C. McClurg and Company, 1916

Mark Edward Lewis, 『*The Flood Myths of Early China*』, New York: State University of New York Press, 2006

Owen Rutter, 『*The Pagans of North Borneo*』, London: 1929

Rachel Storm, 『*Mythology of Asia and the Far East : Myths and Legends of China, Japan, Thailand, Malaysia and Indonesia*』, London: Southwater, 2003

R. H. Codrington, 『*The Melanesians : Studies in their anthropology and folk-lore*』,

Oxford, Clarendon Press, 1891
Robert D. Craig, 『*Handbook of Polynesian Mythology*』, Santa Barbara, ABC-CLIO Inc., 2004
Roland B. Dixon, 『*Oceanic Mythology*』, Boston: Marshall Jones Company, 1916
Roslyn Poignant, 『*Oceanic Mythology*』, London, Paul Hamlyn Limited, 1967
R. V. Russell, 『*Tribes and Casts of the Central Provinces of India*』(Vol. Ⅲ), London: Macmillan & Co., Ltd, 1916
Samuel R. Clarke, 『*Among the Tribes in South-west China*』, London, Philadelphia, Toronto & Shanghai, MORGAN & SCOTT, Ltd, 1911
Verrier Elwin, 『*Myths of Middle India*』, London: Oxford Univ. Press, 1949
William Wyatt Gill, 『*Life in the Southern Isles: Or, Scenes and Incidents in the South Pacific and New Guinea*』, London, The Religious Tract Society, 1876

[일문서적]

江守五夫, 『結婚の起源と歷史』, 東京: 社會思想社, 1965
高木敏雄 外 共編, 『日本神話傳說の研究』, 東京: 平凡社, 1995
谷川 健一, 『蛇ー不死と再生の民俗』, 東京: 冨山房インターナショナル, 2012
瓜生島調査会 編, 『沈んだ島: 別府湾·瓜生島の謎』, 大分: 瓜生島調査会, 1977
大林太良 著, 『神話學入門』, 東京: 中央公論社, 1969
稲田浩二 等編, 『日本昔話事典』, 東京: 弘文堂, 1977
稲田浩二 編, 『アイヌの昔話』, 東京: 筑摩書房, 2005
稲田浩二, 稲田和子 編, 『日本昔話ハンドブック』, 東京: 三省堂, 2006
藤沢衛彦, 『世界神話傳說大系-日本の神話傳說1』(第8巻), 東京: 名著普及會, 1978
藤沢衛彦, 『世界神話傳說大系-日本の神話傳說2』(第9巻), 東京: 名著普及會, 1979
藤沢衛彦 編, 『日本傳說叢書·阿波の巻』, 東京: 日本伝説叢書刊行会, 1917
柳田國男, 『定本柳田國男集』, 東京: 筑摩書房, 1962
柳田國男, 『日本の傳說』, 東京: 新潮社, 1977
柳田國男, 『日本の昔話』, 東京: 新潮社, 1983
笠井新也 編, 『阿波傳說物語』, 德島: 濟美會, 1911
馬淵和夫 外 校注, 『今昔物語集 1-4』, 東京: 小學館, 1985

福田 晃 編,『日本昔話研究集成 4』, 東京: 名著出版, 1984
福田 晃,『沖繩の傳承遺産を拓く-口承神話の展開』, 東京: 三彌井書店, 2013
山田孝雄 外 校注,『今昔物語集』, 東京: 岩波書店, 1980
小林智昭 校注,『宇治拾遺物語』, 東京: 小學館, 1986
小松和彦 編,『日本昔話研究集成 1』, 東京: 名著出版, 1985
松村武雄 編,『世界神話傳說大系』, 東京: 名著普及會, 1983
巖谷小波 編,『東洋口碑大全』, 東京: 博文館, 1913
五十風力 著,『日本傳說集』, 東京: 第一書房, 1942
遠藤庄治 編,『いらぶの民話』, 宮古郡伊良部町, 1989
伊藤整 等編,『日本現代文學全集36 柳田國男集』, 東京: 講談社,1968
日本放送協會 編,『日本昔話名彙』, 東京: 日本放送出版協會, 1971
篠田知和基, 丸山顯德 編,『世界の洪水神話: 海に浮かぶ文明』, 東京: 勉誠出版, 2005
沖繩縣廳 編著,『沖繩對話』, 東京: 圖書刊行會, 1975
土屋北彦 編,『大分の民話』, 東京: 未來社, 1972
海老擇有道 外 校注,『キソシタン書·排耶書』, 東京: 岩波書店, 1970
弘末雅士 著,『東南アジアの建国神話』, 東京: 山川出版社, 2003
後藤 明,『'物言う魚'たち-鰻·蛇の南島神話』, 東京: 小學館, 1999

[중문논문]

葛文嬌,「泥土造人神話研究」,『文學教育』, 2009.9
葛喬源,「俄羅斯漢學家李福淸的神話研究」, 國立政治大學 俄羅斯研究所 碩士學位論文, 2016.6
江欣怡,「『原語臺灣高砂族傳說集』及其故事研究」, 中國文化大學 大學院 碩士學位論文, 2014.6
顧頡剛,「洪水之傳說及治水等之傳說」,『史學年報』, 1930-2
郭家翔,「'原住民'概念在臺灣的應用及其歷史過程」,『满族研究』, 2017-2
郭鋒,「敦煌寫本[天地開闢以來帝王紀]'成書年代諸問題」,『敦煌學輯刊』, 1988-1·2合刊
觀雲,「神話歷史養成之人物」,『新民叢報·談叢』 第36期, 1903

觀雲, 「中國人種考-中國人種之諸說」, 『新民叢報叢』 第3卷 第5-9期, 1904
觀雲, 「中國人種考-崑崙山」, 『新民叢報叢』 第3卷 第10期, 第12期, 1904, 1905
譚佳, 「中國神話學研究七十年」, 『民間文化論壇』, 2019-6
唐才常, 「各國種類考」, 『湘學報』 第15-17號, 1897年 9月 7日-1898年 2月 11日)
陶雲逵, 「栗粟族的洪水傳說」, 『中央研究院歷史語言研究所集刊』, 1948-17
董建輝, 闫夢雅, 「臺灣'原住民'族群關系研究回顧與總結」, 『三峽論壇』, 2020-4
呂微, 「中國洪水神話傳說結構分析」, 『民間文學論壇』, 1986-2
黎莉, 「中國壯族與老撾民族'葫蘆'神話比較初探」, 『東南亞縱横』, 2007.11
盧菁菁, 「淺析菲律賓史詩神話中洪水神話的人文特點」, 『文化與傳播』 第4卷 第1期, 2015.2
鹿憶鹿, 「洪水後兄妹婚神話新探」, 『東方文化』, 1993-3
鹿憶鹿, 「臺灣原住民與大陸南方民族的洪水神話比較」, 『民間文學論壇』, 1997-1
鹿憶鹿, 「彝族天女婚洪水神話」, 『民間文學論壇』, 1998-3
鹿憶鹿, 「臺灣原住民的蟹魚神話傳說」, 『歷史月刊』 144期, 2000.1.
鹿憶鹿, 「百年來洪水神話研究回顧」, 『民間文化青年論壇-第1次網絡學術會議論文集』, 2003.8
鹿憶鹿, 「弗雷澤與南島語族神話研究」, 『西北民族研究』, 2010-1
婁子匡, 「么些族洪水傳說」, 『聯合報』, 1962.3
劉芳, 「理論與實踐的邊界: 民族認同與國家認同的糾纏」, 『前沿』 第382期, 2015-8
劉錫誠, 「陸沉傳說再探」, 『民間文學論壇』, 1997-1
劉錫誠, 「中國石獅子象徵」, 『岱宗學刊』, 2000-1
劉錫誠, 「'東南亞文化區'與同胞配偶型洪水神話」, 『長江大學學報』(38-9), 2015-9
柳莉, 賈征, 「20世紀中國洪水神話研究綜述」, 『武漢水利電力大學學報』 제19권 제2기, 1999.3
凌純聲, 「雲南卡瓦族與臺灣高山族的猪頭祭」, 『考古人類學刊』, 1953-2
馬長壽, 「苗瑤之起源神話」, 『民族學研究集刊』, 1940-2
馬昌儀, 「石獅子的象徵與陸沉神話」, 『首都師範大學學報』, 1993-4기
馬學良, 「雲南土民的神話」, 『西南邊疆』, 1941-12
万建中, 「地陷型傳說的禁忌母題」, 『民間文化』, 1999-1
孟慧英, 「活態神話研究的歷史基礎」, 『民族文學研究』, 1989.3
孟慧英, 『活態神話-中國少數民族神話研究』, 天津: 南開大學出版社, 1990.
傅光宇, 「'陷湖'傳說之形式及其演化」, 『民族文化研究』, 1995-3

傅光宇,「'難題求婚'故事與'天女婚配型'洪水遺民神話」,『民族文學研究』, 1995-5
史阳,「菲律宾阿拉安－芒扬人洪水神话的象征内涵」,『東方叢刊』, 2009-2
山田仁史,「台灣原住民神話研究綜述」,『中國比較文學』, 2007-4
山田仁史,「台灣原住民神話的研究史」,『民間文學研究通信』 1期, 2005
山田仁史 著, 王立雪 譯,「蟹與蛇: 日本, 東南亞和東亞之洪水和地震的神話與傳說」,『民俗研究』 總第142期, 2018-6
桑秀雲,「'地陷爲湖'傳說故事形成的探討」,『國立政治大學邊政研究所年報』, 1986-17
小島瓔禮,「鰻魚-螃蟹與地震發生的神話」,『思想戰線』, 1997-6
蘇芃,「敦煌寫本[天地開闢已來帝王紀]考校研究」, 西南大學2009全國博士生學術論壇, 2009.11
孫家驥,「洪水傳說與共工」,『臺灣風物』 第10卷 第1期, 1960
孫常叙,「伊尹生空桑和歷陽沉而爲湖-故事傳說合二爲一以甲足乙例和語變致誤例」,『社會科學戰線』, 1982-4
孫紅 等著,「弭邪賜福石獅子-中國獅文化藝術探源」,『徐州工程學院學報』 第21卷-5, 2006.5
宋兆麟,「洪水神話與葫蘆崇拜」,『民族文化研究』, 1988-3
楊寬,「禹治水傳說之推測」,『民俗周刊』 116-118期, 1933
楊知勇,「洪水神話初談」,『民間文學論壇』, 1982-6
葉舒憲,「探尋中國文化的大傳統-四重證據法與人文創新」,『社會科學家』, 2011-11
葉舒憲,「論四重證據法的證據間性」,『陝西師範大學學報』, 2014.9
葉舒憲,「再論四重證據法的證據間性」,『社會科學戰線』, 2015.6
芮逸夫,「苗族的洪水故事與伏羲女媧的傳說」,『人類學集刊』, 1938-1
烏丙安,「洪水故事中的非血緣婚姻觀」,『民間文學論文選』, 湖南人民出版社, 1982
吳澤霖,「苗族中祖先來歷的傳說」,『革命日報·社會旬刊(貴陽)』 第4,5期, 1938.5
吳澤霖,「苗族中的神話傳說」,『社會研究』, 1940-1
阮可章,「流傳在上海的陸沉傳說」,『民間文化論壇』, 2007-2
王憲昭,「中國民族神話母題研究」, 中央民族大学 博士學位論文, 2006.5
王憲昭,「中華文明探源中的神話學證據法」,『中國社會科學平價』, 2023.9
衛聚賢,「天地開闢及洪水傳說的探源」,『學藝』 第13卷 第1期, 1934
尹榮方,「葫蘆創世神話及其蘊意解析」,『長江大學學報』, 2014.5
李霖燦,「么些族的洪水故事」,『民族學研究所集刊』, 1957-3

李霖燦, 「么些族的故事」, 『民族學研究所集刊』 第26輯, 1968
李斯穎, 「論中華民族洪水與人類再殖神話的傳承與流變」, 『民間文化論壇』, 2020-5
李子賢, 「試論雲南少數民族的洪水神話」, 『思想戰線』, 1980.3
李子賢, 「論瓦族神話-兼論活形態神話的特徵」, 『思想戰線』, 1987-6
李子賢, 「活形態神話芻議」, 『西北民族大學學報』, 1989.8
李子賢, 「活形態神話研究與中國神話學建構」, 『民間文學論壇』, 2010.6
李子賢, 「佤族與東南亞'U'型古文化帶」, 『思想戰線』 第36卷 第2期, 2010-2
李卉, 「臺灣及東南亞的同胞配偶型洪水傳說」, 『中國民族學報』, 1955-1
作人, 「神話的辯護」·「續神話的辯護」, 『晨報副刊』 1924年 1月 29日; 4月 10日
張光直, 「中國創世神話之分析與古史研究」, 『民族學研究所集刊』, 1959-8
章立明, 「兄妹婚型洪水神話的誤讀與再解讀」, 『中南民族大學學報』 第24卷 第2期, 2004.3
張美雲, 「葫蘆崇拜與洪水神話」, 『長江大學學報』, 2015.10
張玉安, 「東南亞神話的分類及其特点」, 『東南亞縱橫』, 1994-2
張玉安, 「中國神話傳說在東南亞的傳播」, 『東南亞』, 1999-3
張振犁, 「中原洪水神話管窺」, 『民間文學論壇』, 1989-1
程仰之, 「古蜀的洪水神話與中原的洪水神話」, 『說文月刊』 第3卷 第9期, 1942
鄭曉江, 「中國民間辟邪文化探幽」, 『尋根』, 2005-6
曹柯平, 「中國洪水後人類再生神話類型學研究」, 揚州大學 博士學位論文, 2003.12
曹瑞泰, 「臺灣原住民族權益與自治區發展的法制規劃研究」, 『統一論壇』, 2017.6
鍾敬文, 「中國的水災傳說」, 『民衆教育季刊』 제1권 제2호, 1931. 2
鍾敬文, 「從石龜到石獅子」, 『民間文學論壇』, 1991년 2기
鍾敬文, 「洪水後兄妹再殖人類神話」, 『中國與日本文化研究』 第1輯, 1991
仲密, 「神話與傳說」, 『婦女雜志』, 1922年 8期
陳建憲, 「女人與土地-女媧泥土造人神話新解」, 『華中師範大學學報』, 1994-2
陳建憲, 「中國洪水神話的類型與分布」, 『民間文學論壇』, 1996-3
陳建憲, 「論中國洪水故事圈-關于568篇異文的結構分析」, 華中師範大學 博士學位論文, 2005.5
陳建憲, 「洪水神話: 神話學皇冠上的明珠」, 『長江大學學報』 第29卷 第2期, 2006.4
陳建憲, 曹英毅, 「臺灣原住民洪水再殖型神話研究」, 『民间文學年刊』, 2009-2
陳建憲, 「中國洪水故事研究之研究」, 『アジアの歷史と文化』, 2007.3
陳國鈞, 「生苗的人祖神話」, 『社會研究』 第20期, 1941.3

陳娜 外,「近三十年中國各少數民族創世神話硏究述評」,『內蒙古民族大學學報』第36卷 第2期, 2010.3
陳文之,「『生蕃傳說集』與『原語臺灣高砂族傳說集』之硏究」, 國立東華大學 博士學位論文, 2015
陳炳良,「廣西瑤族洪水故事硏究」,『幼獅學刊』第17卷 第4期, 1983
秦序,「談西南洪水神話中的木鼓」,『山茶』, 1986.5
陳靜, 唐曹,「葫蘆與人類起源神話」,『湖北社會科學』, 2006.9
肖魁偉,「日本近代臺灣人類學調查的殖民意義」,『西南石油大學學報』21卷 4期, 2019.7
馮家升,「洪水傳說之推測」,『禹貢』, 1934-2
向柏松,「洪水神話的原型與建構」,『中南民族大學學報』 제25권 제3기, 2005.3
胡萬川,「邛都老姥與歷陽嫗故事之硏究」,『中央硏究院第二屆國際漢學會議論文集』, 1989
胡武,「二十世紀洪水神話硏究述評」,『雁北師範學院學報』 제21권 제1기, 2005.2
黃任遠, 王威,「泥土洪水神話和原始思維特徵」,『佳木斯大學社會科學學報』, 第21卷 第4期, 2003-8
黃磬婷,「政治系統理論視覺下的臺灣原住民族運動硏究(1983-2018)」, 廈門大學 碩士學位論文, 2019.5

[국문논문]

구도연,「세계 대홍수설화 연구」, 중앙대학교 대학원, 석사학위논문, 2014.2
권태효,「'돌부처 눈 붉어지면 침몰하는 마을'담의 홍수설화적 성격과 위상」,『口碑文學硏究』 제6집, 1998
김대숙,「한국 신화와 하와이 및 폴리네시아 신화의 비교연구」,『국어국문학』 제111권, 1994.5
김봄이, 이주노,「中國의 洪水神話에 대한 試論」,『中國人文科學』 제43집, 2009.12
김선자,「中國感生神話硏究-民族起源神話의 일부분으로서」,『中國語文學論集』 7호, 1995.6
김선자,「고대 중국의 인간희생제의와 신화전설」,『中國語文學論集』 9호, 1997.8

김선자, 「금기와 위반의 심리적 의미에 관한 고찰 - 장자못 전설과 陷湖 전설을 대상으로」, 『中國語文學論集』 11호, 1999.2
김선자, 「圖象解釋學的 관점에서 본 漢代의 畵像石(2)」, 『中國語文學論集』 22호. 2003.2
김선자, 「女媧신화와 중국 여성의 이중적 정체성」, 『中國語文學論集』 45호, 2006.12
김선자, 「女媧, 지상으로 내려오다」, 『中國語文學論集』 51호, 2008.8
김선자, 「鯀의 治水신화와 북방 潛水型 창세신화 비교연구」, 『中國語文學論集』 79호, 2013.4
김선자, 「중국 서남부 지역 창세여신의 계보」, 『中國語文學論集』 89호, 2014.12
김선자, 「중국 서남부 지역 羌族 계통 소수민족의 龍 신화와 제의에 관한 연구」, 『中國語文學論集』 95호, 2015.12
김선자, 「중국 윈난성 소수민족의 穀魂신화와 머리사냥(獵頭) 제의에 관한 고찰」, 『中國語文學論集』 102호, 2017.2
김선자, 「중국소수민족 신화 속 영웅의 형상: 이족의 즈거아루를 중심으로」, 『中國語文學論集』 107호, 2017.12
김선자, 「중국 소수민족 신화와 생태, 그리고 공유(commons)」, 『中國語文學論集』 129호, 2021.8
김헌선, 「태평양신화의 구조적 지형학 소묘-제주도에서 오세아니아까지, 그리고 환태평양의 신화 총체적 판도 조명」, 『탐라문화』 37호, 2010
김헌선, 「한국 홍수설화의 위상과 비교설화학적 의미」, 『민속학연구』 제31호, 2012.12
김혜정, 「'장자못 전설'의 전파력 연구 - '돌부처 눈 붉어지면 침몰하는 마을' 설화와의 비교를 중심으로」, 『구비문학연구』 제28집, 2009.6
羅景洙, 「男妹婚說話의 神話論的 檢討」, 『韓國言語文學』 26집, 1988
羅相珍, 「彝族 四大 創世史詩의 서사구조와 신화 상징 연구」, 연세대학교 대학원 박사학위논문, 2010.12
朴桂玉, 「한국 홍수설화의 신화적 성격과 홍수 모티프의 서사적 계승 연구」, 조선대학교 대학원 박사학위논문, 2005.4
林秋杏, 「韓·臺 洪水男妹婚神話의 敍事構造 考察」 『비교문학』 제55집, 2011.10
朴修珍, 「허저족 영웅서사 [이마칸(伊瑪堪)] 연구」, 연세대학교 대학원 박사학위논문, 2017.6

상기숙, 「한중 海神信仰 비교연구 - 媽祖와 靈登을 중심으로」, 『동방학』 제27권, 2013.5
徐裕源, 「중국 洪水神話에 보이는 同胞配偶型 神話 研究」, 『中語中文學』 21집, 1997.12
徐裕源, 「중국의 주요 홍수신화의 연구」, 『中國語文論譯叢刊』 제11집, 2003.7
서유원, 「중국 홍수신화와 인류기원신화에 보이는 호로와 중국민족의 호로숭배」, 『아시아문화연구』 제17집, 2009.11
송승원, 「미국의 동남아시아 연구사: 자율적 역사서술 전통의 수립과 한계, 그리고 향후 과제」, 순천향대학 『인문과학논총』 제27집, 2010
신동흔, 「설화의 금기 화소에 담긴 세계인식의 층위 - 장자못 전설을 중심으로」, 『비교민속학』 제33집, 2007.2
신연우, 「장자못 전설의 신화적 이해」, 『열상고전연구』 제13집, 2000.
신윤환, 「한국의 동남아연구: 반성적 회고」, 『동남아시아연구』 제25권 4호, 2015
양은경, 「동남아시아의 媽祖信仰, 그 기원과 전파양상」, 『동아연구』 제41권 1호, 2022
염원희, 「동아시아 해양신앙의 여신과 제의의 치유적 성격」, 『東아시아古代學』 제57집, 2020.3
오명석 외, 「1990년대 이후 한국의 동남아연구: 학문분야별 회고와 성찰」, 『동남아시아연구』 제18권 2호, 2008
이동윤, 「동남아 지역연구의 현황과 과제: 최근 5년간 연구동향을 중심으로」, 『세계지역연구논총』 제24집 3호, 2006
이인택, 「韓中洪水神話의 比較學的 檢討」, 『中語中文學』 18집, 1996.8
이인택, 「타이완 원주민 신화의 유형별 분석 - 泰雅族, 布農族, 阿美族 신화를 중심으로」, 『동북아문화연구』 제28집, 2011
이인택, 「타이완 원주민 인류기원 모티프 신화 분석 - 排灣族, 卑南族, 魯凱族 신화를 중심으로」, 『韓中言語文化研究』 제33집, 2013
李子賢, 「東亞視野下的兄妹婚神話與始祖信仰-以中國彝族相關神話爲切入點」, 『中國語文學論集』 제72호, 2012
이주노, 「중국의 陷沒型 홍수전설 試探」, 『中國文學』 제64집, 2010.8
이주노, 「中國의 男妹婚神話 研究」, 『中語中文學』 제47집, 2010.12
이주노, 「중국의 홍수신화 유형에 관한 시론」, 『中國人文科學』 제52집, 2012.12

이주노, 「한국과 중국의 함몰형 전설 비교 연구」, 『中國文學』 제77집, 2013.11
이주노, 「臺灣 原住民의 洪水神話 연구」, 『中國文學』 제111집, 2022.5
이주노, 「동남아시아의 홍수신화 小考」, 『中國文學』 제114집, 2023.2
이주노, 「동아시아 및 인도의 홍수남매혼 신화 試探」, 『중국인문과학』 제85집, 2023.12
이주영, 「한국홍수설화에 나타난 신과 인간의 대립담론」, 『한국민속학』 제53집, 2011.5.
이한우, 「한국의 베트남 연구」, 『아시아리뷰』 제3권 1호, 2013
이향애, 「한국 홍수설화 연구」, 서강대학교 대학원, 석사학위논문, 2008.7
임이랑, 「중국 媽祖神話의 서사적 의미」, 『東아시아古代學』 제49집, 2018.3
錢炅烈, 「中國 葫蘆神話 硏究」, 연세대학교 대학원 박사학위논문, 2001.12
정소화, 「인류재창조형 홍수신화 비교연구 - 彝族 4대 창세시 홍수자료와 한국 홍수 자료의 비교를 중심으로」, 『중국인문과학』 제58집, 2014.12
정소화, 「한·중 홍수설화 유형의 의미와 특징」, 고려대학교 대학원 박사학위논문, 2017.12
정진희, 「류큐 왕조의 아마미코 신화의 현대 구비전승」, 『국어문학』 제42집, 2007.1
정진희, 「제주도와 오키나와 미야코지마 신화에 보이는 입도녀·토착남 화소의 비교 고찰」, 『구비문학연구』 제28호, 2009.1
정진희, 「兩屬期 류큐 개벽신화의 재편과 그 의미」, 『아시아문화연구』 제16집, 2009.5
정진희, 「제주도와 琉球, 沖繩 신화 비교연구의 검토와 전망」, 『탐라문화』 37호, 2010
정진희, 「오키나와 창세신화의 재편 양상과 신화적 논리」, 『구비문학연구』 제33호, 2011.1
정진희, 「17, 18세기 류큐 곡물 기원신화의 재편과 류큐 왕권의 논리」, 『대동문화연구』 제80호, 2012.1
鄭燦學, 「中國 洪水男妹婚神話 硏究」, 연세대학교 석사학위논문, 1996.2
조현설, 「동아시아 신화학의 여명과 근대적 심상지리의 형성」, 『민족문학사연구』 16권, 2000.6
조현설, 「남매혼신화와 근친상간 금지의 윤리학」, 『구비문학연구』 11호, 2000.12
조현설, 「동아시아 인신혼형 홍수신화의 구조적 탐색」, 『口碑文學硏究』 제12집,

2001.6
조현설, 「동아시아 홍수신화 비교 연구」, 『口碑文學研究』 제16집, 2003.6
조현설, 「彝族 신화 및 구비서사시 연구」, 『동악어문학』 55호, 2010.8
주강현, 「해양권역의 재인식과 '태평양지역연구'로의 전환」, 『탐라문화』 37호, 2010
천혜숙, 「홍수설화의 신화학적 조명」, 『민속학연구』 1호, 안동대 민속학회, 1989.
최병욱, 「'한월관계사'에서 '동남아시아사'로-동남아시아 연구 동향 50년」, 『東洋史學研究』 제133집, 2015.12

[영문논문]

Dang Nghiem Van, 「The Flood Myth and the Origin of Ethnic Groups in Southeast Asia」, 『*The Journal of American Folklore*』, Vol. 106, No. 421, Summer, 1993
Enid Rhodes Peschel, 「Structural Parallels in Two Flood Myths: Noah and the Maori」, 『*Folklore*』, Summer, 1971, Vol. 82, No. 2
Gananath Obeyesekere, 「The Conscience of the Parricide : A Study in Buddhist History」, 『*Man*』 Vol. 24, No. 2, Jun. 1989
Michael Salvador & Todd Norton, 「The Flood Myth in the Age of Global Climate Change」, 『*Environmental Communication*』 Vol. 5, No. 1, March 2011
Ting-Jui Ho, 「East Asian Themes in Folktales of the Formosan Aborigines」, 『*Asian Folklore Studies*』 Vol. 23, No. 2, 1964

[일문논문]

加藤知弘, 「府内沖の浜港と「瓜生島」傳說」, 『大分縣立藝術文化短期大學研究紀要』 第35巻, 1997
關口 浩, 「「蕃族調査報告書」の成立－－岡松参太郎文書を参照して」, 『成蹊大学一般研究報告』 第46巻 第3分冊, 2012.2

金成 陽一, 「ハワイ神話の神々」, 『跡見学園女子大学文学部紀要』 第54號, 2019
金 賛會, 「沈んだ島「瓜生島傳說」と東アジア」, 『ポリグロシア』 第23巻, 2012.10
大塚和義, 「19世紀中葉以前におけるアイヌの通過儀禮」, 『国立民族学博物館研究報告』 12巻 2號, 1987
林英一, 「海沒した「「島」の傳說みる移民傳承」, 『鷹陵史學』 제39호, 2013.9
林英一, 「「島」の海沒傳承における「神」の意味」, 『マテシス·ウニウェルサリス』 제17권 제1호, 2015-11
本多 守, 「ベトナム中南部少數民族の說話の分析(1)」, 『白山人類學』 第7號, 2004.3
本多 守, 「ベトナム中南部少數民族の說話の分析(2)」, 『白山人類學』 第8號, 2005.3
本多 守, 「ベトナム, モン·クメール系諸民族の起源説話の共通性」, 『アジア文化研究所研究年報』 제55권, 2021.1
山本 節, 「「石像の血」型伝承の諸相-九州の事例を中心に」, 『説話文学研究』 40號, 2005.7
山本 節, 「島嶼陥没の伝承-長崎県五島市蕨町の事例その他」, 『西郊民俗』(195), 2006.6
山本 節, 「東京都八丈島八丈町におけるタナバ(丹棚婆)の伝承」, 『西郊民俗』(210), 2010.3
山下欣一, 「南西諸島の兄妹始祖說話をめぐる問題」, 『昔話傳說研究』 第2號, 1972
矢野 將, 「ポリネシア神話の構造分析」, 『民族學研究』 第45巻 第4期, 1981.3
櫻田勝德, 「甑島遊記」(4), 『民間傳承』 第17巻 第9號, 1953.9
渕 敏博, 「瓜生島沈沒傳說」, 『別府史談』 30-31, 2018.3
遠藤庄治, 「沖繩昔話採集話型一覽(上)」, 『沖繩國際大學文學部紀要(國文學篇)』 第4巻 1號, 1975.10
遠藤庄治, 「沖繩の始祖傳承」, 『日本口承文藝學會 第3回 研究例會發表集』, 1979
鄭 元眞, 「『原語による臺灣高砂族傳說集』における異類婚姻譚」, 『白百合女子大学児童文化研究センター研究論文集』, 1997.3
中村とも子 外, 「異類婚姻譚に登場する動物-動物婿と動物嫁の場合」, 日本口承文藝學會, 『*Children and Folktales*』, 2001-4
中澤信幸, 「小川尚義の著作に見る國語意識」, 『山形大學大學院社會文化システム研究科紀要』 第11號, 2014
曾我部一行, 「兄妹始祖神話再考-生まれ出ずるものを中心として」, 『常民文化』

30호, 2007.3
蔡嘉琪, 「『今昔物語集』震旦部巻十「嫗毎日見卒堵婆付血語第三十六」論-陷沒傳說の誡め」, 『臺灣日本語文學報』 47期, 2020.6
黃智慧, 「南北文化の邂逅地-與那國島における人類起源神話傳說の比較研究」, 『臺灣原住民研究』 제15호, 2011.11
Arnaud Nanta, 「日本統治下の台湾における植民地人類学, '理蕃'政策, 先住民族の人種化過程」, 『人文学報』 第114号, 2019.12

[인터넷 자료](2024년 1월 기준)

本朝怪談故事(nijl.ac.jp)
東洋口碑大全 上巻 - NDL Digital Collections
太平記/巻第三十六 - Wikisource
阿州奇事雑話二 (bunmori.tokushima.jp)
燈下録五 (bunmori.tokushima.jp)
阿波伝説物語 - NDL Digital Collections
西村捨三 著, 『宮古島舊史』, 1884, https://dl.ndl.go.jp/pid/993872
https://dl.ndl.go.jp/pid/2557401/1/1 延申卽沾涼 著, 池田二酉堂 藏版, 『諸國里人談』(제1권)
https://irdb.nii.ac.jp/00844/0000967024